Historia del cine

Historia del cine

Román Gubern

Historia del cine

EDITORIAL ANAGRAMA

BARCELONA

Ilustración: Daniel Burch Caballé

Primera edición en «Compendium»: octubre 2014
Primera edición en «Compactos»: junio 2016

Diseño de la colección: Julio Vivas y Estudio A

© Román Gubern, 1969, 1987, 1989, 2014

© EDITORIAL ANAGRAMA, S. A., 2016
   Pedró de la Creu, 58
   08034 Barcelona

ISBN: 978-84-339-7799-1
Depósito Legal: B. 10737-2016

Printed in Spain

Liberdúplex, S. L. U., ctra. BV 2249, km 7,4 - Polígono Torrentfondo
08791 Sant Llorenç d'Hortons

El órgano con que yo he comprendido el mundo es el ojo.

J. W. GOETHE

INTRODUCCIÓN

Por la proximidad de sus orígenes el cine tiene, a diferencia de las artes tradicionales, una partida de nacimiento que nos es bien conocida. Hay entre sus pioneros quienes aún viven; de los restantes poseemos retratos, documentos, testimonios y declaraciones de primera mano. A diferencia de lo que sucede con la pintura, la música o la arquitectura, el cine no tiene detrás suyo siglos de tenebrosa prehistoria. El cine es un arte de nuestro tiempo.

El cine es, como la fotografía y el fonógrafo, un procedimiento técnico que permite al hombre asir un aspecto del mundo: el dinamismo de la realidad visible. Es la máxima solución óptica que ofrece la ciencia del siglo XIX a la apetencia de realismo que aparece imperiosamente en el arte de la época: en la literatura naturalista y en la pintura impresionista. «El cine –afirma Malraux– no es más que el aspecto más evolucionado del realismo plástico que se inicia en el Renacimiento.» Ciertamente, y esta creciente exigencia de realismo es fruto de una sociedad y de un momento histórico, nace en el seno de la burguesía surgida de la revolución, clase social con una mentalidad pragmática y amante de lo concreto, en el seno de una sociedad que asiste al desarrollo y triunfo de la ciencia positiva y a la aparición del materialismo de Marx. En el siglo del progreso, aparece el realismo como una exigencia artística y filosófica, a la que la tecnología ofrece sus instrumentos: la fotografía, el fonógrafo y el cine...

Del encuentro de la máquina con la cultura nace, también, la difusión masiva de esta última, y a gran escala, rompiendo con el principio del arte destinado al disfrute de una minoría privilegiada. La imprenta de Gutenberg, que consumó la primera alianza histórica entre máquina y cultura para potenciar su difusión, ha permitido desarrollar hasta altísimos niveles la *civilización de la palabra*. Luego vinieron el gramófono, el magnetófono y la radio para acrecentarla aún más. En otra vertiente, la litografía, la fotografía, el fotograbado y el cine ensancharon el horizonte visual del hombre con su técnica difusora, al tiempo que evidenciaban la limitada significación social de la pintura tradicional y creaban una *civilización de la imagen* para las masas. Son, con la televisión, los elementos decisivos en el proceso de democratización de la cultura visual.

Y como el cine nace en las postrimerías del siglo XIX, hereda ya al nacer un bagaje cultural adquirido a lo largo de la historia. De aquí su evolución fulminante, su rápido devenir, su pronta madurez, con la carga energética inicial que le han proporcionado las otras artes y que le ahorran las largas etapas que van desde el arte mágico-religioso de la tribu al Romanticismo del arte occidental.

Por eso la biografía del cine, cuya génesis histórico-social acabamos de apuntar, es apasionante y compleja, densa y vasta a pesar de contar con tres cuartos de siglo. A propósito de esto, el director Jacques Feyder señalaba: «Nosotros, artesanos del cine, no hemos tenido jamás tiempo de sostener una posición conquistada, de medir nuestro camino, de conocer a fondo un instrumento que cambia sin cesar entre nuestras manos, incluso mientras estamos trabajando.» Efectivamente, ningún arte ha vivido en los primeros setenta y cinco años de su historia una evolución tan rica y vertiginosa como el cine. De esta rápida transformación, del brusco cambio de gustos y de estilos, de la indiscriminada mezcolanza de la voluminosa producción mundial, en donde se codean las obras maestras y los productos deleznables, y de la desaparición de las películas —desaparición meramente «comercial» a veces, pero liquidación íntegra otras, por barbarie, censura, accidente o «muerte química», debida a la fragilidad y limitada vida del soporte físico— nació la necesidad de establecer balances, hacer inventario de lo bueno y de lo malo en la espesa jungla de celuloide, y de definir criterios.

Así comenzaron a surgir las historias del cine, antes de que éste cumpliera su medio siglo, en un intento de apresar y calibrar la aportación de un arte que se escapaba de entre las manos, fungible y huidizo. A partir de 1930 comienzan a aparecer historias del cine de indiscutible solvencia, pero es después de la segunda guerra mundial cuando se produce un auténtico florecimiento en la investigación historiográfica. Ello ha sido posible, en gran medida, gracias a la insustituible labor de las cinematecas, que han salvado todo lo que se podía salvar del desastre que representa la destrucción y muerte de las películas. Se han perdido irremisiblemente, sin duda, gran número de obras importantes, películas que ya son sólo un título, una vaga referencia en la memoria. Pero no hay duda de que instituciones como la Cinémathèque Française (fundada en 1936), la Filmoteca del Museo de Arte Moderno de Nueva York (1935) o la soviética (1922) han hecho y están haciendo muchísimo para que el cine pueda conservar viva su historia. Sin embargo, por mucho que se haga, no podrán jamás reconstruirse los films perdidos para siempre de Méliès, de Griffith, de Murnau, de Borzage...

La postura del historiador resulta entonces incómoda, mucho más incómoda que la del investigador literario, por ejemplo, a quien le resulta fácil consultar un libro en una biblioteca. Pues quien desea contemplar determinada película –en el supuesto de que exista alguna copia de ella– tiene que poner en movimiento una compleja organización, formada por personas y máquinas, para que le sea proyectada la película que desea estudiar. Cosa nada simple, por vivir el cine prisionero de un rígido armazón de intereses industriales y comerciales.

Industria y comercio; eso es el cine además de arte y espectáculo. Quien defina el cine como arte narrativa basada en la reproducción gráfica del movimiento no hace más que fijarse en un fragmento del complicado mosaico. Quien añada que el cine es una técnica de difusión y medio de información habrá añadido mucho, pero no todo. Además de ser arte, espectáculo, vehículo ideológico, fábrica de mitos, instrumento de conocimiento y documento histórico de la época y sociedad en que nace, el cine es una industria y la película es una mercancía, que proporciona unos ingresos a su *productor,* a su *distribuidor* y a su *exhibidor.*

Para pintar un cuadro hace falta un capital muy exiguo: lo que cuesta un lienzo, unos pinceles y pinturas. Para crear una película hace falta reunir a una legión de técnicos especializados y contar con unos equipos e instalaciones complejas (película virgen, cámara tomavistas, equipo eléctrico, laboratorios...). El costo mínimo de una película es muy elevado y tiende a elevarse cada día más. No todo el mundo, o, más exactamente, sólo una minoría de personas están en condiciones de financiar películas y, si lo hacen, intentarán a toda costa (lo que es lógico) evitar al máximo los riesgos de su empresa. Y ahí nace la contradicción, dramática, entre la aventura creadora del artista y la mentalidad de quien no desea ver peligrar su inversión. Contradicción tristemente habitual que suele oponer la naturaleza del cine –formidable instrumento de cultura, de presión ideológica y propaganda para las masas– a los intereses de los financieros que rigen los destinos de la producción.

Con los problemas esbozados puede comenzar a vislumbrarse la complejidad histórica, cultural y social del fenómeno cinematográfico. Fenómeno cambiante e inestable, siguiendo las leyes de la dialéctica del progreso: al igual que el hombre creó la imprenta, pero la imprenta, por medio de los libros, contribuyó a crear al hombre moderno, así el hombre ha creado el cine, pero el cine está haciendo al hombre de hoy. Pescadilla metafísica que se muerde la cola, pero de cuya realidad no puede dudar quien contemple el mundo moderno, constatando el papel que juega hoy el cine –«opio óptico», en opinión de Audiberti– en el campo de la cultura de masas.

(1969)

EL NACIMIENTO DEL CINE

EL MITO

Los antiguos griegos habían inventado una bella leyenda para explicar cómo Dédalo y su hijo Ícaro trataron de huir de Creta, valiéndose de unas grandes alas fabricadas con cera y plumas de ave. Dos mil quinientos años más tarde, lejos de los cielos de Creta, dos técnicos norteamericanos, hijos de un obispo protestante, convirtieron en realidad el mito de Ícaro, aunque empleando un motor de explosión y una estructura metálica en vez de los toscos elementos del mito heleno.

Con el cine ha ocurrido algo parecido. El mito de la reproducción gráfica del movimiento –que eso y no otra cosa es el cine– nace, en la noche remota de los tiempos, en el cerebro del hombre primitivo. Esto no es una conjetura, sino una constatación. Acérquese, quien lo dude, a las santanderinas cuevas de Altamira y contemple en el techo de la *Capilla Sixtina del arte cuaternario* un bello ejemplar de jabalí polícromo, que muestra la curiosísima particularidad de tener ocho patas. Pero no se trata –a juicio de los arqueólogos más competentes– de una de esas monstruosidades en las que a veces es pródiga la naturaleza. La explicación es más simple. El anónimo cavernícola que pintó aquel jabalí de ocho patas habría pintado ya, sin duda, otros muchos a juzgar por la pericia del trazo. Formaba parte de su actividad artístico-mágica habitual destinada a procurar una buena caza. Y en esta captación fugaz de la imagen de los animales, cristalizada en las paredes de la cueva, debió encontrar nuestro remoto antepasado una imperfección: la realidad que le rodeaba no era estática, sino que se movía, cambiaba. Entonces el artista decidió fijar en la pie-

13

dra otros dos pares de patas, como actitudes sucesivas de las extremidades del animal en movimiento. Esto, ciertamente, no es cine, pero sí es pintura con *vocación cinematográfica,* que trata de asir el movimiento, antecedente notable de los dibujos animados y solución análoga a la que, unos veinte mil años más tarde, emplearán algunos pintores futuristas italianos en lienzos como *Caballo y jinete* (1912) de Carlo Carrà, que multiplica las patas del animal para dar la sensación del movimiento.

Al obrar así, aquel primer artista del movimiento no sólo intentaba una reproducción más fiel, exacta y completa de su entorno, añadiéndole una nueva dimensión, sino que trataba de materializar el curso fluido de sus pensamientos, en perpetuo devenir. No insistiremos en la formación cinematográfica de las imágenes en el cerebro del hombre, con sus fundidos encadenados y sus sobreimpresiones, pero resulta evidente que al artista primitivo se le presentó la exigencia de apresar, en términos gráficos, el dinamismo de los seres y de las cosas que se movían en su derredor o bullían en su interior.

Esta exigencia no sólo no desaparecerá en el curso de la historia del arte, sino que se irá agudizando. El faraón Ramsés hizo representar en el exterior de un templo, unos mil doscientos años antes de nuestra era, las fases sucesivas de una figura en movimiento, de modo que quien las contemplase sobre una cabalgadura al galope tendría la ilusión de verlas cobrando vida. Después de estos antecedentes curiosos, los ejemplos van haciéndose cada vez más frecuentes: la historia de Teseo descrita a través de diversas escenas en una cerámica cretense; la espiral de la columna trajana, en Roma, que cual una película de piedra describe las proezas del emperador; las escenas de la vida de Cristo, pintadas por Giotto, y *El martirio de san Mauricio* del Greco o *Embarque para Citerea* de Watteau, que repiten personajes, en el lienzo, en escenas y actitudes diferentes. Los ejemplos podrían multiplicarse, pero tan sólo recordaremos las populares *aleluyas* o *aucas,* especialmente cultivadas en Barcelona y Valencia durante el siglo pasado, de cuya técnica se han apropiado más tarde los dibujantes de historietas gráficas, narradas a través de viñetas rectangulares, desempeñando cada viñeta una función equivalente a la del *plano* en la narración cinematográfica,

Algunos artistas, con idéntico afán de reproducir el movimiento, siguieron caminos muy diversos, sin recurrir al papel, lienzo, pinturas, piedra o cincel. Utilizando únicamente sus dedos, hombres de épocas remotas inventaron las *sombras chinescas,* que no nacieron en China, a pesar de su nombre, sino en la isla de Java y tal vez unos cinco mil años antes de J. C. Juego infantil que todos hemos practicado y que dio vida a los *teatros de sombras* que, procedentes de Oriente, se popularizaron en Alemania y en Francia. Tampoco las sombras chinescas son cine, pero son imágenes en movimiento reproducidas en una pared o lienzo, son chispazos nacidos del ingenio espoleado por una antiquísima aspiración humana. Al igual que la *linterna mágica* que el jesuita alemán Athanasius Kircher creara hacia 1640 y que un físico danés rebautizó con el nombre de *linterna terrorífica* porque sus fantasmagóricas proyecciones eran recibidas por las gentes con auténtico estupor, según nos dicen los cronistas. Tampoco es casual que el padre Kircher, que a lo que parece fue un hombre inteligente y de vasta cultura, denominase *mágico* a su artefacto. El cine heredará de la *linterna* este inquietante atributo: en 1897, los campesinos rusos de Nizhni-Nóvgorod tomarán por brujo al operador Félix Mesguich, empleado de Lumière, porque les hará aparecer la imagen del zar sobre una tela blanca.

La linterna mágica, cuya difusión popular criticó severamente el abate Nollet, es el límite al que puede llegar el mito sin el soporte de la ciencia. Aunque tal vez fuese más antigua de lo que creemos, ya que se ha afirmado que los sacerdotes de Eleusis y de Menfis poseían linternas mágicas, de las que Platón se acordó cuando imaginó su famosa caverna, precursora también de los *teatros de sombras.*

Pero la aspiración milenaria del hombre, que guió la mano del artista de Altamira, no podía convertirse en realidad completa hasta que su caudal de conocimientos científicos fuese tal que permitiera dar el salto que media entre el mito y el invento. Y este salto se produjo, en sucesivas etapas a lo largo de las fructíferas convulsiones y del gigantesco progreso técnico y científico del siglo XIX.

15

Como todo invento complejo, el cine surgió como fruto maduro tras una acumulación de hallazgos y experiencias diversas, en cuya base hay que colocar el invento de la fotografía.

Es sabido que, hacia 1816, el francés Joseph-Nicéphore Niepce (1765-1833), tratando de perfeccionar el invento de la litografía consiguió fijar químicamente las imágenes reflejadas en el interior de una *cámara oscura*. Hombre retraído y de holgada posición, Niepce se encerró en su finca absorto en sus experimentos, que le valieron no pocas satisfacciones, llegando a obtener su primera fotografía de un paisaje en 1826, empleando una exposición de ocho horas. Poco antes de morir se asoció con el decorador Louis-Jacques Mandé Daguerre (1787-1851), que consiguió reducir el tiempo de exposición a media hora y heredó para sí la gloria del invento, al que denominó *daguerrotipo*. La pasión del daguerrotipo se extendió por Europa y sus cultivadores lo utilizaban para reproducir monumentos y paisajes, siguiendo los consejos de su inventor. Naturalmente, también hubo hombres que inmediatamente comprendieron su fabuloso alcance, como los científicos Arago y Gay-Lussac, que no ocultaron su pasmo ante la «matemática exactitud» e «inimaginable precisión» de los detalles reproducidos por la cámara; Darwin renunció a los dibujos y prefirió la fotografía para ilustrar *La expresión de las emociones en el hombre y los animales* (1872); Delacroix comparó el daguerrotipo a un «diccionario» de la Naturaleza y aconsejó a los pintores que lo consultasen asiduamente; William Randolph Hearst, magnate de la prensa americana, comenzó a ilustrar con fotos los artículos del *Examiner*.

El progreso de la fotografía, a la busca de preparados fotosensibles cada vez más rápidos, fue de la mano con el espectacular avance de la ciencia química. Pero además de perfeccionarse como técnica, la fotografía se perfeccionó como arte. Algunos fotógrafos célebres, como el gran retratista Nadar, tuvieron intuiciones geniales, adivinando todo el alcance del invento que manejaban. En 1887 afirmará Nadar: «Mi sueño es ver cómo la fotografía registra las actitudes y cambios de fisonomía de un orador a medida que el fonógrafo registra sus palabras.»

Con la fotografía se ha adelantado mucho, pero queda todavía mucho que recorrer para llegar al cine. Y en este camino encontramos otro pilar fundamental, el médico inglés Peter Mark Roget, que en 1824 presentó una tesis sobre la *persistencia retiniana* ante la Royal Society de Londres. Parece ser que el fenómeno de la persistencia retiniana (cualidad –o tal vez imperfección– del ojo humano que nos permite disfrutar del cine y la televisión) fue observado por algunos científicos griegos y mereció también la atención de Newton. Hasta los niños saben que un tizón agitado en la oscuridad es percibido como una línea de fuego, pero el doctor Roget fue el primero que estudió científicamente el fenómeno, sobre bases fisiológicas. La ilusión de movimiento del cine se basa, en efecto, en la *inercia* de la visión, que hace que las imágenes proyectadas durante una fracción de segundo en la pantalla no se borren instantáneamente del área visual del cerebro. De este modo, una rápida sucesión de fotos inmóviles, proyectadas discontinuamente, son percibidas por el espectador como un movimiento continuado.

El árido y docto análisis del doctor Roget, que se titulaba «Explicación de una ilusión óptica relativa a la apariencia de los radios de una rueda vistos a través de una ranura vertical», hizo nacer inmediatamente una serie de juguetes y pasatiempos ópticos basados en este fenómeno. El físico belga Joseph Plateau (1801-1883) ideó un sencillo aparato de complicado nombre: el fenaquistiscopio (del griego *phenax, akos,* engañador, y *skopein,* examinar), de donde derivaron otros juguetes populares, muy en boga a mediados de siglo, que encubrían su banalidad con nombres cultos y difíciles, de etimología griega: *fantascopio, zoótropo, estroboscopio.*

Ya tenemos así los dos presupuestos físicos que constituyen la plataforma del cine: la fotografía, que viene a ser algo así como su materia prima, y el principio de la *inercia visual,* que permite crear la ilusión del movimiento. De su combinación habría de nacer el cine.

En su afán de conquistar el movimiento, la fotografía no tardó en convertirse en *cronofotografía,* primero gracias al *revólver astronómico* (1874) de Janssen, que utilizó para registrar el movimiento de los planetas, y después merced a los trabajos del fisiólogo francés Étienne-Jules Marey (1830-1904), que con su *fu-*

sil fotográfico estudió primero el galope de los caballos, descompuesto en una serie de fotografías, y luego los movimientos de otros animales y del hombre. Este rifle incruento y pintoresco, cazador de imágenes, obtenía con el disparo de su gatillo series de doce fotografías sucesivas con exposición de 1/720 de segundo *(cronofotografías)* sobre un soporte circular que giraba, como el tambor de un revólver, ante el cañón-objetivo.

Estos estampidos ópticos encontraron eco en California, suscitando apasionadas controversias en los medios hípicos. ¿Era posible que un caballo al galope pudiera permanecer, aunque momentáneamente, con un solo casco apoyado en el suelo? El millonario Leland Stanford, ex gobernador del estado y presidente de la Central Pacific, quiso salir de dudas. Cruzó una apuesta de 25.000 dólares con unos amigos y contrató al mejor fotógrafo de San Francisco, al inglés Eadweard Muybridge (1830-1904), para que mediante la fotografía, única prueba indiscutible, resolviese la disputa. Muybridge, que llevaba varios años experimentando técnicas cronofotográficas, desplegó su ingenio y consiguió poner a punto, tras cuatro años de pacientes pruebas y con un gasto no inferior a 40.000 dólares, un curioso sistema de cronofotografía. A lo largo de una pista de carreras Muybridge instaló veinticuatro cámaras fotográficas, con su correspondiente operador cada una, que cuidaban de la preparación de las placas sensibles de colodión húmedo de corta vida. Veinticuatro hilos se extendían a lo ancho de la pista, conectados cada uno de ellos al disparador de una cámara. De este modo, en su carrera, el caballo rompía los hilos, disparando sucesivamente una cámara tras otra y obteniendo la impresión de cada fase de su movimiento.

Los trabajos de Muybridge entre 1878 y 1881 preludian, con su descomposición del galope de un caballo en veinticuatro fotografías, el próximo nacimiento del cine. Su primera etapa –la descomposición fotográfica del movimiento– era ya una realidad. Faltaba tan sólo conseguir la segunda: la *síntesis* del movimiento, mediante la proyección sucesiva de dichas fotografías sobre una pantalla.

Un vulgar *zoótropo* (1834) era capaz de efectuar la síntesis del movimiento, pero no de lograrla por *proyección* sobre una *pantalla*. A ello se aplicó Charles-Émile Reynaud (1844-1918), que perfeccionó el zoótropo mediante el empleo de un tambor de espejos *(praxinoscopio)* y, tras sucesivas mejoras, consiguió proyectar sus imágenes, por reflexión, sobre una pantalla. Exhibió su *teatro óptico* (patentado en 1888) utilizando bandas exquisitamente dibujadas y coloreadas por él mismo y en 1892 inició en el Museo Grévin de París la proyección sobre pantalla de sus célebres *Pantomimas luminosas*. A Reynaud pertenece, pues, la paternidad de los *dibujos animados*.

Si Reynaud había introducido la pantalla, al norteamericano Thomas Alva Edison (1847-1931), inventor fecundo que iremos conociendo a lo largo de estas páginas, le cupo el honor de introducir la *película de celuloide* con perforaciones para su arrastre, soporte de treinta y cinco milímetros de anchura que reunía los requisitos de *ser flexible, resistente y transparente* (y también altamente inflamable). Esta película, recubierta por la emulsión fotosensible, fue suministrada a partir de 1889 a Edison, por encargo, por la casa Eastman Kodak de Rochester, que se estaba haciendo ya famosa con sus cámaras de 25 dólares y su eslogan «Usted aprieta el botón y nosotros hacemos lo demás». El formato utilizado por la película de Edison para sus experiencias cronofotográficas será el que el cine adoptará universalmente como formato estándar. Entre las mil y pico de patentes que el mago de Menlo Park dejó registradas al morir, no pocas están relacionadas directa o indirectamente con el cine, como la lámpara de incandescencia, el fonógrafo y el kinetoscopio.

Y a partir de ahí, descubiertos todos los elementos que hacen posible su nacimiento, la historia entra en esa zona vidriosa en la que aparecen por doquier presuntos o reales inventores del cine. Con mayor o menor razón, los ingleses reivindican la gloria de este descubrimiento para William Friese-Greene, los americanos para Thomas Alva Edison y los alemanes para Max Skladanowski. Con casi todos los grandes inventos de los dos últimos siglos ha ocurrido lo mismo, y para zanjar la disputa habría que repetir que el cine es, como la radio, el avión, el submarino y la televisión, un invento colectivo, fruto de una acumulación de hallazgos y descubrimientos de procedencia diversa. Consecuencia, ante todo, del progreso científico de una época más que del esfuerzo de un hombre.

El problema que quedaba por resolver era relativamente simple. Se debía combinar el principio de la linterna mágica con un dispositivo de arrastre intermitente de la película, que la desplazase entre una fuente de luz y el objetivo de proyección. Así se obtendría la proyección sucesiva de fotografías en la pantalla y la persistencia retiniana del espectador haría el resto.

A pesar de la avalancha de patentes y de experiencias cronofotográficas que se produjeron entre 1890 y 1895, la mayor parte de los historiadores parece haberse puesto de acuerdo en que, si a Edison le correspondió la gloria de *impresionar* por vez primera películas cinematográficas, a Louis Lumière (1864-1948), que junto con su padre Antoine y su hermano Auguste dirigía una industria fotográfica en Lyon, le correspondió el privilegio de efectuar las primeras *proyecciones* públicas y afortunadas, valiéndose de un aparato patentado el 13 de febrero de 1895 como «aparato que sirve para la obtención y visión de pruebas cronofotográficas». El secreto del invento residía, en realidad, en un sencillo mecanismo (grifa de la excéntrica) que permitía el arrastre intermitente de la película, dispositivo que se le ocurrió durante una noche de insomnio a Louis, que no obstante asoció también el nombre de su hermano a la patente. Denominaron a su aparato *cinematógrafo* (del griego, *kinema,* movimiento, y *grafein,* escribir), utilizando una raíz etimológica que junto con la de «vida» *(bios, vita),* servirá para designar casi todos los artefactos europeos y americanos de esta época relacionados con el registro y proyección de imágenes animadas.

El aparato de Lumière era el más simple y perfecto de los construidos hasta la fecha: servía indistintamente de tomavistas, de proyector y para tirar copias. Funcionaba accionado por una manivela que arrastraba la película (fabricada por Lumière, con el mismo formato de Edison), a la cadencia de 16 imágenes por segundo (esta cadencia no se estabilizó hasta después de 1920, con la incorporación de motores a las cámaras, para alcanzar las 24 imágenes por segundo al llegar el cine sonoro).

Al afrontar con éxito desbordante la prueba de la exhibición pública, el invento de Lumière cerró definitivamente el período de las experiencias de laboratorio y dio remate a un cúmulo de búsquedas, realizadas en Europa y América, para conseguir eso que Ilyá Ehrenburg llamará, no sin ironía, la «fábrica de sueños», que nace, y no es casual, el mismo año en que un tal Sigmund Freud, en colaboración con Breuer, publica en Viena sus *Estudios sobre la histeria*. Pero con el invento de Lumière se cierra un ciclo en la historia de la cultura, cobra vida un mito universal que anidaba en los repliegues del subconsciente humano, testimoniado por los veinticinco mil años de esfuerzos de artistas y magos primero y de sabios después, tratando de atrapar los fugaces e inestables contornos de la realidad. Esta caza de sombras, que se inicia en las lejanas tinieblas de Altamira, concluye en París, en el ocaso del siglo XIX, gracias al arrollador progreso científico y técnico de la centuria.

Una vez más el cerebro del hombre ha sido capaz de materializar sus sueños.

LA ERA DE LOS PIONEROS

LOS FANTASMAS DEL SALON INDIEN

El año 1895 es un año tumultuoso y agitado en la historia del mundo. En la isla de Cuba, al grito de Baire, ha estallado con violencia la guerra de la independencia; cerca de cuatrocientas personas perecen, en el mes de marzo, en el naufragio del crucero *Reina Regente;* las tórridas arenas de Africa del Sur se empapan de sangre en la encarnizada guerra de los bóers; en los remotos confines de Asia, las tropas del Mikado entran triunfantes en Pekín, mientras los soldados italianos luchan en la meseta de Abisinia con los valientes guerreros de Menelik. El mundo parece haberse desbocado en una loca carrera hacia la catástrofe.

Las cosas no van mucho mejor en Francia. En enero ha subido Félix Faure a la presidencia de la República, tras la renuncia de Casimir Périer, y en las calles están a punto de desatarse las pasiones en uno de los más tremendos escándalos que ha conocido la historia del país. El oficial judío Alfred Dreyfus, miembro del Estado Mayor, ha sido degradado y conducido a la Guayana, para cumplir condena perpetua en la legendaria penitenciaría de la isla del Diablo. Francia entera va a temblar muy pronto al conocer la acusadora e impresionante carta que dirigirá Émile Zola, desde las páginas de *L'Aurore,* al presidente de la República. Zola es por estas fechas un discutido novelista, autor de *La taberna, Nana y La tierra,* que toma parte apasionadamente en el asunto Dreyfus, como harán otras tantas personalidades de la época.

El mundo se está transformando con violentas sacudidas en este recodo del siglo. Se habla mucho del progreso en los círculos intelectuales, y también en los que no lo son. El progreso es una palabra que resume muchas cosas y que sirve para explicarlo todo. Desde los neumáticos, que por primera vez se emplean en la carrera París-Burdeos-París, hasta la construcción del canal de Kiel y los misteriosos rayos X, que acaba de descubrir un oscuro profesor de la Universidad de Wurzburgo.

Algunos maldicen a la civilización maquinista, que está mudando la faz del globo, y aseguran que es obra del mismísimo diablo, preguntándose con pasmo: «¿Adónde iremos a parar?» Otros alaban el progreso, la máquina de vapor y la electricidad, que son los símbolos de la era industrial, de la nueva civilización de las máquinas, que crece y se multiplica en Manchester, Barcelona, Milán, Glasgow, Lyon...

Y de este formidable empuje de la civilización maquinista ha nacido en Lyon, precisamente, la máquina de «imprimir» la vida, como la llamará L'Herbier, y a partir de ella se creará un mundo fabuloso de mitos y de sueños.

Satisfechos con los ensayos iniciales, los Lumière decidieron efectuar una presentación pública de su invento en la capital. Un amigo de Antoine Lumière, el fotógrafo Clément Maurice, relacionado con el *tout Paris,* fue el encargado de gestionar la búsqueda de un local idóneo para llevar a cabo la presentación.

El local que eligió finalmente Clément Maurice fue un saloncito situado en el sótano del Grand Café, en el número 14 del Boulevard des Capucines, elegante arteria de la orilla derecha del Sena, situada entre la Opéra y la Madeleine. El saloncito había sido bautizado con el presuntuoso nombre de Salon Indien y utilizado como sala de billares hasta que, unas pocas semanas antes, la prefectura de policía ordenó la clausura de las salas de esta clase, que se habían convertido en terreno abonado para fáciles ganancias de los jugadores poco escrupulosos.

La sala era de dimensiones reducidas, tal como convenía a los Lumière, ya que pensaban que un fracaso pasaría así más inadvertido, mientras que un éxito provocaría aglomeraciones sensacionales en la entrada del local.

Antoine Lumière y Clément Maurice visitaron al dueño del Grand Café, que era un italiano llamado Volpini, y le propusieron alquilar la sala, ofreciéndole hasta un 20 % de los ingresos que se obtuvieran en las recaudaciones. Pero Volpini tenía tan poca confianza en aquel desconocido artefacto de Física Recreativa, que rechazó la oferta y estipuló que le pagarían 30 francos diarios y que el contrato sería por un año.

Así fue, efectivamente, y los inventores eligieron para la presentación del cinematógrafo la semana de Navidad, durante la cual los bulevares parisinos suelen estar atestados de viandantes, que pasean contemplando los escaparates de los comercios. Se estableció que el precio de la entrada sería de un franco y que se celebraría una sesión cada media hora.

Los Lumière tuvieron la precaución de pegar en los cristales del Grand Café un cartel anunciador, para que los transeúntes desocupados pudieran leer lo que significaba aquel invento bautizado con el impronunciable nombre de *Cinématographe Lumière*. La explicación, impresa en letra cursiva, resulta hoy un tanto pintoresca y barroca: «Este aparato –decía el texto– inventado por MM. Auguste y Louis Lumière, permite recoger, en series de pruebas instantáneas, todos los movimientos que, durante cierto tiempo, se suceden ante el objetivo, y reproducir a continuación estos movimientos proyectando, a tamaño natural, sus imágenes sobre una pantalla y ante una sala entera.»

La fecha elegida para la presentación del cinematógrafo fue el 28 de diciembre de 1895 y previamente los Lumière distribuyeron algunas invitaciones entre varias personas cuya asistencia les interesaba particularmente, como M. Thomas, director del Museo Grévin, Georges Méliès, director del teatro Robert Houdin, M. Lallemand, director del Folies Bergère, y algunos cronistas científicos.

Sin embargo, tan sólo algunas de las personas invitadas asistieron a aquella proyección histórica y el aspecto de la sala antes de comenzar la sesión no era muy alentador. Algunos transeúntes ociosos, que tenían media hora que perder, decidieron bajar los peldaños que conducían hasta el Salon Indien. Pero la mayor parte de los que tuvieron ocasión de leer el cartel anunciador, se encogieron de hombros y, enfundados en sus abrigos, se perdieron entre la muchedumbre. La recaudación fue muy modesta. Ascendió a 35 francos, cifra que apenas cubría el importe del alquiler del salón.

Aseguran las crónicas que flotaba en la sala, antes de comenzar

25

la proyección, un ambiente de frío escepticismo. Este sentimiento duró todo el tiempo que las luces permanecieron encendidas, pues al apagarse, un tenue haz cónico de luz brotó del fondo de la sala y al estrellarse contra la superficie blanca de la pantalla obró el prodigio. Apareció, ante los atónitos ojos de los espectadores, la plaza Bellecour, de Lyon, con sus transeúntes y sus carruajes moviéndose. Los espectadores quedaron petrificados, «boquiabiertos, estupefactos y sorprendidos más allá de lo que puede expresarse», como escribe Georges Méliès, testigo de aquella maravilla. Y Henri de Parville recuerda: «Una de mis vecinas estaba tan hechizada que se levantó de un salto y no volvió a sentarse hasta que el coche, desviándose, desapareció.»

Desde aquel momento la batalla estuvo ganada. Los espectadores se hallaban auténticamente anonadados ante aquel espectáculo jamás visto. «Los que se decidieron a entrar salían un tanto estupefactos –narra Volpini– y muchos volvían llevando consigo a todas las personas conocidas que habían encontrado en el bulevar.»

Y, sin embargo, las diez brevísimas películas de diecisiete metros que componían los primeros programas presentados por los Lumière mostraban imágenes absolutamente vulgares e inocentes. Películas que, barajando unas pocas variantes, ofrecían temas bien prosaicos: *La salida de los obreros de la fábrica Lumière (Sortie des usines Lumière à Lyon), Riña de niños (Querelle de bebés), Los fosos de las Tullerías (Bassin des Tuileries), La llegada del tren (L'arrivée d'un train en gare de La Ciotat), El regimiento (Le régiment), El herrero (Le maréchal férrant), Partida de naipes (Partie d'écarte), Destrucción de las malas hierbas (Mauvaises herbes), La demolición de un muro (La démolition d'un mur), El mar (La mer),* etc.

Como puede verse, nada nuevo ni nada extraordinario ofrecían estos temas banales, propios del repertorio de cualquier fotógrafo aficionado de la época. Pero, a pesar de ello, el impacto que causaron aquellas cintas en el ánimo de los espectadores fue tan grande que al día siguiente los diarios parisinos se deshacían en elogios ante aquel invento y un cronista, víctima de una alucinación, elogiaba la autenticidad de los *colores* de las imágenes.

Cuando se piensa en las razones por las que el público quedó fascinado ante aquel invento resulta inevitable sentir cierta sorpresa. No fueron los temas. No fue la salida de una fábrica o la llegada de un tren lo que llamó la atención de los espectadores –pues eran cosas vistas mil veces y bastaba con acudir a la fábrica o a la estación para contemplarlas–, sino sus *imágenes,* sus fidelísimas reproducciones gráficas que, aunque reducidas a las dos dimensiones de la pantalla, conservaban su movimiento real. La maravillosa capacidad de aquel artefacto para reproducir la realidad en movimiento fue lo que provocó el asombro y la perplejidad de los espectadores parisinos. Esta perplejidad que todavía conserva Julián Marías cuando señala la *irrealidad* de la realidad que muestra el cine, afirmando por ello que es una fantasmagoría, «porque se trata, no de cosas reales, sino de fotografías. Y ni siquiera de fotografías sino de proyección de fotografías; ni siquiera la fotografía del cine es asible, es palpable; se proyecta y no solamente se proyecta, sino que se proyecta en movimiento, es decir, está apareciendo y desapareciendo. Es, por tanto, una pura y simple fantasmagoría. Ahí está toda su limitación y toda su grandeza».

Claro que afirmar esto es quedarse en la epidermis del fenómeno físico y con igual criterio podría definirse a la literatura como una agrupación caprichosa de sonidos o de signos gráficos convencionales. Pero la prueba más contundente de que el recién nacido cine no era solamente «una pura y simple fantasmagoría» la suministró en aquella hora temprana la recaudación de 2.500 francos diarios que ingresaban ya los Lumière a las dos semanas de iniciarse la explotación de su invento y las interminables colas que se formaban ante la puerta del Grand Café y que llegaban hasta la calle Caumartin.

En sus primeros balbuceos y con aquellas bandas primitivas, el cine demostraba ya sus extraordinarias posibilidades de reproducción realista. Aventajando en fidelidad a la crónica escrita, al pincel del artista o a la narración oral, la cámara tomavistas se revelaba como el más fiel e imparcial narrador y testigo de lo que aconteciera ante su objetivo. Su veracidad nacía de la prosaica deshumanización de la máquina, esto es, de la reproducción química de las imágenes y de su proyección óptico-mecánica sobre un lienzo.

Por esta razón, el inocente repertorio de peliculitas que presentaron los Lumière al estupefacto público parisino tenía un inestimable valor intrínseco como documento de una época, de sus gentes, de sus gustos, de sus modas, de sus trajes, de sus trabajos y de sus máquinas. En adelante las películas serán, ante todo y sobre todo, testimonios. Serán crónica y reflejo de la sociedad y de la época en que nacen, con sus costumbres, sus aspiraciones, sus mitos y sus problemas, aunque traten de velarlos u ocultarlos, convirtiéndose por ello mismo en documentos significativos del escamoteo de una realidad ingrata y de un intento de sustitución por otra más deseable. Aquí comienza, precisamente, la trascendencia sociológica de este invento nacido en el ocaso del siglo de las máquinas.

Vistas hoy, las películas presentadas por Lumière a la consideración del público parisino evocan las páginas amarillentas de un álbum de recuerdos. *Partida de naipes* ofrece, con la actuación ante las cámaras de miembros de la familia Lumière, una inapreciable estampa de las costumbres de la burguesía acomodada *fin du siècle*. *La demolición de un muro*, *Destrucción de las malas hierbas* y *La salida de los obreros de la fábrica Lumière* dan entrada, en cambio, al mundo del trabajo en el cine. De todas ellas la última es la más importante y significativa. Las imágenes de la puerta de la fábrica abriéndose para dar paso a una riada de obreros están cargadas de significación histórica y social, pues por vez primera aparece en la pantalla como protagonista el público potencial de este espectáculo que está naciendo y que Jaurès definirá como el «teatro del proletariado». Aún no hace medio siglo que se ha publicado el *Manifiesto comunista* y la clase obrera ya está jugando su decisivo papel en la historia. En el año 1895 nace el cinematógrafo, pero no hay que olvidar que en este año se funda también en Francia la Confederación General del Trabajo. Y el cine, con su involuntario ojo documental, ofrece a los espectadores estas imágenes reveladoras de la era industrial que está viviendo Europa.

La salida de los obreros de la fábrica Lumière fue la primera película rodada por sus autores, que se sentían altamente orgullosos de ella y que inauguraba también el género de la publicidad cinematográfica. Pero esta cinta no fue la que mayor éxito obtuvo entre el público, sino *La llegada del tren*, que provocaba el pánico en la sala, pues los espectadores creían que la locomotora se les iba a arrojar encima.

Esta inocente peliculita asustaba tanto a las damas y ponía tan nerviosos a los caballeros porque resultaba excesivamente realista para su mentalidad *precinematográfica* y les hacía identificar su visión con la del ojo de la cámara, convertida por vez primera en personaje dramático. El realismo de estas fotografías estaba reforzado por la *profundidad de foco* (o nitidez de enfoque de los primeros y últimos términos de la imagen), que se acentuaba con el acercamiento de la locomotora en movimiento hacia la cámara.

Desde el punto de vista técnico esta película encierra un interés indiscutible porque, a pesar de estar rodada con la cámara fija, contiene toda la gama de encuadres que pueden aparecer en una película moderna y que van desde el plano general hasta el primer plano, debido a la profundidad de foco señalada y al movimiento de la locomotora y de las personas sobre el andén, ante la cámara fija, que se limitaba a registrar lo que acontecía ante ella, rodando sin interrupciones y sin cambiar de emplazamiento cada película, desconociendo las posibilidades dinámicas de lo que hoy denominamos *montaje*.

La llegada del tren produjo tan gran impresión en aquellos espectadores primerizos, que en estos años balbucientes del cine habremos de contemplar todavía docenas de *Arrivées* y de *Sorties* que parecen querer reafirmar la esencia dinámica del nuevo espectáculo. Pero el hechizo del ferrocarril, que ha herido ya las sensibles retinas de Monet y de Cézanne haciéndose pintura, es también otro signo de los nuevos tiempos que impresionará profundamente a este público que ha pasado de la diligencia a la vía férrea gracias al invento de Stephenson.

Por eso no resulta difícil comprender que la sesión del Salon Indien, con ser tan poca cosa en apariencia, fue la apertura hacia un horizonte de nuevas e ingentes posibilidades que en ella se apuntaban. Aquel inocente artefacto de Física Recreativa que aprovechaba el fenómeno de la persistencia retiniana para excitar el sistema nervioso de sus espectadores con emociones inéditas, estaba abriendo una página nueva en la representación realista del mundo, culminando el itinerario artístico que, iniciado por Stendhal, pasa por Flaubert, Balzac, Zola, el daguerrotipo y los impresionistas. La revolución que introdujo en el mundo de las imágenes el *Almuerzo campestre* de Manet, con su realismo que «ofendía el pudor», según palabras del emperador de Francia, ha desembo-

29

cado en la máquina de imprimir la vida, de Lumière. Y esto habrá de resultar decisivo para la historia del arte contemporáneo.

El éxito obtenido por las primeras proyecciones públicas de los Lumière rebasó con mucho las previsiones de sus inventores. Las gentes se agolpaban ante las puertas del Grand Café para contemplar las primeras películas cómicas de la historia del cine, como *El jardinero regado (L'arroseur arrosé)*, interpretado por un jardinero de la finca de los Lumière que con la manguera se ponía perdido, regocijando extraordinariamente a los bigotudos espectadores y a las encopetadas damas. También en el Salon Indien asistieron los boquiabiertos parisinos al nacimiento de los primeros trucajes cinematográficos, como *La demolición de un muro* desarrollada al revés que, presentada en 1896, inauguró el género. *Charcuterie mécanique* puso la magia al servicio de la comicidad, mostrando la introducción de un cerdo en una máquina, de la que salía convertido en salchichas.

No obstante, las películas con trucajes no fueron la especialidad de los Lumière, que veían sobre todo en el cine un instrumento de investigación científica, con escaso porvenir comercial, y orientaron su producción hacia sencillas cintas documentales que mostraban *la nature prise sur le vif,* al estilo de *Una barca saliendo del puerto (Sortie du port)* o *Soldados en maniobras (Soldats au manège).*

En vista de los pingües beneficios obtenidos, Louis Lumière prosiguió el rodaje de nuevas peliculitas, cuya duración oscilaba entre uno y tres minutos, y que con frecuencia interpretaban los miembros de su familia. Pero las exigencias de renovación de material le llevaron a ensanchar sus horizontes comerciales enviando operadores nómadas a todos los rincones del mundo, para traer a París paisajes y escenas de tierras lejanas. Con ello surgió lo que hoy llamamos noticiario o reportaje de actualidades, y de sus exigencias narrativas nació el *montaje* de los diversos trozos de película impresionada. En 1896 Francis Doublier, antiguo aprendiz de la casa Lumière, rueda *Le couronnement du Tsar Nicolas II,* que con sus siete bobinas marca un hito en el nuevo género de las actualidades, iniciado el año anterior. A partir de aquel momento, monarcas y personalidades fijan su vanidosa atención en aquel aparato que es capaz de difundir sus imágenes en movimiento y se convierten en sus mejores propagandistas. El operador Promio, primer embajador de Lumière en España, al explicar las facilidades que la reina regente le otorgó para rodar unas escenas militares, escribe en su «Carnet de ruta» que los oficiales opinaban «que el cinematógrafo Lumière tenía una enorme influencia sobre los soberanos».

Promio visitó con su cámara a cuestas Constantinopla, Esmirna, Jaffa y Jerusalén. A París llegaban imágenes exóticas de la India, de México, de la misteriosa China, de los tuaregs del desierto y hasta de la Ciudad Prohibida, para nutrir un catálogo que en 1897 contaba ya con 358 títulos.

«Abrir sus objetivos sobre el mundo» fue la consigna dada por Lumière a sus operadores volantes; con singular intuición bautizó al cine con el calificativo de «gran viajero». Pero mientras enviaba un ejército de representantes y operadores por el mundo y todas las capitales europeas contaban con instalaciones cinematográficas, formando un auténtico circuito internacional de exhibición, a París comenzaron a llegar las cintas que estaba produciendo Thomas Alva Edison al otro lado del Atlántico.

Louis Lumière no era el único que, a finales de 1896, estaba explotando el nuevo espectáculo de sombras animadas y sus rivales menudeaban en Europa y América, incubando una sorda lucha de intereses que no tardaría en estallar. Léar, Pathé y Méliès en Francia, Edison y la Biograph en los Estados Unidos y William Paul en Londres comenzaban a echar los cimientos de una nueva industria.

La vocación científica y la holgada posición económica de los Lumière les llevaban a menospreciar las posibilidades comerciales de su invento, de modo que en 1898 despidieron a casi todos sus operadores y en 1900 realizaron su última aventura cinematográfica, con una proyección sobre una pantalla gigante de veintiún por dieciséis metros. Después abandonaron aquel juguete de óptica por ellos inventado en manos de otros pioneros, que no tardarán en convertir la artesanía de los fotógrafos de Lyon en un gran espectáculo y en una próspera industria que bailará la danza de los millones.

El 6 de octubre de 1889, cuando Edison regresaba a su feudo de West Orange (Nueva Jersey), después de un viaje a Europa, recibió una descomunal sorpresa al entrar en una dependencia de su taller-laboratorio. Proyectada sobre una pequeña pantalla blanca se le apareció la imagen centelleante de uno de sus colaboradores, el inglés William K. Laurie Dickson, que en levita y con gesto cortés le saludaba con su sombrero de copa, al tiempo que brotaba en la sala una voz nasal y metalizada, que decía: «Buenos días, señor Edison. Estoy contento de verle de regreso. Espero que esté satisfecho del kinefonógrafo».

De ser cierto este episodio, puesto en circulación por algunos historiadores americanos sospechosos de favoritismo hacia Edison, el cine sonoro habría nacido antes que el cine a secas, gracias al «mago de Menlo Park».

Thomas Alva Edison, genio prolífico y negociante poco escrupuloso, es una de esas figuras de leyenda creadas por las convulsiones de la revolución científica e industrial de nuestra era. En 1878 había patentado el fonógrafo y luego, con ayuda de Dickson, había intentado combinar este invento con la cronofotografía, en balbuciente anticipación de lo que cuarenta años más tarde sería el cine sonoro.

La vasta curiosidad científica del «mago de Menlo Park» le había llevado, como ya dijimos, a conseguir la impresión de fotografías animadas sobre película de celuloide perforada, fabricada por George Eastman. Sus experiencias en este terreno le hacen compartir legítimamente, con los Lumière, la discutida y colectiva paternidad del cinematógrafo.

A comienzos de 1893 hizo construir en un patio de su laboratorio una extraña barraca de aspecto insólito, que Dickson, muy ufano, denominó «teatro kinetoscópico», pero que el personal de la casa rebautizó con el sobrenombre jocoso de *Black Maria* (María la negra), por su vaga semejanza con los coches celulares para el transporte de presos, que en algunos Estados de la Unión se denominan así. *Black Maria* no era otra cosa que el primer estudio de la era protohistórica del cinematógrafo. Construido en madera, pintado de negro en su interior y exterior, tenía el techo desplazable y el conjunto podía girar sobre su base, orientándose de acuerdo con la posición del sol. El interior negro de esta inmensa cámara oscura ofrecía un fondo que daba relieve al movimiento de los actores.

En este fantasmagórico estudio se impresionaron las primeras series de fotografías animadas que Edison exhibió públicamente, a partir de 1894, en un aparato de visión individual patentado por él en 1891: el *kinetoscopio*.

A pesar de que el kinetoscopio obligaba a una postura algo incómoda al observador que aplicaba su ojo al ocular de aumento, el éxito alcanzado fue sorprendente y el invento de Edison se difundió con extraordinaria rapidez en infinidad de locales públicos. La industria del kinetoscopio era abastecida desde Menlo Park con peliculitas de diecisiete metros, cuyo precio oscilaba entre los 10 y los 20 dólares.

No tardaron las figuras más populares del *music hall* en aparecer en los kinetoscopios, en breves actuaciones. Gimnastas, bailarinas, acróbatas, boxeadores y contorsionistas se exhibían efectuando sus ejercicios que, por estar las películas arrolladas sin fin, podían contemplarse en su visión ininterrumpida a la cadencia de 46 imágenes por segundo. Los encuadres de estas películas revelan ya una elección funcional, mostrando las actuaciones de gimnastas y bailarinas encuadradas en plano general (mostrando todo el cuerpo) o en tres cuartos (hasta la rodilla).

El éxito comercial obtenido por estos aparatos de arrastre continuo y la creencia de que la visión individual era más rentable que el espectáculo colectivo, hicieron que Edison descuidara perfeccionar este invento. Edison estuvo convencido de que era un mal negocio proyectar películas en público y sobre pantalla hasta el momento en que Félix Mesguich, operador al servicio de Lumière, exhibió el sistema francés en un *music hall* neoyorquino, con una acogida auténticamente delirante, salpicada de vítores a los *Lumière Brothers* y vibrantes compases de «La Marsellesa». El cine demostraba así sin equívocos que su vocación y destino era el de un arte de masas.

Esto ocurría en junio de 1896. Pero cuando Mesguich, tras una gira, volvió a Nueva York cinco meses más tarde, se encontró con que, en franco retroceso la industria del kinetoscopio, aparecían en cambio por doquier las salas de exhibición equipadas con aparatos de proyección de patente americana: *biógrafo, bioscopio, vitascopio, veriscopio...* Una nueva casa productora, la American Biograph, lanzaba desde Broadway el reto monroísta en un gran luminoso: «América para los americanos». En un ambiente envenenado, con intervención de las autoridades aduaneras y confiscación de aparatos, el representante de Lumière tuvo que renunciar a su gira por el país y marchó al Canadá.

La nueva industria americana del espectáculo nació asentada en empresas como la Edison Co., la Biograph y la Vitagraph, que, además de producir películas propias, explotaban copias ilegalmente contratipadas de las producciones que llegaban de Europa, obteniendo considerables beneficios.

La Biograph Co., nacida en 1897 y que utilizaba un aparato fabricado por dos técnicos que habían abandonado a Edison, Dickson y el francés Eugène Lauste, gozaba del apoyo financiero del hermano del presidente McKinley, a la sazón gobernador del estado de Ohio. Con el eslogan de Monroe como bandera, esta productora servirá a la propaganda personal del político y se especializará en asuntos documentales y de actualidad.

La Vitagraph fue fundada en 1898 al asociarse el ex exhibidor feriante «Pop» Rock con el caricaturista inglés emigrado James Stuart Blackton y su compatriota Albert E. Smith, perspicaces negociantes que habían obtenido un éxito sensacional en todo el país con *Tearing Down the Spanish Flag* (1898), rodada en un ático neoyorquino el mismo día en que estallaron las hostilidades entre España y los Estados Unidos.

La guerra hispano-norteamericana hizo nacer, con violencia rabiosa, un género nuevo, el de la propaganda política, que se arrastrará ya para siempre a lo largo de toda la historia del cine. Apenas se habían iniciado las operaciones militares y ya circulaban por América centenares de copias de documentales amañados en los estudios sobre la guerra hispano-yanqui. Entre los más famosos figuró el rodado en Chicago por Edward H. Amet, reproduciendo, con ayuda de maquetas en un estanque, la batalla naval del 3 de julio, en la bahía de Santiago, en la que la flota del almirante Cervera llevó la peor parte. Amet salvó con mucha naturalidad el escollo que representaba que el combate se hubiese desarrollado durante la noche, alegando con mucha seriedad que se había servido de una película «supersensible a la luz lunar» y de un teleobjetivo capaz de impresionar imágenes a diez kilómetros de distancia. La gente se tragó el anzuelo y se dice que el gobierno español llegó a adquirir, para sus archivos, una copia de tan «importante documento» gráfico.

La propaganda política y la exaltación nacionalista habían entrado de golpe a ocupar un lugar preeminente en la galería de temas de aquel nuevo juguete que, a los ojos de muchos comerciantes, comenzaba a evidenciarse como una prometedora fuente de fabulosas ganancias. Pero la brújula de la rentabilidad ya estaba señalando a los negociantes nuevos temas sugestivos, como las *Lovers' scenes,* nacidas tras el resonante éxito –éxito de escándalo, diríamos hoy– alcanzado por *El beso (The May Irwin-John C. Rice Kiss,* 1896), producida por Edison, que recogió en primer plano el casto beso de una escena cómica de *The Widow Jones,* comedia que triunfaba en Broadway. Este primer ósculo cinematográfico, que levantó una ola de protestas y que un comentarista calificó de «bestial», en razón del «efecto producido por este acto ampliado a proporciones gargantuescas», iba a traer no poca cola. Además de introducir el tema amoroso en el cine, prefiguraba la fórmula clásica del «final feliz» *(happy end),* que los industriales del cine no se cansarán de proponer en el futuro, como anestesia colectiva, a la inquieta voracidad del público. De este inocente beso derivaron otros muchos besos y también abrazos, cada vez menos castos, que provocaron la indignada reacción de las ligas puritanas, pero que gozaban de amplia aceptación entre el público masculino.

Por estas mismas fechas también se estaba descubriendo en Francia que el erotismo era un filón de segura rentabilidad. Como lo era también, servidumbre de la condición humana, el tema religioso. Y para pulsar esta fibra Richard G. Hollman rodó el drama de la Pasión en pleno Nueva York, en la azotea del Grand Central Palace, con un grupo de comparsas disfrazados. Como el rodaje era invernal, el monte de los Olivos se cubrió de nieve, aunque sin impedir que la empresa llegara a buen término, y esta original *Passion Play,* que acababa de inaugurar otra cantera temática, será divulgada por los predicadores ambulantes, ayudándoles a obtener recaudaciones más generosas entre sus audiencias de pecadores.

Al igual que el primitivo teatro medieval, el cine trataba de penetrar en las masas con temas devotos aunque guiados de la mano de hombres de dudosa piedad, pero de probado tesón. Como Sigmund Lubin, de Filadelfia, que rodó en un patio interior el drama de Cristo contra viento y marea, a pesar de que Judas Iscariote le dejó plantado a medio rodaje y a pesar de que el viento, que causó destrozos en los decorados de Palestina, descubría al espectador un panorama de rascacielos y a los curiosos que, desde sus ventanas, contemplaban el rodaje.

Vemos, pues, que en el torbellino de la primera hora, además del cine político, nacían juntos, como temas medulares, el señuelo erótico y la piedad religiosa. No tardaría en aparecer otro hábil comerciante, llamado Cecil B. DeMille, que, pescador en río revuelto, trataría de reconciliar ambos sentimientos, pagando su tributo al ángel y al diablo en unas mascaradas seudorreligiosas que arrastrarán (por una u otra razón, o por ambas a la vez) a vastos sectores de público.

EL CINEMATÓGRAFO JUNTO A LA MUJER BARBUDA

En el corazón de París, en la rue Royale, Eugène Pirou tenía su elegante estudio fotográfico. Ante su cámara posaban, regularmente, príncipes, archiduques, marquesas, generales y lo más selecto de la alta burguesía parisina. Al hablar de él, las crónicas mundanas le llamaban «fotógrafo de reyes». Pero a pesar de su condición, Pirou se sentía atraído por el plebeyo espectáculo cinematográfico y se le ocurrió la idea de asociarse con el operador Léar para rodar una escena frívola interpretada por la actriz Louise Willy, que triunfaba en el escenario del Olympia. De este modo nació *Le coucher de la mariée* (1896), película de 60 metros, en la que la bella actriz se desvestía (aunque sin mostrar la menor parcela de su cuerpo, protegido por el corsé y las enaguas) y se acostaba en un lecho Luis XV. Al igual que *El beso* de Edison, esta apertura del cine a lo que se llamará más tarde *sex-appeal* tuvo tan gran aceptación popular, que la serie se prolongó en multitud de *Visions d'Art* más o menos sicalípticas que finalmente motivaron la intervención del prefecto de policía, que un buen día hizo arrojar al fondo del Sena veinticinco kilómetros de celuloide galante.

Separado de Pirou, Léar aborda, tal vez con ánimo de purificarse, *Vida de Cristo (La Passion du Christ*, 1896), que por estas fechas conoció otra versión de Lumière. Esta última alcanzó los 250 metros. ¡Un cuarto de hora de proyección! Estas duraciones eran realmente excepcionales en aquella época.

Como puede verse, la imaginación de los comerciantes americanos y europeos está surcada por idénticos meridianos y los mismos temas nacen simultáneamente a ambos lados del Atlántico, para convertirse en pivotes sobre los que girará la gran rueda de la producción futura. No hay que pedirle peras al olmo. Al productor y al exhibidor francés o americano no se les llega siquiera a plantear, como en algunos casos se planteará más tarde, un dilema entre calidad o rentabilidad. La película es pura y simplemente una mercancía, cuya aceptación está en función de las fibras sensibles del público que las imágenes sean capaces de pulsar. Y los dardos se orientan, inevitablemente, hacia los puntos más vulnerables, los blancos más seguros.

No debe olvidarse que en estos momentos la exhibición está en manos de los feriantes nómadas, que sin saberlo son los portadores de un nuevo arte popular. Junto al tragasables y a la mujer barbuda se exhibe la última rareza, el Cinématographe Lumière, en ferias y parques, en barracas de madera y ante un público popular. Su origen recuerda, por muchos motivos, el nacimiento anónimo de la poesía medieval, cantada por los juglares.

Arte nómada y plebeyo, no tardó en asentarse en las principales ciudades, integrándose en los programas de algunos cafés-concierto franceses y *music halls* ingleses o americanos. Esto ocurría entre 1898 y 1902.

A pesar de que el cine era una diversión popular, en 1897 participaba, junto a otras muchas atracciones, en la fiesta benéfica anual del Bazar de la Caridad, a la que concurría lo más selecto de la alta sociedad parisién. Unas mil quinientas personas se hallaban reunidas en el Bazar cuando se inició la catástrofe. El operador cinematográfico, poco experimentado, encendió mal la lámpara oxiétrica que utilizaba para proyectar y una lengua de fuego brotó del aparato, prendiendo en los adornos de papel y de marquetería. El fuego se extendió con gran rapidez y el pánico de las gentes hizo el resto. Convertido en brasero, el Bazar de la Caridad enterró entre sus cenizas más de ciento treinta cadáveres. El suceso causó una conmoción extraordinaria en todo el mundo. Primero se dijo que se trataba de un atentado político; luego se vio que era un accidente debido a la impericia. Pero la maldición cayó sobre el cinematógrafo y se alzaron muchas voces pidiendo su prohibición. La incipiente industria del cine sufrió un duro golpe que la hizo tambalear gravemente.

Sin embargo, el invento de Lumière se había extendido ya por todo el mundo, aunque todavía en forma tímida. Pocas eran las capitales que desconocían aquel prodigio óptico. Los pioneros de cada país trabajaban, bien con aparatos adquiridos a Lumière o a sus agentes, o bien con equipos fabricados pacientemente por ellos mismos. En España se encuentran ambos casos. El zaragozano Eduardo Jimeno, pionero de la exhibición, rodó en 1899, con un aparato de la casa Lumière, *Salida de la misa de doce del Pilar de Zaragoza*. El ebanista barcelonés Fructuoso Gelabert, en cambio, fabricó el suyo propio y, utilizando a Santiago Biosca como operador, rodó en 1899 *Riña en un café, Salida de los trabajadores de la España Industrial* y *Salida de la Iglesia de Santa María de Sants*.

Como puede verse, además de imponer su invento, Lumière ha impuesto sus temas en un curioso fenómeno de mimetismo. Entre tantas *Salidas, Llegadas y Paradas militares* que se multiplican por doquier, el cine está corriendo el grave peligro de perecer por falta de imaginación. Es cierto que se ha echado mano de las consabidas «poses artísticas», «escenas galantes» y a veces también «picantes» y otras imágenes pornoplásticas que hoy sirven, a lo sumo, para ilustrarnos sobre la fugacidad de los cánones de la estética femenina. Pero eso no es mucho. Como búsqueda de un lenguaje valen más esas carnavalescas *Pasiones* que nos retrotraen a los orígenes del teatro medieval. Valen más porque se plantean la tarea de narrar un argumento relativamente complejo y con abundancia de personajes. Por ese camino, a la búsqueda de una estructura narrativa, puede inventarse algo que se parezca al *montaje,* que es una de las claves expresivas del cine. Y la cámara puede sentir deseos de moverse. Promio, operador de Lumière, descubrió por azar en 1896 el efecto de *travelling,* cuando paseaba en una góndola por Venecia. Ese mismo año Dickson utilizó el movimiento de *panorámica,* haciendo girar la cámara sobre su punto de apoyo. A partir de ahora la cámara se atreverá a subir a los ascensores y a viajar en los trenes pero su movilidad (relativa) la aplicará únicamente a la toma de vistas documental. Hemos de convenir en que esto no es mucho. Al cine le estaba haciendo falta un genio que desatascase sus ruedas y le inyectase un hálito de fantasía, de libertad creadora, abriéndole nuevos horizontes como arte y como espectáculo. Y este genio llegó.

EL MAGO DE MONTREUIL

Entre los privilegiados espectadores que asistieron a la primera proyección organizada por los Lumière en el Salon Indien se hallaba un hombre de treinta y cinco años, tercer hijo de un acaudalado fabricante de zapatos, mago e ilusionista por vocación y director del teatro Robert Houdin de París. Su nombre era Georges Méliès.

El propio Méliès ha explicado cómo, al concluir la histórica proyección, fue al encuentro de Antoine Lumière con la pretensión de adquirir uno de aquellos prodigiosos aparatos, avanzando una oferta de 10.000 francos. Pero ni Méliès ni el director del Museo Grévin, que ofreció 20.000, ni el del Folies Bergère, que llegó a los 50.000, consiguieron su propósito. Al igual que Thiers, que en 1833 consideraba a la locomotora como una «simple diversión científica», Antoine Lumière concretó así su respuesta, que se ha hecho célebre: «Amigo mío, deme usted las gracias. El aparato no está a la venta, afortunadamente para usted, pues le llevaría a la ruina. Podrá ser explotado durante algún tiempo como curiosidad científica pero, fuera de esto, no tiene ningún porvenir comercial.»

Pero las contundentes palabras del científico, cuya autenticidad hoy parece dudosa, no torcieron la decisión del prestidigitador. Unas semanas más tarde llegó a los oídos de Méliès la noticia de que el óptico Robert William Paul había lanzado al mercado, en Inglaterra, un aparato similar al utilizado por Lumière y denominado *bioscopio.* Méliès se apresuró a adquirir uno de aquellos artefactos por la suma de 1.000 francos, con el que inició inmediatamente proyecciones públicas en el teatro Robert Houdin, utilizando cintas inglesas de Paul y americanas de Edison.

Sin embargo, Méliès no se conformaba con la simple condición de exhibidor y al mes siguiente compró en Londres varios miles de metros de película virgen de la casa Eastman, no perforada, que utilizó para iniciar su propia producción cinematográfica.

Las primeras cintas de Méliès siguieron la senda ya trazada por Lumière. Se trataba de las consabidas «escenas naturales» entre las que no faltan las inevitables llegadas de trenes, salidas de fábricas, regadores regados, bebés almorzando o barcas haciéndose a la mar. Son películas vulgares que nada tienen que ver con su futura producción, que nacerá en el momento en que descubra que el cinematógrafo es el más formidable instrumento de magia que haya pasado jamás por sus hábiles manos de ilusionista.

Esta revelación le llegó a Méliès por puro azar en el transcurso de 1896. Cierta mañana había plantado su cámara tomavistas y su trípode en la plaza de la Opéra, con el ánimo de rodar algunas breves escenas documentales, al «estilo Lumière». De pronto, mientras estaba en pleno rodaje, la cámara sufre un atasco y la película se detiene. Méliès se da cuenta y procede a reparar el desperfecto y, tras esta breve interrupción, continúa el rodaje. Pero con gran sorpresa suya, al efectuar más tarde la proyección de esta película, observa que allí donde un momento antes pasaban hombres aparecen de pronto unas mujeres y que el autobús Madeleine-Bastilla se convierte súbitamente en una carroza fúnebre...

Méliès comprendió bien pronto que acababa de descubrir, por casualidad, un trucaje; el primer trucaje del cine, que hoy llamamos *paso de manivela,* y que permite rodar a la cadencia de *imagen por imagen,* base del cine de animación, de los trucajes por *sustitución* y de muchas películas de fantasía. La trascendencia de esta revelación iba a tener un alcance decisivo, porque a partir de ella Méliès encauzó su producción por el rumbo de la magia y de la fantasía sin límites, alineando al cine como un nuevo instrumento de prestidigitación en el ya célebre escenario del teatro Robert Houdin.

Es entonces cuando Méliès idea las famosas «escenas de transformación», que dejan boquiabierto al ingenuo público parisino. La primera de ellas es *El escamoteo de una dama (L'escamotage d'une dame chez Robert Houdin*, 1896), que rueda en el jardín de su finca de Montreuil-sous-Bois, al aire libre, ante un telón de fondo pintado. Para producir el efecto de la desaparición de la mujer, Méliès detiene el rodaje un momento, para permitir que la dama abandone la escena y luego sigue rodando, sin alterar la posición de la cámara. El trucaje es simple, pero el efecto conseguido causa gran impresión en el público y Méliès, al año siguiente, lo repite con un ¡más difícil todavía! en otras cintas que combinan la desaparición con la sustitución. Esto ocurre en *Fausto y Margarita (Faust et Marguerite*, 1897), en donde la dama se transforma, por arte de birlibirloque, en diablo.

Lanzado por el tobogán de la fantasmagoría, Méliès comienza a explorar las ingentes posibilidades de aquel nuevo y prometedor juguete mágico y en sus viajes al país de las maravillas va descubriendo, o intuyendo, casi todos los trucajes que forman el patrimonio del cine moderno: maquetas, desapariciones, apariciones, objetos que se mueven solos, personajes voladores, sobreimpresiones, encadenados, fundidos, fotogramas coloreados pacientemente a mano... Hay que señalar, no obstante, que el trucaje es, para Méliès, un fin en sí mismo y no un medio, como lo es en la actualidad. Y es que nos hallamos, no hay que olvidarlo, ante un prestidigitador profesional que ha visto en el cine un «artefacto mágico» parangonable a la caja de doble fondo o a la baraja trucada. No obstante, será la necesidad la que espoleará su imaginación incitándole hacia nuevos perfeccionamientos técnicos. En 1897 Méliès tuvo que impresionar por encargo unas breves cintas con actuaciones del cantante Paulus, destinadas a la explotación en un café-concierto. Una vez vestido y maquillado como para actuar en el escenario, Paulus se negó rotundamente a cantar al aire libre y exigió que se rodase en un escenario y ante un decorado teatral. Méliès se vio entonces obligado a rodar su actuación en el interior del Robert Houdin, utilizando treinta proyectores de arco para la iluminación, lo que constituyó una innovación histórica capital en la técnica de la toma de vistas, otra vez debida a la casualidad.

No es de extrañar que, después de esta experiencia, Méliès se decida a construir en el jardín de su finca de Montreuil un auténtico estudio, al abrigo de las inclemencias del tiempo, con el techo y las paredes de vidrio para aprovechar la luz solar, aunque en

1905 le añadiría su primera instalación eléctrica. Allí desplegará su portentosa actividad como director, actor, operador, maquillador, decorador, carpintero y electricista a la vez. Este laboratorio de hechicería, de diecisiete metros de largo por siete de ancho, constituyó el primer estudio de Europa, ya que Edison le había precedido en América con su rudimentario *Black Maria*.

Entre 1896 y 1913 Méliès realizó unas quinientas películas, de las cuales hoy se conservan una décima parte, aproximadamente. Debe tenerse en cuenta que Méliès vendía sus películas a los exhibidores ambulantes, de modo que es ardua la tarea de localizar el paradero actual de muchas de ellas, que probablemente no han sobrevivido al vandalismo de dos guerras, amén de otros avatares.

En la variadísima producción de Méliès, junto a títulos tan prometedores como *Magie diabolique Georges Méliès* (1898) o *El antro de los espíritus (L'antre des esprits,* 1901), aparecen películas publicitarias, hechas por encargo, que anuncian una marca de mostaza, de corsés, peines, sombreros, una loción contra la calvicie o una marca de whisky. En la que anunciaba el Dewar's Whisky mostraba a un escocés bebiendo con delectación este licor, bajo los retratos de tres antepasados suyos, que acababan por cobrar vida y saltar de sus marcos para disputarse a puñetazos la botella. Finalmente ésta se rompe y los antepasados, contritos, retornan a sus cuadros.

Con un ingenio inagotable, el mago de Montreuil condensa en sus breves películas hallazgos de una frescura extraordinaria. En *La cueva maldita (La caverne maudite,* 1898) emplea por vez primera la «fotografía espiritista», que hoy conocemos con el nombre más prosaico y exacto de *sobreimpresión.* En *El hombre orquesta (L'homme orchestre,* 1900), el propio Méliès, que con frecuencia interpreta sus películas, aparece multiplicado en las figuras de siete músicos que, simultáneamente, tocan diversos instrumentos. El efecto se consiguió con siete sobreimpresiones sucesivas sobre un fondo negro. En *El hombre de la cabeza de goma (L'homme à la tête de caoutchouc,* 1902) muestra el experimento de un científico que consigue hinchar su propia cabeza hasta proporciones descomunales, y que después, alarmado, la reduce nuevamente a su tamaño normal. El trucaje se obtuvo mediante un *travelling* de acercamiento a la cabeza (sobre fondo negro) para aumentar su tamaño.

En *El huevo mágico (L'oeuf magique prolifique,* 1902) Méliès se transforma, gracias a un fundido encadenado, en un esqueleto. En *El melómano (Le mélomane,* 1903), la cabeza de Méliès salta, a modo de notas musicales, sobre un pentagrama formado por cinco hilos telegráficos.

Y puesto ya a inventar todo lo susceptible de ser inventado, Méliès lanza, en 1897, un nuevo género cinematográfico: las *actualidades reconstruidas,* aportación fantasiosa al periodismo gráfico, que se inicia con siete episodios de la guerra greco-turca, con su combate naval y todo, reproducido pacientemente por Méliès con la ayuda de maquetas. Dentro de este género, que como ya vimos arraigó también con éxito fulminante en los Estados Unidos, se hizo famosa su serie seudodocumental sobre el acorazado *Maine (Le cuirassé Maine,* 1898) y, sobre todo, *El proceso Dreyfus (L'affaire Dreyfus,* 1899), reproducido meticulosamente en su estudio, sin dejar en el tintero los episodios de la Isla del Diablo. Pero el más célebre de estos documentales amañados fue el que representaba la coronación de Eduardo VII *(Le sacre d'Édouard VII à Westminster,* 1902), rodado con antelación al acontecimiento real y con la asesoría del maestro de ceremonias de Westminster, valiéndose de un mozo de lavadero para encarnar la figura del rey y de una corista del teatro Châtelet para la reina Alexandra.

Las creaciones de Méliès son el fruto del encuentro de dos técnicas distintas: la del fotógrafo y la del hombre de teatro e ilusionista. Sus películas suelen estar divididas en «cuadros» o «escenas» que, concebidos de acuerdo con los cánones del arte teatral, hacen progresar la narración. De este modo, la cámara tomavistas se limita a ser un aparato inmóvil que reproduce fotográficamente lo que ocurre sobre el escenario.

A pesar de que sus películas están basadas en una sucesión de «cuadros», sería impropio emplear el término *montaje* para referirse a su construcción, ya que Méliès ignora absolutamente las posibilidades de *continuidad* que pueden nacer del montaje. Así, por ejemplo, en *Viaje a través de lo imposible (Le voyage à travers l'impossible,* 1904) muestra en un cuadro un automóvil que, a gran velocidad, choca contra el muro de una casa y penetra en ella. En el siguiente cuadro aparece el interior de la casa, en cuyo comedor se halla una familia sentada en torno a la mesa. De pronto la pared se quiebra y penetra el automóvil...

La originalidad de Méliès estriba, justamente, en esta simbiosis entre los recursos típicamente teatrales (maquillajes, mímica, decorados, complicada tramoya y división en actos y escenas, ya que no en secuencias y planos) y los medios y trucajes de naturaleza fotográfica. Esta concepción le lleva a emplazar siempre la cámara tomavistas ante el escenario, ofreciendo el punto de vista de un espectador de platea perfectamente centrado, abarcando todo el decorado. En algunos casos sus películas comienzan con un telón que se alza y que cae al final de la acción; en otros Méliès, antes de efectuar alguno de sus prodigios mágicos, saluda al público imaginario con una cortés inclinación de cabeza; los personajes entran y salen por el foro como si estuviesen representando una pieza, y los decorados no ocultan jamás su inspiración teatral. La interpretación de los actores está basada en la mímica y su gesticulación es exagerada, porque Méliès no ha comprendido, y el cine tardará todavía algunos años en comprenderlo, que en el arte de la pantalla, a diferencia de lo que sucede en el teatro, la lejanía de las localidades no modifica sensiblemente la percepción del espectador. Esta errónea comprensión del nuevo arte le hizo menospreciar el uso del primer plano, que sólo empleó como trucaje, para agrandar objetos.

Aunque las películas producidas por Méliès llevaban en su portada la marca de su productora Star Film, algunas empresas americanas, como la Edison Company y la Biograph, obtenían reproducciones ilegales de ellas y vendían por su cuenta las copias, consiguiendo pingües beneficios. Para hacer respetar sus derechos, Méliès abrió en 1903 una sucursal de la Star Film en Nueva York, poniendo al frente de ella a su hermano Gaston. A partir de entonces obtuvo de cada película dos negativos (rodando con dos cámaras tomavistas), enviando uno de ellos a los Estados Unidos.

En 1899 Méliès lleva a la pantalla el cuento infantil *La Cenicienta (Cendrillon),* que él mismo califica, en su catálogo, como *production à grand spectacle.* A Méliès le tienta cada vez más, en efecto, eso que hoy llamamos superproducción, aunque sea a la escala industrial más modesta del 1900. Por eso, alternando con sus «escenas picantes», que Méliès también cultiva a partir del éxito de

Le bain de la Parisienne (1897), y con sus falsos documentales, sus cuentos infantiles y sus juegos de brujería, van apareciendo películas tan ambiciosas como *Viaje a la Luna (Le voyage dans la Lune,* 1902), fantaciencia cómica que debe muy poco a Julio Verne y que le cuesta la friolera de 10.000 francos. Con esta película Méliès entra en el torbellino de la «gran producción», que acabará por crearle graves dificultades financieras.

El inicio de la decadencia de Méliès puede situarse hacia 1906. Su industria artesanal, que ha convertido el invento de Lumière en pujante espectáculo popular, comienza a competir difícilmente con las poderosas sociedades europeas o americanas (Pathé, Gaumont, Nordisk Film, Edison, Biograph, Vitagraph, etc.). El hecho de que sus películas de este período tuvieran especial audiencia entre los niños, cuando el cine comenzaba a afianzarse entre los adultos, fue un neto síntoma de su declive. Por otra parte, los exhibidores, antes nómadas, comienzan por entonces a estabilizar sus locales y de ahí nace la exigencia de una continua renovación de programas, que la artesanía de Méliès no está en condiciones de proveer. No obstante, sigue cultivando el «gran espectáculo» con películas tan caras y ambiciosas como *200.000 leguas bajo el mar (Deux cent mille lieues sous les mers, ou le cauchemar d'un pêcheur,* 1907) y *¡A la conquista del Polo! (A la conquête du Pôle,* 1912), que dan la justa medida del portentoso ingenio de este pionero del cine.

A finales de 1908 Georges Méliès preside el Primer Congreso Internacional de Fabricantes de Películas, como resultado del cual la Star Film ingresa en el trust fundado por Edison en Nueva York. Al año siguiente vuelve a presidirlo, con asistencia de unos cincuenta delegados, en donde se toma el acuerdo capital de unificar la perforación de las películas de 35 mm. Pero allí también se decide eliminar el sistema de venta de películas a los exhibidores, sustituyéndolo por el alquiler, de superior rentabilidad. Esta medida iba a resultar fatal, precisamente, para los productores independientes y artesanos, carentes de adecuada organización, como era el caso de Méliès.

En 1911, con los recursos cada vez más menguados, Méliès tuvo que aceptar la ayuda financiera de su rival Charles Pathé, con la garantía de su estudio y del teatro Robert-Houdin. Pathé se habría apoderado de ellos muy pronto de no haber sido por el estallido de la guerra, que paralizó la acción judicial, al tiempo que Méliès desaparecía sin dejar rastro.

No se supo más de él hasta que, a fines de 1928, un periodista, el director del semanario *Ciné-Journal,* identificó a Méliès, convertido en un anciano de barba puntiaguda, vendiendo juguetes y golosinas en la estación de Montparnasse. La noticia saltó a los periódicos y, naturalmente, se organizaron homenajes y se le otorgaron condecoraciones, intentando reparar el olvido en que había caído, durante catorce años, el fundador del espectáculo de sombras animadas. Pero ni los aplausos, ni los discursos, ni los homenajes, ni las condecoraciones resolvieron los problemas del anciano Méliès, que siguió abriendo puntualmente cada mañana su puestecito de la estación de Montparnasse, para ganarse el sustento trabajando durante quince horas diarias. El fantasma de la enfermedad le andaba rondando y, afecto de un cáncer de estómago, falleció el 21 de enero de 1938, en el hospital Léopold-Bellan, de París. En su entierro tan sólo dos cineastas conocidos acompañaron su ataúd: René Clair y Alberto Cavalcanti.

Si tuviéramos que resumir la compleja aportación de Georges Méliès al arte del cine, difícilmente encontraríamos palabras más justas que las utilizadas para encabezar su catálogo americano de 1903. Decían así: «Georges Méliès ha sido la primera persona que ha realizado películas cinematográficas con escenas artificialmente preparadas y mediante esta innovación ha dado nueva vida a un comercio agonizante. Ha sido también el creador de películas con temas fantásticos o mágicos y sus obras han sido imitadas después, sin éxito, en todos los países.»

En efecto, si Edison fue quien primero impresionó una película cinematográfica y los Lumière quienes hicieron posible su proyección sobre un lienzo, a Méliès le cupo el mérito de crear con ello una nueva forma de espectáculo popular, incorporando al cine la *puesta en escena* de origen teatral. Es cierto que este peso teatral –el lastre del «teatro filmado»– gravitará todavía durante bastantes años sobre el cine francés, llegando a ser funesto, pero no hay que olvidar que su saludable y generosa inyección de fantasía abrió amplísimas perspectivas a un invento que, en manos de los Lumière, estaba pereciendo por su cortedad imaginativa y escasez de repertorio, que lo alejaban del interés de las masas una vez satisfecha su curiosidad inicial. Méliès se enfrentó con el cine con la misma inquietud que un niño ante un juguete nuevo y complicado. Exploró sus entrañas, descubrió muchos de sus secretos y experimentó largamente con sus fascinantes recursos, creando una colección de joyas cinematográficas repletas de ingenio y espontaneidad y arrancando al cine del punto muerto artístico y comercial en que se hallaba sumido.

Los Lumière, científicos de severa estirpe positivista, habían hecho nacer al cine como aparato *reproductor óptico* de la realidad, ignorando que, más allá de sus sobrias escenas documentales, podía caber un mundo de dislocada fantasía. Al realismo y naturalidad del aire libre, Méliès opuso la elaboración artificiosa del estudio, la puesta en escena teatral y el trucaje de ilusionista. He aquí los dos polos antitéticos entre los que se moverá en adelante toda la historia del cine: realismo y fantasía. Entre estos dos caminos radicalmente opuestos cabía una síntesis, una simbiosis superadora. Fruto del encuentro entre el naturalismo de Lumière y la imaginación creadora de Méliès nacerá en otras latitudes, como superación dialéctica, una nueva y prometedora forma expresiva.

Estamos viviendo, todavía, la protohistoria de un arte.

LA ESCUELA DE BRIGHTON

En el esfuerzo colectivo que hizo nacer el prodigio de la fotografía animada no estuvo ausente la Inglaterra victoriana. Su aportación tuvo un nombre injustamente postergado, el de William Friese-Greene, célebre fotógrafo de Piccadilly, que en su empeño por conseguir un buen método de cronofotografía invirtió todo su peculio personal, se arruinó y llegó a sufrir prisión por deudas. Camino doloroso que no conoció otro pionero inglés, el óptico londinense Robert William Paul, que, por encargo de unos empresarios griegos, construyó en 1894 una imitación del kinetoscopio de Edison, que no estaba patentado en Inglaterra. Le tomó gusto a la cosa y siguió fabricando más aparatos, introduciendo modificaciones y perfeccionamientos, llegando a construir en 1895 una cámara tomavistas para surtir con películas propias a los cada vez más numerosos kinetoscopios ingleses. En 1897 fundó la empresa Paul's Animatograph Ltd., y con él nació el cine británico y ya sabemos que Méliès recurrió a Paul para comprar su primer aparato cinematográfico.

Al igual que Méliès, Paul comenzó su carrera creadora cultivando las escenas naturales al estilo de Lumière, pero no tardó en ser tentado por los temas fantásticos y realizó un precedente notable del viaje polar de Méliès: *The Adventurous Voyage of the Artic* (1903).

Pero no acabó en William Paul la aportación británica al nuevo espectáculo. En Brighton, playa de moda favorecida por un clima benigno, varios fotógrafos profesionales habían sido iniciados en los secretos de la fotografía animada por Friese-Greene. Con paciencia e ingenio construyeron sus propios equipos y sus nombres han pasado a la historia formando lo que Sadoul ha llamado la «Escuela de Brighton». Entre ellos destacan George Albert Smith, James Williamson y Alfred Collins.

Smith impresionó en la playa sus primeras *escenas naturales,* en abril de 1897, para ilustrar una serie de conferencias sobre fotografía. Pero no tardó en intuir nuevas posibilidades de su aparato óptico y, abandonando el aire libre, se encerró con sus bártulos en un estudio y comenzó a aplicar al nuevo invento el trucaje fotográfico de la *sobreimpresión.* Esta experiencia, llevada a cabo simultáneamente a la de Méliès y sin que ninguno de los dos pioneros conociera los trabajos del otro, le abocó de un modo natural hacia el cine fantástico, poblado por espectros y fantasmas. Muy satisfecho de su hallazgo, que prolongaba al cine un trucaje fotográfico muy común, lo hizo patentar.

James Williamson, antiguo farmacéutico, impresionó también escenas documentales al aire libre, como la competición de regatas de Henley (1899), en donde muestra, en planos sucesivos, a la multitud de espectadores, a las embarcaciones en varios momentos de la competición y su llegada a la meta. Esto es algo importante: la cámara ya no es el perezoso observador inmóvil de Méliès, sino un ojo nervioso que salta de un punto de vista a otro, e incluso un plano muestra a los espectadores en *travelling,* captados desde una embarcación que se desplaza. Si el cine es, ante todo, movimiento, *moving picture,* como le llaman los americanos, no hay duda de que estamos asistiendo a su auténtico nacimiento, gracias a este sentido realista de los *cameramen* ingleses que anuncia, a más de treinta años de distancia, el florecimiento de la escuela documental británica en la segunda anteguerra.

Como cualquier documentalista de la época, Williamson aborda la actualidad reconstruida y en 1900 realiza una pieza verdaderamente importante: *Attack on a Chinese Mission Station,* episodio de la guerra de los bóxers visto con la óptica colonialista de un fiel súbdito victoriano. Esta película de cinco minutos estaba dividida en cuatro cuadros o escenarios, que mostraban:

1.º *Puertas de la misión.* Aparición de los bóxers, que fuerzan las puertas de la misión.

2.º *Fachada de la casa del pastor.* El pastor se da cuenta del ataque y ordena a su mujer e hija que se refugien en la casa. Luego abre fuego contra los chinos y se defiende hasta que acaba las municiones y es asesinado. La esposa del pastor aparece en un balcón y agita un pañuelo.

3.º *Tropa de marinos británicos mandada por un oficial a caballo.* Como si las señales con el pañuelo tuvieran un poder mágico, las tropas inglesas se precipitan a salvar a sus compatriotas atacados.

4.º *Fachada de la casa del pastor.* Continuación de la escena segunda, pero con irrupción de los marinos en el preciso momento en que los bóxers raptaban a la hija del pastor, que es rescatada por el apuesto oficial de Su Majestad. Los bóxers son reducidos y hechos prisioneros.

Esta alternancia dramática de escenarios, mostrando primero a las víctimas y luego a las tropas salvadoras, supone un progreso narrativo específicamente cinematográfico que ni Méliès ni los americanos habían conseguido, pero que pronto será patrimonio universal de todo el cine de aventuras y de los *westerns* que van a nacer muy pronto en suelo americano.

Este montaje intencional de escenas aleja la balbuceante narrativa cinematográfica de la vía teatral de Méliès, a pesar de que Williamson todavía no ha aprendido a cambiar el punto de vista de la cámara en el interior de un mismo cuadro o escena. Eso sí supo hacerlo Smith, en cambio, aunque no por razones dramáticas, pues los primeros planos que intercala en sus películas tienen por misión ampliar detalles demasiado pequeños de la acción, que escaparían al ojo del espectador, u obedecen a un simple trucaje óptico en películas en las que aparecen telescopios o lupas de aumento, recurso que utilizó por vez primera en *Grandma's Reading Glass* (La lupa de la abuela, 1900). La indiscutible importancia de George Albert Smith va ligada a su temprano uso de los trucajes y del primer plano. La ampliación de tamaños mediante el primer plano responde en Smith a una exigencia funcional, de ampliación óptica, pero no es un elemento de expresividad dramática, aunque lo haya empleado ya desde 1898, en su serie *Humorous Facial Expressions.* En 1902 Smith inventó el Kinemacolor, primer sistema de cine cromático.

El uso del primer plano, también como trucaje, es utilizado al final de un audaz *travelling* subjetivo por Williamson en *A Big Swallow* (1901): un caballero, molesto porque un fotógrafo ambulante le está retratando, se aproxima a él con la boca abierta (hasta conseguir un primer plano de la boca abierta) y devora al fotógrafo y a su cámara. Luego se aleja satisfecho, masticando.

También se debe a Williamson la introducción de un elemento característico del cine de acción: la *persecución.* Ésta aparece por vez primera en *Stop Thief!* (1901), que muestra la caza del ratero en tres planos gracias a la ubicuidad de la cámara. Recordemos que Méliès, para resolver una escena de persecución, hacía que los personajes diesen vueltas, uno detrás de otro, sobre el escenario y los fotografiaba con la cámara inmóvil. Esta torpe solución teatral fue ampliamente superada por los pioneros de Brighton, que hicieron justamente famosas las «persecuciones» del cine inglés y que culminaron en *The Life of Charles Peace* (1903), en donde Frank Mottershaw reconstruyó las fechorías auténticas de este bandido y su posterior ajusticiamiento. Alfred Collins, especialista en persecuciones cómicas, utilizó en *Marriage by Motor* (1903) el *travelling* de dos coches que se persiguen y alternó sus puntos de vista respectivos (plano y contraplano).

Y es que el dinamismo de los temas abordados fuerza de un modo natural la invención de una nueva sintaxis, que aleja progresivamente al cine del sendero teatral de Méliès para acercarlo cada vez más al realismo cinematográfico que culminará en Griffith. La movilidad de la cámara y la aparición de un rudimentario montaje en estas cintas inglesas preludia el nacimiento, no lejano, de una auténtica narrativa cinematográfica.

EL PRIMER IMPERIO DEL CELULOIDE

Charles Pathé era hijo de un coracero de la Guardia Imperial de Napoleón III, que se retiró para instalar, sin mucha fortuna, una salchichería en Chevry-Cossigny. Su infancia fue dura; a pesar de su delicada salud trabajaba de quince a dieciocho horas diarias y durante mucho tiempo no tuvo más zapatos que los que su madre le prestaba los domingos. Para escapar a la miseria Charles Pathé decidió, después de cumplir su servicio militar, embarcarse con un grupo de emigrantes armenios y sirios para probar fortuna en el Nuevo Mundo. Tampoco le acompañó la suerte en aquellas tierras y tras conocer muchos trabajos, aventuras y sinsabores contrajo en Brasil la fiebre amarilla. Con los bolsillos tan vacíos como a su partida y con la salud quebrantada Pathé regresó nuevamente a Francia.

Un buen día tuvo la fortuna de asistir, en la feria de Vincennes, a una demostración del fonógrafo de Edison. Pathé calculó que las audiciones de fonógrafo podían ser un buen negocio, de modo que, sin pensarlo dos veces, pidió prestados 700 francos y compró uno de aquellos aparatos (1894). Con su mujer y su fonógrafo a cuestas, Pathé se convirtió de la noche a la mañana en un feriante nómada al que, por vez primera en su vida, le iba a sonreír la suerte.

Tanto éxito tuvieron sus audiciones ambulantes que Pathé amplió pronto sus actividades a la fabricación y venta de fonógrafos. Más tarde, siguiendo los consejos de su madre moribunda, crea con sus hermanos la Pathé Frères (1896), con 24.000 francos de capital, dedicada a la fabricación de aparatos y registro de cilindros fonográficos. El grupo financiero Neyret, de Lyon, se interesó en la joven empresa y su asociación permitió a la Pathé entrar de lleno en el campo de la gran industria francesa.

Además de la «máquina parlante», habían atraído también la atención de Charles Pathé el kinetoscopio de Edison y el cinematógrafo de Lumière. Con la colaboración del mecánico Henri Joly fabricó una cámara tomavistas, con la que inició su producción encabezada por *La llegada del tren de Vincennes (L'arrivée du train de Vincennes*, 1897). Pero tras esta locomotora aparecieron pronto otros títulos que ilustran la diversidad de su inspiración: *Ejecución capital en Berlín (Exécution capitale à Berlin)*, en donde se muestra cómo el verdugo decapita con su hacha al condenado, *Le déshabillé du modèle, La naissance de Venus, Saint Antoine de Padoue,* etc.

Pathé abarcaba, como Edison, la producción de películas y de cilindros fonográficos. Era lógico pues que, también como Edison, intentase crear el *fonofilm,* sincronizando el fonógrafo y el cinematógrafo. Con Pathé asistimos, y ello es importante, al nacimiento de la mentalidad de empresario industrial en el campo cinematográfico. El invento de Lumière, que Méliès convirtió en espectáculo, se hace industria en manos de Edison y, sobre todo, de los pioneros franceses Pathé y Gaumont. No ha de extrañar, pues, que Pathé organice su producción industrialmente contratando a realizadores y técnicos que trabajaban a sueldo en sus estudios de Vincennes, que lance las primeras *estrellas* (como Max Linder), que cree el primer periódico de imágenes (cuando no pudo captar los acontecimientos reales, los reconstruyó en el estudio), estabilizado a partir de 1908 con el nombre de *Pathé Journal,* y que su orgulloso gallo, emblema de la casa, se multiplique en las sucursales que brotan en Europa y América y que llegan hasta la India, Japón y Australia.

El hecho de que la actitud de Pathé ante el cine fuese eminentemente industrial obliga a desvincular de su nombre los aspectos artísticos y creadores de sus películas, realizadas por asalariados suyos entre las paredes de vidrio de su estudio, y entre los que destacó con especial fulgor el nombre de Ferdinand Zecca.

De origen corso e hijo de un tramoyista, Zecca fue contratado por Pathé gracias a una recomendación de su cocinera. Por su excelente dicción, Pathé le utilizó para grabar cilindros con los textos de discursos de jefes de Estado, ministros y oradores notables, como era costumbre en la época. Trabajó como «explicador» de películas de la casa, antes de debutar como actor en *Le muet mélomane* (1899), escena sincronizada con gramófono y en la que un mudo utiliza una trompeta para responder a las preguntas del juez, mediante fragmentos musicales muy conocidos.

Zecca se ganó la confianza de Pathé y no tardó en convertirse en su brazo derecho, desplegando una actividad cinematográfica tan vasta y diversa (como actor, guionista, director y decorador) que le ha valido ser comparado a veces con el portentoso Méliès. Claro que, para poner los puntos sobre las íes, no puede olvidarse que este curioso y fecundo autodidacta no siente reparos en plagiar descaradamente las cintas de Méliès y del grupo de Brighton. Eso era moneda corriente por aquel entonces y no olvidemos que todos los pioneros, sin excluir a Méliès, empezaron su carrera calcando fielmente los temas de Lumière.

Zecca aborda el cine de fantasía, aunque introduciendo como nota original una tendencia realista: sus fantasías, a diferencia de las de Méliès, son fantasías *posibles*. Años más tarde declarará: «He sido realista incluso en las escenas de trucos.» Al contrario que Méliès, utiliza el truco no como un fin en sí mismo, sino como un elemento técnico al servicio de la narración y, conocedor de las películas de Brighton, escapa a la rigidez de la estética teatral. El punto de vista de la cámara no es el del espectador de platea, sino que emplea con frecuencia el plano americano o tres cuartos.

En *El amante de la luna* (*L'amant de la Lune*, 1905) interrumpe un plano general del borracho que trata de abrir la puerta del piso, para mostrar con un primer plano el detalle de su mano que con la llave busca la cerradura. Esta aplicación funcional del primer plano la aprendió Zecca de las cintas de Brighton. La disparatada aventura de *El amante de la luna* concluye con el despertar del protagonista, justificación realista de lo imposible a través del sueño, que evidencia lo lejos que nos hallamos de las fantasías puras de Méliès.

En *Un idylle sous un tunnel* (1901) aparece un paisaje que desfila tras la ventanilla de un vagón de tercera. Méliès habría resuelto el trucaje haciendo desfilar un decorado pintado. Zecca, en cambio, lo ha resuelto con un meritorio esfuerzo imaginativo: mediante una *reserva* ha dejado sin impresionar la superficie de la película que corresponde al rectángulo de la ventanilla y luego, en este recuadro de película virgen, ha impresionado un paisaje real en movimiento. El efecto conseguido es semejante al logrado por las *transparencias,* trucaje empleado por vez primera treinta años más tarde, en *King Kong.*

Con Zecca, como puede verse, el trucaje no es un fin, sino un medio. Esta perspectiva realista no afecta sólo a la utilización de la técnica, sino también a la elección de los temas, especialmente los que en el catálogo de Pathé aparecen bajo la rúbrica de «escenas dramáticas o realistas». En este apartado hallamos cintas tan sugestivas como *Historia de un crimen (Histoire d'un crime*, 1901), que con sus 110 metros y seis cuadros es considerada por Pathé como el primer drama de la historia del cine. Su desarrollo es el siguiente:

1.º Un apache patilludo y con gorra de larga visera, asesina, durante la noche, al vigilante de un banco.

2.º El asesino es detenido en un café.

3.º Dramática confrontación del asesino y su víctima en la morgue.

4.º En la prisión, el recluso evoca en sueños su pasado.

5.º El último día de un condenado a muerte y la última *toilette* del reo.

6.º La ejecución.

Refiriéndose al último cuadro, el catálogo de Pathé señalaba que era «preferible no insertarlo en un programa al que asistan niños». Precaución inútil, ya que la censura francesa (que hacía su primera irrupción en el campo de la fotografía animada) prohibió la escena por juzgarla excesivamente realista. En realidad, este drama de bajos fondos con castigo final procedía de una escenificación exhibida, con figuras de cera, en el famoso Museo Grévin. Como pieza cinematográfica era notable por estar articulada sobre algo que ya se parece a lo que hoy llamamos guión; guión embrionario, si se quiere, pero que vale como estructura de una sucesión vertebrada de escenas. ¿Y qué decir de su realismo? Procede directamente del estilo que Pathé anunció ya con su *Ejecución capital en Berlín;* es la tentación de lo truculento y de lo pintoresco que asoma la nariz en el nuevo espectáculo.

También resulta inevitable referirse a Zola para explicar otra cinta naturalista de Zecca: *Las víctimas del alcohol (Les Victimes de l'alcoolisme*, 1902), que en cinco cuadros y 140 metros desarrolla el drama de un obrero que concluye sus días en el manicomio, consumido por el *delírium trémens*. A pesar de la obligada referencia a Zola, de cuyo *Assommoir* tomó Zecca el asunto, al igual que de *Germinal* tomó el de *La huelga (La grève*, 1903), sería más justo hablar de Dumas y de Sue, del folletín decimonónico, del melodrama victoriano y de la truculencia del *Grand Guignol,* que otra cosa no es la obra de Zecca. El realismo, en su forma más primaria y epidérmica, es lo que tienta a Zecca, cuyo mérito sin par es el de haber llevado al cine la cantera temática popular, picoteando en esos temas «fuertes» que galvanizan a las masas, compendio de miserias humanas, taras biológicas y dramas sociales, en su visión más periférica y esquemática, que degrada el naturalismo artístico para convertirlo en folletín social.

No olvidemos que el cine era un espectáculo para los niños y para la plebe y, como observa Sadoul, si Méliès creó una obra portentosa para el público infantil, a Zecca le cupo la tarea de producir obras adaptadas al recio paladar del pueblo. Por eso es justo comparar su tarea con la que los folletinistas de la primera mitad del XIX cumplieron en la literatura, y sus esfuerzos por alargar la longitud de las películas han de asociarse a esta misma preocupación. Zecca es, artísticamente hablando, un hijo de Méliès y de la Escuela de Brighton que conoce bien los gustos del público. Y al igual que sus maestros cultiva también todos los géneros, sin olvidar los documentales amañados en el estudio de Vincennes, de donde salen, entre otras, reconstrucciones del asesinato del presidente McKinley, de la muerte de León XIII y de la catástrofe de la Martinica. Y en la fecundidad de su obra no podía faltar la temática religiosa: su *Vida, Pasión y Muerte de Nuestro Señor Jesucristo (La Vie et la Passion de Jésus-Christ)* se rodó entre 1902 y 1905 y pasa por ser una de sus obras maestras. Su longitud es verdaderamente insólita para la época: mide 700 metros y consta de treinta y una escenas. Con la ayuda de Lucien Nonguet y del operador español Segundo de Chomón (de quien hablaremos más tarde), Zecca realizó con ella una de sus obras más ambiciosas.

Por otra parte, la organización industrial de Pathé, que ha creado el primer trust del cine europeo, coloca a Zecca como supervisor y maestro de un grupo de realizadores y técnicos asalariados que trabajan a sus órdenes: Albert Capellani, Gaston Velle, André Heuzé, Lucien Nonguet, Segundo de Chomón, etc. Las cintas que salen de Vincennes van a alimentar los *circuitos* internacionales de exhibición que la empresa controla. En 1913, mientras el gallo de Pathé se enseñoreaba de todas las pantallas, Zecca abandonaba la producción para incorporarse a los servicios administrativos y comerciales de la firma y dirigir la construcción de los Estudios Pathé en Berlín y Jersey City. Director de la rama americana de Pathé y creador del servicio *Pathé-Baby* de «cine en el hogar», fue uno de los puntales sobre los que se afianzó el colosal imperio francés del celuloide.

Pero Pathé no era el único gigante del cine francés. León Gaumont fue, durante bastante años, su más peligroso competidor. Director del Comptoir Général de Photographie, se dedicó durante cierto tiempo a la fabricación y venta de aparatos cinematográficos, hasta que la demanda de su clientela le orientó hacia el campo de la producción. A Gaumont le interesaban, primordialmente, los aspectos técnico-mecánicos del cine y fue su secretaria Alice Guy quien, improvisada realizadora, inició la producción de Gaumont en 1898 con *Les mésaventures d'une tête de veau*. Estimulado por las exigencias del mercado, Gaumont amplió su producción y su negocio (que pasó de un volumen de 300.000 francos en 1904 a 30 millones en 1914), contrató como realizador al ex escultor Victorin Jasset y luego a Louis Feuillade, que, en calidad de sucesor de Alice Guy, fue desde 1906 director artístico y responsable de la producción que se rodaba en el que, hasta 1914, estuvo considerado como el mayor estudio del mundo.

El cine, que había nacido en Francia, crecía en este país como un gigantesco negocio que abarcaba, en fórmula monopolística, la fabricación de aparatos y la producción, distribución y exhibición de películas, a escala mundial. En 1904 Pathé abría agencias en Londres, Moscú, Bruselas, Berlín y San Petersburgo; en 1906 en Ámsterdam, Barcelona y Milán, y en 1907 en Budapest, Calcuta y Singapur. En 1908 repartió a los accionistas un dividendo del 90 %, con ocho millones y medio de beneficios, y antes de la Primera Guerra Mundial el 80 % de los aparatos de proyección en uso en los países europeos eran de la marca Pathé. En su momento de apogeo, Pathé suministraba a los Estados Unidos más películas que todas las casas americanas juntas, pero este dominio imperialista del mercado mundial comenzó a cuartearse desde 1918.

Ninguna industria francesa, con excepción de la de la guerra, había conocido un crecimiento tan espectacular. El torbellino capitalista hacía danzar a los pioneros del celuloide en la edad heroica de la invención. Aunque fuera a veces en vano, como en el caso de Raoul Grimoin-Sanson, técnico en fotografía de identidad judicial, al que para ensanchar el horizonte del cinematógrafo no se le ocurrió otra cosa mejor que inventar la proyección circular, en una gran pantalla que rodeaba a los espectadores. El Cineorama, que utilizaba diez cámaras tomavistas (y diez aparatos de proyección) cubriendo cada una un ángulo de 36° se presentó al público en la Exposición Universal de París de 1900 y con su monstruo óptico Grimoin-Sanson ofrecía al público vistas de la plaza de toros de Barcelona, de la Grand Place de Bruselas y hasta una emocionante ascensión en globo... Pero la prefectura de policía juzgó que aquel invento era peligroso (estaba reciente la catástrofe del Bazar de la Caridad) y lo prohibió, de modo que al siguiente año la aparatosa instalación fue vendida en pública subasta.

Con el Cineorama el cine a secas seguía encarrilado como atracción de barraca de feria y bobalicona curiosidad de Física Recreativa. Pero el Cineorama, sin que su inventor lo llegara a saber, dejaría hijos –y hasta nietos– póstumos, pues de él derivarán, entre otros, la triple pantalla de Abel Gance (1927), el Cinerama (1952), el Cinemascope Fox (1953), el Circarama de Walt Disney (1956) y el Kinopanorama circular soviético (1959).

LA GUERRA DE LAS PATENTES

También en América el cine iba a caer presa de una vasta organización monopolista, tras la guerra que por el control de su explotación desencadenó Thomas Alva Edison, salpicada de episodios broncos y movidos. No en vano ha descubierto Edison que «quien controle la industria cinematográfica, controlará el medio más potente de influencia sobre el público». Eso lo sabía también el presidente McKinley, gran *boss* de la Biograph y responsable de la primera víctima de esta contienda que, como ya vimos, fue el francés Félix Mesguich, operador de Lumière, a quien se le hizo la vida imposible y que, rescatado de un calabozo por las gestiones del embajador francés, abandonó el generoso territorio de la Unión con el rabo entre las piernas. Pero las cosas no concluyeron ahí.

Dispuesto a acabar de una vez por todas con sus competidores, Edison abrió su caja de los truenos y con los peores modales esgrimió los derechos que detentaba por su patente del kinetoscopio. Por encargo de Edison, los abogados Dyer and Dyer lanzaron su caballería contra las pequeñas compañías o comerciantes individuales que explotaban el invento de la fotografía animada. Su primera demanda judicial por violación de patentes data del 7 de diciembre de 1897 y fue interpuesta contra Charles H. Webster y Edward Kuhn, socios fundadores de la International Film Company. A este proceso siguieron otros muchos: quinientos dos en total, entre 1897 y 1906, que llegaron a tener serias repercusiones en Washington.

Edison adivinaba que sobre su patente podía alzarse una fabulosa potencia industrial. Por eso se dedicó a exterminar concienzudamente a todos sus posible rivales. Eran los años heroicos del nacimiento del cine y sus pioneros luchaban en torno a la máquina tomavistas igual que treinta años antes se hacía junto a los raíles del Union Pacific. Brigadas de policías, al servicio de los intereses de Edison, se dedicaban a la clausura de *music halls* y de estudios de rodaje y a la confiscación de aparatos y de películas. Quienes se atrevían a desafiar la persecución de Edison rodaban protegidos por hombres armados. «Se rodaba la Biblia —recuerda un pionero— con el revólver en la cintura.» Era una guerra sin cuartel que arrastró a numerosas víctimas. Artistas, técnicos, productores y exhibidores sufrieron la implacable persecución de Edison; algunos, como Sigmund Lubin, se vieron obligados a expatriarse y huir a Europa. Albert Smith declaró ante el tribunal: «La angustia causada en mi hogar por el proceso de Edison ha sido tal que ha matado a mi esposa.» Saqueados sus negocios por la policía y confiscados sus equipos, muchos pioneros se vieron sumidos en la más negra miseria. Edison no se detuvo ante nada ni nadie, pero supo pactar cuando creyó que podía obtener algún beneficio. Esto hizo con la American Biograph, que pagó 500.000 dólares al mago de Menlo Park para seguir produciendo con tranquilidad. La «guerra de patentes» concluyó el 15 de diciembre de 1908 con un banquete y un acuerdo mediante el cual se creaba un trust internacional, la Motion Pictures Patents Company, capitaneado por Edison.

En aquellos años turbulentos que teñían de rojo la aurora del cine americano, un espíritu de encendida rivalidad, motor de la edad heroica del capitalismo, ponía su nota de pintoresquismo en cada acontecimiento. Valga como muestra el sensacional combate de boxeo entre Jim Jeffries y Tom Sharkey en Coney Island (1899) que, con una instalación de cuatrocientas lámparas de arco, los técnicos de la Biograph se proponían rodar. Sus rivales de la Vitagraph, ni cortos ni perezosos, decidieron aprovechar la iniciativa y la complicada instalación eléctrica de sus competidores para rodar también, desde un emplazamiento excelente, la acción que se desarrollaba en el ring. La velada acabó como el rosario de la aurora, con los hombres de la Vitagraph y de la Biograph arreándose mamporros ante la perplejidad del público, que no tardó en contagiarse de su ardor combativo y organizó una batalla campal que no estaba prevista en el programa.

Estas cosas no deben asombrar, pues no resultaban excesivamente insólitas en la ya lejana era de los pioneros, cuando el sabor a pólvora de la epopeya del Oeste era algo de un ayer todavía muy próximo, fresco y vivo en las mentes de aquellos emigrantes o hijos de emigrantes, de la más variada procedencia y condición, que con sus rivalidades estaban construyendo, sin saberlo, la patria del supercapitalismo y de los grandes monopolios industriales. Y el cine, claro, no escapaba a la regla.

PROVECHOSO ASALTO Y ROBO DE UN TREN

En estos años borrascosos en los que las artimañas y zancadillas estaban a la orden del día, las leyes del *copyright* eran impotentes para preservar los derechos de los autores cinematográficos. Ya vimos cómo Edison no sintió ningún escrúpulo en obtener contratipos de las películas europeas; se justificaba afirmando que era él quien había inventado la fotografía animada. Y nadie se atrevía a chistar. Pero al abrir Méliès su sucursal americana y a medida que la vigilancia legal se fue haciendo más estrecha, Edison abandonó aquel tosco procedimiento de piratería y acudió a otro más seguro: el plagio de las cintas europeas.

El lugarteniente de Edison en estas tareas de bucanero intelectual fue Edwin S. Porter, un marinero escocés con un pasado nada plácido, que llegó a convertirse en operador y luego en jefe de su estudio de 1902 a 1910. Joven aplicado, Porter proyectó en su laboratorio una y otra vez las cintas de Méliès y las estudió detenidamente. El historiador americano Lewis Jacobs nos informa que Porter quedó «impresionado por su longitud y factura» y decidió que él también podía realizar películas que narrasen un argumento o historia, a través de la adición de escenas «artificialmente compuestas».

Era mérito de los pioneros europeos el haber inventado el *cine narrativo:* Méliès aportó la *puesta en escena,* los ingleses el descubrimiento del *montaje* como elemento narrativo y Zecca perfeccionó la estructura del *relato.* Porter heredó estos hallazgos europeos y realizó con ellos algunos films sorprendentes. En 1902 rodó *Salvamento en un incendio (Life of an American Fireman).* Para confeccionarla Porter recurrió a escenas documentales auténticas de trabajos del cuerpo de bomberos, tomadas en varias ciudades americanas, e introdujo un tema de ficción: una madre y su hijo en su hogar, rodeados por las llamas. Con estos materiales diversos Porter construyó una narración a la que, durante muchos años, se ha considerado matriz inaugural del montaje alternado de dos *acciones paralelas* (las víctimas de las llamas y los bomberos salvadores). Pero hoy sabemos que la versión original no era así y que tal alternancia fue obra de un remontaje posterior, que tenía su semilla en los films de Brighton. Y también Porter ha aprendido de ellos el uso del primer plano, que utiliza para mostrar una mano que acciona un avisador de incendios. Es, ciertamente, un primer plano funcional pero nos advierte que falta ya muy poco para que se descubra en este recurso técnico un poderoso elemento dramático, específicamente cinematográfico.

No hay duda de que con Porter estamos asistiendo a la consolidación de una técnica narrativa, base del cine de acción, que se desarrolla en todo su esplendor en una cinta de 234 metros con la que Porter introduce en el cine –y esto no es baladí– el riquísimo temario del Far-West. Este primer *western* de la historia del cine se titula *Asalto y robo de un tren (The Great Train Robbery)* y fue rodado por Porter en el otoño de 1903, utilizando como principales intérpretes a George Barnes, como jefe de los forajidos, y a Gilbert M. Anderson, que se hará más tarde famoso como protagonista de la serie de Broncho Billy. La narración de este *paleowestern* se desarrolla a través de las siguientes escenas:

1.º *Interior de la oficina de telégrafos en una estación.* Dos bandidos enmascarados obligan al telegrafista a transmitir una orden que obligue al maquinista de un tren que se aproxima a detenerse en la estación para proveerse de agua. Por la ventana de la oficina se ve el tren que se detiene. Los forajidos atan y amordazan al telegrafista.

2.º *Depósito de agua en la estación.* Los bandidos, que estaban escondidos detrás del depósito, saltan al tren, entre el ténder y el coche-correo.

3.º *Interior del coche-correo.* Se entabla un combate entre el funcionario de correos y los bandidos, consiguiendo éstos abrir la caja fuerte con dinamita y apoderarse de los valores. En esta escena el paisaje se desliza tras la ventanilla del vagón, efecto obtenido mediante el trucaje ya explicado de *Un idylle sous un tunnel.*

4.º *El ténder y la plataforma de mando de la locomotora.* El maquinista y el fogonero luchan con los bandidos, aunque éstos finalmente les obligan a detener el tren.

5.º *Junto al tren que se para.* El maquinista, amenazado por los revólveres de los bandidos, desciende de la locomotora.

6.º *Exterior del tren.* Los bandidos obligan a los pasajeros a apearse, los desvalijan y asesinan a uno que intentaba escapar. Consumado el robo, aterrorizan a los pasajeros disparando al aire sus armas.

7.º Los bandidos suben a la locomotora con su botín, obligan al maquinista a ponerla en marcha y desaparecen en la lejanía.

8.º *La locomotora se detiene.* Los bandidos descienden y se alejan rápidamente.

9.º *Un valle con árboles.* Los forajidos cruzan un arroyo. Después, una panorámica descubre a los caballos que les aguardan; los cabalgan y parten al galope.

10.º *Interior de la oficina de telégrafos.* La hija del telegrafista libera a éste de las ligaduras.

11.º *Sala de baile típica del Far-West.* En la animada sala irrumpe el telegrafista, que da la alarma. Los hombres toman sus rifles y salen precipitadamente.

12.º *Colina con árboles.* Los ladrones, a caballo, son perseguidos y se inicia un tiroteo.

13.º *Paisaje con árboles.* Los bandidos son acorralados y tras una lucha desesperada caen prisioneros.

14.º Primer plano del actor George Barnes, jefe de los malhechores, que apunta y dispara su revólver hacia el público.

El catálogo de Edison especificaba que el primer plano final de Barnes podía colocarse indistintamente al principio o al final de la cinta. Sugerencia inútil, porque siempre se colocó al final, causando en el público un impacto sólo comparable al que unos años antes causara la inocente locomotora de Lumière arrojándose sobre los espectadores. ¿Sorprendente? No; es de pura lógica el estallido emocional que producía en la sala el primer plano del bigotudo malhechor, habida cuenta de la mentalidad *precinematográfica* de nuestros mayores y de la capacidad dramática del encuadre, rectángulo mágico rodeado de tinieblas, aislado, que potencia todo cuanto sucede en su interior. Sin saberlo, Porter está ofreciendo a su público un nuevo universo de relaciones, relaciones físicas y psicológicas: distancias que se acortan, tamaños que aumentan, emociones que se potencian... Todo esto, inédito hasta ahora, es el *cine,* cuyo embrión está naciendo en el seno de un género que, para muchos, será un género menor: el *western.*

En esta película antológica muchas escenas están interpretadas todavía «de frente», como en el teatro, pero algunas de ellas (la persecución, el combate en el bosque, el robo de los viajeros) se desarrollan «en profundidad», interviniendo el alejamiento o acercamiento relativo de los personajes a la cámara.

La película se anunció como «la obra cumbre del arte cinematográfico» y, por una vez, la publicidad no exageraba; era, por lo menos, la primera película importante con argumento de ficción *(story picture)* del cine americano. Tan grande fue su éxito que desencadenó la consabida avalancha de imitaciones, como *The Bold Bank Robbery* (1904) de Sigmund Lubin, y el propio Porter trató de repetir su éxito con *The Great Bank Robbery* (1904) y *The Little Train Robbery* (1905).

Porter era un hombre fecundo. Llevó a la pantalla la famosa novela de Harriet Beecher Stowe *La cabaña del tío Tom (Uncle's Tom Cabin,* 1903), con una longitud extraordinaria para la época, pues medía casi cuatrocientos metros, más que ninguna otra cinta americana hasta entonces. Esta obra, que contaba con catorce escenas y un prólogo, estaba realizada de acuerdo con el estilo teatral de Méliès. Pero ése no es el camino natural de Porter, que dotado de un vivo sentido realista se desenvuelve mejor en sus *dramas sociales,* que al igual que las obras de Zecca se inspiran en una tradición británica, la del melodrama social victoriano. En *The Ex-Convict* (1906) contrasta, mediante el montaje, el miserable hogar del ex presidiario con la opulencia del rico industrial que rehúsa darle un empleo; en *The Kleptomaniac* (1906) también utiliza el montaje alterno para mostrar el diferente rigor con que la ley trata a una cleptómana rica, que es absuelta, y a una pobre mujer que por hambre roba un panecillo. Si al referirse a Zecca resultaba abusivo evocar el nombre de Zola, tampoco es justo referirse a los apóstoles del socialismo al examinar estos melodramas sociales que buscaban por el camino más corto los centros sensibles del gran público, utilizando métodos técnicos que, como el montaje de situaciones contrastadas, retomará Griffith, depurándolos, y de ahí pasarán a ser patrimonio del cine revolucionario ruso.

La importancia de la obra de Porter –que algún historiador ha denominado «el Zecca americano»– es tan grande que ha eclipsado, no muy justamente, las aportaciones de las otras productoras americanas: la Vitagraph y la Biograph. Wallace Mac Cutcheon (apodado *Old Man*), factótum de la Biograph, realizaba o supervisaba la abundante y variada producción que salía de sus estudios neoyorquinos, plagiando a Méliès (con temas fantásticos), a los británicos, a Zecca o Porter (con películas de persecuciones y *typical westerns),* mientras Stuart Blackton seguía al frente de los destinos de la Vitagraph, haciendo construir unos nuevos estudios en Brooklyn e iniciando en 1907 un plan de producción de seis películas al mes, que al año siguiente se elevó a cuatro a la semana. No hay que olvidar que estas cintas alcanzaban raramente los 300 metros, pero a pesar de ello su producción exigía una eficiente organización industrial que estos pioneros americanos supieron crear.

En 1908 la Vitagraph era la productora más activa de América y, también, la más interesante, pues en esta fecha inició la producción de las llamadas *Escenas de la vida real (Scenes of True Life),* que además de suponer un acercamiento realista a temas, ambientes y personajes cotidianos de la vida americana, introdujo una auténtica revolución técnica, que impresionó profundamente a los realizadores europeos.

En aquella época los directores americanos respetaban en sus películas ciertas normas técnicas convencionales, que venían a formar un código de estética cinematográfica y cuyos preceptos han llegado hasta nosotros:

«1.º Cada escena debe empezar con una entrada y terminar con una salida.

2.º Los actores deben presentar el rostro a la cámara y moverse horizontalmente, salvo cuando el movimiento es rápido, como en una persecución, o prolongado, como en una pelea; en estos casos, la acción se efectúa diagonalmente respecto a la cámara, para facilitar a los actores mayor espacio.

3.º Las acciones que se desarrollan en último término deben ser lentas y muy exageradas, para que el público pueda percibirlas bien.»

Ya vimos cómo Smith en Inglaterra, Zecca en Francia y Porter en América se habían atrevido, ocasionalmente, a intercalar un primer plano en una escena mostrada en plano general. Pues bien, los técnicos de la Vitagraph rompieron con el artificio teatral y comenzaron a emplear sistemáticamente este recurso que permitía valorizar la fisonomía del actor en detrimento del ambiente y decorado, pero que tuvo además la consecuencia de popularizar sus rostros, lo que a la larga habrá de tener consecuencias fabulosas para la industria del cine. Con genial intuición, los hombres de la Vitagraph hicieron uso de planos próximos y los franceses comenzaron a denominar *plano americano* al que mostraba a «los personajes sin piernas», según escribía Victorin Jasset. La aproximación de la cámara a los personajes estuvo acompañada, por ley de necesidad, de una interpretación más sobria y realista de los actores. Estas innovaciones técnicas y temáticas, mutuamente condicionadas, influyeron en realizadores franceses, como Louis Feuillade, que se rindieron ante la superioridad de este cine hecho por autodidactas e incultos aventureros del otro lado del océano.

Desde el punto de vista creador, el cine americano estaba alcanzando una madurez que anunciaba la próxima aparición de Griffith. Desde el punto de vista industrial, y a pesar de los avatares de la guerra de patentes, el cine americano estaba sólidamente asentado sobre tres pilares –Edison, Vitagraph y Biograph– que trataban de perturbar al máximo la existencia de otros modestos productores. La exhibición de películas cinematográficas tenía lugar en barracas de feria, *music halls*, o *Penny Arcades* (locales de atracciones, con juegos eléctricos y mecánicos) de las grandes ciudades, hasta que a Jesse L. Lasky, fracasado buscador de oro en las heladas aguas del Yukón, se le ocurrió sustituir la fórmula de venta de las copias a los exhibidores por su alquiler. Esto permitió el nacimiento de la exhibición cinematográfica autónoma, liberada de la servidumbre del *music hall*. En manos de emigrantes judíos floreció rápidamente el nuevo negocio, explotado a partir de 1901 en unos locales especializados, bautizados pronto con el nombre de *Nickel-Odeons,* porque su entrada valía invariablemente un níquel, es decir cinco centavos. Curiosa personalidad la de estos empresarios hebreos, como Adolph Zukor, Carl Laemmle, William Fox y Marcus Loew, con biografías turbulentas y zigzagueantes todos ellos, pioneros de la industria del cine que no tardarán en enfrentarse con el colosal trust de Edison y llegarán a convertirse más tarde en máximos gerifaltes de la poderosa industria de Hollywood.

EL «FILM D'ART»

Si el cine americano poseía el más vasto mercado de exhibición del mundo, con cerca de diez mil salas, Francia seguía siendo el país con mayor volumen de producción. El cine francés ya era una industria, y como toda industria iba a conocer sus momentos de prosperidad y de crisis. La primera crisis apareció súbitamente en 1907, como una crisis de crecimiento cuyo diagnóstico no era difícil: el público se estaba cansando de aquel juguete óptico que ofrecía siempre los mismos asuntos, idénticos melodramas o payasadas, incapaz de una evolución madura, de un progreso dramático.

Al igual que las salidas de fábricas y llegadas de trenes se repitieron hasta la saciedad en los primeros cinco años de vida del cine, ahora se estaba asistiendo a idéntica cristalización de temas, consagrados por un éxito inicial. Nada más ilustrativo que cotejar los catálogos de las casas de producción de la época, para darse cuenta de la falta de imaginación, puerilidad y vulgaridad de los asuntos ofrecidos. Y no podía ser de otra manera; el cine era mediocre porque sus guionistas también lo eran. Escritores fracasados, oscuros periodistas o actores retirados escribían, por retribuciones ínfimas, los argumentos de las películas. Y los productores tampoco exigían más, porque seguían la ley de la inercia de los primeros éxitos, sin darse cuenta de que ello les abocaba a un callejón sin salida.

Diversión plebeya, como la máquina tragaperras, el tiovivo o la casa encantada, el cinematógrafo era despreciado por los intelectuales. Su público no era el que frecuentaba los teatros, museos o salas de conciertos. Para estas gentes era válido el juicio que no tardaría en emitir Georges Duhamel, que verá en el cine un «placer de ilotas, pasatiempo para criaturas miserables, chorro de imágenes, confort de las posaderas, cloaca que arrastra, como si fuesen mondaduras, los vestigios de los sueños más bellos».

Para salvar aquella difícil situación, los hermanos Lafitte, banqueros franceses, fundaron en 1908 la sociedad productora Film d'Art, poniendo a su cabeza a dos prohombres del teatro francés: Charles Le Bargy y André Calmette. Pensaron los Lafitte que si el cine atravesaba una crisis de argumentos, ésta podía salvarse recurriendo a los grandes temas del teatro clásico o haciendo que los escritores famosos creasen argumentos para el cine. Al mismo tiempo utilizarían a los grandes actores de la Comédie Française para prestigiar y enaltecer aquel espectáculo populachero.

El cine ya había echado mano ocasionalmente de los temas literarios o históricos, cuya popularidad o renombre facilitaban su difusión. Pero aunque Méliès haya evocado en imágenes el *Fausto* de Goethe y el pionero italiano Ambrosio haya llevado a la pantalla *Los últimos días de Pompeya (Gli ultimi giorni di Pompei*, 1907), ni éstos ni las encarnaciones de Juana de Arco, Barba Azul, Aladino, Gulliver, Don Quijote o la Dama de las camelias que el cine ha producido hasta esta fecha constituyen una política de producción organizada y consciente ni persiguen como objetivo elevar el nivel artístico del cine, incorporando a actores, escenógrafos y directores de reconocido prestigio en los medios culturales.

La sociedad Film d'Art –presuntuoso nombre– se proponía poner punto final al anonimato artístico propio del cine primitivo y, aunque vistiese su proyecto con un ropaje de alto vuelo intelectual, no hacía otra cosa que introducir en el cine la noción de estrella, como polo atractivo de públicos, que va a dar no poco juego a todo el cine futuro. El proyecto de los Lafitte permitiría difundir por doquier, en adelante, la actuación de unos actores famosos que sólo podían ser admirados hasta entonces, a un precio relativamente alto y socialmente discriminatorio, en los mejores escenarios de París. Así parecía cumplirse la profecía de Frantz Dussaud, que, inventor de un fonógrafo para sordos y un cinematógrafo para ciegos, había afirmado: «El cine es el teatro de mañana.» Pero no olvidemos que los Laffitte eran banqueros y no filántropos, como tampoco lo era Pathé y que no obstante fundó también la cultísima Société Cinématographique des Auteurs et Gens de Lettres (SCAGL), en donde, entre argumentos de Molière y Victor Hugo, nos encontramos con un viejo conocido, el proteico Ferdinand Zecca, que fabrica muy seriamente sus «obras de arte» sobre celuloide, siguiendo las consignas del momento.

Quienes, como Gustave Babin, se lamentaban de que el cine «no ha encontrado todavía su Shakespeare ni su Molière» podían ahora respirar tranquilos. Las más ilustres plumas de la época, bien retribuidas, comenzaron a inclinarse ante el cine. Los Lafitte encargaron argumentos a Anatole France, Victorien Sardou, Edmond Rostand y Jules Lemaître, entre otros. Todo el mundo participó en este furor cultural, hasta Sarah Bernhardt, a pesar de que la divina Sarah despreciaba el cine («esas ridículas pantomimas fotografiadas», decía) pero se rendía, como cualquier mortal, ante los 1.800 francos por sesión más un canon por metro de película.

Nada bueno podía salir de este desenfreno literario en el que todo el mundo trataba de dignificar al cine y redimirlo de sus antiguos pecados plebeyos y juglarescos. Pero, en fin, el 17 de noviembre de 1908, a bombo y platillos, se presentó en la sala Charras, de París, el primer programa de la sociedad Film d'Art, cuyo plato fuerte era *El asesinato del duque de Guisa (L'assassinat du Duc de Guise*, 1908), escrita por el académico Henry Lavedan e interpretada por ilustres actores de la Comédie Française. Estreno de campanillas, con el *tout Paris* en traje de gala y una expectación subida. Y en la pantalla de la sala Charras el cine se transfigura, como por efecto de magia, en arte respetable y públicamente reconocido. Su título de nobleza lo adquiere con una conjuración palaciega de 1588, entre muebles y tapices de guardarropía, jubones, pelucas, barbas postizas y profusión de puñaladas. Y al final del melodrama un título lapidario: UNOS MESES DESPUÉS ENRIQUE III DEBÍA CAER A SU VEZ BAJO EL PUÑAL DEL MONJE FANÁTICO JACQUES CLÉMENT.

Definitivo. La gente puesta en pie aplaude, como si estuviera en el teatro. Vítores. La película ha causado sensación: *el cine ya es un arte.* Vanidad de vanidades, los cultos académicos acaban de infligir un gravísimo daño a la causa del cine; han retrocedido a los tiempos del cine-teatro de Méliès, con la cámara inmóvil en la platea, pero despreciando lo esencial de su legado: la desbordante catarata de su fantasía. Pero la pedantería puede más que la razón y el «teatro fotografiado» se impone, con temas de Homero, Dickens, Shakespeare, la Biblia, Sófocles, Goethe, Zola, Daudet y Molière. Aparecen nuevas sociedades productoras como Le Film Esthétique, de Gaumont, o la Association Cinématographique des Auteurs Dramatiques, de Éclair... Todo el mundo rivaliza en la tarea de dignificar el cine con sus versos alejandrinos, barbas postizas, túnicas y gesticulación desbordada. ¿Será posible? Apenas el cine ha aprendido a *narrar,* a balbucear una historia sencilla y ya se pretende de él que exponga los conflictos de la tragedia griega o la complejidad de los dramas shakespearianos. Ante una cámara sorda y paralítica los actores recitan su texto literario –¿habrase visto absurdo mayor?– y para traspasar su sordera apoyan su expresividad en el gesto, que resulta enfático y declamatorio.

Los incultos norteamericanos, que no saben quién es Homero y que les importa un bledo la Academia Francesa, están haciendo progresar mientras tanto el cine con pasos de gigante, descubriendo los nuevos temas del Far-West y la vitalidad de las anchas praderas. Las cintas de Porter son oxígeno puro al lado de las anquilosadas y ridículas piezas de museo que producen los sesudos varones de Francia. En América el cine está forjando su nuevo lenguaje, con el empleo de las acciones paralelas, el uso del primer plano y la utilización de escenarios naturales. En Francia la cámara se encierra en los más convencionales decorados de estudio, renuncia a sus posibilidades creadoras e inicia lo que más tarde se llamará *star-system*, esto es, la utilización del prestigio de la *vedette* o *estrella* (sea intérprete o autor) como gancho para el público, que desde luego ayudará a salvar el bache que atraviesa el cine francés. Aunque influyen también otros factores, como el Congreso de Fabricantes de Películas de 1909, en el que se decide sustituir la venta de películas por su alquiler, que beneficia tanto a productores como a exhibidores, al tiempo que cancela el pasado aventurero de las barracas de feria y otorga cierta seriedad al nuevo comercio. El cine, pese a la torpeza de tantos profesionales de la cultura, acabará por adquirir sus títulos de nobleza. A pesar del pedante *film d'art* que se propaga, entre aplausos, por Europa, suscitando imitaciones en Dinamarca e Italia y llega hasta América, en donde Zukor, que ha importado la imagen augusta de Sarah Bernhardt, fundará la empresa Actores Famosos en Obras Famosas (Famous Players in Famous Plays). Su nombre no puede ser más significativo.

Verdaderamente, el itinerario recorrido hasta ahora por la locomotora de Lumière ha sido intenso y vertiginoso. Se ha pasado de las simples escenas documentales rodadas de un tirón, en un solo plano, a las películas que narran argumentos relativamente complejos, con variedad de escenas. No hablemos ya de los *relatos* del teatro clásico, que eso es harina de otro costal, sino de las cintas de Méliès, de Brighton, de Zecca, de Porter o de la Vitagraph. El cine ha aprendido a narrar y, además, de la barraca de feria ha pasado a estabilizarse en el *Nickel-Odeon;* de la artesanía de Méliès ha pasado a la industria altamente organizada de Pathé o de Edison, con sus luchas encarnizadas por el control del que será el «arte de masas» por excelencia e instrumento capital de presión sobre la opinión pública. En verdad que el cine, a pesar de obstáculos como el calamitoso incendio del Bazar de la Caridad, ha dado un salto gigantesco en pocos años. Pocos años que han bastado para ofrecer en abanico un preludio de temas casi exhaustivo de los grandes argumentos que mueven al hombre desde sus orígenes: la política, el sexo, la religión, las injusticias sociales... ¡Quién podía predecir que la persistencia retiniana nos llevaría tan lejos! En sus pocos años de vida el cine ofrece ya un retablo de maravillas en el que se codean, en familiar vecindad, Eurípides, Zola, Juana de Arco, experimentos de magia, Dante, bailarinas orientales, Shakespeare, mujeres voladoras, asaltos de trenes, falsos documentales, modelos desnudándose, Edipo, Tosca, Guillermo Tell, atentados políticos, catástrofes marítimas, la Pasión de Cristo... ¿Ha ofrecido algún arte tanto y tan variado en sus doce primeros años de vida?

FORMACIÓN DE UN ARTE

DE BALZAC A NICK CARTER

El año 1908 queda ya muy lejos de nosotros. Es el año en que la comidilla de todos los corros la constituye la boda de la bailarina española Mariquita Delgado con el fabuloso rajá de Kapurthala. Los malintencionados inventan chistes sobre el acontecimiento y la noticia llega casi a eclipsar, en los periódicos, al asesinato del rey de Portugal, que acontece por aquellas fechas. También el cine de 1908 está muy lejos de nosotros. Las películas se ruedan en un día, en el interior de unos extraños hangares de vidrio (el uso de la iluminación eléctrica constituye todavía una excepción), y los operadores, con su gorra de visera, le dan a la manivela silbando una marcha militar para conservar, gracias a su ritmo, la cadencia de 16 imágenes por segundo.

La proyección de películas, molesta por el centelleo de las imágenes, va a progresar notablemente a partir de 1908, gracias a las mejoras introducidas en las máquinas perforadoras de película y en los obturadores de proyección. Y al eliminarse las causas de fatiga de la proyección, la práctica de los entreactos frecuentes deja de ser necesaria y la longitud de las películas aumenta, naciendo la distinción entre *largometraje* y *cortometraje*. *El hijo pródigo (L'enfant prodigue*, 1907), de Michel Carré, alcanza ya los 1.600 metros. Y para albergar estos programas que podían rebasar las dos horas hubo que construir salas cómodas y bien equipadas, como esos primeros *Palaces* que edifican Pathé y Gaumont y en cuya decoración y estructura se percibe el complejo de inferioridad que el cine arrastra, todavía, frente al noble espectáculo teatral.

El cine francés, que pronto languidecerá en el paréntesis de la Primera Guerra Mundial, ha escrito con Lumière y Méliès las primeras páginas brillantes de un arte en gestación. Con Pathé y Gaumont hemos asistido a la formación de una industria y al fenómeno de la multiplicación de los géneros, fruto de una eficiente organización creadora. La producción de Pathé y de Gaumont abarca todos los géneros: el *film esthétique,* las películas bíblicas, los dramas mundanos, los dramas «realistas» y «sociales», las escenas «reservadas para caballeros», las adaptaciones literarias... Para producir estas mercancías de celuloide, una legión de técnicos y artistas asalariados trabajaban contrarreloj con sueldo fijo y enmarcados en una rígida organización productiva, que no perseguía más fin que una alta rentabilidad de sus productos (cuyo costo total no superaba los diez francos por metro). Zecca capitaneaba a un nutrido equipo en la casa Pathé, pero los mejores hombres del cine francés habían ido a parar a la Gaumont, que en 1912 llegó a superar ampliamente a su rival gracias al esfuerzo de Louis Feuillade.

Louis Feuillade fue para Gaumont lo que Zecca para Pathé. Hijo de un vinatero, Feuillade cultivó el periodismo, desde las páginas de *La Croix* hasta las de *Toréro,* en donde defendió a capa y espada sus aficiones tauromáquicas y sus convicciones monárquicas y conservadoras. En 1905 inició su carrera como guionista de Gaumont y al año siguiente, al abandonar Alice Guy la dirección artística de la empresa, fue contratado por Gaumont como su sustituto. Los retratos de Feuillade nos muestran a un individuo mostachudo, con aire de empleado de despacho, protegiéndose de su fuerte miopía con unos quevedos y con la calva cubierta por un sombrero hongo. Hombre cultivado, Feuillade no faltó a la cita del *film d'art,* aunque su temperamento realista le llevaba de un modo natural hacia otros temas y otros estilos. En 1911 inicia su reacción contra aquel pomposo (y relativamente caro) cine de cartón-piedra con una serie de películas inspiradas en las *Escenas de la vida real* de la Vitagraph y que se presentan bajo el genérico común de *La vida tal como es (La vie telle qu'elle est).* El *verismo* puesto en circulación por la literatura naturalista y por el *Teatro Libre* (1887) de André Antoine había llegado a influir, siquiera en sus aspectos más epidérmicos, en Ferdinand Zecca. Feuillade, más culto y sensible que el director corso, asumió de buen grado estas influencias y las de la serie de Vitagraph en su relato de lacras sociales, cuyos títulos son elocuentes: *Las víboras (Les vipères,* 1911), sobre la maledicencia, *La tara (La tare,* 1911), sobre la hipocresía, *La media de lana (Le bas de laine,* 1911), sobre la avaricia... Plena de resonancias folletinescas, la serie *La vida tal como es* avanzó a través de un temario social de una densidad inusitada: el drama del alcoholismo, la crueldad de las minas, el poder del dinero..., aunque siempre, claro está, con la óptica conservadora y biempensante propia de las novelas por entregas. Esta perspectiva será superada por algunos films interesantes de André Antoine, como *Travail* (1919), que incorporaron con mayor rigor ideológico al cine algunas técnicas del naturalismo literario: decorados naturales, actores no profesionales, etc.

En el plano técnico el avance ha sido importante. Los decorados, que no son ya los palacios o templos de cartón del *film d'art,* resultan realistas y convincentes; también la interpretación de los actores se torna más sobria y naturalista, acorde con los ambientes y los temas. La luz artificial comienza a utilizarse con valentía para crear efectos. Con el fin de economizar tiempo de rodaje, pero con absoluta falta de visión comercial, Pathé había prohibido a sus técnicos el empleo de primeros planos y de planos americanos (que llamaba despectivamente *culs-de-jatte,* esto es, «lisiados»). El primer plano aparece con cierta frecuencia, en cambio, en la producción de Gaumont. Este recurso expresivo, que llegará a convertirse en uno de los pilares dramáticos del cine mudo, merece ya la atención de los técnicos. En 1912 el ingeniero Léopold Löbel aconsejaba: «Si para apreciar mejor ciertos detalles es necesario mostrarlos de cerca, se interrumpe la toma de vistas cuando se ha mostrado el asunto completo y se opera una aproximación, para tomar únicamente a gran escala la parte que debe mostrarse especialmente. Esto se llama, en cinematografía, *hacer primeros planos.* Puede afirmarse que las proyecciones han ganado mucho interés desde que se ha empezado a hacer primeros planos. Esta interrupción necesaria para tomar un detalle a gran escala causa cierta desazón en el espectador. Vale más, siempre que pueda hacerse, aproximar o bien el actor a la cámara o bien la cámara, instalada sobre una plataforma con ruedas, al actor.»

En 1907 la casa Zeiss lanzó los objetivos Tessar de abertura f/3,5. Como es sabido, la profundidad de foco de un objetivo es inversamente proporcional a la distancia focal y a la abertura del diafragma. Como las emulsiones *ortocromáticas* que se utilizaban tenían una sensibilidad relativamente alta, la profundidad de foco obtenida en aquellas películas era notable. Los intérpretes evolucionaban libremente en el decorado y la profundidad de foco de los objetivos permitía que se acercasen y se alejasen de la cámara, moviéndose *en profundidad* y no en un plano horizontal, como en el teatro.

La serie *La vida tal como es* y sus derivadas *(Estudios de la vida de provincias, Batallas del dinero, Escenas de la vida cruel)*, que mostraban con acento folletinesco ciertos aspectos de la realidad social, no tuvieron una gran aceptación popular. Por eso Gaumont decidió cambiar de táctica y orientó su producción hacia una modalidad narrativa vieja como Homero y Scherezade y de bien probada eficacia: el *serial.*

Alejandro Dumas había demostrado las excelencias comerciales de la novela de folletín, que interrumpía la acción al final de cada entrega, en un momento dramático culminante. Esta técnica de origen teatral (recuérdese el «efecto» de final de acto) despertaba la curiosidad del público, que esperaba sobre ascuas la aparición del episodio siguiente. Aplicado al cine, esto iba a traducirse lógicamente en una alza de *frecuentación,* creando la habitualidad –lo que los americanos llaman *theatre-going habit*– en el público.

Victorin Jasset había creado ya en 1908 –el mismo año en que nace el *film d'art*– una serie de episodios en torno al popular personaje Nick Carter. Las andanzas de este héroe resultaban familiares al público consumidor de los fascículos que divulgaban semanalmente, ayer como hoy, sus andanzas o las de Buffalo Bill, Nat Pinkerton o el pirata Morgan. Por eso Gaumont orientó su producción hacia este sendero, a pesar de que en 1911 había anunciado muy seriamente que deseaba alejar al cine francés de la influencia de Rocambole para encaminarlo hacia metas más dignas. Pero Rocambole era, al fin y al cabo, más rentable que los retablos sociales vagamente inspirados en Zola o Balzac, y Feuillade, cumpliendo órdenes superiores, sustituyó las explosiones de grisú por las de bombas de relojería y comenzó a crear la serie de *Fanto-*

mas (1913-1914), protagonizada por René Navarre, según la obra de Marcel Allain y Pierre Souvestre, a la que siguió la de *Los vampiros (Les vampires,* 1915), con la bella Musidora, encarnación del mal que, enfundada en un ceñido y excitante *maillot* negro, hacía estremecer a los espectadores. Feuillade también fue el autor del serial sobre el detective justiciero *Judex* (1916-1917), con traje de terciopelo, sombrero ancho y capa de color negro, y Victorin Jasset creó otro sobre las monstruosas maquinaciones criminales de *Zigomar* (1911-1913).

Estas extravagantes aventuras, tejidas de trampas infernales y persecuciones sin cuento a través de peligros inverosímiles, enfrentando a *héroes y villanos* de gran categoría, señalan el *status nascens* de una concepción cinematográfica radicalmente nueva. Y hasta de una concepción de la existencia; concepción deportiva de la vida, del culto al peligro, superado por la rapidez de los reflejos y la fortaleza de los puños. El Aquiles de los nuevos tiempos no empuña una lanza sino una pistola automática y, desafiando el peligro junto a una bella heroína, corretea sobre los tejados o bajo el pavimento de las grandes ciudades. Sus aventuras son un canto al moderno mundo de la mecánica y en ellas desempeñan un papel protagonista los automóviles, dirigibles, hidroaviones, ferrocarriles y máquinas diabólicas. Con su involuntaria poesía surrealista, los seriales que electrizan a las masas constituyen un inapreciable testimonio moral de una época y de una concepción del mundo.

En los Estados Unidos, naturalmente, la moda de los seriales o *chapter-plays* prende con fuerza, atizada por la rivalidad de los grandes periódicos de Hearst y de McCormick que los patrocinan. Pero será un empleado francés de Pathé, Louis Gasnier, quien creará en América la obra cumbre del género con *Las peripecias de Paulina (The Perils of Pauline*, 1914) y *Los misterios de Nueva York (The Exploits of Elaine*, 1914-1915), en treinta y seis emocionantísimos episodios, protagonizadas ambas series por la famosísima Pearl White (Perla Blanca), rutilante estrella de archidinámica silueta, mezcla de trapecista y de amazona, que se ha formado como acróbata en un circo ecuestre y no teme lanzarse de un tren en marcha o balancearse sobre un profundo abismo. Si alguien parecía querer vivir vertiginosamente fue esta muchacha rubia de Springfield, que llegó a convertirse en la primera heroína del cine y, tras protagonizar las más increíbles aventuras en la pantalla, extinguió su vida en el hospital norteamericano de París.

Los seriales consiguieron su objetivo: con su semanal ración de «opio óptico» conquistaron la fidelidad de las masas. Estas desquiciadas aventuras de bajos fondos, que han nacido a la sombra de la ya lejana *Historia de un crimen* de Zecca, han introducido ciertamente en el cine una involuntaria poesía de los objetos insólitos y de la acción disparatada: aparatos infernales, ferrocarriles dinamitados, paisajes suburbanos, escenarios inéditos e inquietantes y sombras expresivas crean un universo poético y unas obras que Louis Delluc, primer crítico francés, consideraba «abominaciones folletinescas». Sería difícil rebatir el juicio de Delluc, pero sería también injusto negar el progreso técnico que estas obras suponen para el cine francés –por su frescura y agilidad narrativa en primer lugar– en relación con el presuntuoso, teatralizante y retrógrado *film d'art*.

Los seriales constituyen un género internacional. Mientras Emilio Ghione crea sus rocambolescos episodios en Italia, Alberto Marro dirige *Barcelona y sus misterios* (1915), en ocho episodios inspirados en el célebre folletín de Antonio Altadill. En Alemania, Albert Neuss y Otto Ripert crean *Homúnculus (Homunculus der Führer*, 1916), que en seis episodios muestra la historia de un ser artificial creado por un sabio que quiere dominar al mundo. Pertenece, pues, a la nutrida familia de «genios del mal», de la que son miembros, entre otros, Zigomar, Fantomas, el doctor Mabuse y Fu-Manchú.

La boga del serial se extiende de 1908 a 1915 y produce centenares de títulos de muy diverso valor. En los primeros años del sonoro conocerá un efímero renacimiento, para encuadrarse más tarde definitivamente en los programas de televisión, que con ellos vivirá ahora su prehistoria artística, como el cine vivió la suya entre 1908 y 1915.

ALBA Y OCASO DEL CINE DANÉS

El cine danés tuvo un parto regio. Elfelt, fotógrafo de la Corte, construyó en 1898 una cámara tomavistas para retratar un bello grupo familiar compuesto por sus soberanos, junto a sus parientes el zar de Rusia, el rey de Grecia y la reina de Inglaterra. Jamás se había reunido en un fotograma tan abundante y variada sangre real y, según parece, Sus Altezas quedaron encantadas con aquella experiencia.

Pero aunque el cine danés surgió en un palacio, conoció como los otros cines su desarrollo y crecimiento en las barracas de feria y en las manos más plebeyas del reino. Su pionero fue un tal Ole Olsen, individuo de lo más curioso, que antes había sido acróbata, empresario de circo y director del casino de Malmoe. Después de dedicarse por algún tiempo a la exhibición de películas, en 1906 fundó la productora Nordisk Film Kompagni, con un oso polar sobre un globo terráqueo como emblema, que ha subsistido hasta hace poco. Hombre avezado en las lides circenses, Olsen ideó un debut altamente espectacular para su firma. Compró un león reumático al zoo de Copenhague y en una playa decorada con palmeras artificiales rodó la caza de la bestia, que al final fue despedazada. En un fiordo nórdico transformado en paisaje tropical nació pues el cine danés, armando regular escándalo, pues el ministro de Justicia trató de prohibir la película, al considerar que sus imágenes eran excesivamente crueles.

La breve pero brillante carrera del cine danés transcurriría ligada en adelante al escándalo, pues iban a ser los escándalos los que le abrirían de par en par las fronteras de otras naciones. El primero de ellos fue *Trata de blancas (Den hvide Slavehandels sidste Offer*, 1910), drama erótico-realista en tres bobinas sobre la innoble corrupción de castas doncellas, que dio mucho que hablar e hizo correr no poca tinta. Este título, como *Pecados de la juventud (Samvittighedens Stemmer*, 1910) y otros muchos, llamaban a las puertas de la curiosidad sexual de las masas con el que será uno de los principales caballos de batalla de todo el cine futuro. Ni que decir tiene que el posible erotismo de estas películas estaba sabiamente compensado por un final altamente moralizador, como suele ocurrir todavía en las cintas actuales de intención erótica.

No fue pequeña la contribución danesa al capítulo del erotismo cinematográfico. El *beso realista* fue también un invento –cinematográfico, se entiende– del cine danés. El castísimo ósculo de May Irwin y John C. Rice en la cinta de Edison había armado mucho revuelo; pero ahora aparecerá reducido a sus reales y modestas dimensiones ante las atrevidas muestras osculatorias danesas. Un cronista cinematográfico alemán de la época señalaba así esta evolución: «Los personajes no se contentan ya con besarse rápidamente como antes. Los labios se unen largamente, voluptuosamente, y la mujer, en pleno éxtasis, echa la cabeza hacia atrás.» El prestigio de escabrosidad del cine danés fue tan grande, que se dice que los públicos europeos se agolpaban ante las taquillas de los cines para poder contemplar los atrevidos «besos daneses», que no debían ser muy distintos de los que los propios espectadores practicaban en su intimidad. De todos modos, pasarán todavía algunos años antes de que algunas estrellas americanas, y luego europeas, pongan en circulación por las pantallas el beso-ventosa, con la boca abierta, para que los adolescentes de todo el mundo tengan una escuela en que aprender el ritual del amor.

El beso no era, a decir verdad, más que un elemento instrumental de un mundo frívolo que el cine danés creó con profusión de melodramas, en los que se barajaban millonarios, bailarinas, hijos naturales, aristócratas, payasos tristes, adúlteras, oficiales del rey y gitanas, envueltos en complicados problemas sentimentales y familiares y reproducidos siempre y monótonamente en plano general, como en cualquier *film d'art* francés. Este mundo postizo y fabuloso creado por el cine danés en sus años de apogeo recuerda, por muchas razones, el universo *sofisticado* que crearán luego las cintas de Hollywood. Claro es que existen diferencias, como la del *final feliz,* que el cine danés repudiaba, porque el triste fin de los amores imposibles entre un príncipe de sangre azul y una humilde trapecista puede ser tanto o más rentable que el rosado *happy end* con boda y sonrisas. En estos dramas mundanos y pasionales del cine danés se ha querido ver un involuntario testimonio de la descomposición del viejo mundo de la aristocracia, cuyos desperdicios ha recogido ya, como tema literario, la novelística continental. También de la literatura decadente romántica procede una figura mítica que tomará cuerpo por vez primera en el cine danés: la *mujer fatal o vamp.*

Hablar de la mujer fatal danesa es hablar de la singularísima Asta Nielsen, actriz teatral que no tardó en consagrarse en el cine con *Hacia el abismo (Afgrunden*, 1911), dirigida por el escritor Urban Gad, que será más tarde marido de la estrella. En esta cinta la Nielsen interpreta el papel de una honesta muchacha que es seducida por un artista de variedades. Estamos todavía sobre la senda trazada por *Trata de blancas,* pero asistimos en cambio a la revelación de la gran trágica de ojos negros, de la que dirá Apollinaire: «Es la visión de un bebedor y el sueño de un hombre solitario.» Asta Nielsen merecerá los sobrenombres de «Sarah Bernhardt escandinava» y «Duse del Norte» y su rostro expresivo encarnará personajes trágicos con una intensidad sobrecogedora.

Urban Gad continuó dirigiendo a la Nielsen en *Sangre gitana (Det hede Blod,* 1911), *El crítico instante (I det store Sjeblik,* 1911), que la censura sueca prohibió, y *Sueño negro (Den sorte Drom,* 1911), en donde actuó por vez primera junto a Valdemar Psilander, a punto de convertirse en máximo ídolo masculino del público danés.

País con una sólida y brillante tradición teatral, con buenos escenógrafos, actores y directores, Dinamarca se convirtió rápidamente en una primera potencia cinematográfica, que encontró su mercado natural en los países centroeuropeos. El público internacional aplaudía las cintas de Urban Gad y Asta Nielsen, que en 1914 abandonaron la Nordisk por la Kinograf y siguieron haciendo películas juntos –entre ellas *Sangre andaluza (Spank Elskov),* que indignó a la crítica española– mientras Ole Olsen trataba de sustituir en su productora a la insustituible intérprete con otra *mujer fatal,* Betty Nansen, dirigida en sus primeras películas por August Blom. Al final de la Primera Guerra Mundial, con el cine danés en plena crisis y la paz recobrada, Asta Nielsen irá a Alemania para proseguir allí su carrera de actriz. Entretanto, en las pantallas de Italia ha comenzado a aparecer la variante latina de la *mujer fatal,* aunque será en Hollywood donde, definitivamente sofisticada, la vampiresa tomará carta de naturaleza para irradiar su pérfido atractivo por todas las pantallas del mundo.

Pero no todo fue folletín, melodrama, frivolidad y mujeres fatales en el primitivo cine danés. Hubo quien investigó soluciones plásticas nuevas, como el director Stellan Rye, que trabajó en Alemania y preludió el nacimiento de la gran escuela expresionista germana. Uno de los aspectos técnicos más notables del primitivo cine danés es, precisamente, su refinamiento plástico y su sabio empleo de la luz artificial. Estas características se encuentran en las obras de los dos creadores máximos del cine danés: Benjamin Christensen y Carl Theodor Dreyer.

Actor, cantante y director, Christensen debutó realizando e interpretando una obra que alcanzó gran éxito popular: *El secreto de la X misteriosa (Det hemmelighedsfulde X-et,* 1913). Era la historia de un oficial que iba a ser injustamente fusilado como supuesto espía, y que callaba porque una carta que probaría su inocencia deshonraría en cambio a su esposa. Al final las cosas se arreglaban y el público salía muy satisfecho.

Esta obra, por sí sola, no habría dado a Christensen la fama que consiguió merced a una película absolutamente insólita, *Häxan*, rodada en Suecia entre 1918 y 1921 y en la que él mismo interpreta el papel de diablo. Para realizar este inquietante retablo de la brujería a través de los tiempos, Christensen estudió detenidamente los archivos judiciales de los siglos XVI y XVII. Con este material documental de primera mano ilustró una alucinante exposición visual sobre la brujería y la superstición a través de la historia, con imágenes de pesadilla de tal audacia que no se detiene ante las escenas más crueles o más repulsivas: aquelarres, brujas que besan el trasero de Satán, fláccidos senos de ancianas atenazados por los inquisidores, filtros preparados con corazones de pichón y excrementos de gato, jóvenes brujas que copulan con demonios... *Haxan* es, en cierto modo, un film fuera de serie, marginal en relación con el grueso de la producción del momento. Y además de ser un documento gráfico único y pavoroso sobre las prácticas de brujería y su bárbara represión –inspirado plásticamente en Brueghel y el Bosco– es un alegato contra la injusticia, la crueldad y la intolerancia de los hombres. En una escena asistimos a un penoso recorrido por un asilo moderno de ancianas, jorobadas, ciegas, neurópatas... Christensen nos advierte: «En la Edad Media se habría considerado a estas desgraciadas posesas por el demonio.» En esta advertencia escalofriante se resume el espíritu de esta película que es algo más que un documento arqueológico sobre la superstición: es un toque de atención a la conciencia del hombre, desarrollado a través de imágenes absolutamente inéditas y de un raro refinamiento y audacia técnica en el uso de la luz, el encuadre, los maquillajes y los decorados, resultando un conjunto visual impresionante y convincente, a pesar de su desbordante fantasía. Lástima que el talento de Christensen se malgaste más tarde, en Hollywood, aniquilado en la rutina de las *Mistery Comedies* que se verá obligado a realizar.

Esta tentación de lo irracional, del romanticismo negro y de las brumas de lo desconocido, característica de la tradición cultural nórdica, aparece también en Carl Th. Dreyer, educado en el más rígido luteranismo por sus padres adoptivos y que desarrollará en sus películas una problemática de inspiración religiosa. Sus debuts como redactor de rótulos y guionista en la Nordisk carecen de interés. Tampoco sus primeras películas revelan lo que llegará a ser su obra futura. En 1919 dirige *Praesidenten,* al que sigue *Blade af Satans Bog* [Páginas del libro de Satanás] (1920), retablo de cuatro episodios históricos, inspirado en *Intolerancia* de Griffith, que muestra las diabólicas artes desplegadas por Satanás (bajo la apariencia de fariseo, Gran Inquisidor, jacobino y monje ruso, respectivamente) para sembrar el mal en el mundo. Aunque aquí aparece por vez primera el que será uno de los problemas medulares de toda la obra de Dreyer –la presencia del Mal en un mundo creado por la bondad de Dios–, esta ingenua historia mefistofélica no tiene la frescura de su siguiente *Prastankan* (1920), que Dreyer realiza en Noruega por cuenta de una productora sueca, satirizando la antigua costumbre escandinava según la cual la viuda de un pastor protestante fallecido debía contraer matrimonio con el pastor que le sucediera. Como se ve, en el balance de los primeros años de la obra de Dreyer no puede señalarse mucho, aparte de su excepcional sentido figurativo y la óptima calidad de la fotografía, que en su composición y calidades luminosas revela la inspiración de grandes modelos pictóricos. Cuando el cine danés naufrague durante la Primera Guerra Mundial, para no volver a recuperarse jamás, Dreyer quedará como figura solitaria realizando, en su patria o fuera de ella, unas películas extraordinariamente personales que son, a la vez, reflejo de las inquietudes místicas que laten soterradas en el complejo acervo cultural nórdico.

Los manuales escolares de historia explican que la opulencia, la molicie y el lujo fueron factores decisivos en la caída espectacular del antiguo Imperio romano. Aunque la explicación es simplista y harto discutible, viene como anillo al dedo para resumir la prodigiosa ascensión y pronta decadencia del primitivo cine italiano, nutrido con la absorción de competentes técnicos extranjeros (Gaston Velle, A. Wanzel, Chomón, etc.).

El cine italiano nació, como los demás, con un modesto *Arrivo del treno nella stazione di Milano* (1896), de Italo Pacchioni. Pero la tentación del gran espectáculo yacía agazapada en el numen de sus artistas y apareció en la primera hora. En diciembre de 1904, el inventor-pionero Filoteo Alberini se asocia con Santoni para fundar la productora Manifattura Cinematografica Alberini i Santoni (convertida al año siguiente en la famosa marca S. A. Cines) y producir *La caduta di Roma* (1905), con la ayuda del Ministerio de la Guerra, cañonazos de verdad y una legión de figurantes. Eso era algo que ninguna cinematografía se había atrevido a abordar todavía. Pero el genio italiano era capaz de todo y antes de que en Francia naciera el *film d'art,* el importador de películas turinés Arturo Ambrosio fundó en 1906 la Società Ambrosio y reconstruyó la aparatosa erupción del Vesubio y el apocalipsis histórico de *Los últimos días de Pompeya,* que se anunció como «la película más sensacional de la época».

Acreditando tales títulos, sería difícil negarle a Italia la paternidad de lo que hoy se llama «superproducción», y que los norteamericanos bautizarán con el expresivo nombre de «film-mamut». Se ha dicho que la añoranza de las viejas glorias imperiales fue lo que determinó la orientación de este cine. Esta explicación de psicología colectiva podrá ser tan discutible como se quiera, pero no cabe duda de que hay una vocación fastuosa –que se traducirá, cinematográficamente hablando, en simple oropel– en el lejano cine de Italia. No hay más que repasar los títulos de aquellos viejos colosos, espejos en los que podrá mirarse el inefable DeMille: *Jerusalén libertada (Gerusalemme liberata,* 1911) de Guazzoni, *Espartaco (Spartaco o il gladiatore de la Tracia,* 1912) de Pasquali, *Quo vadis? (Quo vadis?,* 1912) y Marco Antonio y Cleopatra*

(Marcantonio e Cleopatra, 1912) de Guazzoni... El más insigne de estos pioneros fue el pintor y cartelista romano Enrico Guazzoni, cuyo *Quo vadis?,* de dos mil metros y que adaptaba la novela de Sienkiewicz, causó un impacto mundial y se convirtió en modelo para muchas cinematografías. También los temas religiosos están al orden del día; la Biblia, que no exige el pago de derechos de autor, ha batido todas las marcas de adaptaciones cinematográficas. La cosa llegará a tal punto que en 1913 Pío X prohibirá el empleo del cine en la enseñanza religiosa al tiempo que condena la frivolidad con que se utilizan los temas sagrados en la pantalla. Aunque, como en todo, hay sus más y sus menos, pues durante la guerra el Vaticano entrará en relación con los distribuidores alemanes para hacerles llegar, a través de la neutral Suiza, el *Christus* (1916) del conde Julio César de Antamoro y alentará la adaptación de la célebre novela *Fabiola* por parte de Enrico Guazzoni.

De toda esta colección de mascaradas cinematográficas ha de retenerse, por su especial significación, la *Cabiria (Cabiria,* 1913) realizada por el piamontés Piero Fosco (apodado Pastrone), que además de suponer un importante esfuerzo material (costó más de un millón de liras) introdujo interesantes novedades técnicas. Para realizar esta película Pastrone buscó la colaboración del célebre poeta Gabriele d'Annunzio, a la sazón refugiado en Francia tras la condena de sus obras por la Iglesia y el acoso de sus acreedores. A d'Annunzio se le ha llegado a calificar de «primitivo del arte nuevo, el Giotto del cine», injustos ditirambos para quien, según Lizzani, sólo puso una vez sus pies en un cine y se limitó a ojear y aprobar el texto del guión y de los rótulos de *Cabiria,* estampando en ellos su firma por una retribución de 50.000 liras. De todos modos, Pastrone se esmeró imitando cuidadosamente el estilo decadente y alambicado del divino vate.

El nombre de d'Annunzio prestigió y facilitó la carrera comercial de esta colosal «visión histórica del siglo tercero antes de Cristo», pero quien aportó mayores méritos en una forma casi anónima fue el operador aragonés Segundo de Chomón, muy acreditado ya como especialista en trucajes y probable inventor del procedimiento «imagen por imagen», que utilizó en *El hotel eléctrico* (1905). En *Cabiria* Chomón tuvo la oportunidad de perfeccionar la toma de vistas con la cámara en movimiento (ya empleada por él en *Vida, Pasión y Muerte de Nuestro Señor Jesucristo* de Zecca) mediante un *carrello* que Pastrone hizo construir y patentar en 1912. Ciertamente, los *travellings* de la película son muy tímidos y siempre tienen una función descriptiva –no expresiva– que realza la corporeidad de los decorados tridimensionales, otra novedad capital que hay que señalar en el activo de *Cabiria*. Georges Sadoul asocia ambos hallazgos técnicos cuando escribe que «para una escenografía en tres dimensiones era menester dar al cine su tercera dimensión», con la cámara en movimiento. Por todo ello se ha podido afirmar que si lo mejor del cine danés primitivo tendía hacia una estética pictórica, el cine italiano, más significativo, se orientaba en cambio hacia la organización arquitectónica del espacio.

Pastrone, como hizo antes Ambrosio en *Los últimos días de Pompeya*, utilizó planchas de vidrio sobre fondos pintados para imitar el mármol pulido de los palacios (procedimiento que se empleará durante muchos años en las películas llamadas «históricas»), en aras del realismo exigió que sus actores se dejaran crecer su barba natural; buscó, con Chomón, los más espectaculares efectos de luz con reflectores y pantallas (notables en los sacrificios del templo de Baal y en el incendio de la flota romana gracias a los espejos de Arquímedes). Pero, al fin y al cabo, uno puede preguntarse: ¿para qué un esfuerzo tan colosal y tan gigantesco despliegue de medios? ¿Para qué este rodaje fabuloso en Cartago, Numidia, Italia y Sicilia con otros tantos equipos técnicos? ¿Para qué esta publicidad de la película lanzada desde su avión por el héroe del aire Giovanni Vidner?... Estamos en lo de siempre, en la peligrosa pendiente del cine-espectáculo que suscita en el espectador una actitud mental semejante a la del antiguo público del Coliseo: legiones de extras, orgías paganas, erupciones volcánicas, sacrificios, ídolos de cuarenta metros, batallas navales... Cuando los espectadores puedan comparar todo esto con el empleo de las masas en el cine ruso se verá lo que tiene de zarzuelero y postizo. Quedan en pie, indiscutibles, los hallazgos técnicos. Por encima de la gesticulante y falsa interpretación de los actores (a pesar de sus barbas reales) quedan las innovaciones escenográficas y el uso del *travelling* y de la luz artificial. Griffith llegará a adquirir una copia de esta película y la estudiará detenidamente, proyectándola una y

84

otra vez. La influencia del monumentalismo de *Cabiria* quedará patente en el episodio babilónico de su *Intolerancia*.

Bien es verdad que no todo fue oropel y mascarada en el joven cine italiano. Las inquietudes futuristas de Marinetti cristalizaron en *Perfido incanto* (1916), film de Anton Giulio Bragaglia que se suele considerar como la primera película de vanguardia de la historia del cine y en la que se emplearon decorados futuristas, espejos cóncavos y objetivos prismáticos. También hubo quien, al apuntar hacia objetivos más modestos, cosechó triunfos artísticos de mayor vitalidad. En las antípodas del *imperialismo* de *Cabiria* se halla el *populismo* de los dramas naturalistas que prosiguen la tradición de Giovanni Verga. La obra maestra de este cine antirretórico fue, según parece, *Perdidos en las tinieblas (Sperdutti nel buio*, 1914), dirigida por el escritor siciliano Nino Martoglio, adaptando un drama teatral de Roberto Bracco. El asunto no escapa a las peores convenciones del melodrama: el duque de Valenza seduce a una honrada muchacha humilde y la abandona cuando ésta da a luz una niña, que es confiada a un mendigo ciego, mientras su madre se convierte en una *grande cocotte* de Nápoles... En apariencia esto no es nada nuevo. Pero quienes han contemplado esta película (cuya última copia se conservó hasta el final de la guerra 1939-1945 en la Cineteca de Roma) han señalado la maestría con que se contrastan, mediante el montaje alternado, los ambientes opulentos y los más humildes, con extraordinario verismo y riqueza de detalles. Película de confrontación de clases sociales –como los melodramas sociales de Porter– pero que introduce como novedad la de explicar la miseria de unos por la explotación de los otros. Su realismo alcanza también a las soluciones formales, pues la tristeza de la historia está bañada por un resplandeciente sol napolitano, en contraste con las fórmulas estilísticas del expresionismo germano-escandinavo. Durante la Segunda Guerra Mundial, los jóvenes estudiantes de cine en el Centro Sperimentale –que unos años más tarde serán los artífices del neorrealismo– estudiarán este «clásico» italiano junto a las obras maestras de los rusos, como ejemplo de cine realista. El uso del montaje contrastado de *Perdidos en las tinieblas* preludia la aparición de los estilos de Griffith y de Pudovkin.

Martoglio realizó otras películas de orientación verista (como su adaptación de *Thérèse Raquin*), y a esta tendencia puede asociarse también *Historia de un Pierrot* (1913) del conde Baldassare Negroni. Pero este cine verista no puede competir, en el plano comercial, con las orgías históricas ni con los dramas mundanos y pasionales que van a ponerse en boga a partir de 1914. La mascarada histórica se trastoca en histérica y aparece la gesticulante *diva,* que va a causar enormes e irreparables estragos desde las pantallas italianas. La actriz teatral Lyda Borelli inicia el ciclo con *Pero mi amor no muere (Ma l'amore mio non muore,* 1913), drama de espionaje y pasiones desatadas de Mario Caserini. A la contención interpretativa del estilo Vitagraph la Borelli opuso los gestos desmedidos, contorsiones, juego de ojos, cabeza hacia atrás, cabellera desatada... Es la gran tradición de la pantomima que se integra en los asuntos grandilocuentes al estilo de d'Annunzio o de Henri Bataille, pero que valieron a la Borelli una popularidad inmensa, justificada por su sensual elegancia y que desencadenó un auténtico fenómeno de «borellismo» antes de 1918.

El *vedettismo* irrumpe en el cine italiano con una fabulosa carrera de cifras, y muy pocas actrices escaparán a las reglas del juego. La gran Eleanora Duse, aunque confesaba en una carta «el primer plano me aterra», tratará de perpetuar su imagen en el celuloide con *Ceniza (Cenere,* 1916) de Ambrosio, en donde a sus sesenta años debía interpretar, al comienzo del film, a una joven de veinte. Pero el resultado le causó tan profundo disgusto que quiso destruir la película, retirada finalmente de circulación. Francesca Bertini brilló con luz propia oponiendo a la desbordante extroversión una mayor matización psicológica y provocando litigios entre productores. Entre la mujer-sexo (Borelli) y la mujer-amor (Bertini) tomó posiciones una auténtica legión de *mujeres fatales,* que se colgaban de cortinajes de terciopelo y ponían los ojos en blanco, que vivían en palacios de mármol y sembraban sus embrujos voluptuosos en los corazones de los hombres, caminando entre surtidores o tumbándose en canapés bebiendo champán o ingiriendo un veneno... Sus nombres tienen, con frecuencia, extrañas resonancias mitológicas: Italia Almirante Manzini, Lydia Quaranta, Mary Cleo Tarlarini, Hesperia, Pina Menichelli, Giovanna Terribili Gonzales, Maria Jacobini, Helena Makowska, Lina Cavalieri...

El reinado de la *diva,* que justificó su fama de devoradora de hombres imponiendo sus criterios y caprichos a los guionistas, productores y directores, fue efímero. Entre terciopelos y ojos profundos, el cine italiano pereció arruinado como cualquier millonario perdido por el amor de una mujer fatal.

El cine italiano cayó como caen los colosos con pies de barro. Las producciones costosas, que habían permitido apuntalar su edificio industrial, aplastaron finalmente con su peso su propia obra, con sus presupuestos cada vez más altos y sus vértigos financieros. La entrada de Italia en la guerra dio el golpe de gracia a su cine y al llegar la paz se encontró con las pantallas europeas sometidas al monopolio de Hollywood. A pesar de la luminosidad de su cielo, de la riqueza de sus paisajes y del magnetismo de sus estrellas, el cine italiano en bancarrota malvivirá a partir de ahora en la más completa mediocridad, hasta su feliz renacimiento en 1945.

LA GUERRA DEL TRUST Y LA FUNDACIÓN DE HOLLYWOOD

La «guerra de patentes» iniciada con violencia furibunda por Edison concluyó, como todas las guerras, con la firma de un acuerdo. Las artimañas de los abogados de Edison y las negociaciones entre bastidores condujeron a un pacto entre las grandes compañías productoras, que fue firmado tras un opíparo banquete, en el que los comensales, entre brindis y sonrisas, se conjuraron para no permitir que nadie pudiera disfrutar de las migajas económicas de aquel festín cinematográfico. Así nacía un poderoso cártel internacional, la MPPC (Motion Pictures Patents Company), que bajo la jefatura de Edison agrupaba a la Biograph, la Vitagraph, la Essanay, al «coronel» Selig, a Sigmund Lubin, a la Kalem, al distribuidor George Kleine y a los productores franceses Pathé y Méliès.

El objetivo de este trust regido por Edison era el de imponer una disciplina —disciplina de monopolio, entiéndase— en el anárquico mercado cinematográfico. Los productores asociados debían pagar anualmente a Edison un impuesto de medio centavo por cada pie de película impresionada, cada distribuidor debía proveerse de una licencia anual que costaba 5.000 dólares y cada exhibidor debía cotizar dos dólares semanales. Quien no cumpliera estas drásticas imposiciones corría el riesgo de ser perseguido judicialmente por utilizar aparatos cuyas patentes pertenecían al trust. Claro que estas normas eran únicamente de aplicación en el mercado americano. Por no gastar 150 dólares más, Edison había renunciado a extender su patente a Europa. Tuvo ocasión de arrepentirse, aunque la exigua inversión que había supuesto su invento (no superior a 20.000 dólares) se estaba transformando ahora en un chorro continuo de ingresos, que rebasaba holgadamente el millón de dólares anuales.

Edison se había convertido, de la noche a la mañana, en el dictador de la industria americana del celuloide. Trató de obtener de George Eastman el suministro exclusivo de película virgen para los miembros del trust. Pero lo que a Eastman le interesaba era vender la máxima cantidad de película, es decir, era partidario de la libre competencia y de la multiplicación de empresas cinematográficas. Porque al margen del trust y en abierto desafío existían quienes se llamaban a sí mismos *Independientes* –que Edison calificaba de «proscritos» *(outlaws)*–, que se negaban a pagar impuestos al trust y que a modo de francotiradores libraban sus escaramuzas con los picapleitos del mago de Menlo Park. Su existencia, durante estos años, fue de lo más azarosa. Pero como eran individuos curtidos por los sinsabores de la emigración –judíos centroeuropeos en su mayoría– con un espíritu a prueba de ardides y jugarretas, se agruparon para defenderse en organizaciones como la Independent Motion Picture Distributing and Sales, presidida por Carl Laemmle, y la Greater New York Film Company, fundada por William Fox.

Los Independientes eran gentes dispuestas a jugarse el tipo para defender sus negocios de exhibición. Algunos, perseguidos por Edison, tuvieron que abandonar la batalla y salir disparados hacia Cuba o México. Pero la mayoría plantaron cara al trust con mil tretas y argucias. Los miembros del trust no eran capaces, por otra parte, de abastecer la creciente demanda de las salas exhibidoras. Por esta razón los Independientes fueron pasando de la exhibición a la producción de películas, que rodaban ocultos en graneros, garajes o almacenes abandonados, como si fuesen delincuentes, valiéndose de cámaras tomavistas importadas de otros países, desafiando así los tentáculos de la vasta y poderosa organización de Edison,

con sus detectives privados, sus sagaces picapleitos y los fulminantes mandamientos judiciales que paralizaban los rodajes clandestinos, confiscaban sus aparatos y permitían el arresto de productores,
técnicos y artistas.

Un clima de terror se cernía sobre los Independientes, mientras la industria del cine en general vivía una era de caos y confusión. La situación se agravó al iniciar el *Chicago Tribune* en marzo
de 1907 una durísima campaña en la que acusaba al cine –por vez
primera, porque el estribillo se repetirá luego hasta la saciedad– de
corruptor de la juventud y espejo de todos los vicios. Su primer
editorial, que aportaba como prueba una serie de títulos de películas escabrosas importadas de Francia, pedía entre otras cosas que
se prohibiese la entrada en los cines a los menores de dieciocho
años. En vano George Kleine replicó públicamente que el cine había ofrecido asuntos tan edificantes como la Pasión de Cristo,
Ben-Hur o la Cenicienta. La Sociedad para la Protección de la Infancia de Nueva York, eligiendo la vía de la acción directa, hizo
asaltar un cine que consideraba inmoral, mientras el Consejo Municipal de Chicago autorizaba al jefe de policía para prohibir e incautarse de los films que reputase perniciosos (noviembre de
1907). No deja de ser curioso que sea en la futura capital del
gangsterismo y de la corrupción donde nació la censura cinematográfica norteamericana. Reaccionando ante esta amenazadora situación, la propia MPPC creó en 1909 su organismo de autocensura, el National Board of Censorship, que en 1915 se convirtió
en el célebre National Board of Review.

Sometido a un intenso fuego cruzado por parte de inventores,
abogados y ligas puritanas, el cine americano crecía con las máximas dificultades. Sólo gentes con el temple de los Independientes
eran capaces de salvarlo de aquella jungla de intereses y prejuicios.
Es hora ya de que bosquejemos algunos rasgos personales de estos
célebres pioneros, en cuyas manos nacerá, con enorme vitalidad,
el nuevo cine americano.

Adolph Zukor (1873-1976), judío húngaro que desembarcó
en Nueva York con tan sólo 40 dólares cosidos al forro del chaleco. Aprendiz de tapicero, recadero de un taller de peletería y
finalmente peletero, instaló en 1903 su primera sala de exhibición
en Nueva York: será el padre de la Paramount. Carl Laemmle

(1867-1939), judío alemán que desembarcó con 50 dólares en el bolsillo, peón agrícola, empleado en una droguería, corredor de un almacén de ropas confeccionadas en Wisconsin y a partir de 1906 propietario de un *Nickel-Odeon* en Chicago: será el padre de la Universal. Wilhelm Fried (1879-1952), judío húngaro, más conocido como William Fox, que fue payaso y regentó una tintorería antes de dedicarse en 1906 al negocio de la exhibición cinematográfica: es el patriarca de la Fox. Los hermanos Warner (Harry, Jack, Albert y Sam), judíos polacos, propietarios de un negocio de reparación de bicicletas en Youngstown (Ohio), en 1903 fundaron una sala de exhibición en Newcastle: son los creadores de la Warner Bros. Marcus Loew (1870-1927), hijo de judíos alemanes, fue vendedor de periódicos a los siete años, corredor de pieles y sastre antes de asociarse con Adolph Zukor en el negocio de la exhibición. Más tarde creará con el judío polaco Samuel Goldfish (1882-1974), más conocido como Samuel Goldwyn y antiguo empleado de una casa de guantes, la famosa Metro-Goldwyn-Mayer.

Estos hombres de origen humilde fueron quienes libraron la gran batalla contra el trust de Edison, y al recordar su linaje Zúñiga escribirá que con ellos «el judío internacional empieza a dar sus pasos cinematográficos». Leyendas aparte, es obligado reconocer el coraje de estos hombres en su lucha contra la poderosa organización de Edison. Carl Laemmle, por ejemplo, humilló al trust arrebatándole a la estrella Florence Lawrence –conocida como *The Biograph Girl–,* divulgando en la prensa la noticia de que había perecido en un accidente de coche, para rectificarla ocho días después, levantando la consiguiente barahúnda publicitaria en apoyo de su lanzamiento junto al actor King Baggot, con quien formó la primera «pareja ideal» del cine. Laemmle también arrebató a Mary Pickford a la Biograph –cuando todavía no era «la novia de América»– ofreciéndole 175 dólares a la semana. El trust lanzó a sus sabuesos contra Laemmle, que se embarcó con la actriz rumbo a Cuba. Pero el trust no se arredró por tan poca cosa y fletó un vapor para perseguirlos, en el que envió, además de una orden de arresto, a la madre de la estrella, que se oponía a que su hija, menor de edad, se casase con el actor Owen Moore. Pero no pudo impedir la boda, que además emancipaba a la actriz y ponía a salvo a Laemmle de las amenazas de los abogados del trust. La historia acabó bien para todos, hasta para la madre de Mary Pickford, que no tardará en amasar una fortuna con el negocio del petróleo.

Piratería para unos y avatares de la libre competencia para otros, la guerra del celuloide conoció los episodios más pintorescos. Pero la batalla de los Independientes no se planteó con toda agresividad hasta que William Fox, apoyado en algunas amistades políticas influyentes de Nueva York, llevó en 1913 ante los tribunales a la MPPC, acusándola de violar la Ley Sherman contra los monopolios, que data de 1890 y que es conocida también con el nombre de «ley antitrust». El pleito fue largo y la sentencia condenatoria contra el trust no se pronunció hasta 1917. Pero sin esperar el fallo judicial, los Independientes siguieron luchando contra el trust, lanzando películas que introducían el sistema europeo de nombres famosos y obras costosas para atraer al gran público. No hay que olvidar que la película es una mercancía de unas características muy peculiares; el progreso de la técnica cinematográfica y la explotación del *star-system* –en el que jugaron un papel capital Laemmle y Zukor– orientaron las preferencias del público hacia los productos de los Independientes. Pero como la artillería del trust seguía produciendo víctimas entre estos pioneros, con el pretexto de «ofensa a la moral» o litigio de patentes, algunos de ellos comenzaron a alejarse de las grandes ciudades del Este para buscar refugio en las regiones menos pobladas del Oeste.

El productor que inauguró esta ruta fue el llamado «coronel» Selig, antiguo tapicero de Chicago y especialista en *westerns,* que en busca de clima apropiado se desplazó a Los Ángeles para rodar los exteriores de *El conde de Montecristo (The Count of Monte Cristo,* 1907), de Francis Boggs, al tiempo que se alejaba discretamente del cuartel general de Edison (aunque más tarde se asoció al trust). El lugar elegido por Selig reunía condiciones óptimas para el rodaje de exteriores: variedad de paisajes y un cielo luminoso casi todo el año. Además, la proximidad de la frontera de México ofrecía una protección inmejorable contra la incursión de los detectives neoyorquinos.

El ejemplo de Selig no tardó en ser imitado por otros productores, que se fueron cobijando en los suburbios de Los Ángeles, especialmente en uno llamado Hollywood, antiguo feudo de los indios cahuenga y cherokee y así bautizado por la esposa de un granjero de Michigan asentado allí en 1857: *Hollywood* significa, literalmente, *bosque de acebos*. En aquel tranquilo lugar, con resonancias épicas muy próximas, entre las aguas del Pacífico y los picos de San Gabriel, iba a alzarse la más fabulosa fábrica de mitos que el hombre hubiera podido soñar.

Mientras Edison y las ligas puritanas arremetían con furia contra los *Nickel-Odeons,* consiguiendo la clausura de cuatrocientas salas de exhibición en una sola noche, en un plácido barrio de Los Ángeles nacía una nueva y próspera industria. Pero esta insólita placidez californiana es sólo un fugaz espejismo, una inadmisible anomalía en el corazón del Far-West, territorio de aventura que está recibiendo en avalancha a unos hombres endurecidos por la lucha sin cuartel contra el trust de Edison. En 1911 se produjo el primer incidente grave: el director Francis Boggs es asesinado a tiros de revólver, durante un rodaje, por un figurante japonés. Éste fue el primer escándalo de un Hollywood que no es todavía ni una pálida sombra de lo que sería unos años más tarde.

ZUKOR Y GRIFFITH: DOS PILARES

La historia de la formación de Hollywood recuerda, en bastantes aspectos, la epopeya de la colonización del Oeste. Ciudad creada *ex novo* por la afluencia de aventureros, como Dodge City, Dallas, Wichita o Abilene, adquirió pronto esa bronca reputación de las ciudades del Far-West en su época heroica. En un Hollywood asolado por las rivalidades de los Independientes encontraremos a personajes tan inesperados como León Trotski, que actúa de oscuro figurante en varias películas –como *El clarín de la paz (The Battle Cry of Peace,* 1916) de Blackton– y hasta aparece junto a la estrella Clara Kimball Young en *Mi esposa oficial (My Official Wife,* 1916) de James Young.

Y en torno al revolucionario ruso, que debió de contemplar aquel mundo desquiciado con cierta escéptica perplejidad, los sabotajes y asaltos a productoras, como el organizado por la Universal contra la sociedad rival NYMP, o el ataque en toda regla, con hombres armados y hasta un viejo cañón de la guerra civil, contra los estudios de Kessel y Bauman...

Entre las nubes de pólvora que entintaban el cielo azul de California apareció un hombre que contribuyó, en gran medida, a imponer una disciplina industrial a las jóvenes empresas de Hollywood. Adolph Zukor era ya, a sus treinta y nueve años, un viejo zorro y el más astuto de los Independientes. A esa edad, en 1912, fue cuando compró los derechos del *film d'art* francés *Elizabeth, reina de Inglaterra (La reine Élizabeth),* interpretado por Sarah Bernhardt en Inglaterra y que acababa de obtener un éxito sin precedentes en los países europeos. Era, además, la primera película de cuatro rollos que se presentaba en los Estados Unidos. Zukor organizó una función solemne para su estreno, con los asistentes cuidadosamente seleccionados por invitación rigurosa.

La vanidad del ex aprendiz de tapicero debió de sentirse colmada cuando sonó en la sala del Frohman's Lyceum Theatre una ovación cerrada en honor de la diva y cuando los periódicos del día siguiente se refirieron a la sesión como «un momento histórico del cine».

Zukor aprendió la lección del *film d'art* europeo y, asociado con Frohman, fundó aquel mismo año la empresa «Actores famosos en obras famosas» y eligió para trabajar con él a los nombres más seguros del cine norteamericano: al director Edwin S. Porter, que había abandonado a Edison, y a la actriz Mary Pickford, contratada por mil dólares a la semana. Para completar su organización, Zukor se asoció con varios empresarios creando la Paramount Corporation, que agrupaba a todas las grandes firmas independientes, con unas cinco mil salas, las mejores del país. Con la Paramount (que en inglés quiere decir «superior» y cuyo eslogan era *selected pictures for selected audiences*) se cerraba la era de los *Nickel-Odeons* y se inauguraba la de las grandes salas y grandes circuitos.

Gracias a la Paramount Zukor pudo abordar la realización de un viejo proyecto: el lanzamiento de un gran film (de una hora o más) por semana. Sobre los pilares del *programa semanal,* la *exclusiva* y la *contratación en bloque* Zukor fundó su imperio. La contratación en bloque –*block-booking,* en jerga cinematográfica– era un compromiso del exhibidor de alquilar toda la producción de la firma, en bloque y a ciegas *(blind-booking),* basándose en el prestigio de las estrellas que Zukor tenía contratadas en exclusiva. Zukor dividió su producción, además, en tres grupos, A, B y C, según fuera la categoría de los intérpretes y el presupuesto de la cinta. Esta clasificación es ya un reconocimiento implícito del imperio del *star-system* y una prueba evidente de la alta capacidad organizadora de Zukor, que acabará por imponer sus métodos a todos los Independientes, cerrando el ciclo caótico en que las rivalidades comerciales se dirimían a punta de revólver.

Si Zukor es el padre indiscutible de la moderna industria del cine americano, con unas fórmulas comerciales que todavía perduran, su padre artístico, que es casi tanto como decir del cine a secas, fue un mediocre actor teatral y escritor de ascendencia irlandesa, autodidacta, nacido en La Grange (Kentucky), hijo de un coronel sudista arruinado por la guerra civil. Se llamaba David Wark Griffith (1875-1948).

El primer contacto de Griffith con el cine se produjo en calidad de guionista cuando, en 1907, ofreció sin éxito a Porter un guión basado en el drama *Tosca,* de Sardou. Pero la entrevista con Porter no fue inútil, pues éste, que no tuvo confianza en el talento creador de Griffith, le juzgó en cambio buen intérprete y le contrató por 20 dólares para un papel en su película *El nido del águila (Rescued from an Eagle's Nest,* 1907). Con su seudónimo teatral de Lawrence Griffith debutó en el nuevo arte, disfrazado de montañero que lucha ferozmente y vence con gran esfuerzo a un águila (de trapo y serrín) que previamente había raptado a un bebé.

Griffith estaba empecinado en vender su adaptación de *Tosca* y fue a ofrecerla a la Biograph. Allí tampoco la quisieron, pero volvieron a contratarle como actor y pidieron que trajera asuntos originales, no adaptaciones. No deja de ser curioso que Griffith, autor de más de cuatrocientas películas y respetado patriarca del cine americano, no haya conseguido jamás llevar su *Tosca* a la pantalla.

En 1908 Griffith debutó como realizador en la Biograph, cubriendo la vacante de Mac Cutcheon, con un salario de 50 dólares semanales y un ritmo de producción de una o dos películas de 100 a 300 metros por semana. Los temas abordados por Griffith son de una variedad asombrosa. Estajanovista del celuloide, le da

94

lo mismo recurrir a Tennyson, Maupassant, Edgar Allan Poe o a Tolstói, que a los temas del Far-West, novelas populares, asuntos históricos o narraciones policíacas. Su experiencia como actor le llevó a cuidar especialmente la interpretación de sus películas y «descubrió» a numerosas estrellas de primera magnitud del cine mudo americano. La más importante fue la canadiense Gladys Mary Smith, inmortalizada con el nombre artístico de Mary Pickford, que a los cinco años había debutado en el teatro para ayudar a su madre viuda, en precaria situación económica. A los dieciséis fue contratada por la Biograph y debutó a las órdenes de Griffith en *The Violin Maker of Cremona* (1909). Por su rostro aniñado, sus ojos azules y sus tirabuzones rubios se la conocía, en sus primeras películas, como *Little Mary* y «rizos de oro». Su ascensión artística fue espectacular –disputada encarnizadamente por los productores– y no tardó en convertirse en «la novia de América» y hasta en «la novia del mundo». Su apariencia ingenua, que hizo cristalizar uno de los primeros arquetipos cinematográficos, ocultaba a una astuta mujer de negocios. Tan grande fue el prestigio de Mary Pickford como «ingenua» del cine, que hasta la edad de 36 años no se atrevió a evolucionar hacia un personaje más adulto, en *Coqueta (Coquette,* 1929) de Sam Taylor. Pero a pesar del protector Oscar que le fue concedido, el público repudió su nueva imagen y Mary Pickford se retiró del cine en 1933. Griffith también descubrió a las hermanas Lillian y Dorothy Gish, que acudieron a la Biograph recomendadas por Mary Pickford, a Mae Marsh y a un cómico canadiense imitador de Max Linder, que se hacía llamar Mack Sennett, a quien no tardaremos en volver a encontrar.

Además de detector de talentos, muchos de ellos sin ninguna experiencia dramática, Griffith comenzó a descubrir pronto un nuevo lenguaje cinematográfico que, hasta ahora, sólo había sido tímidamente esbozado en las obras de algunos creadores. La inspiración y el instinto cinematográfico de Griffith eran tan potentes que emergieron ya en su primera cinta, *Las aventuras de Dorotea (The Adventures of Dolly,* 1908), rodada en cuatro días. Su asunto, en cambio, era banal y recordaba *El nido del águila:* unos gitanos raptaban a una niña y la metían en un tonel, pero éste se desprendía del carromato e iba a parar, rodando, a una cascada, de donde la niña era rescatada por un pescador. Nada nuevo contiene, en efecto, este argumento folletinesco, pero en su narración Griffith utiliza por vez primera el *flash-back* o *cut-back,* esto es, una escena que se inserta en la acción principal, mostrando en evocación o recuerdo un acontecimiento pasado.

Este primer hallazgo es sólo un preludio de la ingente aportación técnica con la que Griffith enriquecerá el lenguaje cinematográfico. En *Balked at the Altar* (1908) comienza a utilizar el plano medio y en su noveno film, *The Fatal Hour* (1908), utiliza por vez primera la acción paralela al servicio de un «salvamento en el último minuto». Griffith llevará esta técnica a su apogeo al año siguiente en *El teléfono (The Lonely Villa,* 1909), perfeccionando así decisivamente un recurso técnico apuntado por vez primera, como vimos, en *Attack on a Chinese Mission Station* y utilizado por Porter. Su argumento es simple: para salvar a su mujer e hijas del acoso de unos bandidos, un hombre se precipita hacia su casa en una carrera contra el tiempo, empleando todos los medios a su alcance, desde el automóvil al coche de caballos. Griffith potencia la tensión dramática (suspense) prolongando la situación y haciendo alternar los planos de la familia acosada con los del marido corriendo, a intervalos cada vez más cortos. Este montaje demostró tal eficacia emotiva que fue adoptado por otros directores, que en homenaje a su inventor lo denominaron *Griffith last minute rescue,* o en nomenclatura técnica *cross-cut* y *switch-back.*

Con Griffith las *acciones paralelas* se incorporan de forma categórica y madura al acervo de la narrativa cinematográfica, lo que supuso el abandono definitivo de la incómoda y teatral linealidad del relato cinematográfico primitivo. En *Salvada por telégrafo (The Lonedale Operator,* 1911) vuelve a recurrir a ellas, con su «salvamento en el último minuto», haciendo alternar, mediante un montaje de aceleración creciente, a la telegrafista secuestrada y a su padre y a su novio que, prevenidos por su mensaje, acuden a salvarla. En esta película comienza, además, a elaborarse el estilo de Griffith, fundado en el desplazamiento de los puntos de vista de la cámara dentro de una misma escena. El film está dividido en secuencias (y no en escenarios o cuadros), y cada secuencia está dividida en planos de diferente valor, especialmente planos americanos y primeros planos de objetos *(insertos).*

Estos hallazgos técnicos pueden parecer primarios y fáciles para un espectador cinematográfico actual, pero la prueba de que esto no era así la suministra la oposición que encontró Griffith entre los dirigentes de la Biograph cuando, en *Después de muchos años (After Many Years*, 1908) –adaptación de *Enoch Arden* de Tennyson– quiso mostrar en montaje alternado a Enoch Arden en una isla desierta y a continuación a Anna Lee, su esposa, esperando su regreso. A los productores les pareció que este «salto» espacial era un puro disparate y que el público no podría entenderlo. Griffith respondió diciendo que si Dickens había utilizado este procedimiento narrativo, él también podía hacerlo, porque la literatura y el cine tienen elementos narrativos comunes. Griffith pudo haber añadido que las acciones paralelas en cine son una equivalencia gráfica del «mientras tanto» literario. Pero Griffith no era un teórico, sino un intuitivo. Ganó la batalla de *Después de muchos años,* en donde utilizaba también por vez primera en su obra un primer plano de la protagonista con intención dramática, y esta victoria constituyó igualmente un progreso revolucionario para el arte del montaje.

Con Griffith asistimos a la gestación de una gramática cinematográfica radicalmente nueva, que ya nada tiene que ver con el teatro. A diferencia de Francia, en los Estados Unidos no pesa la herencia de una densa tradición escénica y ello permite, precisamente, el libre nacimiento de un lenguaje gráfico puro, sin reminiscencias extrañas. En *La conciencia vengadora (The Avenging Conscience*, 1914), inspirado en Edgar Allan Poe, Griffith recurre a primeros planos repetidos de un lápiz golpeando una mesa y de un pie repicando en el suelo para traducir visualmente el sonido obsesivo de un latido de corazón. Griffith comprendió bien cuál es la potencia expresiva de las imágenes y los resultados que pueden nacer de su libre combinación, que es el montaje. También supo aprovechar las ventajas de la profundidad de foco. En *The Musketeers of Pig Alley* (1912), drama de bajos fondos, juega sobre la tercera dimensión del espacio al hacer avanzar lentamente a un bandido hacia la cámara, hasta obtener un primer plano de su rostro, mientras sus compinches permanecen nítidos en último término.

Griffith contó para sus películas con la valiosísima colaboración del operador Billy Bitzer, pionero en el uso de la luz artificial, que con recursos extraordinariamente rudimentarios obtuvo resultados óptimos. Utilizó por vez primera la iluminación dramática y de contrastes en *Edgar Allan Poe* (1909), el contraluz y la iluminación lateral en *El remedio (A Drunkard's Reformation*, 1909), el desenfoque como efecto artístico en *When Pippa Passes* (1909) y combinó por primera vez la luz natural con la artificial en *The Politician's Love Story* (1909). En los estudios se denominaba al estilo de Bitzer «iluminación a lo Rembrandt», por su uso del claroscuro y del contraluz. Fue Bitzer también quien primero emplazó un proyector tras una ventana, para simular el efecto de la luz solar.

Establecer un catálogo con todos los hallazgos de Griffith se haría interminable. En *Ramona (Ramona,* 1910) aparece el primer gran plano general de la historia del cine, un paisaje de Ventura County, en California; en *La batalla (The Battle,* 1911), que no oculta su simpatía por la causa sudista, demuestra ya su pericia en el manejo de grandes masas y escenas de combate. Su inquietud y fecundidad le llevan a abordar todos los temas, sin amedrentarse ante el de *La formación de un hombre (Man's Genesis,* 1912), que se anunció como «un estudio psicológico fundado en la teoría darwiniana de la evolución del hombre» y en el que su preocuación realista se reflejó en las hierbas secas con que hizo cubrir la desnudez de sus actores. El éxito de esta ingenua cinta seudocientífica le llevó a rodar al año siguiente un drama de la Edad de Piedra: *La vida del hombre primitivo (Primitive Man, or the Wars of Primal Tribes).* También descolló Griffith en la comedia satírica, con cintas como *El sombrero de Nueva York (The New York Hat,* 1912), con guión de Anita Loos, que revelaba un agudo sentido de la observación social, al estilo de Mark Twain.

El talón de Aquiles de la obra de Griffith reside, no obstante, en su ingenua visión del mundo que desemboca casi siempre en fórmulas toscamente melodramáticas. Es el tributo que ha de pagar la juventud de un arte que todavía está forjando. Pero en el terreno de la técnica narrativa, de la invención visual, Griffith está introduciendo una auténtica revolución expresiva, con los desplazamientos del punto de vista de la cámara en el interior de una misma escena, para guiar el ojo y la atención del espectador, con el uso dramático del primer plano, las acciones paralelas y, en suma, los saltos en el espacio y en el tiempo a través del montaje. Griffith es, como Cézanne, el primitivo de un arte nuevo.

THOMAS H. INCE Y LA NUEVA ÉPICA

El historiador francés Jean Mitry ha escrito que «si Griffith fue el primer poeta de un arte cuya sintaxis elemental había creado, puede decirse que Thomas Ince fue su primer dramaturgo».

Thomas Harper Ince (1882-1924) vino al mundo en el seno de una familia de actores y siguió a su vez la profesión de sus padres, si bien ocasionalmente se vio obligado a trabajar como mozo de café. Autodidacta, alardeaba de no haber leído jamás en su vida un libro, realizó o supervisó centenares de películas —*westerns* en su mayoría— y fue quien prestigió y difundió por todo el mundo este género genuinamente americano. Murió en unas circunstancias un tanto extrañas. La versión oficial afirmó que su fallecimiento se debió a una infección intestinal, sobrevenida durante un crucero. Pero en los medios bien informados de Hollywood circuló la versión, jamás desmentida, de que Ince murió a causa de los disparos del millonario y magnate de la prensa William Randolph Hearst, al sorprenderle una noche, en la cubierta de su yate, en apretada compañía de la estrella Marion Davies, amante oficial de Hearst.

Ince comenzó a trabajar en el cine como figurante, hasta que en 1911 Laemmle le dio las primeras oportunidades para dirigir. Pero su colaboración fue breve, debido a discrepancias artísticas. Un buen día Ince decidió dejar crecer su bigote. Cuando lo tuvo espeso consiguió un anillo con un grueso diamante, para adquirir aires de respetabilidad, y fue a entrevistarse con los productores Kessel y Bauman, que le contrataron por la apreciable suma de 150 dólares a la semana.

Kessel y Bauman confiaron a Ince la dirección de una de sus productoras, la Bison, situada en Los Ángeles y especializada en *westerns*. Allí Ince contrató al circo Ranch 101, que invernaba junto al cañón de Santa Mónica, fundando la productora Bison 101, y utilizó a sus artistas —*cowboys* de verdad, tiradores de rifle, domadores de potros, lanzadores de lazo e indios auténticos— en sus películas. La primera realización importante de Ince fue *Across the Plains* (1911), sobre la avalancha humana que en 1848 invadió California, a causa de la «fiebre del oro».

La tradición del *western,* como género cinematográfico, era breve. Edwin S. Porter, Broncho Billy y Francis Boggs (que dirigió a Tom Mix) habían creado los patrones fundamentales, de acuerdo con los esquemas morales de la América virtuosa, puritana y antiindia de los pioneros. En estas películas, que se nutrían de la mitología creada por la conquista y colonización del Oeste, la acción dominaba sobre la psicología y los paisajes naturales sobre el decorado.

La epopeya del Oeste constituye la historia de un país sin historia. Deliberadamente amputada de una parte esencial –la de los pieles rojas, con su cultura, sus gestas heroicas y sus bellas leyendas–, la biografía del Oeste americano comienza para los blancos con la expansión de los colonos a lo largo de Ohio y prosigue con el transporte de ganado, la fiebre del oro, la construcción del ferrocarril, la guerra contra los indios, las luchas entre ganaderos y agricultores y tantas otras gestas que los libros de Zane Grey y las películas de Hollywood, explicando las cosas a su manera, han contribuido a divulgar. Porque la filosofía del *western* hace buenas migas con la sentencia del general Sheridan: «Los únicos indios amigos son los indios muertos.» Nada nos dicen de la aniquilación masiva de bisontes, fuente alimenticia de los pieles rojas, de los que Buffalo Bill, haciendo honor a su nombre, mató cinco mil en diecisiete meses. Ni tampoco nos hablan los *westerns* de la matanza de cheyenes desarmados a cargo de las tropas del general Custer, porque el *western* es la epopeya del pueblo invasor y vencedor, que sólo tiene memoria para sus glorias y que ensalza a sus héroes hasta convertirlos en mitos. Y aquí, por cierto, los mitos no son tan lejanos e increíbles como Prometeo, Hércules o Aquiles, sino que tienen nombre y apellido y una partida de nacimiento bien próxima. Sus nombres son ya leyenda viva a través de sus hazañas hechas celuloide: Buffalo Bill, Davy Crockett, Jesse James, Billy el Niño, Wild Bill Hickok, Calamity Jane, Doc Holliday, Pat Garrett...

La epopeya del Oeste fue, por antonomasia, la gran epopeya blanca del siglo XIX y se hallaba demasiado próxima –cronológica y geográficamente– para que los pioneros del cine americano la dejasen escapar como tema cinematográfico. Hombres toscos y satisfechos de su pasado histórico, vertieron en la pantalla los ecos de la gran aventura con ese toque de ingenuidad que otorga precisamente su grandeza a la épica de los pueblos primitivos. Para competir con Tom Mix (llamado el «centauro virtuoso», pero que sería incestuoso de ser cierto el símbolo de Jung caballo-madre) y Broncho Billy –primeros «caballistas» universales de la pantalla– Ince lanzó en 1913 a Río Jim, «el hombre de los ojos claros», encarnado por el actor William Shakespeare Hart, titán de la pradera y desfacedor de entuertos, que se imponía al público con su sola presencia física: sus ojos claros y penetrantes, su perfil rígido y su expresión melancólica e impávida a la vez, ejercían un poder magnético sobre las muchedumbres. Las biografías de Hart señalan que nació en Dakota, entre los siux, que tuvo una nodriza piel roja y que su infancia transcurrió entre vaqueros, indios y caballos. Todo este pasado se adhirió con tal fuerza a la piel de Río Jim que su presencia en la pantalla bastaba para echar por tierra todas las convenciones y artificiosidad del relato cinematográfico.

Como un Homero de los nuevos tiempos, Ince llevó de la mano a Río Jim, cabalgando sobre su fiel Pinto, por desfiladeros y praderas, entre acechanzas y emboscadas y tal vez sin darse cuenta de que estaba introduciendo en el cine algo muy importante: la naturaleza como decorado insustituible, los escenarios de California en todo su agreste esplendor, y el hombre, el vaquero, fundiéndose en ellos en cabalgadas y persecuciones sin cuento.

El *western* nacía como epopeya *visual,* como acción pura, porque Ince, que es un intuitivo, ha comprendido que el cine es, ante todo, movimiento y acción. Las cintas de Río Jim constituyeron una auténtica revelación, no ya para el público americano, sino para la culta Europa, en donde los anchos horizontes y las polvorientas cabalgadas causaron una auténtica conmoción. Y la figura primaria de Río Jim prendió con fuerza incontenible en los públicos europeos, demostrando ya la tremenda capacidad del cine como creador de mitos. Louis Delluc, impresionado, escribió: «Yo creo que Río Jim es la primera figura descubierta por el cine y su vida el primer tema verdaderamente cinematográfico.»

El esplendor de este nuevo cine, con sus caravanas, persecuciones, tiroteos y ataques indios, se manifiesta sobre todo en los planos generales *(long shots)*, que permiten valorar unos decorados que ningún carpintero ni arquitecto del mundo serán capaces de construir. Por lo demás, la temática del *western* se moverá en adelante en el área de un círculo cerrado: el bueno, el villano, el *sheriff*, la chica, la prostituta de buen corazón (el *western* es cine de hombres y raramente hay en él mujeres malas), el juez –todos tipos de una sola pieza– y el rancho, la estampida, el *saloon*, el duelo a tiros en la calle mayor..., ¿cuántas veces habremos visto todo esto? Pero no importa. Si ayer los espectadores asistían boquiabiertos a la espléndida partida de carretas de *La caravana de Oregón (The Covered Wagon*, 1923) de James Cruze, más tarde asistirán con pasmo al periplo de *La diligencia (Stagecoach*, 1939) de John Ford, que al introducir una nueva dimensión psicológica en el género –*El forastero (The Westerner*, 1940) de William Wyler será su primera consecuencia– hará nacer tras el bache de la Segunda Guerra Mundial (en donde la violencia cinematográfica se polarizó en exclusiva hacia el género bélico) un *western* enriquecido –¿o impurificado, tal vez?– por elementos psicoanalíticos, políticos o sociológicos, en donde un arma larga ya no es un arma larga, sino un símbolo fálico, o el estadio racional y adulto que sucede a la etapa instintiva del arma corta...

El *western* moderno ha perdido la pureza épica de antaño y, como avergonzado de su simplicidad, ha pedido ayuda a la literatura moderna, a los manuales de psicopatología sexual y hasta a los problemas de la Guerra Fría. Con el disfraz del *western* Fred Zinnemann lanzará un alegato contra el maccarthismo en *Solo ante el peligro (High Noon*, 1951); en *La pradera sin ley (Man Without a Star*, 1954) King Vidor hará una apología de la propiedad privada frente a las tesis colectivistas, mientras la constante homosexual planeará dominante sobre *Johnny Guitar (Johnny Guitar*, 1955) de Nicholas Ray, *El zurdo (The Left Handed Gun*, 1958) de Arthur Penn y *El rostro impenetrable (One-Eyed Jacks*, 1960) de Marlon Brando. Estos cambios son importantes, tan importantes que asistiremos a la increíble aparición del *western* «de interiores», de espaldas a la naturaleza, como *El pistolero (The Gunfighter*, 1950) de Henry King o *Río Bravo (Rio Bravo*, 1959) de Howard Hawks. Pero lo más sorprendente es que llegarán a aparecer incluso reivindicaciones –nunca es tarde cuando llega– del hasta ahora maltratado indio. Recordemos, en este sentido, *Fort Apache (Fort Apache,* 1947) de John Ford, *Flecha rota (Broken Arrow,* 1950) de Delmer Daves, *Apache (Apache,* 1954) de Robert Aldrich *y El valle del fugitivo (Tell Them Willie Boy Is Here,* 1969) de Abraham Polonsky. Mientras el *western* de Hollywood, pilotado por especialistas como John Ford, Anthony Mann, Delmer Daves, Raoul Walsh, William Wellman o John Sturges, se convierte en barómetro intelectual de las preocupaciones de todo orden de la sociedad americana, el *western-acción* a secas se ha ido a refugiar en la micropantalla de los televisores.

Pero dejemos a estos proscritos y vaqueros de guardarropía para retroceder a Ince, a la época heroica del *western,* cuando él dirigía o supervisaba, convertido en auténtico *producer,* las películas que se rodaban en los terrenos de *Inceville.* Su supervisión se ejercía muy estrechamente a través del control de un guión muy rígido, escrito por Gardner Sullivan, ex periodista que fue durante años el brazo derecho de Thomas Ince. Ésta es otra novedad capital; por estos mismos años Griffith y Feuillade rodaban prácticamente sin guión, improvisando sobre un argumento aceptado y condensado en un par de cuartillas. Hay que señalar que la práctica del «guión técnico» no se generalizó hasta los primeros años del cine sonoro, si bien algunos cineastas, como Fritz Lang y F. W. Murnau, llevaron su precisión (a partir de 1922) hasta dibujar cada plano de sus películas antes del rodaje. Ince exigía de sus directores asalariados un respeto minucioso del guión previsto, lo que le permitía otorgar su estilo a películas no dirigidas por él. Ince era además un montador excelente. Se le llamaba «doctor de films enfermos» porque con las tijeras era capaz de dar nueva vida e interés a cualquier mala película. El montaje le apasionaba hasta el punto que pasaba más tiempo en su sala de proyección que en los estudios de rodaje.

Además de descubrir a William S. Hart, Ince descubrió a otros actores, como Frank Borzage (que no tardaría en destacar como director), Charles Ray, que se reveló en *The Coward* (1916), el japonés Sessue Hayakawa, que protagonizó *El huracán (The Typhoon,* 1914), dirigida por el propio Ince, en donde hacía coincidir –según fórmula puesta en circulación por el cine danés– la

103

culminación dramática con una gran catástrofe. Utilizó también este procedimiento en *La cólera de los dioses (The Wrath of the Gods*, 1914) sobre los amores prohibidos entre un oficial americano y la hija de un samurái, que finalmente suscitan la cólera del volcán...

Mientras los cañones tronaban en Europa en «la guerra que acabaría con todas las guerras», Ince puso su talento al servicio del idealismo wilsoniano y de su campaña electoral, con las consignas de pacifismo y neutralismo, con una obra tan ingenua como ambiciosa: *La cruz de la humanidad (Civilization*, 1915). La película, que desplegaba un inmenso esfuerzo material para cantar las excelencias de la paz, sufrió alteraciones al ser presentada en los países europeos, en pie de guerra. Con sus ejércitos de figurantes, bombardeos de aviación y navíos hundidos abrió la senda a otras cintas más modestas, pero que apuntaban hacia idénticos objetivos pacifistas, alentados por la administración Wilson. El camino era peligroso porque podía herir la susceptibilidad de algunos combatientes europeos, en pleno furor bélico. El límite de seguridad se rompió con motivo del serial *Patria* (1916), de George Fitzmaurice, que motivó una protesta diplomática de Inglaterra, que juzgó que allí se atacaba a su aliado Japón.

Pero este juego político-cinematográfico lleno de riesgos se acabó pronto. En abril de 1917 los Estados Unidos entraban en guerra y todos los sermones pacifistas se enterraban precipitadamente, mientras en todas partes, y por supuesto también en los estudios de cine, se afilaban las armas para servir a las nuevas consignas belicistas.

NACE UNA MITOLOGÍA

Los primeros mercaderes del cine habían descubierto, en temprana hora, que el tropismo de las masas era particularmente sensible al estímulo del sexo. El descubrimiento no era, ciertamente, muy original. Existe toda una tradición artística que ha conjugado con éxito, de mil modos y maneras, el verbo amar. En la literatura popular americana –en las novelas cortas *(Short Stories)* de los *magazines* del estilo *Saturday Evening Post*– existía una constante temática, de bien probada eficacia, de la que no tardaron en apropiarse las *Escenas de la vida real* de la Vitagraph. Era la fórmula conocida con el nombre de *boy meets girl* («chico encuentra a chica»), de la que ni siquiera Griffith fue capaz de sustraerse. El esquema era, y es todavía, de una sencillez y de una eficacia aplastantes: «El chico conoce a la chica; el chico pierde a la chica; el chico recupera a la chica». El final es, naturalmente, un final con boda, es decir, un reconfortante «final feliz» *(happy end).*

El *boy meets girl* y su corolario el «final feliz» han constituido dos pilares sobre los que se ha asentado el tremendo poderío comercial de Hollywood. Hay que señalar que este esquema no es exclusivo de las películas llamadas «de amor», sino que aparece enhebrado a cualquier otra línea dramática, pero siguiendo un curso paralelo a la acción principal, de modo que ambas líneas tengan un feliz desenlace en el último rollo. Caben, naturalmente, mil variaciones sobre el tema del *boy meets girl,* pero lo usual es que en las películas de «amor y aventuras» se introduzca un tercer elemento, negativo, el «villano» o antihéroe, cuya principal función es la de perturbar la felicidad de la pareja protagonista. Este esquema triangular es viejo como el mundo: aparece en Homero y en la antigua literatura oriental y perdura en los dramas europeos y en las historietas ilustradas de los grandes rotativos americanos. La razón de esta constancia hay que buscarla en las capas más profundas del subconsciente humano. Este esquema plantea, en toda su elementalidad, el combate entre las fuerzas puras del Bien y del Mal. Es el viejo duelo de Ormuz y Ahrimán, de Caín y Abel, de Osiris y Set o de Balder y Loki en la mitología escandinava. Como dos polos en los que se subliman y condensan las apetencias más irracionales y secretas del hombre, las imágenes hechas celuloide del «héroe» y del «villano» fusionan y confunden los valores éticos y estéticos, como ocurre en las más viejas mitologías de la Tierra. El «héroe» es un personaje simpático y físicamente atractivo, mientras el «villano» –suma y compendio de todos los males– es físicamente desagradable. La diferenciación llega a tal extremo que con su sola imagen puede identificarse quiénes son el protagonista y el antagonista de una película. Ni que decir tiene que esta mitología procede en parte de la filosofía del Superhombre de Nietzsche, que postula el exterminio de cualquier forma de fealdad física, como signo de debilidad y servidumbre.

105

El «villano», el malo sin matices, aristas ni explicaciones, el malo por antonomasia, es un producto ideal nacido del cerebro y de las necesidades dramáticas de los guionistas. Ser deshumanizado y eróticamente inhibitorio sirve para explicar –en forma harto simplista– todos los males que asolan a la humanidad. Con su eliminación física la pareja protagonista recupera la felicidad perdida. ¡Qué forma más atroz de falsear la compleja realidad y de camuflar las razones objetivas que condicionan la felicidad o infelicidad de los hombres! Pero la solución es cómoda y expeditiva a más no poder y el cine creará «villanos» profesionales, como Lew Cody, Montagu Love o Erich von Stroheim, nacidos para polarizar todo el odio y todas las frustraciones albergadas en las inmensas salas oscuras. Al villano le veremos evolucionar, al compás de las exigencias políticas, y de cuatrero se convertirá en gángster, antes de transmutarse en oficial alemán, para acabar como espía ruso que roba planos atómicos.

Tampoco el personaje de la «chica» sale mucho mejor librado de un somero análisis. El primer arquetipo femenino creado por Hollywood fue el de la «ingenua» (Mary Pickford, Lillian y Dorothy Gish, Edna Purviance, Alice Terry), cuya función primordial era la de servir de premio que el guionista entregaba al «chico», al final de la película, para recompensar su valerosa actuación. La mujer aparece «cosificada» en un cine que, no lo olvidemos, está hecho por y para los hombres. Es un cine que hereda e incorpora las más viejas y estables fórmulas de la literatura y de la mitología, que de Oriente saltaron a la Europa cristiana, para acabar asentándose en Hollywood: del mito de Teseo y el Minotauro derivaron las leyendas del ciclo de san Jorge, en las que el caballero mataba al dragón y rescataba a la virgen que tenía raptada, tomándola como esposa. Unos siglos más tarde reaparecerán en versión actualizada e impresas sobre el celuloide fabricado por la Kodak.

Y todo esto rematado por el «final feliz», válvula de escape de la insatisfacción, la mediocridad y las angustias cotidianas de quienes acuden con devoción a las salas oscuras, para borrar sus problemas con el lavado cerebral de las imágenes animadas. Julián Marías ha escrito que nuestra civilización actual se sostiene gracias a las periódicas «dosis de cine», de modo semejante a la ración de coca que explica la resistencia de los indios peruanos. Pero el «final feliz», como la coca, es un veneno lento. Además de falso velo mixtificador que oculta la realidad, el «final feliz» ha sido acusado reiteradamente de inmoral. Aristóteles ya señaló el valor *catártico* de la tragedia; Leopardi criticó la inoperancia afectiva del «final feliz». Podría añadirse que el «final feliz» es una adormidera que tranquiliza al espectador, convenciéndole de que todo en el mundo marcha a las mil maravillas, mientras que el drama que muestra los valores justos pisoteados le llena de una sana indignación que le espolea y estimula para la lucha en su defensa. Se trata, en definitiva, del enfrentamiento de dos actitudes: el conformismo con su aceptación de la realidad tal cual es frente al inconformismo y a la rebeldía ante sus injusticias e imperfecciones para tratar de superarlas.

Estos esquemas fundamentales se han ido enriqueciendo y tornándose más complejos a lo largo de la historia del cine, de acuerdo con las exigencias de la evolución histórica y social. La primera mutación importante tuvo, naturalmente, un vector sexual. Fue la insuficiencia del personaje de la «ingenua» y el éxito alcanzado por las «mujeres fatales» del cine nórdico lo que determinó la importación a Hollywood de un nuevo arquetipo femenino caracterizado, a diferencia de la «ingenua», por su intensa actividad erótica.

Seguimos, no obstante, en el terreno de la mujer-objeto, de la mujer-hecha-para-el-placer, que se conocerá con el expresivo nombre de «vampiresa». Detengámonos un momento en esta denominación porque vale la pena. El vampiro, como todo el mundo sabe, es un mamífero quiróptero que habita en los bosques de la América central y meridional y que se alimenta de la sangre de otros mamíferos. De esta sugestiva realidad zoológica derivó el mito del vampiro, que arraigó en Europa central y cristalizó en una obra maestra de la literatura terrorífica: *Drácula* (1897), del irlandés Abraham Stoker. En una nueva finta idiomática el nombre pasó a designar también a estas mujeres devoradoras de hombres, que aureoladas por una publicidad astuta van a hacer añicos los corazones de los espectadores masculinos. Su primera formulación pictórica aparece en el cuadro de Philip Burne-Jones titulado *The Vampire* (1897), en el que se inspiró Rudyard Kipling para escribir un poema del mismo título y que divulgó este mito femenino en el área cultural anglosajona.

El perfil psicológico de estas mujeres no es nítido. Como escribe Edgar Morin «la *vamp,* surgida de las mitologías nórdicas, y la gran prostituta, surgida de las mitologías mediterráneas, tan pronto se distinguen como se confunden en el seno del gran arquetipo de la mujer fatal». Lo que sí es definible es cada una de las individualidades de esta gran familia erótica. Los arqueólogos del cine americano aseguran que su primera *vamp* fue Alice Hollister, que en 1913 interpretó el papel de María Magdalena y dos cintas de expresivos títulos: *The Vampire* y *The Destroyer,* ambas sobre el egoísmo y la crueldad de una mujer dispuesta a todo para sostener su vida lujosa y parásita. Pero ni la Hollister ni la actriz danesa Betty Nansen, que William Fox importó en 1914, consiguieron la rotunda e indiscutible celebridad de Theda Bara.

Nacida en 1890 en Cincinnati (Ohio) y de ascendencia judeoinglesa, Theda Bara fue un producto creado por el departamento publicitario de la Fox. Su verdadero nombre era Theodosia Goodman, pero la Fox hizo circular la fabulosa versión de que la joven actriz había nacido en el Sahara, fruto de los amores prohibidos de un oficial francés y de una muchacha árabe, que murió al darla a luz. Su nombre –cuya sonoridad era por cierto vagamente nórdica– era un anagrama de las palabras «muerte árabe» *(arab death,* en inglés). Al público le encantó aquella leyenda y se la creyó. Para redondear el mito la Fox creó un eslogan sugestivo con que arropar a su estrella: «La mujer más perversa del mundo» *(the wickedest woman in the world).* Con este fascinante aparato publicitario entró Theda Bara en el cine para encarnar los personajes de Carmen, Madame Du Barry, Cleopatra, Safo, Salomé, Margarita Gautier y otros que testimonian la escasa imaginación de los productores de todos los tiempos. Theda Bara levantó, desde la pantalla y en su vida privada, turbulentas pasiones y atizó la ira de todas las organizaciones puritanas y bienpensantes del país, que además alegaban que miss Theda Bara practicaba el espiritismo y las ciencias ocultas.

Con Theda Bara se incorpora un elemento clave en el mosaico de la mitología sexual. Siguiendo sus pasos vendrán luego Nita Naldi, Barbara La Marr, Greta Nissen, Mae West, Evelyn Brent, Margaret Livingstone, Betty Blythe, Lya de Putti, Carmel Myers, Alma Rubens, Pola Negri, Olga Baclanova... Todo un desfile de provocativas bellezas, que exhibirán generosamente su epidermis, en perpetuo duelo con todas las censuras del mundo, y añadirán capítulos gloriosos a la antología osculatoria de la pantalla. Bien es verdad que la vampiresa es, desde una perspectiva ética, un personaje extraordinariamente contradictorio. Mito agudamente erótico y profundamente atractivo (y, por lo tanto, de gran rentabilidad comercial), se sustenta sobre una grave contradicción interna, que es el castigo final que reciben ella, o sus amantes, o todos a la vez, en un apresurado parche de moralidad impuesto por el fariseo prejuicio carnal de la moral judía de la que, a fin de cuentas, somos herederos.

Podrían sacarse sabrosas conclusiones de este forcejeo moral entre Eros y Tánatos, entre el deseo y la frustración (o entre el comercio y los principios), que ha pasado a ser una constante moral de todos los códigos de censura o de autocensura del mundo. Así veremos al profesor Unrath aniquilado por la pasión carnal que le inspiró la bella Marlene Dietrich en *El ángel azul,* o a la espléndida Louise Brooks, que tras una vida de placeres y pasiones concluye sus días bajo el cuchillo sanguinario de Jack el Destripador en *Die Büchse der Pandora,* o asistiremos al proceso de autodestrucción de Margarita Gautier (Greta Garbo) en la adaptación de *La dama de las camelias.* Billy Wilder rizará el rizo al enterrar definitivamente el mito de la vampiresa, cuyos despojos exhibirá con complaciente sadismo en *El crepúsculo de los dioses (Sunset Boulevard,* 1950).

Pero estos parches de moralidad no atañen sólo a la vampiresa. Cecil B. DeMille, el hombre de la Biblia, ha escrito que «la carne es para los seres humanos lo que la aguja magnética es para un trozo de hierro». Aunque la sentencia no es muy brillante, ilustra una de las ideas motrices de Hollywood, en donde todavía pesa sobre sus ávidos comerciantes el legado moral de los puritanos del *Mayflower.* Cuando nos refiramos a la aparición del Código Hays de censura volveremos sobre el tema, pero señalemos ahora que la constante moral que aceptará ya el cine desde sus primeros años, como hipócrita componenda entre mercaderes y moralistas, es que toda relación amorosa que viole los principios de la moral admitida por la sociedad deberá recibir su correspondiente y aleccionador castigo en el último rollo de la película.

También el sexo masculino creó en la primera hora sus arquetipos eróticos. Primero fue el «héroe» a secas, ágil caballista, fuerte y valeroso, y centro de gravedad de la primera mitología cinematográfica (Tom Mix, Río Jim, Buck Jones, William Farnum). Pero el *cowboy* era tan elemental como la «ingenua» y hubo que potenciar también su erotismo con fórmulas más refinadas para paladares más exigentes. Así apareció, para dar la réplica a la *vamp,* el arquetipo del «gran amador». Quien mejor encarnaría el mito del apasionado amante latino fue, sin duda, un emigrante italiano llamado Rodolfo Guglielmi, que en 1913 desembarcó en América sin dinero y sin amigos, pero que no tardó en llegar a ser el ídolo de las mujeres con el seudónimo artístico de Rodolfo Valentino. En su juventud no fue admitido en la marina a causa de su insuficiente apertura torácica, pero ni esta minusvalía física ni el ser un reconocido gigoló hubieron de impedir su ascenso a la fama, creando un estilo amatorio que inspirará a otros galanes de estirpe o apariencia más o menos latina: Ricardo Cortez, Antonio Moreno, Gilbert Roland, Ramón Novarro, John Gilbert, Robert Taylor y George Chakiris. El *latin lover* supuso el tránsito del mito infantil al mito púber, depositario de la tradición de Don Juan y de Casanova, que ha impuesto a las mujeres anglosajonas la difundida creencia en una hipertrofiada potencia sexual de las razas socialmente inferiores (como lo es la latina para los anglosajones), debido a su represión católica. En este sentido, el mito del «amante latino» alberga cierta connotación masoquista, con la voluntaria sumisión y servidumbre sexual de la mujer a un ser inferior.

Todo esto nos sumerge en el alambicado fenómeno del *star-system,* que nació con pretensiones de dignidad intelectual durante el *film d'art* francés, pero que los Independientes americanos utilizaron a fondo como arma contra la MPPC, quebrando sus principios industriales de la estandarización de las películas y del anonimato de los actores (aunque el *star-system* no tardará en engendrar a su vez una nueva estandarización, asentada en la consagración de las estrellas-arquetipo).

Los orígenes del *star-system* americano, empero, son bastante complejos. La técnica del primer plano había permitido a la Vitagraph difundir y popularizar los rostros de sus actores. Un referéndum de 1911 para designar al intérprete más popular del país colocó a Florence Turner, estrella de la casa, como reina de los públicos. Por aquel entonces las cosas no estaban tan bien organizadas como ahora y el único índice de popularidad de un actor o actriz era la recaudación de la taquilla. El expresivo lenguaje de la taquilla *(box-office)* advirtió a los productores de que existían intérpretes de una «rentabilidad» superior a la de otros. Así surgió la noción de *money making star* (actor fabricante de dinero) y los productores comenzaron a preocuparse seriamente de la elección y «lanzamiento» de sus estrellas.

Todo esto tuvo, claro está, su reflejo económico. Mary Pickford, primera gran estrella del nuevo firmamento, trabajó en forma anónima en sus films de 1909 y 1910. Cuando los distribuidores ingleses de sus películas recibieron algunas cartas pidiendo información sobre la actriz, inventaron que se trataba de una tal miss Dorothy Nicholson y un ejemplar de *The Bioscope* de 1911 publicó una biografía imaginaria de miss Nicholson, acompañada de una foto de Mary Pickford. Pero esto no duró mucho. Mary Pickford empezó a trabajar con Griffith por 10 dólares diarios. En 1910 Laemmle la contrata por 175 a la semana. En 1912 Zukor se la arrebata con la oferta de mil dólares semanales, pero en 1916 le estaba pagando diez veces más. El nacimiento del *star-system* tiene una vertiente numérica harto significativa. Adolph Zukor, que fue uno de los pilares de la «política de estrellas», importó *Elizabeth, reina de Inglaterra,* de Sarah Bernhardt, por 20.000 dólares, pero recaudó con ella más de 80.000. Max Linder fue contratado por Pathé en 1905 con un salario de 20 francos; en 1911 le pagaba 150.000 al año y en 1912 la cifra ascendió a un millón.

Esto es muy importante porque va a condicionar toda la producción futura. Una estrella vale más que un director, un guionista o un productor. Por consiguiente el cine se hará para y por las estrellas y las películas se lanzarán apoyadas en sus nombres, su rostro, su sonrisa o sus piernas. Y las estrellas, claro, ponen condiciones. Mary Pickford revisa los guiones y acepta tan sólo aquellos que encajan con el arquetipo ideal que la pantalla ha divulgado. En Italia, un buen día Febo Mari se niega a llevar barba para encarnar a Atila; entonces Alberto Capozzi, para no ser menos, rehúsa también la barba que debía llevar su san Pablo. La «querella de las barbas» es menos anecdótica de lo que parece a primera vista.

El productor, naturalmente, mima y cuida a sus estrellas y para sostener la llama sagrada de su negocio organiza una publicidad fabulosa basada en bodas, divorcios, fotos dedicadas, suicidios frustrados, escándalos fabricados, secretos de alcoba, correspondencia íntima... Todo esto y mucho más alimenta la devoción histérico-erótica de los *fans* de la estrella repartidos por todo el mundo. Porque no hay que olvidar que, a fin de cuentas, la estrella es un producto industrial que se elabora y se lanza al mercado de modo análogo a una marca de automóvil, un cosmético o una lavadora mecánica. Carl Laemmle lo intuyó prontamente al afirmar que «la fabricación de estrellas es cosa primordial en la industria del film». Los departamentos de publicidad de las grandes casas productoras son los encargados de elaborar y lanzar a la estrella, que con su mirada, su busto o sus pantorrillas abrirá nuevos mercados al país de la superproducción. Eso ya lo sabía el ladino Hays, quien no tuvo pelos en la lengua al afirmar que «la mercancía sigue al film».

Las razones psicológicas más profundas del arraigo del *star-system* están en la *transferencia emotiva* que se opera en el espectador durante el ritual de la proyección cinematográfica. El cine es, de todas las artes, la que exige del espectador una menor colaboración intelectual y la que ofrece, en cambio, una mayor participación emotiva. La concentración del rectángulo luminoso y la oscuridad del local son circunstancias que contribuyen a explicar este proceso cuasihipnótico, durante el cual el espectador vive una vida que no es la suya. Es la *diversión* (del latín *divertere,* desviar, apartar) en su acepción más pura. Si por accidente la proyección se interrumpe y las luces se encienden, el espectador siente un profundo malestar e incluso vergüenza, al verse bruscamente extraído de una vida que no es la suya para reencontrar violentamente a su propio yo. Habría que referirse, todavía, a la edad media del público de cine y, particularmente, a su «edad mental», que es la que de verdad cuenta, pero eso nos llevaría muy lejos...

Una de las características más importantes del mito cinematográfico es la *transferibilidad,* es decir, la posibilidad de transferir y referir el arquetipo ideal a una persona real y concreta y en especial al soporte físico del mito. En este principio psicológico se asienta el *culto a la personalidad,* porque el actor o actriz aparecen para el *fan* revestidos de todas las cualidades y virtudes de los personajes que han encarnado repetidamente en la pantalla: belleza, valor, inteligencia... Esto no ocurre en el teatro, pero sí en el cine. Por eso ha escrito Malraux que «Marlene Dietrich no es una actriz como Sarah Bernhardt, sino un mito como Friné». Y cuando el intérprete da este salto cualitativo que le convierte en mito, nace una adoración colectiva por parte de sus *fans,* que confunden actor y arquetipo, y se crea un ritual mágico-erótico, una imitación de sus formas de vestir, de hablar, de moverse, de su «estilo» en suma... Recordemos, por su proximidad, la «cola de caballo» puesta de moda por Brigitte Bardot o la revalorización del busto femenino (devaluado desde 1900) después de la Segunda Guerra Mundial, gracias a las actrices más populares del cine italiano... Bächlin, que es un economista, lo ha enunciado con todo el rigor de un científico: «La forma de vida de una estrella es en sí misma una mercancía.»

Esto es el *star-system:* el fetichismo colectivo de la estrella y de cada acto de su vida privada, la identificación con el ídolo –como en algunas antiguas ceremonias paganas–, la «evasión» de la propia personalidad, la industrialización de los mitos (que es algo que no pudieron hacer los griegos con sus Aquiles, Afroditas o Prometeos) mediante oficinas encargadas de despachar la voluminosa correspondencia de la estrella y publicidad masiva en revistas especializadas *(Silver Screen, Photoplay, Screenland, Movieland, Confidential...).* Por eso no debemos asombrarnos cuando Patrick Lindermohr nos explica que algunas artistas japonesas de *strip-tease* utilizan como nombre profesional el de conocidas estrellas de Hollywood. Es el viejo principio mágico de la *transferencia* el que mueve todavía nuestros resortes más ocultos y que nos lleva a considerar que, a fin de cuentas, entre el bosquimano y el habitante actual de los rascacielos no media tanta diferencia.

PERO TAMBIÉN NACE UN ARTE

Qué duda cabe que el *star-system,* a pesar de los pesares, constituyó un agente estimulante de primer orden en el desarrollo y crecimiento de la industria cinematográfica. Pero en lo que atañe al arte del cine, considerado como medio de expresión y técnica narrativa, la figura que dio el empujón decisivo fue un individuo más bien bajo, de nariz aguileña y aspecto poco espectacular, cuyos primeros pasos cinematográficos ya hemos descrito. Nos estamos refiriendo a David W. Griffith.

Griffith no fue impermeable a la moda italiana de las películas costosas y espectaculares y ya sabemos con qué atención estudió los hallazgos técnicos de *Cabiria*. Su última obra realizada para la Biograph e inspirada en el ciclo monumental italiano *Judit de Betulia* (*Judith of Bethulia*, 1913-1914), fue la primera película de cuatro rollos rodada en América y, también, su primera superproducción, anunciando que Griffith se siente tentado y dispuesto a abordar los más ambiciosos proyectos. Y el primero no tardó en llegar: fue *El nacimiento de una nación* (*The Birth of a Nation*, 1915), producido por la empresa independiente Epoch Producing Corporation.

Griffith basó su guión en la novela *The Clansman*, del reverendo Thomas Dixon, que narraba con acento heroico el nacimiento y actuación de la organización racista Ku-Klux-Klan, al acabar la Guerra de Secesión. No hay que perder de vista que Griffith era, igual que el reverendo Dixon, hijo de un coronel sudista arruinado por la guerra civil. Entre sus confusos principios de autodidacta se hallaba profundamente arraigado, desde los lejanos días de la infancia, el desprecio hacia la raza negra, considerada como inferior. Griffith se proponía mostrar en la película la amistad y el amor de los miembros de dos familias blancas, los Stoneman y los Cameron, bruscamente enfrentados por el estallido de la guerra civil al tomar los primeros el partido del Norte y los segundos el del Sur. *El nacimiento de una nación* iba a constituir una pieza dramática capital, que contribuiría a atizar uno de los más candentes problemas que gravitan todavía sobre la sociedad norteamericana desde los días de la guerra civil. La película se rodó en once semanas, con gran lujo de medios, y costó 110.000 dólares, cifra fabulosa teniendo en cuenta el valor del dólar en 1914. Hay que señalar que el éxito comercial obtenido estuvo en función de la polvareda polémica y del escándalo que suscitó. Antes de que la película se estrenase, el presidente Wilson se la hizo proyectar en la Casa Blanca, pero ante la proximidad de las elecciones, y deseoso de ganarse los votos del Sur, no hizo nada para impedir su posterior difusión.

El estreno tuvo lugar en Los Ángeles, bajo la protección de la policía. Los medios liberales e intelectuales del país criticaron abiertamente aquella película que mostraba a los negros como seres villanos o degenerados (y los pocos negros «buenos» que aparecían eran, inevitablemente, esclavos bobalicones y estúpidos). Los incidentes no tardaron en estallar: en mayo de 1915 la policía de Boston se enfrentó en las calles con la multitud, durante un día y una noche, produciéndose numerosas víctimas; violentas manifestaciones contra la película tuvieron lugar en Nueva York y Chicago. Era el primer gran escándalo de la historia del cine y, por lo mismo, el primer gran éxito de taquilla. Las apasionadas tomas de posición de los periódicos sobre esta película tuvieron la virtud de instituir la crítica de cine como sección regular en sus páginas. Todo el mundo hablaba y discutía sobre *El nacimiento de una nación,* todo el mundo iba a ver la película, una o varias veces. Como consecuencia de ello su recaudación comenzó a elevarse hasta llegar a batir las marcas pasadas y futuras: en 1963, la documentada revista *Variety* todavía colocaba *El nacimiento de una nación* a la cabeza de los grandes éxitos de taquilla del mercado norteamericano, con una cifra estimada superior a los 50 millones de dólares y seguida, lo que resulta bien significativo, de otra película racista de parecido corte: *Lo que el viento se llevó (Gone with the Wind,* 1939), con 41.200.000 dólares.

Desde el punto de vista técnico *El nacimiento de una nación* marcó una fecha decisiva en la evolución del arte cinematográfico. La versión final de la película constó de doce rollos, con un total de 1.375 planos, que hacían progresar la narración gracias a una ágil utilización del montaje. Con *El nacimiento de una nación* se rebasaba, definitivamente, el híbrido recodo del cine-teatro, de las estampas fotografiadas. Los planos generales se combinaban con los planos próximos: tres cuartos, medios y primeros planos. Se dice que el operador Billy Bitzer se resistía a tomar planos de conjunto, en los que las figuras resultaban muy pequeñas, afirmando que para el espectador «aparecerían como conejos».

Pero Griffith no temía alternar un plano general con otro próximo, produciendo un choque óptico, ni desplazar la cámara para efectuar una toma de vistas en movimiento. En este sentido, la espléndida apertura de la batalla de Petersburg ha quedado como un fragmento antológico de su estilo. Se inicia con la imagen de una mujer que, asustada, estrecha a una criatura entre sus brazos. Están sobre un promontorio. Entonces la cámara describe un movimiento panorámico hacia la derecha, descubriendo un amplio valle por el que marcha una lejana columna militar, mientras unas casas, al fondo, son pasto de las llamas. Con una sola toma, gracias a un simple movimiento de cámara, Griffith demuestra que la pupila de cristal es capaz de alcanzar dos perspectivas visuales muy diversas, contrastando además el contenido del encuadre: la pobre mujer temerosa y la rigidez mecánica, inhumana, de la columna militar vista desde la altura. El coronel nordista, con el sable desenvainado, conduce sus tropas al asalto (plano general); llega a las primeras líneas (plano medio) y planta su bandera en la boca del cañón enemigo (plano americano). Un sudista salta fuera del parapeto (plano medio seguido de una panorámica) para auxiliar a un herido nordista (plano próximo). Un soldado hunde la bayoneta en el cuerpo de un adversario derribado (plano americano). Otro reconoce entre los muertos enemigos a un antiguo amigo (plano medio). Una mano (primer plano) reparte unos granos de café y (plano medio) los distribuye a los hombres mientras la batalla se desarrolla (plano general y de conjunto).

Toda la batalla de Petersburg estaba mostrada alternando los grandes planos de conjunto con los planos próximos que detallan las incidencias particulares del combate. Y el montaje paralelo, recurso narrativo predilecto de Griffith, permite orquestar tres acciones alternadas por el montaje: la ciudad de Atlanta en llamas, las escenas de angustia en el interior de la mansión de los Cameron y el campo de batalla.

Esta ubicuidad creada por el montaje, característica del estilo de Griffith y que también lo será del de Pudovkin, es puesta también al servicio de su típico «salvamento en el último minuto» en la escena de la persecución de Flora Cameron por parte del negro Gus, que quiere violarla. Esta escena se desarrolla en tres acciones: Flora huyendo por el bosque (que, desde el punto de vista fotográfico, es uno de los momentos magistrales de la cinta), el negro Gus que la persigue y, más tarde, el hermano de Flora (Little Colonel), que no puede impedir que su hermana, para salvar su honra, se mate arrojándose desde lo alto de un precipicio. Sobre el cadáver de Flora Little Colonel jura venganza y decide fundar el Ku-Klux-Klan, convirtiéndose en «Gran Dragón» de la secta. La idea de las capuchas se le ocurre al ver a unos niños blancos asustar a otros negros cubriéndose con unos trapos.

Además de fragmentar las escenas en planos de diferente valor, Griffith utilizó para potenciar la selectividad del encuadre los *caches,* que al ennegrecer determinadas partes del fotograma alteraban su proporción rectangular habitual. Griffith utilizó variadas formas de *caches* para modificar una composición o conseguir un efecto dramático. El plano descrito que abre la batalla de Petersburg utiliza un *cache* circular en torno a la mujer, aislándola del entorno y potenciando la emotividad de la imagen. Otras veces oscurece la parte superior e inferior del encuadre para conseguir un formato panorámico que realce un paisaje horizontal. Este recurso gráfico, que Griffith utilizó sistemáticamente, cayó en desuso al llegar el cine sonoro.

Se ha escrito muchas veces que *El nacimiento de una nación* representó, además, el nacimiento del arte cinematográfico. Jamás el cine había abordado una narración tan larga y compleja (de 2 horas y 45 minutos de duración), ni había sido capaz de exponerla con tal agilidad, ritmo y coherencia narrativa. En realidad, Griffith llevó a cabo una genial síntesis de procedimientos ya inventados, pero los utilizó sistemáticamente, con un gran sentido de la funcionalidad expresiva y de la economía narrativa.

En contraste con la maestría técnica en la planificación y el montaje y con la pericia en la dirección de masas, la dirección de actores se reveló en muchas ocasiones excesivamente tosca. Claro que el defecto arranca ya del guión, del esquematismo psicológico de los personajes, divididos pura y simplemente en «buenos» y «malos», sin profundidad ni matices. A la falsedad interpretativa contribuyó también la elección de Griffith de actores blancos, con el rostro embetunado, para encarnar a la mayor parte de los personajes negros. El reparto comprendió nombres que no tardarían en refulgir como estrellas de la gran época del cine mudo, como Lillian Gish, Mae Marsh, Wallace Reid, Henry B. Walthall, Bessie Love, Elmo Lincoln, Miriam Cooper y Ralph Lewis; Raoul Walsh,

117

que interpreta el breve papel del asesino de Lincoln, no tardará en catalogarse como uno de los directores más activos del cine norteamericano. Pero, en su conjunto, las posibilidades de los intérpretes se vieron coartadas por los límites propios de este primario melodrama racista –verdadero himno en honor del Ku-Klux-Klan– cuya fuerza y vigor reposaban, exclusivamente, en la excepcional intuición cinematográfica del autodidacta Griffith. Aunque a veces su pedantesco mal gusto pudo más que la intuición, como en el epílogo simbólico, con la victoria de Cristo sobre el Moloc de la guerra.

El inmenso éxito de *El nacimiento de una nación* tuvo la virtud de transformar la joven industria cinematográfica, en la que comenzaron a poner sus ojos los financieros de Wall Street. Con el espaldarazo de la alta banca, los negocios de los Independientes empezaron a conocer complejas y ambiciosas combinaciones. En julio de 1915 se unieron las firmas de Harry Aitken, Adam Kessel y Charles Bauman para formar la Triangle Pictures Corp., aportando cada uno de ellos a su respectivo director artístico: D. W. Griffith, Thomas Ince y Mack Sennett. Los tres mayores creadores del cine americano formaron así los vértices de un triángulo que, hasta su liquidación en 1918, estuvo a la vanguardia de la producción norteamericana, produciendo obras de un interés histórico capital.

Así, pues, Griffith realizó ya para la Triangle su segunda gran superproducción, *Intolerancia (Intolerance,* 1916), que con su coste de dos millones de dólares pasó a convertirse en la película más cara de toda la historia del cine, con una cifra todavía no superada teniendo en cuenta la posterior depreciación del dólar. La idea inicial de la película provino de un informe de la Federal Industrial Commission sobre las sangrientas huelgas de 1912 y del asunto Stielow, huelguista acusado del asesinato de su patrón. Con este material histórico Griffith realizó *The Mother and the Law,* narración articulada básicamente sobre su clásico «salvamento en el último minuto»: el obrero que va a ser ajusticiado y el indulto concedido en el último momento. Pero cuando hubo concluido esta película pensó integrarla como parte de un amplio fresco destinado a mostrar, a través de varios episodios históricos, las desgracias provocadas por la intolerancia religiosa o social en la historia de la

118

humanidad. Así Griffith emprendió el rodaje de tres nuevos episodios: «La caída de Babilonia», ocasionada por las disensiones entre los sacerdotes de Baal y los de Ishtar, «La Pasión de Cristo» y «La noche de san Bartolomé», sangriento episodio de las luchas entre católicos y protestantes en la Francia de Catalina de Médicis.

El rodaje de *Intolerancia,* la película más ambiciosa y compleja de toda la carrera de Griffith, representó un esfuerzo gigantesco. Junto a Los Ángeles se alzaron colosales decorados, siendo el mayor de todos el que representaba el Palacio de Babilonia, que medía 70 metros de altura por 1.600 de profundidad, dimensiones inusitadas que exigieron el empleo de un globo cautivo para el rodaje de los planos de conjunto. Se movilizó un auténtico ejército de figurantes (algunos días llegaron a ser 16.000), alimentados por grandes cocinas de campaña como en las operaciones militares. Para realizar una película de tan gigantescas proporciones Griffith se rodeó de un estado mayor de ayudantes, algunos de los cuales llegarían a ser directores famosos, como Erich von Stroheim, W. S. Van Dyke y Tod Browning. En el reparto figuraron, entre otros nombres, Lillian Gish, Constance Talmadge, Seena Owen, Elmer Clifton, Alfred Paget y Bessie Love, y en papeles secundarios o como simple figurantes Douglas Fairbanks, Mildred Harris (futura señora Chaplin), Erich von Stroheim (como fariseo), Owen Moore, Noël Coward, Colleen Moore, Tod Browning y Monte Blue (como jefe de los huelguistas en el episodio moderno).

Griffith rodó setenta y seis horas de película, montando con este material una copia de ocho horas de duración, pero que finalmente redujo a tres horas cuarenta minutos. En esta obra monumental Griffith llevó a sus últimas consecuencias su técnica de las acciones paralelas, al desarrollar los cuatro episodios alternados por el montaje, para reforzar su paralelismo simbólico. La película comenzaba con el episodio moderno, proseguía con el de Babilonia, pero iniciando la acción en el punto en que debiera hallarse de haber empezado *al mismo tiempo* que el anterior. De ahí se pasaba al episodio de Cristo, para volver luego al moderno y después al de la matanza de hugonotes... Este monumental *puzzle* histórico no tenía más punto de conexión (aparte del paralelo significado simbólico) que unos versos de Walt Whitman repetidos como *leitmotiv,* para enlazar los diversos episodios: «La cuna se mece sin fin - uniendo el presente y el futuro» *(Endlessly rocks the Cradle - Uniter of here and hereafter)*. Con su aplicación del montaje paralelo a episodios históricos diversos, *Intolerancia* se convirtió en la primera película acronológica de la historia del cine, ejerciendo una influencia que llegará hasta la técnica novelística, particularmente anglosajona (Dos Passos, Faulkner, Aldous Huxley, Virginia Woolf).

Griffith subtituló su película «La lucha del amor a través de los tiempos» *(Love's struggle through the ages)*. No deja de ser curioso que Griffith, que acababa de filmar un gigantesco panfleto contra la raza negra, hiciese gala aquí de generosas ideas sociales. Pero éstas son, justamente, las contradicciones típicas de un autodidacta de las características de Griffith. En la excelente escena del tiroteo contra los huelguistas, la cámara describe una panorámica para seguir a los obreros en su huida y descubre, pintadas con grandes letras, las palabras *The same thing today as yesterday* (Lo mismo hoy que ayer), que evocan un fatalismo que precisamente Griffith trataba de combatir con su película.

De los cuatro episodios de *Intolerancia,* el moderno es el más emotivo y convincente; el más espectacular es el de Babilonia, con la reconstrucción del fabuloso festín de Baltasar, mientras el de la Pasión de Cristo resulta endeble y convencional. La ubicuidad espacio-temporal creada por el montaje alterno fue percibida por el público como un gigantesco caos, como un rompecabezas histórico sin sentido. El perspicaz crítico Louis Delluc no escapó a este juicio negativo: «Una mezcolanza inexplicable –escribió– en la que Catalina de Médicis visita a los pobres de Nueva York, mientras que Jesús bendice a las cortesanas del rey Baltasar y las tropas de Darío toman al asalto el rápido de Chicago.» El público europeo que aplaudía los *westerns* de Ince no apreció el valor de aquella película vanguardista que se adelantaba en muchos años a la dramaturgia visual de su tiempo. Los directores rusos, en cambio, acusaron profundamente el impacto de *Intolerancia,* si bien no fue proyectada en su país hasta 1919, tras la elogiosa acogida que le proporcionó Lenin.

Intolerancia fue, en resumen, un tremendo fracaso económico. En algunos países se prohibió su exhibición, juzgando peligroso su alegato ideológico. Tan grande fue el descalabro económico

120

La llegada del tren (1895) de Lumière.

Viaje a través de lo imposible (1904) de Georges Méliès.

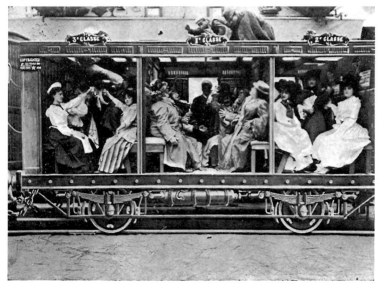

Asalto y robo de un tren (1903) de Edwin S. Porter.

Los vampiros (1915) de Louis Feuillade.

Homúnculus (1916) de Otto Ripert y Albert Neuss.

Asta Nielsen en la versión de *Hamlet* (1920) de Sven Gade y Heinz Schall.

Häxan (1921) de Benjamin Christensen.

El teléfono (1909) de D. W. Griffith.

El nacimiento de una nación (1915) de D. W. Griffith.

Barney Olfield's Race for Life (1913) de Mack Sennett.

Juicio de Dios (1921) de Victor Sjöström.

La Femme de nulle part (1922) de Louis Delluc.

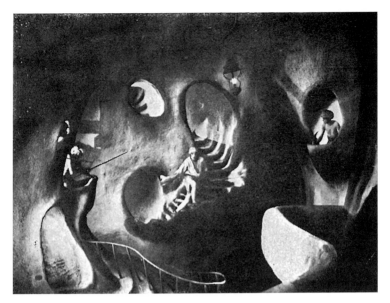

El hombre de las figuras de cera (1924) de Paul Leni.

El último (1924) de F. W. Murnau.

Nanuk, el esquimal (1922) de Robert J. Flaherty.

El acorazado Potemkin (1925) de Serguéi M. Eisenstein.

La madre (1926) de V. I. Pudovkin.

Tres cantos sobre Lenin (1934) de Dziga Vértov.

L'Âge d'or (1930) de Luis Buñuel.

Y el mundo marcha (1928) de King Vidor.

Avaricia (1923) de Erich von Stroheim.

La marcha nupcial (1927) de Erich von Stroheim.

Aleluya (1930) de King Vidor.

M (1931) de Fritz Lang.

El millón (1931) de René Clair.

El delator (1935) de John Ford.

La bandera (1935) de Julien Duvivier.

El gran dictador (1940) de Charles Chaplin.

que faltó el dinero necesario para derribar los gigantescos decorados. Durante un decenio, las suntuosas ruinas de la Babilonia de Griffith proyectaron sobre Hollywood su amenazadora sombra, como una estremecedora advertencia a la industria del cine.

Fracaso explicable, pero fracaso injusto. Por encima del tono sensiblero, del atroz esquematismo psicológico, del mal gusto y de la tosquedad de los símbolos (defectos que confluyen en el epílogo, con la caída de los últimos tiranos y la apoteosis de la paz universal), Griffith creó con su excepcional sentido cinematográfico una obra de un ritmo prodigioso, una obra que no debía nada a la técnica teatral y que utilizaba sistemáticamente los recursos de la nueva dramaturgia visual: uso dramático del primer plano, movimientos de cámara, acciones paralelas, efectos de montaje, metáforas visuales, *caches*... Todos los recursos narrativos que Griffith ha importado de los textos de Dickens, sin descuidar, por cierto, los aspectos más folletinescos de la literatura victoriana.

Es cierto que Griffith no fue el inventor, en sentido estricto, de estos resortes técnicos. Aunque existe una vasta polémica entre los historiadores, parece ser que en la Escuela de Brighton, en Porter y en Zecca se hallan por vez primera las aplicaciones del primer plano, del montaje paralelo o de la cámara en movimiento. Pero más allá de la querella puramente arqueológica (cuyo interés es escaso), todos los historiadores convienen en que Griffith fue el primero en utilizar sistemáticamente estos recursos, creando un lenguaje de intención dramática.

El talento de Griffith demostró, en otros aspectos creadores, graves limitaciones. La psicología de sus personajes es rudimentaria; y los conflictos que narra, elementales y folletinescos. Estas insuficiencias se revelaron palpablemente con la rápida asimilación por otros creadores del lenguaje técnico por él inventado, superando entonces ampliamente las obras del maestro. Chaplin y Stroheim, beneficiándose de los hallazgos técnicos de Griffith, no tardaron en crear unas películas de profundo contenido humano. Ahí se encierra toda la importancia y todas las limitaciones del genio intuitivo de Griffith, que tal vez, de haber llegado unos años más tarde al cine, inventada ya la sintaxis visual que él creó, sería hoy un desconocido artesano de películas mediocres.

Seymour Stern ha tratado de resumir la importancia de su

obra en cifras: realizó más de cuatrocientos films; gastó más de 20 millones de dólares en sus películas; ganó unos 65 millones; entre 1908 y 1915 realizó un promedio de dos rollos por semana. Podría añadirse que Griffith es el autor de la película más cara y de la más taquillera de la historia del cine.

Al desaparecer la Triangle (a lo que no fue ajeno el fracaso de *Intolerancia),* Griffith se asoció con Douglas Fairbanks, Mary Pickford y Charles Chaplin para fundar la productora United Artists (1919), sociedad que distribuiría directamente sus propias películas y que jugará un papel importante en el desarrollo del cine americano. Su fundación no estuvo motivada por platónicos ideales artísticos (como rezó la declaración fundacional), sino alentada y parcialmente financiada por el poderoso grupo industrial Dupont de Nemours (fabricante de película y rival de Kodak), que trataba de hacerse con el mercado norteamericano a través del control de las grandes estrellas convertidas en productoras de sus propias películas.

Griffith prosiguió como realizador en activo hasta 1931, a principios del sonoro. Pero ninguna de sus obras posteriores tuvo la resonancia de aquellas que supusieron la invención de la nueva gramática de las imágenes. El film pacifista y rodado en Europa *Corazones del mundo (Hearts of the World,* 1918) obtuvo cierto éxito, aunque no tanto como *La culpa ajena (Broken Blossoms,* 1919), según un relato de Thomas Burke que transcurre en los barrios bajos de Londres y que muestra cómo la hija de un boxeador fracasado y borracho (Lillian Gish) es atraída por la ternura y amor del chino Chen Huan (Richard Barthelmess) y, a causa de ello, maltratada por su padre hasta matarla; el chino, enloquecido, mata al boxeador y se suicida ante el cadáver de su amada. Con su intimismo y su evidente carga folletinesca *La culpa ajena* se nos aparece hoy como un claro antecedente del *Kammerspielfilm* alemán e inicia, al decir de Paul Rotha, el cine de ambientes sórdidos y miserables, que tendrá su culminación en *Avaricia* de Stroheim. En su puritano y sensiblero *Las dos tormentas (Way Down East,* 1920), adaptación de un melodrama de Lottie Blair Parker, se valió del empleo de los elementos de la naturaleza desatados para subrayar la culminación emocional de la acción, según fórmula que por estos años utilizaban también los realizadores nórdicos y que se incorporará como manido recurso al repertorio cinematográfico habitual. El lenguaje que ha inventado Griffith ya no puede dar más de sí, convertido en patrimonio del cine universal. Sus obras quedan reducidas al melodrama puro, sin el soporte ortopédico de la novedad técnica. Esto resulta evidente en *Las dos huérfanas (Orphans of the Storm*, 1922), con las hermanas Gish perdidas en el caos de la Revolución francesa, y en *La batalla de los sexos (The Battle of the Sexes*, 1929), y más penoso todavía cuando el creador de la sintaxis cinematográfica se copia a sí mismo, tratando inútilmente de rehacer páginas de historia que le hicieron célebre, como ocurre en *América (America*, 1924) y *Abraham Lincoln (Abraham Lincoln*, 1930), su primer film sonoro.

René Clair cuenta que una noche, mientras cenaba con unos amigos en el barrio chino de Londres (en el inolvidable escenario de *La culpa ajena),* tuvo la gran sorpresa de ver aparecer en el local a Griffith, entonces ya en plena decadencia. Le invitó a tomar una copa con él y luego, bruscamente, Griffith se levantó y abandonó el local, sumergiéndose en la brumosa noche londinense. «Se diría –escribe René Clair– que paseaba entre la niebla en busca de su perdida juventud y su genio extinguido –como Thomas de Quincey, soñando con su pobre Anna–, tratando de encontrar en la noche del pasado aquella niña triste de *La culpa ajena,* aquella sombra que él hizo nacer y que ahora tenía más vida que él mismo.»

HOLLYWOOD SE IMPONE

Paralizado el cine europeo por el desarrollo de la contienda mundial, la industria de Hollywood pudo conquistar cómodamente unas posiciones comerciales y una primacía industrial, base de la situación que ha conservado hasta nuestros mismos días.

Hollywood comenzó a imponer sus películas en todos los mercados (con las eficaces fórmulas coactivas del *block-booking* y del *blind-booking*) gracias al creciente prestigio de sus estrellas, convertidas en auténticos arietes comerciales. Son los días de gloria de Mary Pickford y de Douglas Fairbanks. De la falsa ingenua ya hemos hablado; de Doug (su marido) habría mucho que decir. Vino al mundo en Denver (Colorado) en 1883 y murió en Santa

Mónica (California) en 1939. Sus padres, orgullosos de aquel vástago del que se dice que nació con dos dientes, declararon: «Le llamaremos Douglas y será tan célebre como Ricardo III.» Se convirtió, en efecto, en un paladín de las causas justas, arquetipo idealizado del americano sano, deportivo y sonriente. Primero, con temas actuales de la vida americana, teñidos de cierta ironía; luego, mitificado como superhombre universal, en marcos exóticos o épocas pretéritas, para alcanzar con su impacto al heterogéneo público internacional. Aunque sus películas están llenas de saltos, cabriolas y acrobacias, los sabelotodo de Hollywood afirman que Fairbanks no podía subir más alto que una silla porque le entraba vértigo, y que Richard Talmadge le doblaba en sus fabulosos saltos. Pero el público creía a pies juntillas en lo que veía (o en lo que creía ver) y aplaudió sin reservas a Doug desde su primera película, *El cordero (The Lamb*, 1914), de Christy Cabanne con guión de Griffith, y sobre todo en su segunda etapa: *La marca del Zorro (The Mark of Zorro*, 1920) y *D'Artagnan y los tres mosqueteros (The Three Musketeers*, 1921), ambas de Fred Niblo, *Robín de los bosques (Robin Hood*, 1922) de Allan Dwan, *El ladrón de Bagdad (The Thief of Bagdad*, 1924) de Raoul Walsh y *Don Q., hijo del Zorro (Don Q., Son of Zorro*, 1925) de Donald Crisp. Buena parte del rápido éxito del optimista y atlético Fairbanks se debió a sus hábiles guiones, escritos por una jovencita de San Diego llamada Anita Loos (que debutó como guionista siendo todavía colegiala) y por su marido John Emerson.

Junto al *star-system,* que prodigó bucles ingenuos y parpadeos perversos, el cine americano se afianzó como una segura mercancía gracias a la eficacia de su estilo narrativo, herencia del funcionalismo expresivo de Griffith. En las películas de aventuras de la Triangle (Ince, Jack Conway, Allan Dwan, Raoul Walsh, Victor Fleming, Sidney Franklin) se gestó este estilo *invisible,* que los historiadores llaman «estilo Triangle» y que es patrimonio del clasicismo cinematográfico norteamericano, prodigio de *continuity* narrativa: lenguaje visual conciso, la cámara a la altura de los ojos, movimientos de cámara tan sólo para seguir a los personajes, montaje preciso, economía narrativa, empleo del plano americano (que ilustra la prioridad del funcionalismo sobre la estética) y repudio de los efectismos formales, que sólo aparecen excepcionalmente en algunos depositarios de la tradición culta europea, como ocurrió con el francés Maurice Tourneur, instalado en Hollywood desde 1914. Este lenguaje sencillo y antirretórico, directo y eficaz, producto de las exigencias narrativas de los *westerns* y de las películas de acción, creó una reputación de habilidad técnica que el cine norteamericano todavía no ha perdido.

A esta simplicidad estética correspondió una gran simplicidad temática, barajando los esquemas mitológicos más elementales, con películas de «buenos y malos», persecuciones y tiroteos, angustias y final feliz. El espectador encontró un mundo de aventuras en el que proyectarse fácilmente, para vivir jirones de una vida intensa y apasionante, arrinconando por un momento sus problemas y frustraciones. Y los mercaderes del celuloide, claro, lo sabían.

Entre los más importantes constructores del imperio comercial de Hollywood no puede olvidarse al prolífico Cecil Blount DeMille (1881-1959). Estudió en la Academia Militar de Pennsylvania y se presentó como voluntario para luchar contra España en la guerra hispano-yanqui, pero no fue admitido a causa de su edad (1898). Estudió entonces arte dramático en Nueva York y actuó en Broadway. Su acercamiento al cine fue casual. Un buen día los productores Jesse Lasky y Samuel Goldwyn propusieron a su hermano William DeMille, director escénico, que trabajase para ellos. William despreciaba el cine (lo que era de buen tono) y designó a su hermano menor para sustituirle. Lasky tenía sus esperanzas puestas en la pieza teatral *The Squaw Man,* de Edwin Royle, que triunfaba en Broadway. Gastó casi todo el capital social (24.000 dólares) en comprar los derechos de la obra y contratar a su intérprete Dustin Farnum, pero recibió 43.000 de adelanto de los distribuidores, según fórmula que no tardaría en generalizarse. Toda la fortuna de la productora fue, pues, confiada a las inexpertas manos de DeMille, lo que estuvo a punto de costar un serio disgusto. La película se rodó en una granja de Hollywood transformada en estudio, pero una vez concluida resultó que no se podía proyectar. La perforación de la película era incorrecta y la impericia de DeMille y de su operador había hecho pasar inadvertido este detalle. Lasky, Goldwyn y DeMille se creyeron arruinados. Como solución desesperada fueron a consultar a un reputado técnico de Filadelfia, empleado de Lubin, que consiguió salvar la película, copiándola sobre otra correctamente perforada. Con el éxito de *The Squaw Man* (1913) se inició la prosperidad de sus productores y la afortunada carrera de DeMille, que realizaría nuevas versiones de este film en 1918 y 1931.

En los años en que triunfaba el cine espectacular italiano, con sus apoteosis de escayola y su magnificencia de cartón, DeMille (como Griffith) supo replicar con un «más grandioso todavía». DeMille fue un peón capital en la industrialización del cine norteamericano. Para competir con las *vamps* y el lujo de las producciones de William Fox, Lasky contrató a la cantante Geraldine Farrar, a la que DeMille dirigió en *María Rosa (Maria Rosa*, 1915), *Carmen (Carmen*, 1915) y *Tentación (Temptation*, 1915). Pero la obra que cimentó la fama de DeMille y prestigió definitivamente al cine norteamericano en Europa, obteniendo un éxito inmenso, fue *La marca del fuego (The Cheat*, 1915).

De *La marca del fuego* escribió René Clair: «He aquí el triunfo del cine sobre el teatro»; el exigente Louis Delluc emitió un juicio que se ha hecho célebre: «Por primera vez vemos un film que merece este nombre. *The Cheat* tiene, sobre todo, el valor de una cosa completa. Las obras geniales no son siempre completas. Aquí no se ve el genio. Un músico no hablará de genio ante la *Tosca* de Puccini. Sin embargo, todos reconocerán que se trata de una cosa completa, organizada con una destreza y una maestría admirables. *The Cheat* es la *Tosca* del cinema.» El compositor Paul Souday, sensible a las imágenes de DeMille, se inspiró en su argumento para escribir una ópera. Y las masas parecieron confirmar el juicio de los críticos e intelectuales, arremolinándose en la entrada de los cines en que se proyectaba *La marca del fuego*. En París batió todas las marcas al permanecer diez meses consecutivos programada en el Select. Jamás una película había despertado tanto interés en Europa.

Y ¿qué queda hoy de esta *Tosca* cinematográfica? Nada; apenas nada. El detritus de un mal melodrama policíaco, escrito por Hector Turnbull y asentado en el eterno triángulo. Veamos el asunto: una dama (Fanny Ward) pierde en el juego una fortuna destinada a beneficencia; le promete a un rico japonés (Sessue Hayakawa) que se entregará a él si le da tal cantidad. El japonés cumple lo estipulado, pero el azar hace que la mujer obtenga el dinero por otro conducto y entonces rechaza al japonés, que airado le marca la espalda con un hierro al rojo. El japonés aparece asesinado y se detiene al marido como sospechoso. Pero ante el tribunal la mujer confiesa la verdad, rasgando sus vestidos para mostrar, sobre su blanca piel, la marca del fuego. Naturalmente, como Friné, conquista la clemencia de sus jueces.

He aquí el melodrama químicamente puro. Sin embargo, su novedad radicaba en que por vez primera el cine trataba de desarrollar un drama en términos de conflicto psicológico. Superando el esquematismo épico de los *westerns* y de los seriales de aventuras y rebasando los monigotes de los dramas mundanos del cine danés o italiano, Cecil B. DeMille trató de bucear en un nuevo campo de acción: el de los sentimientos y de las motivaciones internas. Pero estamos todavía muy lejos de Antonioni. DeMille recurre, con perspicaz intuición, al uso reiterado de primeros planos de los rostros, cuya sobriedad interpretativa elogió la crítica de la época, aunque hoy se nos antojan simplemente grotescos. Fue, sin embargo, en nombre de la sobriedad y matización expresiva de Hayakawa y del uso del primer plano en lo que se basó la crítica para hablar de ruptura con el teatro. El sendero estético era correcto, pero faltaban los términos de comparación: la elogiada contención interpretativa era un valor del momento histórico relativo y contingente, inadmisible ya para un espectador de 1925, año en que florecen obras capitales del cine alemán y ruso.

No obstante, a pesar de estas limitaciones, Cecil B. DeMille demostró poseer una extraordinaria capacidad de asimilación técnica. Su empleo de la iluminación artificial marcó una fecha en la historia del cine. Por vez primera se utilizaban los efectos de iluminación angulada, siluetas, sombras inquietantes, no meramente naturalistas, sino simbólicas, como la luz que cae sobre el ídolo oriental mientras, en la penumbra, luchan el japonés y la mujer; como esas rejas de la cárcel cuya sombra se proyecta por vez primera (¡cuántas veces lo veremos después!) sobre el marido preso... Añádase a eso el espectacular desenlace en un proceso judicial (fórmula nueva, pero que se hará tópica en el cine norteamericano), el toque de exotismo y el lujo de los ambientes, todo destinado a bombardear los centros nerviosos del espectador con métodos inéditos hasta entonces. Decididamente, estamos muy lejos del rudimentario cine épico, de las praderas y las cabalgadas. El cine, todavía balbuciente, está tanteando un camino nuevo. Los actores no son ya símbolos abstractos, ideas materializadas, como en Griffith, sino seres movidos por pasiones y sentimientos. El paso es importante, pero al intentar expresar un drama psicológico, DeMille desemboca en el burdo efectismo del *Grand Guignol*. El cine de 1915 no podía llegar más lejos. Hoy sabemos que, por su misma naturaleza, el cine mudo es un vehículo incómodo para exponer con convicción las sutilezas de un conflicto psicológico. Pero DeMille siguió explorando este terreno en su importante ciclo de «comedias matrimoniales», suntuosas y sofisticadas, cuya aceptación reveló la mutación del público norteamericano desde 1918, formado sustancialmente desde entonces por la burguesía de las ciudades. La sensibilidad de DeMille para captar los cambios de gusto del público era muy fina y sus comedias de alcoba (que impusieron el nombre de Gloria Swanson) introdujeron en la producción norteamericana nuevos estándares de moral sexual. Todo su ciclo de «comedias matrimoniales» –entre las que descuella *El admirable Crichton (Male and Female,* 1919)– puede reducirse a una idea fundamental: la necesidad de continuar el *romance* después del matrimonio, lo que conduce naturalmente al adulterio, convirtiéndose por lo tanto sus películas en sermones para que los esposos cumplan sus deberes conyugales. Importante desde el punto de vista moral y escenográfico, este ciclo de películas carecía de profundidad humana y artística. Desde el punto de vista del resultado, el cine épico, basado en la pura dinámica visual, ofrecía por estas fechas obras mucho más sólidas y capaces de resistir mejor la carcoma del tiempo. Y mejor todavía que la épica, el nuevo cine cómico creado por Mack Sennett, fresco y espontáneo, ingenuo y regocijante, cuyo valor y significación no hará más que agigantarse con el paso del tiempo.

DE MAX LINDER A LAS TARTAS DE CREMA

Las salpicaduras de *El jardinero regado* –primer chiste visual de la historia del cine– iban a hacer germinar muchas semillas en

128

el campo del cine cómico francés. Al humor anónimo de las inocentes cintas de Lumière, cuya mecánica elemental procedía de las pantomimas del *music hall*, sucedieron los cómicos fuertemente individualizados y caracterizados, verdaderos payasos de la pantalla. André Deed fue uno de los primeros, en la línea grotesca del Pierrot italiano y del Augusto circense, causante de estropicios y blanco de todos los golpes. Fue cantante y acróbata en el Folies-Bergère y en el Châtelet y discípulo de Méliès. Contratado por Pathé, creó en 1906 el personaje burlesco *Boireau* y en 1909 el de *Gribouille*. En España se le conoció con los nombres de *Toribio* y de *Sánchez* y en Italia como *Cretinetti*. Prince-Rigadin *(Salustiano,* entre nosotros) paseó por la pantalla su boba expresión y su nariz respingona, acumulando contratiempos y desventuras, a costa de las cuales el hombre de la calle se reía de buena gana, sin caer en que lo hacía de su propia imagen reflejada en un espejo deformante. Toda esta cohorte de bufos –Léonce Perret *(Manolo),* Ferdinand Guillaume *(Polidor),* Jean Durand *(Onésimo),* etc.– regocijó con sus simplezas a un público no demasiado exigente, que reía con el contraste y el disparate y para el que una imagen desarrollada al revés (como el bañista que vuela desde el agua al trampolín) era el colmo de la comicidad. Unos años más tarde Mack Sennett recordará esta época de la protocomedia o paleofarsa cinematográfica: «Hubo un tiempo en el teatro, y más particularmente en el cine, en que al actor le bastaba un maquillaje particularmente grotesco para hacer reír al público en cada aparición. Esa época está enterrada».

Hasta 1914, los payasos del cine francés monopolizaron prácticamente la comicidad de la pantalla. Pero su importancia histórica no habría rebasado un nivel discreto de no haber sido por la extraordinaria personalidad de Max Linder.

Max Linder es un jalón fundamental en la historia del cine cómico. Cuando su nombre figuraba ya entre los «clásicos» del género, Chaplin le regaló una fotografía suya con esta dedicatoria: «Al único Max, el maestro, de su alumno. Charles Chaplin». Max Linder comentó el gesto: «Chaplin ha sido muy amable al decir que han sido mis películas las que le indujeron a hacer cine. Me llama su maestro, pero yo estaría contento de tomar lecciones suyas.» Sea como fuere, Max Linder ha de ser considerado como el primer gran cómico de la pantalla y, a título de tal, inspirador y promotor de la edad de oro de la comedia cinematográfica muda.

A los veinte años Gabriel Leuvielle (pues éste era su verdadero nombre) ingresó como partiquino en el teatro Ambigu, actuando sin especial fortuna en el famoso *Boulevard du Crime*. No mejoró mucho su suerte con los papeles menores que interpretó luego en el teatro Variétés. Pero en 1905 su carrera se orienta hacia el cine y comienza a actuar en los estudios de Charles Pathé, si bien es cierto que sus primeras cintas (dirigidas por Zecca, Nonguet y Gasnier) pasaron sin pena ni gloria. En *Max patinador (Les débuts d'un patineur,* 1906) apareció por vez primera con su atuendo característico de caballero distinguido: chaqué, chaleco de fantasía, pantalón a rayas, botas de charol con caña de ante, guantes claros y sombrero de copa. Su porte elegante de señorito calavera advierte ya que no se trata de uno de tantos bufones grotescos y extravagantes, de estirpe circense. Su vestimenta, sus ademanes, su fino bigote y su blanca dentadura le adscriben a una clase y a un medio social. Menudo y nervioso, incorpora a su tipo un aire mundano de actor *boulevardier,* de gestos distinguidos y reflejos vivaces.

La novedad del personaje estuvo acompañada, por ley de necesidad, de una novedad en el estilo cómico. Max Linder no basó su comicidad en las cabriolas, caídas, persecuciones, peleas y acrobacias. Max no necesitó recurrir al furor destructivo que caracterizó a casi todo el cine cómico primitivo; su comicidad nacía, simplemente, de la creación de situaciones comprometidas en las que, no obstante, jamás llegaba a perder la compostura. Su temática, por otra parte, procede del repertorio vodevilesco y de las comedias de enredo. En *Max pedicuro (Max pédicure,* 1914), por ejemplo, aparece de rodillas declarándose a una dama, cuando de pronto irrumpe el padre con cara de pocos amigos. Max trata de disimular improvisándose como pedicuro de la señorita. Entonces el padre aprovecha para hacerse arreglar también los pies... En *Víctima de la quinina (Max et la quinine,* 1911), considerada como su obra maestra, aparece intoxicado involuntariamente por la quinina y provocando conflictos por la calle. Tropieza sucesivamente con un comisario de policía, con un embajador y un general, que ofendidos le retan a duelo, entregándole sus respectivas tarjetas. Unos guardias le detienen por alborotador, pero Max les enseña sus tarjetas y los agentes, impresionados, tratan de conducir a su casa a tan respetable borracho, llevándolo a la fuerza al domicilio del comisario, del embajador y del general, en donde le acuestan en el lecho de la generala... Llega el auténtico general e, indignado, arroja al intruso por la ventana, yendo a caer a los pies de los guardias, que atónitos se cuadran militarmente ante Max...

Como se ve, este humor de situación y de filiación vodevilesca no debe nada a los estropicios, carreras o revolcones. Su apogeo corresponde al período 1911-1913, momento en que se sitúa como el actor más popular (y más caro: un millón de francos al año) de todo el cine europeo: *Max y la inauguración (Max et l'inauguration*, 1911), *El casamiento de Max (Le mariage de Max*, 1912), *Max torero (Max toréador*, 1913), etc. Fue movilizado en 1914 y ligeramente herido poco después. La falsa noticia de su muerte desató los primeros fenómenos de histeria colectiva que registran los anales del *star-system*. En octubre de 1916 marchó a los Estados Unidos contratado por la productora Essanay (que acababa de perder a su gran figura Charles Chaplin), cobrando 5.000 dólares semanales por doce películas en un año. Pero la comicidad de Max comenzaba a ser eclipsada por las brillantes creaciones de la escuela norteamericana, animada por Mack Sennett. Su hipocondría, por otra parte, se fue agudizando, complicada con el uso de las drogas y las desavenencias conyugales. Su vida termina el 30 de octubre de 1925, cuando se suicidó, en compañía de su mujer, cortándose las venas de la muñeca.

Nacido en Francia, el cine cómico conoció su era de esplendor en los Estados Unidos, en la que se ha dado en llamar «edad de oro de la comedia» (1912-1930). El factor que estimuló decisivamente el desarrollo de este género, con cintas de uno o dos rollos, fue la demanda de los circuitos de exhibición, cuyas salas explotaban como base de programa películas de seis rollos y ofrecían, en su primera parte, un noticiario de actualidades, uno o dos documentales y un corto cómico. El cortometraje cómico, recibido con regocijo por el público, pasó a convertirse en un ingrediente imprescindible en la programación.

Hablar del cine cómico americano es hablar del canadiense Michael Sinnott, popularizado con el seudónimo de Mack Sennett (1880-1960), que trabajó hasta 1908 como actor y cantante en operetas burlescas y se formó como intérprete y ayudante de dirección a las órdenes de Griffith, en la productora Biograph (1909-1910). En 1911 inició su carrera de realizador y en julio de 1912 fundó, con Mabel Normand, Ford Sterling y el apoyo económico de Adam Kessel, la productora Keystone, que se convertirá en el centro de gravedad del *burlesque* americano. La primera *Keystone Comedy* que realizó Sennett se tituló *Cohen at Coney Island* (1912) y obtuvo un éxito tan impresionante que la empresa comenzó a producir sin descanso, a un ritmo frenético que no podrá mantenerse indefinidamente. En esta época Sennett contaba con una *troupe* de tan sólo cuatro miembros fijos, pero fue capaz de llegar a producir en un año 140 cortos, de uno o dos rollos, la mayor parte improvisados en plena calle o en el lugar de rodaje, sin guión previo. Pero la evolución del género hizo que en 1916, con docenas de actores, realizadores y empleados a su disposición, necesitara un mes para rodar un corto de dos rollos.

Siendo la obra de Sennett de una importancia capital, no lo fue menos su tarea de «descubridor» de talentos –actores, directores y *gagmen*– de la más variada procedencia y condición. Sennett ha lanzado, formado o descubierto nombres de la talla de Charles Chaplin, Mabel Normand, Roscoe Arbuckle (Fatty), Ben Turpin, Harold Lloyd, Harry Langdon, Wallace Beery, Louise Fazenda, Ford Sterling, Gloria Swanson, W. C. Fields, Bing Crosby, Marie Dressler, Chester Conklin y Mack Swain.

La copiosísima obra de Sennett (más de mil quinientas películas en dieciocho años) dio sus mejores frutos en la época Keystone y en la Triangle, período en que alcanzó especial popularidad por sus célebres *bathing beauties,* provocativas bellezas enfundadas en castísimos trajes de baño, revoloteando en las playas californianas para el escándalo de las gentes honestas. Este hallazgo, nacido un día de 1915 en que Sennett asistió a un concurso de trajes de baño en la playa de Santa Mónica, iba a resultar decisivo en la configuración de su tipología picaresca. Algunas de estas bañistas (Gloria Swanson, Phyllis Haver, Louise Fazenda, Marie Prévost, Bebe Daniels, Zasu Pitts, Sally Eilers) no tardaron en alcanzar el trampolín de la fama. Sennett también creó las regocijantes «comedias de tartas de crema», género nacido casi por un puro azar, según se dice, de un tortazo de merengue que un buen día Mabel

Normand lanzó a la cara de Ben Turpin, para hacerle reír, y que fue registrado por el *cameraman*. El cine de Sennett se caracterizará, precisamente, por una extraordinaria libertad y una pasión destructiva que sólo tiene cierto parangón con el movimiento intelectual dadaísta que, por estas mismas fechas, floreció en Zúrich alentado por el poeta francorrumano Tristan Tzara. La comparación no puede llevarse muy lejos, porque la obra de Sennett es infinitamente más pura, espontánea y popular que la de los mixtificados inconformistas europeos. El mundo dislocado de Sennett, con sus vertiginosas persecuciones en Ford T, carreras sobre tejados, caídas desde alturas increíbles, porrazos, patadas al trasero, tartas de crema, bombas de dinamita, orgías de destrucción (y no sólo de objetos, sino del orden establecido y de sus más respetables y severas encarnaciones, que son los policías), es el producto espontáneo de una civilización joven, no condicionada por una abigarrada tradición cultural.

Este juicio merece algunas precisiones. No es cierto que Sennett se haya sacado de la manga unas formas cómicas inéditas. El *slapstick* de Sennett es el último eslabón evolutivo de una forma escénica que floreció en la Italia renacentista con el nombre de *Commedia dell'arte*. Las comedias de Sennett están asentadas, como la *Commedia dell'arte*, en una tipología social fuertemente caricaturizada, base de la parodia: bigotudos policías, bellas ingenuas, gruesos e irritables burgueses... El medio de expresión de la sátira social es, en ambos casos, la pantomima, y su norma, también en ambos, la improvisación. El paralelismo entre las dos formas de espectáculo es muy tentador, pero se detiene aquí, pues la *Commedia dell'arte* (como el cine de Méliès) se desarrolla en el limitado marco de un escenario y coartada por las convenciones teatrales, mientras que el *slapstick* se desenvuelve en un espacio tremendamente real y concreto. El privilegiado sol y clima de California permitieron a los cineastas el rodaje habitual en exteriores. Entonces, por primera vez en la historia de la comedia, los payasos pudieron evolucionar en un decorado real, entre coches, tranvías, guardias y casas de verdad. En este mundo concreto se insertó la actuación colectiva, ballet frenético, de la *Commedia dell'arte* de Sennett. Hay que observar que al espacio real no correspondió un tiempo real, pues el ritmo de sus películas era alucinante, endiablado.

Sennett tampoco inventó el *gag*, unidad hilarante que tiene su antecedente lejano en los *lazzi* de la *Commedia dell'arte* y su antecedente próximo en el *music hall*, de cuya jerga procede la palabra. El primer *gag* del cine fue el de *El jardinero regado* de Lumière. Los cómicos franceses apoyaron su actuación en el *gag* de modo que, al igual que su maestro Griffith, Sennett cumplió el papel de un sistematizador, secundado por un equipo de *gagmen*, cuyos hallazgos son todavía plagiados incansablemente por los cómicos europeos y americanos. Se han intentado muchas definiciones del *gag* o chiste visual. Yo, por mi parte, propongo ésta: un acontecimiento normal que, súbitamente y a causa de otro también normal, deriva en una dirección inesperada e hilarante, generalmente poniendo en ridículo o en aprieto a un personaje.

Pero con ello entramos en el peligroso terreno de la teoría y es bien seguro que Sennett jamás teorizó sobre la naturaleza y esencia del *gag*. Sennett fue, como su maestro Griffith, un práctico y un intuitivo, un fecundo y genial intuitivo. De Griffith adquirió la imprescindible soltura técnica y agilidad narrativa y formó con él y con Thomas H. Ince el triángulo creador sobre el que se asienta la historia del cine norteamericano.

CHARLES CHAPLIN

En el gris y triste East End londinense vino al mundo Charles Spencer Chaplin, en 1889, en el seno de una humilde familia de actores judíos. Su infancia estuvo repleta de amarguras sin cuento. Perdió a su padre, bebedor empedernido, cuando contaba sólo cinco años de edad, precisamente el mismo año en que el pequeño Charlie debutó en un escenario. La penosísima situación económica de su madre les obligó a trasladarse al tristemente célebre barrio de Lambeth. «Vivíamos en una miserable habitación –escribe su hermano Sidney– y con frecuencia nos encontrábamos sin nada que comer; ni Charlie ni yo teníamos zapatos. Recuerdo todavía que nuestra madre se quitaba los suyos para prestárnoslos a uno de nosotros, cuando teníamos que ir a mendigar la "sopa popular", única comida que recibíamos en todo el día.» Su madre enloqueció y tuvo que ser encerrada en un manicomio, mientras Charlie era internado en el asilo de Hanwell.

Esta infancia trágica no se borrará fácilmente del recuerdo del artista: «Todo está en mi memoria –escribe Chaplin–: aquel Lambeth que yo dejé, su miseria y su mugre.» Dolorosos recuerdos que luego tomarán cuerpo en sus cintas, y en especial en su primer largometraje, *El chico (The Kid*, 1921), evocación de los días de su temprana lucha por la vida, sus correrías por Lambeth y las amargas jornadas sin nada que llevarse a la boca.

De su madre adquirió Chaplin su primera formación artística y su sentido de la pantomima, que, espoleado por la necesidad, tuvo ocasión de practicar en algunos teatruchos de variedades y *music halls* londinenses, utilizando el seudónimo «Sam Cohen, cómico judío». Este mundo entrañable de las tablas y las candilejas, con sus miserias y grandezas, alimentará el espíritu de Chaplin cuando, nuevamente en Inglaterra, resucite el mundo londinense del espectáculo de la primera anteguerra en *Candilejas (Limelight*, 1952).

Chaplin había comenzado tímidamente su carrera de actor, pero en 1907 consiguió ser contratado por Fred Karno, director de una importante compañía de pantomima, tradicional especialidad escénica inglesa. Con sus actuaciones en la *troupe* de Karno se inició una nueva etapa en la vida de Chaplin, de mayor estabilidad económica y decisivo perfeccionamiento artístico.

Las giras de la compañía le llevaron a los Estados Unidos y en uno de estos viajes, en 1913, se produjo el decisivo descubrimiento de Chaplin para el cine, al ser elegido por Adam Kessel y Mack Sennett para cubrir la baja del actor Ford Sterling en la recién fundada productora Keystone.

El contrato que firmó Chaplin con la Keystone estipulaba que haría una película de un rollo de 300 metros (quince minutos) cada semana, en una jornada de trabajo. Sennett puso al actor inglés en manos de otro emigrado, el austríaco Harry Lehrman, antiguo conductor de tranvías al que se le conocía con el sobrenombre burlón de «Pathé Lehrman», porque presumía (sin ser cierto) de haber sido en Europa uno de los puntales del productor Charles Pathé. Lehrman dirigió, pues, a Chaplin en su primera película, *Haciendo por la vida (Making a Living*, 1914), en la que el actor aparecía no como el característico vagabundo que se hizo más tarde célebre, sino como *gentleman* elegante, de bigote espeso, monóculo y sombrero alto, en la línea trazada por Max Linder. En *Carreras de autos para niños (Kid Auto Races at Venice,* 1914) aparecieron los primeros rasgos de su indumentaria, aunque no todavía su bastón de caña. En su tercera película, *Aventuras extraordinarias de Mabel (Mabel's Strange Predicament,* 1914), inaugura su típico viraje sobre un pie al doblar una esquina.

La personalidad independiente de Chaplin pugna por surgir, escapando de la ferocidad y el esquematismo cómico que impone Sennett a sus creaciones. Las divergencias de criterio enfrentaron en más de una ocasión a ambos artistas, pero a partir de *Charlot camarero (Caught in a Cabaret,* 1914), su duodécima película pero su primera obra importante, Sennett otorga cierta autonomía al actor inglés, permitiéndole actuar también como director, con la colaboración de Mabel Normand. De todos modos, las treinta y cinco películas que Chaplin interpretó para la Keystone no desarrollaron al máximo sus posibilidades, sino que se limitaron a evidenciarlas en forma embrionaria, atenazadas todavía por la concepción disparatada y destructiva de las *Keystone Comedies.*

Concluido el contrato con la Keystone, la productora Essanay le contrata (1915) para realizar catorce películas de dos rollos (600 metros). Es en este período cuando empieza a cimentarse su fama, con el sobrenombre francés de Charlot (o Carlitos, en varios países latinoamericanos), e impone su mundo poético personal, con elementos tan constantes en su mitología como la bella ingenua que enciende su corazón (Edna Purviance, descubierta por Chaplin), o el señor grande, gordo e irascible, con frecuencia barbudo, el primero de los cuales fue Bud Jamison, antiguo prestidigitador también descubierto por Chaplin. La película más ambiciosa de la serie Essanay fue *Carmen (Carmen,* 1916), parodia de las lujosas versiones de Theda Bara y Geraldine Farrar, con la que Chaplin se mofa de este presuntuoso Hollywood, incipiente reino de estrellas, que ventila su mal gusto de nuevo rico.

Pero al finalizar la etapa Essanay Chaplin se ha convertido también en una estrella, altamente cotizada en el mercado de valores cinematográficos. Por eso el contrato que firma con la Mutual en 1916 estipula que realizará doce films cobrando 670.000 dólares anuales. El sueldo es alto, pero las películas de Chaplin le supondrán a la Mutual un negocio redondo: costaron en total 1.200.000 dólares, los distribuidores pagaron 5 millones por ellas y las salas de exhibición ingresaron, hasta el año 1925, 25 millones de dólares. La etapa creadora de la Mutual y de la First National (1918-1922) marcaron la decisiva consagración artística de Chaplin, convirtiéndose en el primer mito universal creado por el nuevo arte, con la talla de Edipo, Hamlet o Barba Azul.

La trascendencia del vagabundo romántico de sombrero hongo y grandes zapatos radica en la incorporación de una cálida dimensión humana al mundo de los estrafalarios muñecos creados por Sennett. En su visión de la sociedad Chaplin conserva el feroz sentido satírico de su maestro, que le hace dinamitar sistemáticamente las llamadas «instituciones respetables», pero añade además una apremiante llamada al amor y a la fraternidad humana. Por eso sus películas son siempre polémicas, acusadoras: el policía de la esquina, enemigo y perseguidor de Charlot, en *El evadido (The Adventurer*, 1917), el funcionario que, a la vista de la estatua de la Libertad, coloca una cadena en torno a los emigrantes como si se tratase de reses, en *El emigrante (The Inmigrant*, 1917), la absurda crueldad de la guerra y la sinrazón del heroísmo, en *Armas al hombro (Shoulder Arms*, 1918), la mojigatería religiosa, puritana e hipócrita, en *El peregrino (The Pilgrim*, 1922)...

Todo un catálogo de los males y miserias del mundo aflora a lo largo de la filmografía de Chaplin, que utiliza el humor como arma corrosiva, al tiempo que en su natural complejidad psicológica –no olvidemos que es el primer auténtico hombre creado por el cine– expone la insaciable ansia de amor, justicia y paz que, mezclada en la contradictoria selva de instintos e ideales que anima todo ser humano, brota continuamente a través de sus actos.

El sentido crítico del humor de Chaplin, nacido de la reflexión y del cuidadoso estudio de la realidad, queda patente en este autoexamen de sus métodos de trabajo, que revelan a la vez su profundo conocimiento de la estructura psicológica del hombre:

«El hecho sobre el que me apoyo, más que sobre cualquier otro, es el de poner al público frente a alguien que se encuentra en una situación ridícula o difícil –escribe Chaplin–. El solo hecho de que un sombrero vuele, por ejemplo, no es risible. Sí lo es ver a su propietario correr detrás, con los cabellos al aire y los faldones de su levita flotando. Toda situación cómica está basada en eso. Los films cómicos han tenido un éxito inmediato porque la mayor parte de ellos presentaban a agentes de policía que caían en alcantarillas, tropezaban en los cubos de yeso y sufrían mil contratiempos. He aquí a las personas que representan la dignidad del poder, frecuentemente muy imbuidas de semejante idea, y la visión de sus desventuras provoca mayores deseos de reír en el público que si se tratase de simples ciudadanos.

»Todavía más graciosa es la persona ridícula que, a pesar de eso, se niega a admitir que le ocurran cosas extraordinarias y se obstina en conservar su dignidad. El mejor ejemplo está suministrado por el hombre ebrio que quiere convencernos muy dignamente de que está sereno. Por esto, todos mis films descansan en la idea de ocasionarme apuros, para aparecer terriblemente serio, en mi tentativa de comportarme como un caballero muy normal. Por eso al encontrarme en tan enojosa postura, mi preocupación consiste siempre en recoger inmediatamente mi bastón, enderezarme el sombrero hongo y ajustarme la corbata, aunque acabe de caer de cabeza. Estoy tan seguro en este punto, que trato no sólo de ponerme yo mismo en situaciones difíciles, sino que cuido de colocar también en ellas a los demás.

»Cuando obro así, me esfuerzo siempre en economizar mis medios. Quiero decir con esto que si un acontecimiento puede provocar por sí solo dos carcajadas separadas, es preferible a dos hechos separados. En *El evadido* lo consigo colocándome en un balcón donde tomo un helado con una joven. En el piso de abajo hay una dama robusta, respetable y bien vestida, ante una mesa. Entonces, mientras me como el helado dejo caer una cucharada que se desliza por el interior de mi pantalón y, desde el balcón, va a caer al cuello de la dama, que aúlla y se pone a saltar. Un solo hecho ha servido para poner en compromiso a dos personas y ha provocado dos carcajadas.

»Por sencillo que esto parezca, hay dos elementos de la naturaleza humana que son alcanzados por este hecho: el uno es el placer del público al ver la riqueza y el lujo en ridículo; el otro consiste en la tendencia del público a experimentar las mismas emociones que el actor en la escena y en la pantalla. Una de las verdades más rápidamente apreciadas es la de que el pueblo, en general, se divierte al ver que las personas ricas llevan la peor parte. Esto proviene de que las nueve décimas partes de la humanidad son pobres e interiormente envidian la riqueza de la otra décima parte. Si, por el contrario, hubiera hecho caer el helado en el cuello de una pobre doméstica, en lugar de la risa hubiera provocado la simpatía hacia la mujer. Del mismo modo, no teniendo una doméstica ninguna dignidad que perder, este hecho no hubiera sido gracioso. Dejar caer el helado en el cuello de una mujer rica supone, para el público, darle lo que merece.»

Chaplin es un buen conocedor de los resortes psicológicos de la risa. Pero la risa no es incompatible con la ternura, que aflora también en todas las obras de este artista, ácido y romántico a la vez, heredero del idealismo altruista del Quijote y del materialismo hedonista de Sancho. Chaplin perseguirá tenazmente a través de sus obras la esperanza de una vida mejor, legando a la historia del cine unas creaciones de una calidad humana imperecedera. Durante la etapa del cine mudo será, junto con Erich von Stroheim, uno de los pocos portavoces de las aspiraciones más nobles del hombre en el endurecido y metalizado corazón de Hollywood, que se ha convertido ya en presa de los grandes bancos y de vastas operaciones financieras.

ESPLENDOR NÓRDICO

El nacimiento de la producción cinematográfica en Suecia fue relativamente tardío. Aparece oficialmente en 1907 con la fundación de la sociedad A. B. Svenska Biografteatern por parte del pionero Charles Magnusson, que desde unos años atrás venía cultivando de modo individual y ocasional el arte de la toma de vistas, llegando a registrar en celuloide la augusta imagen del rey Haakon de Noruega.

El crecimiento y apogeo del cine sueco (favorecido por la neutralidad del país durante la guerra) va estrechamente ligado a la historia de la Svenska. Fue en la Svenska donde debutaron el actor y realizador finlandés Mauritz Stiller (1883-1928) y su colega Victor Sjöström (1879-1960), procedentes ambos del teatro, que se convirtieron en las dos máximas estrellas de la casa tras el éxito de *Las máscaras negras (De svarta maskerna*, 1912), dirigida por el primero e interpretada por el segundo, en el papel de un teniente que se enfrentaba a la banda secreta de «las máscaras negras». Estos dos hombres serán los indiscutibles pilotos de la escuela cinematográfica sueca, que conoció su apogeo entre 1913 y 1923, fechas que corresponden a dos títulos clave, que abren y cierran respectivamente el período de esplendor: *Ingeborg holm* (1913) de Sjöström, su primer film de más de dos mil metros, y *La leyenda de Gösta Berling (Gösta Berling Saga*, 1923), última producción sueca de Stiller y primera (y última) aparición importante de Greta Garbo en el cine de su país.

Se ha afirmado, con razón, que el gran potencial poético del primitivo cine sueco debió mucho a su tradición literaria. No puede ignorarse que casi todas las obras capitales de esta cinematografía están inspiradas en novelas u obras dramáticas: de Sjöström son *Ingeborg holm,* que procede de Nils Krook, *Terje vigen* (1917) de Ibsen, *Los proscritos (Berg-ejvind och hans hustru*, 1917) del islandés Johan Sigurjonsson y *La carreta fantasma (Körkarlen*, 1921) de Selma Lagerlöf; lo mismo puede decirse de Stiller, cuyas obras *El tesoro de Arne (Herr Arnes pegnar*, 1919) y *La leyenda de Gösta Berling* proceden también de Selma Lagerlöf. Este origen literario, que pudo haber sido (como en el caso del *film d'art* francés) una perturbadora rémora estética con la imposición de fórmulas teatralizantes, fue por el contrario un enérgico estimulante, incitando a experimentar nuevas técnicas narrativas de indagación psicológica. Así, por ejemplo, en *Dödskyssen* (1916), una de las poquísimas cintas conservadas de la primera etapa de Sjöström y en la que todavía arrastraba el peso de la temática cinematográfica danesa, introducía su autor con audacia la novedad técnica de acumular una serie de *flash-backs* que correspondían a diferentes versiones de un mismo hecho, narradas por diferentes testigos. Esta técnica narrativa fragmentada, de «encuesta policíaca», fue muy celebrada (e imitada) por aquel entonces y reactualizada genialmente en 1941 por Orson Welles en *Ciudadano Kane* y por Kurosawa en 1950 con *Rashomon.*

La influencia determinante de la literatura y la vecindad del próspero cine danés pudieron haber arrastrado definitivamente al cine sueco hacia el fácil terreno de los «melodramas de salón». Es cierto que esta tendencia afloró en sus primeras películas, pero otro factor decisivo apareció oportunamente para liberar a la producción sueca, otorgándole su genial originalidad: la revelación del paisaje gracias a los *westerns* de la Triangle, cuya épica simple utilizaba decisivamente (sin tener conciencia de su importancia) la naturaleza, como un personaje del drama. Los primitivos suecos, profundamente impresionados por aquella revelación que les llegaba de otro continente, sí tuvieron conciencia plena de la importancia psicológica del paisaje, nuevo agente dramático todavía inédito en el cine europeo. El fresco soplo del espacio abierto barrió las historias de alcoba, de procedencia danesa, e impuso los dramas simples y poéticos, derivados con frecuencia de la temática legendaria de sus sagas, con incursiones en las historias de brujería.

La aparición en las pantallas de París de *Los proscritos* –que situaba en las montañas de Islandia el tema clásico de los amantes perseguidos por la sociedad– provocó una auténtica conmoción estética. El ponderado Delluc, estupefacto, no vaciló en escribir: *«Voici sans doute le plus beau film du monde.»* El paisaje y las fuerzas de la naturaleza jugaban en este drama amoroso un papel esencial y el desenlace tenía lugar, precisamente, en una tormenta de nieve en la que perecían los dos protagonistas. Utilizar los elementos naturales para expresar en forma exteriorizada el drama de los personajes es un recurso expresionista al que el cine, en forma más o menos refinada, desde Murnau a Antonioni, no renunciará ya jamás. Los pioneros americanos del *western*, preocupados por la acción en su acepción epidérmica, no supieron o no pudieron llegar tan lejos como los primitivos suecos, cuya calidad y pureza fotográfica alcanzarán un prestigio universal.

Para ser justos habría que añadir que el empleo de los decorados e interiores (a diferencia de lo que ocurría en el cine norteamericano) no desmerecía, en las cintas suecas, de los espléndidos exteriores. En este sentido *El tesoro de Ame,* trágica leyenda del siglo XVI, que narra los amores entre una joven sueca y un mercenario escocés, testimonia el talento de Stiller en la utilización del decorado como elemento psicológico del drama, capaz de crear una atmósfera poética e inquietante gracias a una rigurosa composición plástica, que anuncia la pronta aparición del expresionismo alemán. Algunas imágenes, como el largo cortejo fúnebre a través de los hielos, han pasado por derecho propio a la antología del mejor cine mundial.

Sjöström fue ciertamente el gran maestro del cine sueco, pues a pesar de cierta pesadez y puritanismo, producto de su rigorismo luterano, supo conferir universalidad a los grandes temas nacionales. Con *La carreta fantasma,* en donde nos hace asistir a un enfrentamiento entre un borracho y el cochero de la Muerte, que viene a buscar su alma durante la Nochevieja, nos evidencia que, después de todo, el cine teológico y metafísico del celebrado Ingmar Bergman (piénsese en *El séptimo sello)* no hace más que desarrollar una temática y un estilo que elaboraron con suma perfección estos primitivos. En esta película de desarrollo acronológico, estructurada en un rosario de *flash-backs,* Sjöström realiza un auténtico *tour de force* técnico, empleando magistralmente la sobreimpresión (para visualizar los elementos sobrenaturales) y el encadenado (dentro de una misma escena y no como transición temporal), recursos que confieren un tono espectral y alucinante al relato. Su virtuosismo técnico se revela en la sorprendente ubicuidad del film, al enlazar imágenes del presente y del pasado del borracho David Holm, del mundo real y del sobrenatural, y aboliendo el espacio, pues el protagonista oye la voz de su mujer, en el otro extremo de Estocolmo, amenazando con matarse. Lástima que tanto esfuerzo vaya a parar finalmente en un sermón paternalista sobre los peligros del alcoholismo. Verdad es que la temática de Sjöström es habitualmente elemental: la culpa y la redención, la pureza del alma (expresada a menudo por la nieve, el fuego o el viento); pero al fin duele, y hasta irrita, comprobar que un tan brillante ejercicio de estilo, con una fotografía excelente de J. Julius, resulte ser a la postre un insoportable panfleto del Ejército de Salvación, inspirado en la propaganda prohibicionista del partido radical sueco.

Pero más allá de una crítica superficial, hay que comprender que estos virtuosos ejercicios de lenguaje cinematográfico revelaban el esfuerzo de aquellos primitivos por apurar al máximo los elementos técnicos propios del cine mudo para crear una narrativa psicológica, buscando la senda de la introspección que hiciera tangible mediante la fotografía el invisible mundo interior, en una dimensión lírica, subjetiva e intimista no intentada hasta entonces y que empequeñece y evidencia la tosquedad del intento análogo de DeMille con *La marca del fuego* que, con otros métodos, había desembocado, naturalmente, en el más postizo de los melodramas. El último film sueco de Sjöström fue *Juicio de Dios (Vern Dömer?*, 1921), realizado por encargo de la Svenska para competir con los espectaculares films de Lubitsch, película enmarcada en la Florencia renacentista, en donde la protagonista, acusada de bruja, es sometida a la prueba del fuego.

Los historiadores del cine suelen oponer la robustez del estilo de Sjöström al refinamiento extremo de Stiller, discípulo que consiguió igualar y superar en algunos momentos la obra del maestro, con súbitos arrebatos líricos, como los que le llevan a expresar con las revueltas aguas del torrente el ardor de una pasión amorosa, en la balada lírica *Sangen om den eldröda blomman* (1919). En 1920 creó con *Erotikon* la primera comedia erótico-sofisticada del cine europeo, emparentada con los films mundanos de DeMille y en abierta oposición al tono moralizante de los contemporáneos dramas literarios y campesinos del cine sueco, que influirá en la obra posterior de Ernst Lubitsch y Billy Wilder.

Aún hay que añadir a Stiller el mérito de haber descubierto a la actriz Greta Lovisa Gustafsson, muchacha de origen humilde que, empleada en los grandes almacenes PUB, de Estocolmo, había debutado en el cine como modelo de algunas películas publicitarias de la empresa (en la primera de las cuales, por cierto, figuraba como prototipo negativo de *cómo no debe vestir una mujer elegante).* Stiller le confió un papel importante en *La leyenda de Gösta Berling* y se convirtió en su mentor artístico, bajo cuyo consejo eligió también la actriz el seudónimo con que se hizo más tarde célebre: Greta Garbo. Greta Garbo habría de ser la primera de las muchas «nórdicas famosas» que Hollywood ha raptado con singular perseverancia a Suecia: Ingrid Bergman, Viveca Lindfors, Signe Hasso, Mai Zetterling, Marta Toren, May Britt, Anita Ekberg.

Mucho se ha escrito sobre las turbulentas relaciones sentimentales entre la Garbo y Stiller, con episodios para todos los gustos. Cuando, tras la crisis del cine sueco, debida a la fuerte competencia norteamericana y alemana y a la depresión económica nacional, Sjöström marchó a Hollywood (1923) contratado por la Metro, que poco después requirió también los servicios de Stiller, éste desembarcó en los Estados Unidos acompañado por Greta Garbo (1925), pero como era de dominio público que no estaban casados, los ejecutivos de la Metro tuvieron buen cuidado en alojarles en residencias separadas. Stiller tuvo que forcejear duramente con los directivos de la productora para que aceptasen contratar a aquella larguirucha actriz escandinava en cuyo porvenir artístico no creían.

La famosa «escuela sueca» creada por Sjöström y Stiller tuvo discípulos aprovechados, como John Brunius, Runne Carlsten, Ivan Hedquist y Gustav Molander, mientras su lirismo y sentido paisajista inspiraron a muchos realizadores extranjeros, aunque en diferente forma y medida: Baroncelli, L'Herbier, Epstein, Frank Borzage. Hollywood supo sacar provecho de la bancarrota de aquella cinematografía importando a los pilares de la escuela, aunque la verdad es que, aparte de la excepcional carrera de la Garbo, ninguno de los dos realizadores creó una obra de interés en aquel país, exceptuando *El viento (The Wind,* 1928) de Sjöström, canto del cisne de una carrera ejemplar y fecunda.

EL ARTE MUDO

LA ESCUELA IMPRESIONISTA

«El siglo XX –escribe Hauser– comienza después de la Primera Guerra Mundial, lo mismo que el siglo XIX no comenzó hasta alrededor de 1830.» Ciertamente, la cronología de la civilización y de la cultura no es casi nunca isócrona con el reloj del tiempo histórico. Cuando París despierta con la jubilosa explosión del armisticio, que con su algarabía trata de ahogar el eco de los impresionantes rugidos de la Gran Berta, se pasa una página capital en la historia de la cultura. Acaba de morir Edgar Degas, y Pierre-Auguste Renoir se extinguirá en 1919. Con su muerte se entierra el último estertor de la pintura del siglo XIX. El impresionismo, revolucionario en su día y académico ahora, fue barrido por la resaca cubista, que con su revolución geométrica anunció los tiempos tormentosos que para el arte se avecinaban. Con el final de la guerra se inaugura la era del terrorismo artístico, de la vivificadora demolición de la tradición cultural, cuya veda levantó el movimiento Dadá en 1916 desde la neutral Suiza. Convertido en el ombligo artístico del mundo, París se transformará en una jungla de *ismos* y en un caldo de cultivo de todos los experimentos que se hacen en nombre de la cultura. El buen burgués irá de asombro en asombro ante las pinturas metafísicas de De Chirico, las aerografías de Man Ray, los caligramas de Apollinaire y los *collages* de Max Ernst. Nace la nueva literatura por obra de Proust, que recibe el Goncourt en 1919, y del *Ulises* (1922) de Joyce. El psicoanálisis penetra en el arte y se publican demoledores manifiestos por doquier. No es raro, pues, que el cine vaya a convertirse en el niño mimado de la nueva cultura que nace impetuosamente.

145

Pero el cine francés padecía una grave anemia. Cuatro años de guerra habían anquilosado su aparato productivo, permitiendo al cine americano adueñarse de su mercado. Hacía falta un auténtico titán para levantarlo de su postración. Y esto fue lo que hizo Louis Delluc, aun a costa de su salud y de su fortuna. Delluc, como todo escritor bienpensante, había comenzado por detestar el cine. Pero algunos amigos actores y su esposa, la actriz Eve Francis, consiguieron hacerle frecuentar las salas oscuras y en ellas se operó en Delluc la revelación del nuevo arte, sobre todo gracias a los *westerns* de Ince, los films de Chaplin y *La marca del fuego* de De-Mille. Delluc se transformó entonces de su más implacable enemigo en su más abnegado apóstol. Su infatigable actividad como crítico, ensayista, guionista y realizador le llevará a una muerte prematura, a los treinta y tres años, y en completa ruina. Delluc creó la palabra *Cine-Club* y fundó el primero de la historia (1920), templo del nuevo arte. Fue crítico y ensayista y dio a la palabra *fotogenia* su actual contenido estético, definiéndola como el particular aspecto poético de los seres y de las cosas susceptible de ser revelado únicamente por el cinematógrafo. Consideró que los elementos creadores del arte cinematográfico eran el *decorado* (en donde incluía la noción de «encuadre»), la *iluminación,* la *cadencia* (es decir, el «ritmo», noción sugerida por las obras de Griffith) y la *máscara* (en donde englobaba al actor).

Además de su considerable labor como teórico, como crítico y como fundador de revistas, en 1920 comenzó a dirigir películas. De las siete que realizó (la mayor parte de ellas perdidas en la actualidad), dos revelan un talento creador poco común: *Fièvre* (1921) y *La Femme de nulle part* (1922). La primera reflejaba netamente la admiración de Delluc hacia el cine norteamericano y sueco. La acción transcurría en una taberna portuaria de Marsella (equivalente francés del *saloon* de los *westerns)* y este decorado, como en los films suecos, jugaba un papel dramático decisivo. Entre los marinos recién desembarcados que iban allí a pasar un rato, la patrona reconocía a un antiguo amante, que comparecía casado con una joven oriental. Estallaba una pelea y el marido de la patrona mataba al antiguo amante de su mujer. Simple drama de «atmósfera», como se ve, con protagonista colectivo más que individual y construido con respeto a la norma teatral de las tres unidades, preludia el realismo poético y populista que dominará en el cine francés de los treinta: Renoir, Carné, Feyder, Duvivier, Chenal.

La Femme de nulle part fue, en cambio, uno de los primeros intentos de cine psicológico, que influido por los realizadores suecos describía con minuciosidad, a través de pequeños detalles, un estado de ánimo: una mujer que abandonó hace veinte años su vida burguesa para seguir a su amante, regresa a la suntuosa villa de su familia, evoca un pasado feliz que ya le es imposible reanudar y se encuentra con otra mujer, más joven, que proyecta fugarse con su amante como hizo ella en otro tiempo. La historia, mundana y banal, está emparentada con la temática del teatro francés de la época, pero relatada con gran finura psicológica y en donde la técnica literaria del monólogo se halla inteligentemente reemplazada por el *flash-back* visual, que ya Delluc había utilizado sistemáticamente en *Le silence* (1920), pues el tema del pasado es para Delluc (como lo será para Resnais) uno de los ejes de su narrativa.

Con estas obras se ve claro que Delluc trataba de orientar al cine francés hacia un sendero intelectualmente noble, como años antes hiciera el *film d'art* en rebeldía ante el cine populachero de Méliès y de Zecca, aunque por fortuna los tiempos no son los mismos y el cine comienza a dominar ya su lenguaje. A través de Delluc una nueva categoría de personas, con preparación cultural e inquietud artística, irrumpen en lo que venía siendo coto de mercaderes y autodidactas. El viraje es importante. A la cabeza de su revista *Cinéma* Delluc colocó un lema que vino a ser su grito de batalla: *Que le cinéma français soit du cinéma, que le cinéma français soit français.*

En torno a Delluc se agrupó una serie de artistas que los historiadores catalogan hoy con el nombre de *Escuela impresionista,* para distinguirlos del contemporáneo expresionismo alemán, del que les separaba su simplicidad estilística y el refinamiento de sus temas. Delluc capitaneó a este heterogéneo grupo formado por Germaine Dulac, Marcel L'Herbier, Abel Gance y Jean Epstein. Eran, para emplear un lenguaje actual, la «nueva ola» de los años veinte, y su confesada voluntad de vanguardia y de elite nació fatalmente, al igual que todas las vanguardias, como negación dia-

147

léctica e históricamente necesaria de un arte popular y de masas, en confusa reacción frente al cine-mercancía y al cine-alienación.

Marcel L'Herbier, poeta simbolista y autor teatral antes de orientarse hacia el cine, sintió la vieja fascinación romántica del «color local» y se vino a España a rodar *Eldorado* (1921), melodrama químicamente puro de los trágicos amores de un pintor escandinavo (prometido con una rica dama) y de una bailarina española, que al final se suicida. En su buceo hacia la realidad interior de los personajes –una de las preocupaciones mayores de esta escuela– L'Herbier dio una interpretación técnica del subjetivismo mediante imágenes empañadas por el «desvanecido» (o *flou),* que evocaban a los maestros del impresionismo pictórico y que había ensayado ya por vez primera en *Phantasmes* (1918). Luego, tras la revelación del expresionismo alemán, L'Herbier asimiló su potencial formalista, depurándolo y recurriendo también al cubismo, con *Don Juan et Faust* (1923), *La inhumana (L'inhumaine,* 1924), con decorados futuristas-cubistas de Fernand Léger, Mallet-Stevens y Claude Autant-Lara, y *El difunto Matías Pascal (Feu Mathias Pascal,* 1925), según Pirandello, film para el que el brasileño Alberto Cavalcanti construyó unos decorados provistos de techo.

Hoy se nos aparecen estas cascadas de imágenes refinadas como viciadas por un formalismo exasperante, aunque a veces de una brillantez sorprendente. Pero era bueno, y hasta necesario, que el cine atravesase este sarampión intelectual, a remolque de la literatura y de la pintura, para alcanzar, una vez separada la ganga de lo realmente válido, su mayoría de edad estética.

La última realización ambiciosa de L'Herbier, en los albores del cine sonoro, fue *Dinero (L'argent,* 1928), que trasponía la novela de Zola a la época contemporánea, con las escenas de la Bolsa sonorizadas mediante la grabación de efectos ambientales (ruidos, voces, rumores). Después sepultó su prestigio en una montaña de banalidades que es mejor no recordar y en 1943 fundó el Institut des Hautes Études Cinématographiques de París.

El límite de las contradicciones estéticas de la escuela lo encarnó el exuberante Abel Gance, profeta y visionario, que al grito de *Le temps de l'image est venu!* se convirtió en el más puro alquimista del cine francés. Para rodar *La folie du Dr. Tube* (1916) –sobre un sabio que ha descubierto la posibilidad de deformar los rayos luminosos– empleó objetivos deformantes, consiguiendo unas imágenes distorsionadas como las de los espejos de los parques de atracciones. Pero la película no fue exhibida, de modo que su innovación no ejerció en su tiempo influencia alguna. Más importantes fueron su grandilocuente alegato antimilitarista *Yo acuso* (*J'accuse*, 1919), en donde los espectadores asistían a la macabra vuelta a la vida de los cadáveres esparcidos en un campo de batalla, y la tragedia lírica *La rueda* (*La roue*, 1921-1923), en donde culminó la pedante retórica del desordenado genio de Gance. *La rueda* narraba, con un tono de un romanticismo exasperado, la tragedia del mecánico y conductor de locomotoras Sísifo, atormentado por la pasión amorosa que le inspira su hija adoptiva y que acaba perdiendo la vista y la razón. Entre los escombros visuales de esta versión del Edipo de la era maquinista, destacó un pasaje antológico al principio de la película, basado en el «montaje corto» –ya empleado por Griffith, especialmente en *Intolerancia*–, con fragmentos muy breves de película: paisajes, rostros, bielas, vapor, ruedas y, finalmente, la locomotora que se precipita hacia el abismo. Una auténtica sinfonía visual que inspiraría al compositor Arthur Honegger su *Pacific 231,* poema musical de la locomotora, y a Jean Mitry un cortometraje del mismo título en 1949.

Forzoso es reconocer que Gance, a pesar de sus irregularidades, de su grandilocuencia, su melodramatismo, su mal gusto y sus citas pedantes de la cultura clásica, es quien, después de Griffith, más hizo por investigar los recursos del naciente lenguaje cinematográfico. La obra más ambiciosa de su vida fue *Napoleón* (*Napoléon vu par Abel Gance,* 1923-1927), que costó la friolera de 15 millones de francos, que no dieron de sí para concluir la biografía del corso, interrumpida con la partida de los ejércitos de Napoleón para su primera campaña en Italia. En esta obra, Gance dio rienda suelta a sus experimentos y utilizó el Tríptico (o pantalla triple) para desplegar horizontalmente sus más grandiosas escenas, en temprana anticipación del Cinerama de Fred Waller. Otra de las bazas técnicas que jugó Gance en esta película, con la colaboración técnica de Segundo de Chomón, fue el empleo de cámaras muy ligeras con motor de cuerda, que permitían captar agitados encuadres subjetivos, atadas a un caballo al galope, o bien introducidas en un proyectil arrojado al aire o lanzado al mar.

Pero en arte siempre resulta peligroso confundir la grandiosidad con la grandeza, y el extravagante Gance se empeñará tozudamente en conseguir ésta a través de aquélla, lográndolo tan sólo en muy raras ocasiones. Su última gran aventura en el terreno de la creación cinematográfica, que acabó de la peor manera, fue *El fin del mundo (La fin du monde*, 1930), colosal película futurista en la que el propio Gance interpretaba el papel de Cristo, que quedó inconclusa y fue terminada por V. Turjanski, de modo que *El fin del mundo* fue también el simbólico fin de la carrera de su inquieto realizador.

Tal vez la personalidad más madura de la escuela impresionista, en parte porque su incorporación fue más tardía, sea la de Jean Epstein, de origen polaco, cuyo *Cœur fidèle* (1923) causó sensación en su época, no por el banal relato naturalista de un obrero y un chulo rivales por el amor de una mujer, sino por su ejercicio de estilo, en particular en la antológica escena de la feria: tiovivo, columpios, autómatas, primeros planos, montaje corto, cámara subjetiva, encuadres oblicuos... Todo un manifiesto del nuevo lenguaje visual, todavía adolescente, que hace comprensible el juicio de Marcel Proust por estos años: «No amamos tanto el cine por lo que es como por lo que será.»

También es positivo que, mientras Hollywood ponía en circulación un mundo lujoso y sofisticado, frívolo y decadente, algunos vanguardistas franceses demostraban una cariñosa vocación populista, prefiriendo la taberna, el suburbio, el puerto y los lugares y tipos populares, testimonio, aunque deformado y subjetivista, de cierta realidad social. Jean Epstein llevó esta tendencia naturalista a su extremo en *Finis Terrae* (1929), interpretada por actores naturales, pescadores auténticos, e importante antecedente del neorrealismo italiano, aunque el material documental aparezca fuertemente manipulado por sus virtuosismos técnicos. Pero el año anterior, el proteico Epstein había pulsado el más opuesto registro al realizar un experimento expresionista (cuando este estilo estaba pasado ya de moda) con *El hundimiento de la casa Usher (La chute de la maison Usher*, 1928), en el que para trasponer el desquiciado mundo de Edgar A. Poe a la pantalla se valió del ralentí, que crea un clima irreal y fantasmagórico a lo largo de toda la obra. Se trata de un expresionismo depurado, no meramente escenográfico al estilo alemán, sino en donde los elementos dinámicos –movimientos de cámara, como el viento figurado por *travellings* recorriendo los pasillos, y el *tempo* irreal de la acción– han sido distorsionados expresivamente.

Violentar la naturaleza del tiempo real, ésa era una de las ambiciones de Epstein, que en sus escritos exalta las posibilidades «sobrenaturales» del cine, en especial la modificación de la naturaleza del tiempo, conseguida por vez primera en la historia de la ciencia y del arte gracias al acelerado, al ralentí y a la inversión de movimientos. Y cuando, siguiendo el rastro de su maestro Delluc, trata de penetrar la secreta esencia de la fotogenia, escribe: «A decir verdad, fotogenia y fotogénico no eran otra cosa que palabras que designaban vagamente una función mal definida. Los objetivos continuaban buscando al azar sus formas en la realidad. Sin embargo, poco a poco se fue haciendo claro a los operadores y a los directores que la fotogenia dependía fundamentalmente del movimiento: movimiento del objeto cinematografiado y de los juegos de luces y de sombras, e incluso del objetivo de la cámara. La fotogenia aparecía, sobre todo, como una función de la movilidad. Así, el movimiento, esta apariencia que ni el dibujo, ni la pintura, ni la fotografía pueden reproducir, se descubría como la primera cualidad estética de las imágenes en la pantalla.»

Como puede verse, estamos asistiendo a las primeras formulaciones teóricas del nuevo arte. El italiano Ricciotto Canudo, afincado en París, fue quien primero se atrevió a afirmar que el cine era un arte, el séptimo arte, teoría estética revolucionaria que razonó en su curioso *Manifiesto de las siete artes* (1911), en el que afirmaba que el cine es una síntesis de las tradicionales artes del espacio y artes del tiempo. Luego vino Delluc, que con su noción de fotogenia trató de asir el secreto estético del nuevo arte. Teoría balbuciente, que no encontró su primera formulación madura hasta la aparición del húngaro Béla Balázs, que expone sus ideas en un libro titulado *El hombre visible o la cultura del cine* (1924), en donde opone a la tradicional cultura de la palabra (la cultura literaria) la novísima cultura de la imagen creada por el cine. El cine, lenguaje internacional no supeditado a particularismos idiomáticos, como el literario, ha creado al *hombre visible*. Casi nada.

Tres son, para Balázs, los elementos que hacen del cine un arte: el primer plano, el encuadre y el montaje.

El encuadre es «la porción de realidad elegida con determinada perspectiva, mediante la cual el director expresa en el cuadro su voluntad subjetiva». Es el encuadre-opinión de los expresionistas, que mediante la angulación u otro recurso técnico otorga un especial significado al material plástico. Por otra parte, los encuadres se unen y combinan entre sí mediante el montaje, «como si fuesen palabras en un texto literario». De todos los posibles encuadres hay uno que fascina a Balázs, y con razón, pues es uno de los ejes de la estética cinematográfica: el primer plano. El primer plano, que aísla y agranda los objetos convirtiéndolos en personajes dramáticos y descubriendo la secreta microfisonomía del rostro humano, que ha incorporado al arte una nueva topografía dramática, antes ignorada, porque, como escribirá Josef von Sternberg, «al agrandarse monstruosamente sobre la pantalla, una cara debe ser tratada como un paisaje, con su relieve de luz y sus depresiones tenebrosas. Se debe mirar como si los ojos fueran lagos, la nariz una montaña, las mejillas praderas, la boca un campo de flores, la frente un cielo y los cabellos nubes».

No cabe duda de que el cine está comenzando a comprenderse a sí mismo.

EL «STURM UND DRANG» ALEMÁN

En 1916, el cine contaba solamente con veinte años de historia –poquísimos años en la vida de cualquier arte– y ya hemos visto cómo su lenguaje comenzaba a ser inventado por entonces en los Estados Unidos por el patriarca D. W. Griffith. Pero mientras Griffith estaba operando su sensacional revolución expresiva, los ejércitos alemanes se batían en los campos de batalla europeos y de las salas de proyección germanas se barría implacablemente la producción del enemigo, francesa, inglesa y americana, que en estos años tenía, además, un marcado cariz antialemán. En 1916, que es el año de Verdún, el gobierno alemán decidió resolver este problema cinematográfico creando una gran empresa de producción para abastecer al país –que hasta entonces había sido primordialmente una colonia del cine danés– con películas propias. De esta vasta operación industrial, ideada por el general Ludendorff, ordenada por Hindenburg y apoyada por el poderoso Deutsche Bank y por la artillería pesada de la industria alemana (Krupp, I. G. Farben), surgiría en 1917 la célebre UFA (Universum Film A. G.), con un capital inicial de veinticinco millones de marcos, eje motor de la industria del cine alemán.

Pero una fábrica no puede funcionar sin ingenieros, como un arte no puede existir sin artistas. Al concluir las hostilidades la UFA atacó de momento el problema del cine alemán por su vertiente industrial. Si el cine alemán tenía que ser grande, era menester hacer grandes películas. Este razonamiento, análogo al de los pioneros del cine italiano y al de los productores americanos en cada ocasión que Hollywood ha visto sus cimientos sacudidos por una crisis, condujo al nacimiento de un ciclo de cine costoso y espectacular, conducido con mano maestra por Ernst Lubitsch.

Lubitsch había rehusado seguir el negocio de su padre, modesto comerciante textil, para dedicarse al teatro. Fue discípulo del titán de la escena alemana Max Reinhardt y en 1913 comenzó a actuar como intérprete cinematográfico, en papeles cómicos, y en 1915 como realizador, dirigiendo varias comedias interpretadas por la popular Ossi Oswalda. En 1918 inició su colaboración con la célebre Pola Negri, a la que dirigió en *Los ojos de la momia (Die Augen der Mumie Ma)* y en *Carmen (Carmen)*, según Mérimée. Al año siguiente abrió su ciclo histórico-espectacular con la película antifrancesa *Madame Du Barry (Madame Du Barry)*, visión tenebrosa de la Revolución de 1789, y lo prosiguió con la antibritánica *Ana Bolena (Anna Boleyn*, 1920), la pantomima oriental *Una noche en Arabia (Sumurun*, 1920) y la evocación egipcia *La mujer del faraón (Das Weib des Pharao*, 1921). Esta ofensiva industrial, de grandes escenografías y enormes presupuestos, dio positivos frutos y Lubitsch, favorecido por sus puyazos políticos –que se completaron con su divertida sátira antiamericana *La princesa de las ostras (Die Austernprinzessin*, 1919)–, se convirtió en uno de los puntales del cine alemán, del que no tardaron en apoderarse los magnates de Hollywood (1923), perdonándole como buenos cristianos sus anteriores ofensas, de modo que el irónico Lubitsch prosiguió su carrera en la costa californiana –recordemos su sátira

153

antisoviética *Ninotchka (Ninotchka*, 1939) y la antinazi *Ser o no ser (To Be or Not to Be*, 1942)– hasta su muerte en 1947.

Si las mordaces comedias y las evocaciones históricas de Lubitsch (que iniciaba así en el cine el género seudohistórico en el que los grandes acontecimientos políticos se explican en función de los enredos de alcoba y deslices de favoritas) fueron los obuses de grueso calibre que disparó la UFA, para anunciar la noticia del parto del gran cine alemán, fue la violenta irrupción de la escuela expresionista la que dio cartas de nobleza a su arte cinematográfico.

El expresionismo, más que una escuela, es una actitud estética cuyo rastro nos conduce hasta las formas más primitivas del arte aborigen. Véanse esas máscaras polinesias de rasgos desgarrados que evocan con temor un mundo sobrenatural, contémplense esos leones de metal del rey Béhanzin, último monarca de Dahomey, de fieros y enormes colmillos, o esas aves amenazadoras, de largo pico, que brotan de los mástiles totémicos que salpican el Parque de Vancouver. Antes de que el expresionismo irrumpiese en los cenáculos de Munich y de Dresde en la anteguerra alemana, los genios torturados de Goya y de Van Gogh habían aportado a la pintura europea la materialización del drama interior a través de formas y colores. Pero el expresionismo se hizo consigna y escuela en Alemania como reto y respuesta al impresionismo pictórico y al naturalismo literario. Frente a la fidelidad al mundo real captado por los sentidos, se alzó la interpretación afectiva y subjetiva de esta realidad, distorsionando sus contornos y sus colores. Las experiencias en esta línea iniciadas hacia 1910 por varios pintores centroeuropeos (Nolde, Klein, Munch, Kokoschka, Kubin) y que llegaron a penetrar en el teatro (Georg Kaiser, Walter Hasenclever, Reinhard Sorge), en la poesía, en la música y en las artes decorativas, aparecen en el cine, en un fenómeno osmótico y tardío, con *El gabinete del doctor Caligari (Das Kabinett des Dr. Caligari*, 1919), de Robert Wiene.

Los historiadores gustan buscar antecedentes a toda ruptura estética. Suelen citarse como precursores del expresionismo cinematográfico algunas películas alemanas, especialmente la cinta fantástica *El estudiante de Praga (Der Student von Prag*, 1913) de Paul Wegener y del danés Stellan Rye, drama del estudiante Balduin que por amor vende al diablo su imagen reflejada en los es-

154

pejos, y *El Golem (Der Golem*, 1914), de Paul Wegener y Henrik Galeen, antigua leyenda judía sobre un hombre de arcilla al que el rabino Loew consiguió infundir vida mediante una fórmula mágica. Estamos en el terreno de la fantasía sin fronteras, en contradicción con el realismo naturalista que, después de Méliès, parece querer imponerse en el cine mundial. Hay un cordón umbilical que une estas inquietantes leyendas con la explosión del romanticismo alemán. El romanticismo y su reflejo filosófico, el idealismo, han dominado y dominan todavía a lo más vivo y activo de la cultura alemana. Y de aquí a la irrupción de *Caligari* no hay más que un paso.

El argumento de *El gabinete del doctor Caligari* fue imaginado por el poeta checo Hans Janowitz y por el austríaco Carl Mayer y, según escribe Kracauer, estuvo inspirado en un caso de criminalidad sexual acaecido en Hamburgo. El guión original narraba los estremecedores crímenes que cometía el médium Cesare, bajo las órdenes hipnóticas del demoníaco doctor Caligari, que recorría las ferias de las ciudades alemanas exhibiendo a su sonámbulo. La secreta idea de los guionistas era la de denunciar, a través de esta parábola fantástica, la criminal actuación del Estado alemán, que utilizó a sus súbditos durante la guerra como el satánico Caligari a su subordinado Cesare. Propusieron el guión a Erich Pommer, jerarquía suprema de la Decla-Bioscop y uno de los puntales del renacimiento del cine alemán, que a su vez lo ofreció al realizador Fritz Lang. Pero Lang encontró el asunto excesivamente truculento y Pommer encomendó su ejecución a Robert Wiene, un realizador gris de origen checoslovaco e hijo del actor Carl Wiene.

Wiene tomó el guión y, a pesar de las protestas de sus autores, añadió dos nuevas escenas (una al principio y otra al final), que transformaron radicalmente el sentido de la narración, pues se convirtió en el relato imaginario de un loco que cree ver en el bondadoso director del manicomio en que se halla al temible doctor Caligari. Con ello, también, se derrumbó el sentido de protesta política de la obra que, todo hay que decirlo, era de un hermetismo de nada fácil interpretación. Pero aunque esta historia fantástica de crímenes se convirtió *mutatis mutandis* en un relato perfectamente realista, su dimensión alucinante y demoníaca persistió a través del estilo plástico que Wiene eligió para llevarla a la pantalla. Se han discutido mucho los méritos de Wiene en esta película, atribuyéndose sus revolucionarias innovaciones a sus decoradores y figurinistas Hermann Warm, Walter Reimann y Walter Röhrig, activos miembros del grupo *Sturm* de Berlín, impulsor de la estética expresionista. Sea como fuere, y más allá de las querellas historiográficas, forzoso es reconocer que la baza principal de la película estuvo en su desquiciamiento escenográfico, con chimeneas oblicuas, ventanas flechiformes y reminiscencias cubistas, utilizándolo todo en función no meramente ornamental, sino dramática y psicológica, creando una atmósfera inquietante y amenazadora.

Jamás las retinas de los espectadores habían sido heridas por tanta audacia plástica. También es verdad que el azar contribuyó a acentuar el extremismo de las soluciones formales. La limitación del cupo eléctrico del estudio sugirió la idea de pintar luces y sombras en los decorados. Así se hizo, y con gran fortuna. Pero con ser tan positiva la aportación de la película, que abría una nueva dimensión imaginativa, insólita y subjetivista a la producción cinematográfica, como contrapartida encarrilaba al joven arte hacia una peligrosa cineplástica de servidumbre pictórico-escenográfica, desechando la movilidad de la cámara, el poder creador del montaje y el rodaje en escenarios exteriores, en un retorno a la vieja estética de Méliès. Jean Cocteau señaló los peligros de este estilo asfixiante y teatralizante al escribir que «es un error fotografiar decorados sorprendentes, en vez de procurar esta sorpresa por medio de la cámara».

La incorporación de la figura humana y de sus movimientos reales no era cosa fácil en aquel mundo de formas dislocadas y extravagantes. Con una interpretación estilizada y con la ayuda de unos maquillajes sorprendentes, Caligari (Werner Krauss) y Cesare (Conrad Veidt) consiguieron integrarse eficazmente en el conjunto plástico, que admitía mucho peor a los restantes personajes de inspiración realista. También el movimiento, que es una dimensión real, despojará a muchas películas de esta escuela de la irreal fascinación plástica que emana de sus fotogramas estáticos.

El gabinete del doctor Caligari constituyó un éxito sin precedentes, que consiguió romper el bloqueo impuesto por los aliados al cine alemán al acabar la guerra, prestigiándolo extraordinariamente en el extranjero. *Caligari* fue, junto con Charlot, el primer mito universal creado por el cine y los críticos franceses acuñaron la palabra *caligarismo* para designar las películas alemanas tributarias de la nueva estética. El éxito fue enorme, a pesar de que las secretas intenciones de la película no fueron comprendidas. Un crítico alemán escribió: «Se trata de un homenaje a la desinteresada y meritoria labor de los psiquiatras.» No lo era, pero lo cierto es que la película interesó vivamente a los círculos psiquiátricos y a partir de esta revelación los cenáculos intelectuales europeos comenzaron a interesarse seriamente por el cine, considerándolo como una manifestación artística de vanguardia, pletórica de posibilidades.

Las dudas sobre el talento creador de Wiene se acentuaron a la luz de su mediocre obra posterior, inserta en la gran marea expresionista que dominó en la producción alemana a partir de esta fecha: *Genuine* (1920), sobre un pintor que infunde vida al retrato de su amada; una adaptación de *Raskolnikoff (Raskolnikoff,* 1923), de la obra de Dostoievski e interpretada por actores del Teatro de Arte de Moscú; la evocación religiosa *INRI (INRI,* 1923) y *Las manos de Orlac (Orlacs hände,* 1924), adaptación de la novela fantástica de Maurice Renard, que muestra el torturado drama del pianista Orlac (Conrad Veidt), al que a causa de un accidente el cirujano le ha sustituido sus manos por las de un criminal.

No es casual que la estética expresionista solicitase con evidente preferencia sus temas de los arcanos de la fantasía y el terror. Asesinos, vampiros, monstruos, locos, visionarios, tiranos y espectros poblaron la pantalla alemana en una procesión de pesadillas que se ha interpretado como un involuntario reflejo moral del angustioso desequilibrio social y político que agitó la República de Weimar y acabó arrojando al país a los brazos del nacionalsocialismo. Finísimo barómetro de las preocupaciones colectivas, el cine registrará estas violentas conmociones sociales en su estremecedora parábola expresionista. Henrik Galeen y el actor Paul Wegener resucitarán *El Golem (Der Golem,* 1920), que causará desmanes sin cuento en el gueto judío de Praga, Murnau pondrá en circulación el mito del vampiro con *Nosferatu, el vampiro (Nosferatu, eine Symphonie des Grauens,* 1922) y el pintor y escenógrafo Paul Leni narrará en *El hombre de las figuras de cera (Wachsfigurenkabinett,* 1924) la historia de un joven poeta que, encargado de escribir unos relatos publicitarios sobre un museo de figuras de cera, imagina unos episodios alucinantes protagonizados por el sultán Harun-al-Raschid (Emil Jannings), el zar Iván el Terrible (Conrad Veidt) y el sádico asesino inglés Jack el Destripador (Werner Krauss). Con razón señalará Kracauer que esta procesión de horrores es un vivo reflejo, en el plano cultural, del desgarramiento del alma burguesa alemana, en tensión entre la tiranía política y el caos social.

El expresionismo evolucionó, como no podía ser menos, sustituyendo las telas pintadas de *El gabinete del doctor Caligari* por los decorados corpóreos e introduciendo un empleo más complejo y audaz de la iluminación como medio expresivo, hasta conseguir una película en que toda la intriga se expone casi únicamente por medio de sombras, sin rótulos literarios: *Sombras (Schatten*, 1923) de Arthur Robison. Sin embargo, al mismo tiempo que el expresionismo maduraba y se enriquecía con nuevos recursos estilísticos, fecundaba en su seno la semilla de una nueva corriente, que ha pasado a la historia con el nombre de *Kammerspielfilm*.

Del mismo modo que las grandes puestas en escena de Max Reinhardt en el Deutsches Theater inspiraron el ciclo espectacular de Lubitsch, las experiencias realistas e intimistas de su *Kammerspiel* (Teatro de cámara), montadas para auditorios de no más de trescientas personas, fueron las que inspiraron la reacción realista del *Kammerspielfilm*. La llamada expresionista no ha de hacer olvidar la existencia de una sólida veta realista, o mejor naturalista, en la moderna literatura alemana. Gerhart Hauptmann, Hermann Sudermann y Thomas Mann, que publica por estos años *La montaña mágica,* son tal vez sus nombres más representativos. Sea como fuere, inspirándose en el naturalismo intimista del Teatro de cámara de Reinhardt, el guionista Carl Mayer y el director rumano Lupu Pick rompieron con las fantásticas elucubraciones del expresionismo con dos curiosas «tragedias cotidianas», que se orientaban hacia el estudio naturalista y psicológico de personajes simples y de ambientes arrancados de la realidad cotidiana: *Scherben* (1921) y *Sylvester* (1923).

Scherben narraba la tragedia de un humilde guardavías, que mataba a un ingeniero ferroviario que sedujo y abandonó a su hija, mientras ésta enloquece y su madre muere en la nieve. *Sylves-*

ter muestra la triste historia del dueño de un modesto café, que víctima del egoísmo de su madre y de su esposa se suicida en la víspera de Año Nuevo. Aquí ya no hay monstruos ni espectros, sino simplemente un vulgar guardavías y un modesto comerciante. Claro que la utilización de los objetos como símbolos y cierta estilización dramática nos advierte que el *Kammerspielfilm* ha nacido en el seno del torbellino expresionista y que resulta abusivo hablar de estricto realismo –como podrá hacerse con el cine soviético– más allá de las apariencias. La estética del *Kammerspielfilm* estaba basada en un relativo respeto a las unidades de tiempo, lugar y acción –vestigio de su procedencia teatral–, en una gran linealidad y simplicidad argumental, que hacía innecesaria la inserción de rótulos explicativos, y en la sobriedad interpretativa, por oposición al expresionismo. La simplicidad dramática y el respeto a las unidades permitió crear unas atmósferas cerradas y opresivas, en las que se movían los protagonistas como monigotes guiados por el *fatum* de la tragedia clásica. Por la senda de los «dramas cotidianos» avanzó una parte del mejor cine alemán: *Hintertreppe* (1921), de Leopold Jessner y Paul Leni, *Die Strasse* (1923), de Karl Grüne, y *El último (Der letzte Mann*, 1924), de F. W. Murnau, tres obras que carecen prácticamente de rótulos literarios. Su influencia podrá rastrearse en la obra posterior de Josef von Sternberg, Marcel Carné y John Ford.

Pero con ser decisiva la aportación del guionista Carl Mayer a la evolución histórica del cine mudo alemán, su trayectoria aparece dominada por la silueta de dos poderosas y muy diversas personalidades: la de Friedrich Wilhelm Murnau y la de Fritz Lang, que enriquecieron y abrieron nuevos horizontes a la escuela germana.

F. W. Murnau (Plumpe, de verdadero nombre) demostró desde muy joven su inquietud cultural y estudió filosofía (Berlín), historia del arte, literatura (Heidelberg) y música. Fue actor con Max Reinhardt (la deuda del cine alemán hacia Reinhardt es enorme) y durante la guerra combatió como oficial de infantería y luego como piloto, siendo derribado en ocho ocasiones. Al acabar la guerra fundó la productora Murnau Veidt Filmsgesellschaft (1919) y comenzó a dirigir películas, en las que su fina sensibilidad homosexual trató de expresar su subjetividad lírica con el máximo respeto por las formas reales del mundo visual, en original y equilibrada síntesis expresionista-realista. La revelación de su potencia expresiva tuvo lugar en 1922 con *Nosferatu, el vampiro,* adaptación libre de la novela fantástica *Drácula* (1897), del irlandés Bram Stoker. Enfrentándose a la tendencia expresionista de rodar todas las escenas en estudio y en decorados plásticamente dislocados, F. W. Murnau recurrió principalmente a escenarios naturales cuidadosamente elegidos. Con calles de Wismar, Rostock y Lübeck compuso una única ciudad y rodó sus paisajes parte en Silesia y parte en Eslovaquia. Con esta innovadora introducción de elementos reales en una historia fantástica, Murnau consiguió potenciar su estremecedora veracidad. Realismo y fantasía forman un todo coherente en esta historia romántica que debe menos a la vampirología que a cierta temática muy arraigada en toda la obra de Murnau, como la obsesión por la idea de la Muerte, el tema de la felicidad de una pareja perturbada por la presencia del Mal (Nosferatu) y el papel expiatorio de la mujer, que con su voluntad de abnegada entrega derrota al vampiro. A quebrar los cánones teatralizantes del expresionismo contribuyó su utilización de recursos técnicos de filiación vanguardista, como el acelerado y el ralentí y el empleo de película negativa para señalar el paso del mundo real al ultrarreal.

El gran éxito de esta «sinfonía del horror» fue ampliamente rebasado por *El último,* triste historia del portero del lujoso hotel Atlantic (Emil Jannings), orgulloso de su vistoso uniforme, que debido a su avanzada edad es «degradado» al servicio de lavabos. Pero el hombre no se conforma con la pérdida del uniforme y lo roba cada día para regresar con él a su casa, hasta que finalmente es descubierto y se produce su desmoronamiento. Pasando por alto un postizo final feliz que Murnau añadió, sea por imposiciones comerciales o para ironizar a costa del típico *happy end* americano, *El último* se nos aparece como la primera obra maestra del cine alemán en su transición del expresionismo al realismo social. *El último* participaba del realismo social por sus contrastes ambientales (el lujoso hotel y el barrio proletario donde habita el portero) y por el testimonio de la veneración fetichista del uniforme –símbolo autoritario por antonomasia–, enfermedad psicológica colectiva del pueblo alemán. La «germanidad» de esta tragedia resultó evidente cuando muchos espectadores norteamericanos declararon no comprender la película, porque un encargado de lavabos ganaba más que un portero de hotel.

Sin embargo, esta historia realista estaba narrada en un lenguaje plástico repleto de reminiscencias expresionistas, como las sombras amenazadoras que transforman la entrada de los lavabos en un terrible antro. Para dar agilidad a este relato cuya acción transcurría en un mundo cerrado (el hotel y el barrio del portero), Murnau y su operador Karl Freund introdujeron el empleo de una cámara excepcionalmente dinámica, con *travellings* subjetivos (atando la cámara al pecho del operador), circulares y movimientos de grúa, conseguidos situando la cámara en la extremidad de una escalera de incendios. La «cámara desencadenada» (expresión utilizada por la crítica de la época) de Murnau causó un enorme impacto en la producción mundial. Con *El último* la cámara había aprendido de una vez a andar sin limitaciones, y lo que es más, había aprendido a volar.

Considerado como el más prestigioso creador del cine alemán, Murnau atacó a continuación dos adaptaciones literarias: *Tartufo o el hipócrita (Tartuffe*, 1925), según Molière, y con un prólogo y epílogo contemporáneos moralizadores, en donde la magia de la iluminación convirtió unos decorados rococó en expresionistas, y un ambicioso *Fausto (Faust*, 1926), en donde su refinamiento plástico, rico en referencias pictóricas, estuvo servido por un impresionante despliegue de medios técnicos y de trucajes, que culminaron en un aparatoso y celebrado viaje aéreo de Fausto y de Mefisto. El gran actor Emil Jannings realizó dos interpretaciones antológicas, sobrecargadas pero magistrales, en los papeles de Tartufo y de Mefisto. En la cúspide de su fama, Murnau abandonó Alemania aceptando un tentador contrato que William Fox le ofreció en Hollywood.

Junto a Murnau, el vienés Fritz Lang compartió el título de maestro de la escuela expresionista. Hijo de un arquitecto, estudió Arquitectura y Bellas Artes y su espíritu inquieto le llevó a vivir la bohemia artística de Bruselas y de París, lanzándose a ver mundo en un peregrinaje por África del Norte, Rusia, Indochina, China, Japón y los mares del Sur, de donde regresaría con las alforjas llenas de los motivos exóticos que con frecuencia salpican sus películas. Repartió los años de la guerra entre el frente y los hospitales militares, en donde comenzó a escribir guiones de cine. Su debut como realizador en 1919 no tardó en proporcionarle un gran éxito popular con el serial de aventuras exóticas *Die Spinnen* (1919), con sociedades secretas, ritos mayas y diamantes fabulosos, y con el aún más popular serial *El doctor Mabuse (Dr. Mabuse der Spieler*, 1922), que en clave de aventuras describía el caos financiero de Alemania. Más sólido fue el impacto causado por su película fantástica *Der müde Tod* (1921), sobre el viejo tema romántico de la lucha del Amor contra la Muerte a través de tres episodios, que suceden en la antigua China, el legendario Bagdad y la Venecia renacentista. Pero el genio arquitectónico de Lang no se conformó con las telas pintadas de *El gabinete del doctor Caligari* e hizo construir unos impresionantes decorados corpóreos, como ese inmenso muro que rodea el Reino de la Muerte. *Der müde Tod* causó en el extranjero un impacto similar a la *Madame Du Barry* de Lubitsch y a *El gabinete del doctor Caligari,* imponiendo de modo definitivo el cine alemán. Será esta película, también, la que decidirá la vocación cinematográfica del español Luis Buñuel.

El expresionismo de Lang, arquitectónico y monumental, épico y solemne, en oposición al refinamiento y lirismo de Murnau, tuvo ocasión de demostrar su madurez en la colosal y wagneriana epopeya aria *Los Nibelungos (Die Nibelungen*, 1923-1924), en dos partes, en la que los árboles se nos antojan columnas y las composiciones de figuras semejan escudos heráldicos. Más que de expresionismo sería justo hablar de abstracción y geometrismo en esta obra maestra del *monumentalisieren.* Esta exaltación aria en la que los hunos son presentados como raza inferior y cavernícola, trae premonitorios vientos de tragedia. Por estos años aparece también *El camino de la fuerza y de la belleza (Wege zu Kraft und Schonheit,* 1925), de Wilhelm Prager, en donde más que exaltar la belleza del desnudo humano parece querer reafirmarse la superioridad biológica de la orgullosa raza indoeuropea. Son películas que anuncian, aun sin quererlo, los tiempo de Buchenwald, Auschwitz, Dachau y Belsen.

Se ha echado la culpa a la guionista Thea von Harbou, esposa de Lang y luego militante nazi, de la vidriosidad ideológica de las obras de su marido. El colmo se alcanza en la estremecedora visión futurista de *Metrópolis* (*Metropolis*, 1926), la ciudad del mañana en la que la raza de los señores goza de la vida en la superficie mientras los esclavos infrahombres penan en una región subterránea de pesadilla, poblada por máquinas terribles. Seis millones de marcos oro costó esta superproducción, en la que tan grande fue la endeblez e ingenuidad del relato –que concluye con un candoroso abrazo reconciliador entre el Capital y el Trabajo– como grande fue la maestría imaginativa y arquitectónica de Lang, que supo jugar con espacios, volúmenes y claroscuros con habilidad de prestidigitador. *Metrópolis* es, en definitiva, un tratado sociológico de pacotilla, increíblemente pueril, en el que el héroe capitalista redime a sus pobres obreros de la tiranía de una mujer-robot revolucionaria. A pesar de ello, Lang consigue en algunos momentos imponer imágenes que el espectador ya no olvidará jamás: su opresivo mundo subterráneo, el relevo de turno de los obreros, la inundación y el pánico en la ciudad... *Metrópolis* representa, en suma, el apogeo del expresionismo de dimensión arquitectónica, como *Caligari* lo fue en su vertiente pictórica.

El gran ciclo expresionista alemán iba a ser fecundo en consecuencias. A la contemplación naturalista y neutra de la realidad, propia del clasicismo norteamericano, se oponía un subjetivismo violento y radical, que distorsionaba la imagen del mundo y transmitía al espectador su interpretación ética e intelectual de la realidad mediante un código de signos de hipertrofiada expresividad, tales como la decoración, los maquillajes o la iluminación. Dos estéticas, dos actitudes creadoras antagónicas se enfrentaban –o se completaban– de modo análogo a esos ciclos pendulares de clasicismo-barroquismo que jalonan la historia de las artes plásticas. Veremos más adelante los frutos que recogerán de esta siembra expresionista artistas de la talla de Eisenstein, Carl Dreyer, Josef von Sternberg, Orson Welles, Ingmar Bergman o Andrzej Wajda.

ESTALLIDO DEL CINE SOVIÉTICO

A la vieja Rusia de los zares llegó el cinematógrafo Lumière en mayo de 1896, para rodar la coronación de Nicolás II. Poco después se presentó en sociedad del modo más elegante, en una fiesta

163

de caridad que presidió la emperatriz Alexandra Fiódorovna, en el palacio Peterhof de San Petersburgo, conquistando la admiración de la Corte. Pero su afianzamiento como espectáculo popular fue lento y laborioso, contemplado con desconfianza por las autoridades y los censores. La policía ordenó en 1908 que no se estableciesen salas de cine separadas por menos de trescientos metros y que sus programas debían finalizar a las nueve de la noche. Como contrapartida, sabemos que los sectores sociales más privilegiados convirtieron a Rusia en el primer cliente del mundo del cine pornográfico francés.

Poco valor tuvo la producción de la Rusia prerrevolucionaria, convertida en una colonia del imperio de Pathé, con asuntos melodramáticos inspirados en el cine danés y algún que otro pinito de aliento futurista. El primer estudio del país no fue inaugurado hasta 1907 por el fotógrafo A. O. Drankov, de San Petersburgo, que fue el mayor competidor de aquella sucursal francesa. El cine zarista más significativo hizo gala de un decadentismo y de una refinada extravagancia (Evgueni Bauer, Jacob Protozanov, el popular galán Iván Mosjukin) que parecía empeñada en reflejar el ocaso histórico de una aristocracia para la que ya no había lugar en este mundo. Pero en 1917 el chispazo de la Revolución prendió en el inmenso país y en el mes de octubre los bolcheviques conquistaron el poder, para iniciar la primera experiencia socialista de la historia moderna. El cataclismo revolucionario iba a afectar a todas las facetas de la vida nacional y el cine, lógicamente, iba a renacer siguiendo un rumbo nuevo y original.

A Lenin no se le escapó la enorme trascendencia social del cinematógrafo. En 1922 lanzó la consigna: «De todas las artes, el cine es para nosotros la más importante». A principios de siglo, el 76 % de la población rusa de más de nueve años era completamente analfabeta. En 1917 la situación no había mejorado mucho y es comprensible que, en estas circunstancias, el cine y la radio fuesen los medios más eficaces de comunicación e información para las masas. El decreto de nacionalización de la industria cinematográfica, en virtud del cual esta actividad pasaba a depender del comisariado de Educación del Pueblo, fue firmado por Lenin el 27 de agosto de 1919 y al mes siguiente se creaba en Moscú la Escuela Cinematográfica del Estado (GIK), bajo la dirección del realizador Vladímir Gardin, que fue por unos años el primer y único realizador del cine bolchevique. De procedencia teatral, Gardin rodó en 1921 *Golod... golod... golod...* [Hambre... hambre... hambre...] y *Serp i molot* [La hoz y el martillo], en las que intervinieron V. I. Pudovkin como ayudante y actor y el gran operador Eduard Tissé debutó como director de fotografía. De 1922 a 1924 trabajó en Ucrania y su film más famoso fue *Krest i mauzer* [La cruz y el fusil] (1925), de inspiración antirreligiosa. La Escuela dirigida por Gardin estaba destinada a formar a los técnicos y artistas que habrían de levantar el edificio del joven cine soviético, de modo que el gobierno bolchevique, por lo tanto, fue el primer gobierno del mundo que comprendió y reconoció la importancia y función del cine en la era de la cultura de masas.

La transición del cine del período zarista al nuevo cine soviético no fue brusca y discontinua. Mientras muchos productores y técnicos hacían las maletas para escapar hacia París –donde se agruparon en torno a la productora Albatros–, Berlín o Hollywood, otros elementos del cine prerrevolucionario siguieron en sus puestos, tendiendo el puente que separaba dos períodos de configuración social y perspectiva estética radicalmente opuestos. Pero la penosa guerra civil, que se prolongó hasta 1921, fue un freno al afianzamiento y progreso del nuevo cine, aunque al mismo tiempo sirvió de valiosa escuela a los operadores y documentalistas que en las primeras líneas del frente empuñaban sus cámaras tomavistas como armas para cazar imágenes. Y a pesar de la tremenda penuria material y de la agobiante escasez de película virgen, el naciente cine echó a andar y pronto tuvo ocasión de demostrar su vigor y personalidad, gracias a la obra de algunos de sus creadores. Lev Vladímirovich Kuleshov fue el primero de sus maestros.

Kuleshov tenía tan sólo dieciocho años cuando estalló la Revolución de Octubre y apenas dos de experiencia como escenógrafo y ayudante de dirección. Pero su entusiasmo compensó con creces su falta de veteranía y estuvo entre los operadores que se lanzaron al frente a la caza de noticias gráficas. Kuleshov fue uno de los exponentes más característicos del febril clima colectivo de revolución industrial y utopía estética que dominó en los agitados años que siguieron a la Revolución. Algún eslogan suyo, como el de «la producción de un film no difiere de la construcción de una máquina», resulta altamente revelador del ambiente artístico de la Rusia de aquellos años. Kuleshov comenzó a ejercer como profesor en el Instituto de Cine en 1921 y al año siguiente sus energías vanguardistas cristalizaron en la creación de un célebre Laboratorio Experimental, del que saldrían discípulos de la talla de Pudovkin y de Boris Barnet. En este Laboratorio Kuleshov realizó sus «films sin película», con fotos fijas, y demostró el poder creador del montaje con un famoso experimento incorporado a todos los manuales de técnica cinematográfica, en el que conseguía infundir cargas emocionales de diverso signo a un único primer plano inexpresivo del actor Iván Mosjukin, según el contenido de los planos que le yuxtaponía: un plato de sopa, un niño, una mujer... También se entretuvo en «fabricar» una mujer ideal, fundiendo por la alquimia del montaje partes anatómicas seleccionadas de varias modelos... Su película más importante fue *Las aventuras extraordinarias de Mr. West en el país de los bolcheviques (Neobycaynye prikljucenija Mistera Vesta v strane bolseviok*, 1924), sátira de las andanzas de un temeroso senador norteamericano por la Rusia soviética, que lleva un *cowboy* de guardaespaldas, y que es víctima de los manejos de una banda de rufianes.

También la excentricidad vanguardista y la fiebre renovadora presidió la creación de la FEKS (Fabrika Ekstentriceskovo Aktjora), o «Fábrica del actor excéntrico», fundada en 1921 por Serguéi Yukevich, Grigori Kózintsev, Leonid Trauberg y Georgij Kryzitskij, que inspirada en los movimientos teatrales de vanguardia incorporaba los recursos procedentes del circo y del *music hall* a la interpretación cinematográfica. Sus teorías fueron aplicadas por vez primera al cine en la película *Las aventuras de Octobrina (Pochozdenija Oktjabriny*, 1924), de Kózintsev y Trauberg, con personajes fuertemente tipificados, al modo de la *Commedia dell'arte* (el capitalista Poincaré, la joven Octobrina, etc.), y que se presentó como una «caricatura-comedia propagandística excéntrica». Los alardes experimentales fueron remitiendo poco a poco en la producción del grupo FEKS y *La nueva Babilonia (Novyi Babilon*, 1929), de Kózintsev y Trauberg, fue su obra de madurez, que resultó mucho más clásica. Esta película sobre la Comuna de París recreó sus imágenes inspirándose en artistas franceses: Daumier, Manet, Degas, Renoir.

Animada por idéntico aliento renovador, pero en sus antípodas estéticas, se situó la obra del operador y documentalista Dziga Vértov –otro de los «grandes» del cine soviético–, que fundó en 1922 y dirigió el noticiario *Kino-Pravda* (Cine-verdad), en donde aplicó sus teorías extremistas del «Cine-ojo» *(Kino-glaz)*, expuestas en unos poemáticos manifiestos a la manera de Maiakovski, y cuya meta era la de desembarazar a la captación de imágenes de todos sus artificios para conseguir una inalcanzable «objetividad integral», que creía posible debido a la inhumana impasibilidad de la pupila de cristal de la cámara. Cuando parafraseando a Marx Vértov declara que «el drama cinematográfico es el opio del pueblo» no hace sino retornar a las fuentes mismas del cine, a la pureza documental de las inocentes cintas de Lumière. Por eso proscribe todo lo que pueda falsear o modificar la realidad bruta: guión, actores, maquillaje, decorados, iluminación... El «Cine-ojo» de Vértov es, más que una proposición técnica, una actitud filosófica ante el fenómeno cinematográfico. Pero Vértov se mueve en el terreno de la pura utopía intelectual, porque la intervención del realizador a través de la elección del encuadre y de los malabarismos del montaje, seleccionando y cortando sus planos, imprime un sentido (siquiera inconscientemente) a la realidad que maneja. Paralela a la noción de «Cine-ojo» será la de «Radio-oreja» (1925), cuya fusión audiovisual anticipa el tan cacareado *cinéma-vérité* que se redescubrirá en Francia treinta y cinco años más tarde. La influencia de Vértov en la teoría y en la práctica del cine documental ha sido enorme, aunque sus películas nos parezcan hoy sofisticadas piezas de museo: *Sestaja cast'mirva* [La sexta parte del mundo] (1926), *Celoveks Kinoapparatom* [El hombre de la cámara] (1929), *Tre pesni o Lenine* [Tres cantos sobre Lenin] (1934).

Pero el coloso del cine soviético, que lo arrancaría de su fase adolescente para imponerlo como uno de los más avanzados del mundo, iba a ser Serguéi Mijáilovich Eisenstein. Nacido en 1898 en Riga, hijo de un ingeniero y arquitecto de ascendencia judeoalemana, estudió en la Escuela de Ingeniería Civil de San Petersburgo y frecuentó la Escuela de Bellas Artes. Su descubrimiento del movimiento renacentista italiano y, en particular, de la gigan-

167

tesca figura de Leonardo da Vinci, fue una sacudida que hizo tambalear seriamente su vocación científica. La lectura del ensayo de Freud sobre un recuerdo infantil de Leonardo le impresionó hasta tal punto que pensó en marchar a Viena para estudiar psicoanálisis con el profesor austríaco. Durante la Revolución tomó partido por la causa bolchevique, alistándose en 1918 en el Ejército Rojo. En 1920 ingresó en el Teatro Obrero del Proletkult como decorador, aunque no tardó en debutar como director. Influido por los movimientos teatrales más avanzados (por Meyerhold y su teoría biomecánica, en primer lugar), su vocación experimental le llevó a audacias tales como la de instalar un *ring* de boxeo en el escenario para representar *El mexicano* y a montar la obra *Máscaras de gas* en una auténtica fábrica de gas de Moscú. Esta imperiosa exigencia verista es la que empujaría a Eisenstein a abandonar las convenciones del teatro, atraído por el implacable realismo de la imagen cinematográfica, bajo la doble influencia de Griffith y de Dziga Vértov. Toda su obra nacerá de un sabio compromiso y síntesis entre el más crudo realismo documental y el simbolismo y expresionismo más barroco.

La primera aproximación teórica de Eisenstein al cine tuvo lugar en 1923, al publicar su artículo «El montaje de atracciones», en donde postulaba el empleo en cine de las «atracciones», estimulantes estéticos agresivos, de naturaleza similar a los utilizados en los espectáculos circenses y de *music hall*. Al año siguiente pudo ensayar en la práctica esta teoría al rodar su primer largometraje, *La huelga (Stacka*, 1924), que exponía la acción huelguística de los obreros de una factoría metalúrgica, aplastada implacablemente en un baño de sangre por los soldados zaristas. La potencia emocional de *La huelga* nacía más de su carácter coral –por vez primera la masa, y no unos individuos, era protagonista de un drama cinematográfico– que de sus experimentos de «atracciones», a veces discutibles o desconcertantes, que crean una curiosa amalgama de realismo documental y metáforas simbolistas. En este sentido, su escena más célebre es la del desenlace, que mezcla, en violento montaje alternado, la brutal represión zarista con imágenes sangrientas de reses sacrificadas en el matadero. Con este auténtico puñetazo visual, insólito y pueril a la vez, Eisenstein pulsa el sistema nervioso de los espectadores para conseguir el arco reflejo que debe transportar al espectador, en sus mismas palabras, «de la imagen al sentimiento y del sentimiento a la idea».

Aunque *La huelga* fue premiada en 1925 en la Exposición de las Artes Decorativas de París, no se explotó comercialmente en el extranjero, rechazada por el bloqueo general alzado contra aquel nuevo cine revolucionario. Éste no fue el caso de su siguiente película, *El acorazado Potemkin* (*Bronenosez Potemkin*, 1925), que prestigiaría el cine soviético y el nombre de su realizador en todo el mundo.

El acorazado Potemkin nació del ambicioso proyecto de realizar un gigantesco fresco, con ocho películas, sobre los acontecimientos revolucionarios de 1905. Una de estas cintas, con el título «El año cinco», le fue confiada a Eisenstein, pero al avanzar en su trabajo decidió ceñirse única y exclusivamente a uno de sus históricos acontecimientos: la sublevación de la marinería del acorazado *Príncipe Potemkin*. En escenarios naturales y utilizando un buque gemelo llamado *Los Doce Apóstoles*, Eisenstein rodó la impresionante epopeya revolucionaria, estructurada al modo de las tragedias clásicas en cinco actos: 1) el mal estado de la carne suscita el descontento de la tripulación; 2) las represalias del comandante provocan el estallido de la rebelión, que triunfa; 3) un marinero muerto en la lucha es llevado al puerto de Odessa y nace la solidaridad de la población civil; 4) las fuerzas zaristas cargan sobre la población civil en las escalinatas del Palacio de Invierno, causando una matanza; 5) el barco se hace a la mar, se encuentra con la escuadra zarista, pero los marineros de los otros buques les saludan con júbilo y permiten que el buque pase sin oposición.

La ejemplar sobriedad y simplicidad lineal de esta gran odisea colectiva –en la que tan sólo aparecen unas brevísimas pinceladas individuales para humanizar al pueblo, en contraste con la fría e impersonal imagen de las fuerzas zaristas– se articuló con 1.290 planos, combinados con maestría genial mediante el montaje rítmico, preciso, casi matemático, de Eisenstein. Los movimientos de cámara, en cambio, fueron escasísimos (dos *travellings* en la escena de la escalinata y una larga panorámica oblicua para descubrir a la multitud en el malecón del puerto), porque eran innecesarios, al estar el movimiento determinado por la acción y por el montaje. Su consumada sabiduría técnica le llevó a crear un *tempo* artificial, prolongado hasta casi seis minutos, para potenciar el angustioso dramatismo de la atroz y antológica escena de la escalinata –de ciento setenta planos– en la que un pueblo indefenso es brutalmente agredido y diezmado por las balas de los fusiles zaristas.

Prescindiendo de simbolismos intelectuales (con una única excepción: los leones de piedra que se alzan simbolizando la rebelión) y con una espléndida fotografía de gran veracidad documental, debida a su fiel Eduard Tissé, Eisenstein consiguió insuflar en este drama épico, en el que *la masa* era el verdadero protagonista, un aliento de incontenible grandeza que hace trascender los límites de *un* episodio histórico concreto para convertirse en la gran epopeya de la rebelión. Magnífica sinfonía coral, mantenida con un sostenido y estremecedor *crescendo* dramático, consiguió con su tremendo impacto y a pesar del forcejeo y artimañas de las censuras (que en varios países alteraron su montaje y sentido original) imponerse en todo el mundo como una auténtica e indiscutible obra maestra, jalón decisivo en la evolución histórica del cine.

El éxito de *El acorazado Potemkin* convirtió a Eisenstein en el primer realizador soviético. Por eso, cuando había iniciado el rodaje de *La línea general,* inspirada en la evolución de la situación agraria en su país, la Sovkino le encargó la realización de un gran retablo sobre los acontecimientos históricos de la Revolución de 1917, con unos medios y un presupuesto jamás alcanzados hasta la fecha en su país. Pero la realización de *Octubre (Oktiabr,* 1927) resultó ya muy laboriosa. A la copia original, de 3.800 metros, se le amputaron 1.600, eliminando todos los pasajes en que aparecía León Trotski. A estas alteraciones y a algunos abusos de los simbolismos intelectuales y de las metáforas hay que atribuir ciertas oscuridades e incoherencias del relato histórico, acentuadas por los cortes infligidos en la versión que circuló en Occidente. En su esfuerzo por crear un nuevo lenguaje conceptual a través de las imágenes, Eisenstein recurre a los más alambicados e ingeniosos expedientes gráficos: paralelismos visuales entre Kerenski y Napoleón, el discurso del dirigente antibolchevique comparado con la melodía de unas arpas, la estatua del zar derribada que retorna por sí sola al pedestal en el momento en que Kerenski toma el poder. A veces el simbolismo está integrado de un modo coherente y lógico en la acción: la gigantesca araña del Palacio de Invierno, asediado por los revolucionarios, que se tambalea como el gobierno mismo. La película vale, en definitiva, por su inmenso esfuerzo de inventiva visual y, a pesar de girar en torno a personalidades históricamente tan decisivas como Lenin y Kerenski, seguía siendo fundamentalmente una película de masas, como la obra anterior de Eisenstein. Película potente y barroca, en la que está patente la fascinación que sobre él ejerció el barroco ruso de San Petersburgo, el paso del tiempo y el conocimiento actual de una copia más completa han servido para revalorizar su audacia experimental.

Algunos defectos de *Octubre* reaparecieron en *La línea general* (*Staroe i novoe*, 1929), película didáctica y propagandística que canta la colectivización agraria, los nuevos métodos de cultivo, la mecanización del campo... Que de un temario árido y estalinista puede extraerse una sinfonía visual lo demuestra Eisenstein con su canto geórgico a las desnatadoras, a los tractores o al violento apareamiento del toro, que arremete contra la vaca cubierta de flores... Pero otra vez la pirotecnia cerebralista de Eisenstein, alquimista de un laboratorio de imágenes, impide la emoción purísima que se desprendía del simple relato revolucionario del *Potemkin*. *La línea general* saldrá malparada, a pesar de su enorme interés experimental, cuando se la compare con el sencillo poema lírico *La tierra*, de Dovjenko. En *La línea general*, por vez primera, comienza a apuntarse la aparición en la obra de Eisenstein del héroe individual, porque aunque la película tenga un carácter eminentemente coral, la joven campesina Marfa Lapkina es la que conduce la lucha por la transformación del campo. Es la «mujer nueva» creada por la Revolución.

Junto a Eisenstein, el más prestigioso de los realizadores soviéticos fue Vsévolod Ilariónovich Pudovkin, que también procedía de una formación técnica (estudios en la Facultad Física-Matemática de la Universidad de Moscú y trabajos como ingeniero químico en la industria de la guerra), y que llegó al cine a través del Laboratorio Experimental de Kuleshov, interpretando varias películas de su maestro. Debutó como realizador con el cortometraje cómico *Chajmatnaia goriatchka* [La fiebre del ajedrez] (1925), rodado durante el Campeonato Internacional de Ajedrez de Moscú, y con el documental *Mejanica golovnogo mozga* [El mecanismo del cerebro] (1925-1926), que ilustraba las célebres teorías sobre reflejos condicionados del fisiólogo Iván Pávlov.

En 1926 inició la realización de su gran trilogía revolucionaria, compuesta por *La madre (Mat'*, 1926), adaptando libremente la novela homónima de Gorki, *El fin de San Petersburgo (Koniets Sankt-Petersburga*, 1927), realizada para conmemorar el décimo aniversario de la Revolución, y la anticolonialista *Tempestad sobre Asia (Potomok Chingis Khana*, 1928), tres *opera magna* del nuevo cine soviético.

En contraste con el cine de masas de Eisenstein y su repudio del actor, las películas de Pudovkin se centraron en el examen de la toma de conciencia política de sus personajes individualizados. En *La madre* fue la ingenua mujer proletaria Nilovna (Vera Baranovskaia), que veía nacer en ella la llama revolucionaria a través de la actuación política de su hijo Pavel (Nikolái Batalov), quien, tras huir de la cárcel, moría en una manifestación bajo las balas de los soldados del zar, mientras ella la encabezaba portando la bandera roja. En *El fin de San Petersburgo* era un joven campesino (Iván Cuvelev), al que la miseria hacía emigrar a San Petersburgo para trabajar como obrero industrial. Y en *Tempestad sobre Asia* el cazador mogol Blair (Valery Inkijinov), al que los ingleses, creyendo que era un descendiente del legendario Gengis Khan, quieren convertirle en un pelele al servicio de sus intereses colonialistas en Asia.

No obstante esta personalización, Pudovkin, que fue un adelantado discípulo de Griffith en lo tocante a la técnica de las acciones paralelas, orquestó con frecuencia sus relatos individuales con grandes temas colectivos. Así, *El fin de San Petersburgo* desarrolla también el tema de la transformación de la burguesa y burocrática ciudad de San Petersburgo en la revolucionaria Leningrado. El desenlace de *La madre* ilustra ejemplarmente esta concepción sinfónica de Pudovkin, que usa también las metáforas visuales, pero a diferencia de Eisenstein las integra de un modo realista en la acción. El final de *La madre* muestra una gran manifestación, en la que participa la protagonista, que permite a su hijo huir de la cárcel. Pero estas dos acciones paralelas (la manifestación y la cárcel) están orquestadas con una tercera: el deshielo del río, metáfora realista, ya que además de ser un símbolo de la alegría de la liberación de Pavel y de la arrolladora acción de las masas desbordadas, es un elemento realista incorporado a la acción, pues es primavera (época del deshielo) y Pavel escapará corriendo sobre los bloques de hielo que se están cuarteando.

Esta extraordinaria complejidad de la construcción era posible porque Pudovkin trabajaba (como René Clair o Alfred Hitchcock) sobre «guiones de hierro» minuciosamente preparados, a diferencia también de Eisenstein, que atraído por una concepción más documentalista veía simplemente en el guión «el estenograma de una emoción que se materializará en una serie de visiones plásticas». Por lo tanto, para Pudovkin el montaje –sobre todo de intención analítica, descomponiendo la escena en visiones de sus componentes aislados– se establecía *a priori* (es decir, en el guión escrito), mientras Eisenstein defendía la noción del montaje *a posteriori*, utilizado para expresar, mediante el choque de imágenes, impetuosos conflictos dialécticos.

Eisenstein repudió el montaje clásico, el montaje entendido como mera adición de planos, tal como lo concibió Griffith y lo utilizaron Kuleshov y Pudovkin. No deja de ser curioso que Eisenstein derivara sus teorías sobre el montaje del estudio de los ideogramas japoneses, en los que de dos nociones yuxtapuestas surge una tercera, como:

$$ojo + agua = llorar$$
$$puerta + oreja = escuchar$$
$$boca + perro = ladrar$$

Eisenstein no hizo más que prolongar este método a la expresión cinematográfica, calcando sus principios: «Según mi opinión, el montaje no es una idea expresada por piezas consecutivas, sino una idea que surge de la colisión de dos piezas, independientes la una de la otra.» Este método le permitiría partir de elementos físicos representables para visualizar conceptos e ideas difícilmente representables en sí mismos y arroja luz sobre sus ambiciosos proyectos de adaptar a la pantalla obras tan difíciles como *El capital* de Marx y el *Ulises* de Joyce.

La expansiva vitalidad del nuevo cine soviético, que introdujo una auténtica revolución expresiva en la teoría y en la práctica ci-

173

nematográfica mundial, por el implacable realismo de sus imágenes y por el empleo magistral de las posibilidades creativas del montaje, se corroboró con la amplitud de su registro, al tiempo que florecían diferentes cines nacionales, en varias repúblicas de la federación. El ucraniano Aleksandr Dovjenko, de origen campesino, fue maestro de escuela, dibujante y caricaturista y abandonó la carrera consular para dedicarse al nuevo arte. Su *Zvenigora* (1928) fue la primera película importante del cine ucraniano y con *Arsenal* (1929), film épico sobre la guerra civil, demostró de un modo inequívoco su talento creador y su capacidad en el manejo de imágenes-símbolo, como las de la eficaz prosopopeya final, en la que el protagonista, acribillado a balazos, continúa avanzando: las balas no pueden detener las ideas que él representa. Pero su gran revelación tuvo lugar con el poema *La tierra (Zemlia,* 1930), obra maestra que transpira amor hacia la tierra, el paisaje, las flores, el cielo y las gentes de su Ucrania natal. El punto de partida es, como en *La línea general,* el de la colectivización agraria y sus dificultades, pero el de llegada es un soberbio poema visual en el que el hombre y la naturaleza aparecen unidos en una fusión casi mítica. La idea central de *La tierra* es la del ciclo biológico: empieza con la muerte del viejo campesino, símbolo de una época pasada; su nieto, portador de las ideas revolucionarias, es asesinado por un *kulak,* pero sus ideas siguen viviendo y harán nacer una nueva sociedad. No es de extrañar que algunos burócratas fruncieran el ceño ante esta visión, a su juicio poco ortodoxa, de un socialismo cósmico y panteísta, como nacido en el seno de las viejas mitologías paganas.

Y junto a Dovjenko, Ilyá Trauberg, que con gran brío narrativo cantó el movimiento revolucionario en China en *El expreso azul (Goluboj ekspress,* 1929), Frederij Ermler, Fedor Ozep, Mark Donskoi, Efim Dzigan, Yuri Raisman y Abram Room, incorporaron las nuevas ideas y la nueva concepción social al arte de la pantalla. Aunque lo más significativo del nuevo cine soviético tuvo un carácter épico y heroico, una parte de la producción retrató las costumbres y problemas cotidianos, como ocurrió en *Cama y sofá (Tretia Mechtchanskaia,* 1927), de Room, que partía del problema de la vivienda en Moscú para mostrar la cohabitación de dos hombres y una mujer, film inscrito en la polémica contra el aborto y que fue muy discutido por sus implicaciones sexuales.

A un nuevo contenido temático revolucionario correspondió, como era inevitable, una nueva forma expresiva, una nueva estética. Los maestros rusos han hecho nacer el auténtico cine de masas (¡qué lejos estamos de las legiones de figurantes y de la guardarropía del *Quo Vadis?* de Guazzoni!), han llevado las imágenes al límite del realismo, despojadas de todo artificio teatralizante, han hecho añicos el *star-system* como fórmula y la película-mercancía, y han creado con el montaje la verdadera sintaxis del cine. Poco importa que su sensacional perfeccionamiento del montaje haya sido en parte debido y estimulado, como señalan algunos historiadores, por la agobiante escasez de película virgen, espoleando su ingenio creador. A la hora del balance importan los resultados: con la escuela soviética el cine ha incorporado al drama coral de las multitudes, el *pathos* de la tragedia clásica.

DE LOS MONSTRUOS AL REALISMO

Negros nubarrones se cernían sobre el cielo de Alemania. Al fantasma de la inflación, mucho más temible que los fantasmas que poblaban sus pantallas, sucedió la crisis de la estabilización. En 1924 el gobierno alemán aceptó el Plan Dawes para el pago de reparaciones de guerra y no fue una insignificancia el que el banquero norteamericano Morgan, que tenía crecidos intereses en Hollywood, fuese uno de los capitostes de la operación. A la prosperidad de la industria cinematográfica alemana durante la inflación sucedió un espectacular descalabro, que fue frenado en 1925 por un acuerdo de ayuda económica entre la UFA y las empresas norteamericanas Metro-Goldwyn-Mayer y Paramount, que pasaron a controlar parte del mercado cinematográfico alemán e importaron a sus estudios sus nombres más valiosos, en un éxodo que habría de ser fatal para su historia ulterior. En el plazo de pocos años, nombres de la talla de Lubitsch, F. W. Murnau, Paul Leni, Pola Negri, Emil Jannings, Conrad Veidt, Ludwig Berger, Lya de Putti, Erich Pommer, Wilhelm Dieterle o Karl Freund abandonaron Alemania para trabajar en los estudios californianos. Sin embargo, el impulso del renacimiento cinematográfico alemán había sido tan fuerte, que los años que van desde 1925 hasta la aparición del cine sonoro fueron de innegable interés, orientado cada vez más acusadamente hacia el realismo polémico y social, rebasando con mucho los límites en que había sido encauzado por el naturalismo del *Kammerspielfilm*. El año 1925 fue, para el cine alemán, el año crucial de *Varieté (Variété)*, de E. A. Dupont, de *Bajo la máscara del placer (Die freudlose Gasse)* de G. W. Pabst y de *Los desheredados (Die Verrufenen)* de Gerhard Lamprecht, que se inspiró en los incisivos dibujos populares de Heinrich Zille.

Varieté era, en realidad, una prolongación y superación de la estética del *Kammerspielfilm*. Era un mojón en la evolución del cine realista, que señalaba a la vez un final y un comienzo. Su argumento procedía de una popular novela de Felix Holländer: al ser indultado, el recluso Boss Huller (Emil Jannings) explica al director de la cárcel la historia de su crimen pasional. Antiguo trapecista, trabajaba con su esposa en un parque de atracciones hasta que irrumpió en su vida la bella Bertha Maria (Lya de Putti), con la que se fugó a Berlín y en donde formó, con el acróbata Artinelli (Warwick Ward), un trío de trapecistas que no tardó en hacerse famoso. Pero al descubrir que su amante le engañaba con Artinelli, tuvo un acceso de celos y los mató. Después de contar la historia, Boss Huller abandona la cárcel, pero moralmente aniquilado e incapaz para enfrentarse con la vida.

Este banal «melodrama de instintos» no habría llegado a convertirse en un «clásico» del cine alemán de no haber contado Dupont con la excepcional colaboración del operador Karl Freund, que acababa de rodar *El último*. Prosiguiendo sus experiencias con la «cámara desencadenada» dio una portentosa agilidad al relato, de modo que la cámara cesó definitivamente de ser el observador inmóvil para convertirse en sujeto dramático, desplazándose, siguiendo a los intérpretes, espiando sus gestos o colocándose en su punto de vista. Particularmente notable fue su empleo del encuadre subjetivo, sustituyendo los ojos del actor, ya fuese el agitado punto de vista del acróbata en el trapecio, o asomando por encima del hombro de un personaje o –innovación trascendental para el futuro del cine– en el uso sistemático de la alternancia pendular plano-contraplano de dos actores que dialogan, mirando casi al objetivo de la cámara.

Con todo esto, el cine rompe las últimas ligaduras que le ataban a la estética teatral, si bien los límites de esta preocupación realista (como la célebre interpretación de Jannings dando la espalda a la cámara) llegarán también a sonar a artificio y convención. En el capítulo del realismo es innegable que estos escenarios cotidianos –el *music hall*, el café, la habitación del hotel– indican que algo importante se está transformando en el seno del cine alemán, nacido de un aquelarre fantasmagórico. *Varieté* abría nuevas perspectivas al cine germano, pero la carrera posterior de Dupont se encargaría de demostrar que este realizador fue, como Robert Wiene, el creador de una sola película.

Sin embargo, por mucho que avance el cine alemán por la senda del realismo –y ya veremos hasta qué punto lo hará G. W. Pabst– sus imágenes estarán siempre impregnadas de gusto expresionista, incapaces de liberarse de lo que Lotte H. Eisner ha llamado lo «ornamental expresivo». En 1924 Gustav Hartlaub, director del museo de Manheim, acuñó la denominación «Nueva objetividad» *(Neue Sachlichkeit)* para designar la nueva y vigorosa tendencia del arte alemán, de signo realista, bajo cuya bandera militarían personalidades de la dimensión del dramaturgo Bertolt Brecht, del fotógrafo Albert Renger-Patzsch y de Georg Wilhelm Pabst.

Hijo de un funcionario ferroviario, Pabst abandonó sus estudios técnicos para dedicarse a la interpretación teatral. Del teatro pasó después de la guerra al cine, fundando con Carl Froelich la productora Froelich-Film, en la que debutó en 1923 con un film menor: *Der Schatz*. Su revelación mundial no se produjo hasta dos años más tarde con su retablo patético de la inflación en la Viena de posguerra: *Bajo la máscara del placer*. Con esta película se abre el capítulo del realismo y de la polémica social en el cine alemán prenazi. No estamos ya ante un drama de pasiones, sino frente a un drama de miseria ubicado en un momento histórico y real, que nos muestra cómo Greta Rumfort (Greta Garbo), hija de un antiguo consejero de la Corte que atraviesa estrecheces económicas durante el crítico período de la inflación, se prostituye para ayudar a su familia. No faltan, y es una lástima, las concesiones melodramáticas, como esa redención final gracias al oficial americano (Einar Hanson), que restan fuerza y enturbian el vigor de este sombrío retrato vienés, rico en pinceladas realistas, como la larga cola en la puerta de la carnicería (aunque al representar al mostachudo carnicero, con su terrible perrazo, se hayan recargado en exceso las tintas), el negocio de prostitución de la costurera Greifer (Valeska Gert) o el mutilado de guerra que no encuentra trabajo.

Bajo la máscara del placer es una película estilísticamente realista, en la medida en que los objetos ya no son símbolos, sino simplemente objetos, pero el gusto expresionista y el hecho de que toda la película (incluso los exteriores urbanos) haya sido rodada en el estudio hace brotar con fuerza la falsedad del «decorativismo social», pintoresquista, que siente la atracción de los ambientes abyectos como motivo visual: el burdel, las paredes desconchadas, las sórdidas callejuelas, los faroles torcidos, las estrechas escaleras de las casas... Por eso, al comparar este realismo sofocante elaborado en los estudios con la pureza documental del de la escuela rusa que nace por estos años, se verá claramente cuáles son los límites de los melodramas sociales de esta especie, cuyo mérito indiscutible es el de haber presentado por vez primera en la pantalla alemana a la burguesía arruinada como consecuencia de una situación histórica real y concreta. Esto no es poco y los innumerables tropiezos que tuvo la película con las censuras de todos los países (incluida la rusa, que convirtió al oficial americano en un doctor) lo demuestran con elocuencia.

Pabst, sensible a las influencias culturales del momento histórico, se convirtió en uno de los más avanzados realizadores del cine alemán. Dotado de un vivo espíritu polémico, se interesó por temas intelectuales, lo que le valió el aplauso de la *intelligentzia* de su época, si bien su obra ha ido devaluándose con el curso del tiempo. Esta inquietud intelectual es la que le llevó a incorporar por vez primera el psicoanálisis al cine en *Geheimnisse einer Seele* (1926), estudio de un caso de impotencia sexual transitoria realizado con la colaboración de dos discípulos de Freud. Las censuras de todo el mundo, que luego dejarían pasar la avalancha de psicoanálisis a nivel de *Reader's Digest* del cine americano de los años cuarenta, torpedearon la difusión de esta obra. Pero Pabst prosiguió su línea exigente adaptando la novela del escritor soviético Ilyá Ehrenburg *Die Liebe der Jeanne Ney* (1927), en donde nuevamente aparecen amalgamados el vigor realista con los excesos románticos que modulan casi toda su obra, al narrar una apasionada historia de amor entre una burguesita francesa y un joven revolucionario ruso, amor que crece en el torbellino de la Revolución de Crimea para convertirse en una gran pasión en París, capital de la burguesía decadente. Entre el sexo y la revolución, entre Freud y Marx, dos titanes del pensamiento que están conmoviendo a la vieja Europa, se desarrolló la filmografía de Pabst, espíritu fino y receptivo de las inquietudes del momento cultural e histórico, pero cuyas limitaciones eran las propias del ingenuo idealismo de la socialdemocracia europea a la que Pabst pertenecía. Lo que no impidió, por cierto, que sus películas fueran víctimas habituales de tijeretazos o alteraciones por parte de las censuras oficiales u oficiosas, como volvió a ocurrir en *Die Liebe der Jeanne Ney,* film que no ocultaba las simpatías de Pabst por la causa socialista, pero a quien los productores obligaron a introducir una escena en la que el joven bolchevique entraba en una iglesia y se arrodillaba ante la Virgen.

Impregnado también de freudismo estuvo el ciclo que abordó a continuación sobre problemas morbosos de la psicología femenina, del que tampoco estuvo ausente el retablo social. Esta trilogía de retratos femeninos estuvo encabezada por *Abwege* (1928), centrada en una rica y ociosa mujer de la burguesía, que hastiada de su marido y de la vulgaridad de su vida se entrega a la evasión psicológica que le proporciona el libertinaje. Para realizar su siguiente película, *Die Büchse der Pandora* (1928), biografía de la prostituta Lulú (Louise Brooks), fundió dos dramas del incisivo escritor naturalista Frank Wedekind: *Der Erdgeist* y *Die Büchse der Pandora.* Al trasladar estas creaciones teatrales a la pantalla muda, Pabst perdió la compleja profundidad psicológica de los originales literarios, pero en cambio ganó con la presencia de la bellísima Louise Brooks –uno de los rostros más turbadores de toda la historia del cine– una dimensión mítica que cimentó la celebridad de la obra. El pansexualismo de Lulú, que atrae irresistiblemente a los hombres (e incluso a las mujeres), arrastrándolos a la ruina física y moral, encaja perfectamente con el más clásico arquetipo de la *vamp.* Por si hicieran falta aclaraciones, la referencia a Pandora y a su malhadada caja redondean sin equívoco posible su carácter mítico. Finalmente, Lulú morirá asesinada en Londres durante la noche de Navidad, víctima del cuchillo del sádico Jack el Destripador, mientras por la calle circula un cortejo del Ejército de Salvación.

La riqueza dramática de sus turbios ambientes, que sirven de fondo a este documento sobre la decadencia y corrupción de la burguesía alemana prenazi, explican el juicio de Potamkin al calificar la película de «atmósfera sin contenido». Porque lo cierto es que lo que más interesó a Pabst en esta película fue la fascinadora presencia de esta muchacha de Wichita, que de intérprete de mediocres comedias musicales saltó a uno de los primeros puestos de la mitología erótica de la pantalla con su encarnación de la célebre cortesana, esclava del sexo, que con su inquietante atractivo se convierte en un monstruo que destroza vidas humanas. Ciertamente todo esto no es muy nuevo, pero la presencia mágica de esta sensual *garçonne* resulta deslumbrante y su maliciosa inocencia –más allá del Bien y del Mal– preludia la boga del mito de la *femme-enfant,* que se impondrá después de 1950 a caballo de la ingenua perversidad de Brigitte Bardot.

Su ciclo femenino se cerró con la adaptación de la novela de Margarete Böhme *Tres páginas de un diario (Tagebuch einer Verlorenen,* 1928), en donde se asiste nuevamente a la trayectoria de Louise Brooks, esta vez hija de un farmacéutico, que es seducida por el ayudante de su padre, da a luz una niña y es encerrada en un sórdido correccional, del que escapará para emplearse en un burdel. Nuevamente estamos en presencia de una biografía femenina que es, a la vez, una crítica acerba de la sociedad alemana de su época. Son los dos vectores que mueven los dramas de Pabst, preocupado por el mundo de los sentimientos (que con demasiada frecuencia derivó hacia el melodrama), pero fascinado también por los ambientes y tipos que forman el turbio caldo de cultivo de la descomposición social de su país. Lástima que su excepcional pericia técnica, su sentido visual y su vigorosa utilización del material plástico (que no oculta su procedencia expresionista, transparente en la teatral sordidez de los decorados, en la iluminación y en los ángulos de cámara que convierten a veces el encuadre en una opinión crítica) estén con frecuencia al servicio de guiones endebles, como ocurre demasiadas veces en esta cinematografía obsesionada en exceso por la dominante plástica, olvidando que el cine es algo más que una suma de imágenes impresionantes o cautivadoras, que por un lado conducen al teatro del horror y por otro al decorativismo social.

A pesar de todo, Pabst ha encarrilado al cine alemán por el sendero del realismo social, con todas las limitaciones que se quiera, y a su trilogía de relatos femeninos sucederá, a principios del sonoro, una actitud mucho más comprometida, abocada directamente hacia temas de polémica social y política. No olvidemos que el espectro del nacionalsocialismo ha comenzado a planear ya sobre la República de Weimar, amenazando con devorarla.

LA FLORACIÓN VANGUARDISTA

Ya vimos que el París de los llamados «felices veinte» fue un jardín abonado para todas las simientes de los iconoclastas del arte tradicional. El París de Picasso, de Max Ernst, de Éluard, de Picabia, de Cocteau y de Marcel Duchamp ha visto en el cine un retablo de maravillas al que cobija y mima en el interior de los cineclubs, catacumbas para iniciados donde se descubren y comentan con admiración las nuevas películas alemanas y soviéticas. La siembra de Delluc no ha caído en tierra baldía, aunque pronto se verá que el vanguardismo de la *Escuela impresionista* era de una timidez apabullante, casi decimonónica, comparada con las audacias de los hijos cinematográficos que le nacerán al futurismo, al dadaísmo y al surrealismo. Pero Delluc ha sido quien les ha abierto el camino, quien primero ha visto en el cine un vehículo cultural, un arte receptivo de las inquietudes más vivas. Cumplida su etapa, la nueva promoción de «terroristas» del arte se apoderará de aquel lenguaje recién descubierto para dinamitar a la civilización burguesa que ha llevado al mundo al conflicto bélico.

Los primeros estampidos de la nueva vanguardia fueron obra del pintor sueco Viking Eggeling, uno de los fundadores del movimiento dadaísta, que después de realizar varias experiencias con largas tiras de papel dibujadas se pasó al campo del celuloide, haciendo nacer el cine abstracto con *Diagonal Symphonie* (1921). Otro amigo suyo, el pintor dadaísta alemán Hans Richter, con sus *Rythmus'21* (1921), *Rythmus'23* (1923) y *Rythmus'25* (1925), y su también amigo y pintor alemán Walter Ruttmann, con su *Opus 1*

(1923) y siguientes, inauguraron la escuela experimental alemana, que nacía bajo el signo de la abstracción y el geometrismo, a la busca del ritmo de las formas puras y de la «música visual». Otro célebre pintor francés, Fernand Léger, que nacido de la erupción cubista plasmará en el lienzo la fascinación que ejerce sobre él la civilización maquinista, realizará con Dudley Murphy un *Ballet mécanique* (1924) compuesto con sus motivos predilectos: engranajes, artículos de bazar, piezas mecánicas, títulos de periódico... Consecuente con su consigna «El argumento es el gran error del cine», Léger creó con elementos figurativos reconocibles un auténtico ballet, que hace de la película una obra de transición entre el arte abstracto y el figurativo.

Pero lo más vivo del cine vanguardista de los años veinte nació de la orgía surrealista que prendió en Europa como reguero de pólvora tras el célebre manifiesto de André Breton (1924). Torbellino emancipador parido de las entrañas del dadaísmo, arremetió con violencia contra los convencionales cánones establecidos, para retornar a la pureza del «automatismo psíquico» y a las motivaciones irracionales del subconsciente. La «escritura automática», desconectadas las riendas de la voluntad, será el método expresivo predilecto de los nuevos poetas, que realizarán su revolución estética a través de los senderos del humor, el horror, la paradoja, el erotismo, el sueño y la locura. No es raro que la fiebre surrealista contagiase al cine, pues, como ha explicado Buñuel, es «el mecanismo que mejor imita el funcionamiento de la mente en estado de sueño». Y el sueño es, no hay que olvidarlo, la forma más pura de automatismo psíquico. Pero este automatismo irreflexivo de los surrealistas es lo que menos se parece a la laboriosa y prolongada elaboración de una película: ésta será, precisamente, la mayor paradoja del cine surrealista que va a nacer.

Germaine Dulac, escritora y militante feminista que había llevado ya a la pantalla el guión de Delluc *La fête espagnole* (1919) y el drama conyugal *La souriante Madame Beudet* (1922-1923), que preludió algunos temas del futuro Antonioni, fue la encargada de inaugurar el capítulo del surrealismo cinematográfico con *La coquille et le clergyman* (1927), basada en un texto del escritor y actor Antonin Artaud. Acorde con la tradición de escándalo de toda obra surrealista que se precie, *La coquille et le clergyman* armó el suyo, y mayúsculo, al ser presentada en el célebre Studio des Ursulines. Pero esta vez no fueron los burgueses irritados quienes protestaban, sino Antonin Artaud y sus amigos que mostraban ruidosamente su desacuerdo con la realización de Dulac, cuya delicada sensibilidad no podía en verdad congeniarse con la ferocidad artística de Artaud. Además, Artaud había querido interpretar al protagonista de la película, un pastor protestante impotente y reprimido que persigue a una mujer ideal, personaje incorporado finalmente por Alexandre Allin.

En realidad, todo este arsenal de símbolos psicoanalíticos y de imágenes oníricas que caracterizaba a la película en cuestión, llevaba en sí el germen de la caducidad, destinándola a envejecer sin remedio. Hoy *La coquille et le clergyman* se nos antoja una venerable pieza arqueológica, testimonio del furor surrealista que se abatió sobre una Europa ya lejana... Después Dulac, defensora de la noción de «cine puro», intentó materializar la silenciosa «música visual» de las imágenes en *Étude cinématographique sur un arabesque* (1928), según Debussy, *Thème et variations* (1928) y *Disque 927* (1929), bajo la inspiración del preludio en si bemol de Chopin.

Todas estas experiencias vanguardistas, y otras paralelas, despectivas con lo que es argumento y estructura narrativa, estaban inspiradas por una hipertrofia formalista, inventando y experimentando atrevidos recursos que, pasado el infantilismo vanguardista, se incorporarán de una manera lógica y madura al lenguaje cinematográfico habitual: montaje acelerado, sobreimpresiones, desvanecidos, etc. También es cierto que de este festín de quincallería visual nacerá la gran tradición francesa de los maestros de la cámara, que va de Renoir a Godard. Y no es menos cierto que a partir de ahora todos los códigos del relato y de la representación cinematográficos han sido puestos en cuestión. Es cosa que no hay que olvidar a la hora del balance histórico.

El movimiento surrealista francés, al que se incorporó la resaca inconformista de otras latitudes, como el pintor y fotógrafo americano Man Ray, autor de *Emak Bakia* (1928) y *L'Étoile de mer* (1928), se vio bruscamente enriquecido en 1928 con la arrolladora personalidad del español Luis Buñuel, que no tardará en convertirse en cineasta «maldito» y en uno de los «monstruos» de la historia del cine. Nacido en Calanda (Teruel) en 1900, en el seno de una familia terrateniente, Buñuel estudió con los jesuitas de Zaragoza y en esta época escolar nacieron en él dos obsesiones que perdurarán en toda su obra: su pasión por la entomología y su «descubrimiento» del universo religioso, que le impresionó hasta el punto de llevarle a celebrar misas simuladas ante sus compañeros de juego. A los diecisiete años se trasladó a la Residencia de Estudiantes de Madrid, a cuyo ambiente cultural, frecuentado por espíritus tan significativos como Federico García Lorca, Ramón Gómez de la Serna y Rafael Alberti, aportó una inyección de interés cinematográfico, organizando entre 1920 y 1923 sesiones de cine-club, las primeras de España y de las primeras del mundo.

Abandonó sus estudios de ingeniero agrónomo, seguidos por indicación de su padre, para ingresar en la Facultad de Filosofía y Letras de Madrid. En 1925 dio el gran salto a París, donde su interés por el cine cristalizó en irresistible vocación al contemplar *Der müde Tod,* de Fritz Lang. En 1926 penetra profesionalmente en su nuevo mundo creador como ayudante del realizador Jean Epstein. Y en 1929 escribe con Salvador Dalí y dirige *Un perro andaluz (Un chien andalou)*, con un guión tejido con sus sueños. Rodada en quince días y presentada en el Studio des Ursulines, la película produjo el efecto de una bomba. Su obertura es, coherente con la agresividad del movimiento surrealista, uno de los intentos más afortunados para alterar la digestión de los más tranquilos de espíritu: una navaja de afeitar secciona, en primerísimo plano, un ojo de mujer. A partir de ahí se desata un torrente de imágenes oníricas, que el propio Buñuel ha calificado de «un desesperado y apasionado llamamiento al asesinato». A pesar de que, como producto del puro automatismo, la obra no persigue una explicación por vía simbólica, a veces su laberinto de imágenes gratuitas se ilumina con relámpagos que (tal vez *a pesar* de sus autores) tienen un sentido. Tal es el caso del amante que en su aproximación al objeto de su deseo debe arrastrar la pesadísima carga de dos pianos de cola en los que reposan sendos cadáveres de asnos y van atados a dos seminaristas... La poesía de la película es fundamentalmente, sin embargo, la poesía de lo absurdo.

Pero la conmoción producida por *Un perro andaluz* fue apenas nada si se la compara con la que causó su siguiente film, *La edad de oro (L'Âge d'or,* 1930), liberado ya casi completamente de la influencia de Dalí y financiado por el vizconde de Noailles. Aquí Buñuel lanza un ataque demoledor a lo que suele denominarse «el orden establecido», coronado con un homenaje blasfemo al marqués de Sade y orquestado con música de Wagner, cuya grandilocuencia multiplica la potencia corrosiva de sus imágenes. Exaltación surrealista del *amour fou* y denuncia de todos los mecanismos sociales y psicológicos que entorpecen su realización, tuvo la virtud de poner rápidamente en marcha los resortes de autodefensa de la sociedad tan maltratada por Buñuel en su película. A la quinta semana de su estreno, agentes de la Liga Antijudía y de la Liga de los Patriotas lanzaron en plena proyección bombas fumígenas en la sala y arrojaron tinta violeta a la pantalla. Se organizó una batalla campal en la que salieron malheridas las telas de Dalí, Max Ernst, Man Ray, Miró y Tanguy expuestas en el vestíbulo. Este incidente fue el detonante que desencadenó una serie de episodios en cadena, orquestados por grandes campañas de prensa, que concluyeron con la prohibición del film el 11 de diciembre de 1930 y la confiscación de sus copias realizada por la policía al día siguiente. Esta medida policíaca venía a corroborar, en el fondo, la eficacia crítica y demoledora de la película de Buñuel y la gran debilidad y fácil vulnerabilidad de la sociedad a la que ponía en la picota.

Pero el ruidoso escándalo –que para Hollywood es sinónimo de publicidad– le ha valido la atención de la Metro-Goldwyn-Mayer, que le ofrece un contrato. Buñuel se instala en Hollywood y un buen día recibe un mensaje de Irving Thalberg, poderoso y respetado patrón de la Metro, rogándole que asista a la proyección privada de un film sonoro de la entonces famosa estrella Lily Damita. Pero Buñuel, fiel a su automatismo psíquico, le dice al emisario: «Dígale a mister Thalberg que no tengo tiempo para perderlo oyendo a una p...». El recado llegó a su destino y Buñuel a Europa al mes siguiente.

De regreso a España y gracias a un billete de lotería premiado, Buñuel pudo rodar en Las Hurdes el impresionante documental *Tierra sin pan* (1933), retablo de una miseria alucinante, con profusión de enfermos, tarados y cretinos. A los acordes de la cuarta sinfonía de Brahms Buñuel desvela este museo del horror –con imágenes tan estremecedoras como la del asno devorado por un enjambre de abejas–, que se sitúa entre el documental etnográfico, el cine de denuncia social y el aquelarre goyesco. El gobierno español decidió prohibir su exhibición.

Al lado de la vigorosa obra de Buñuel resultarán empequeñecidas las restantes producciones surrealistas. Véase *Le sang d'un poète* (1930) del polifacético Jean Cocteau, niño mimado de los cenáculos parisinos. Película exasperadamente refinada, barroca, hermética y decadente, que expuso sin embargo con gran franqueza, lo que no deja de ser elogiable, las tendencias homosexuales y misóginas, narcisistas y onanistas de su autor. Impregnada de un turbio erotismo, la obra contenía fragmentos de una riqueza imaginativa, inquietante y sorprendente, como el paseo por el pasillo del hotel espiando el interior de las habitaciones para descubrir una insólita lección de vuelo o a un hermafrodita híbrido entre ser humano y robot electrónico...

París y Berlín se habían convertido en las dos capitales del vanguardismo cinematográfico mundial. Ya hemos visto que a París fueron a parar numerosos artistas extranjeros, empujados por la marea del inconformismo y de la inquietud creadora: el norteamericano Man Ray, el español Luis Buñuel y el brasileño Alberto Cavalcanti. También fue a recalar en París, tras el naufragio del cine danés, Carl Theodor Dreyer. La Société Générale de Films le propuso realizar una biografía de Catalina de Médicis, María Antonieta o Juana de Arco, a su elección. Dreyer escogió a la última y realizó con ella uno de los grandes «clásicos» del cine mudo.

Malparada había salido hasta entonces la historia como tema de inspiración cinematográfica. Las reconstrucciones de cartón piedra a la italiana y los fastos de DeMille o de Lubitsch habían tomado contacto con los asuntos históricos, no con espíritu investigador o documentalista, sino con el alegre desenfado de un director de circo. Al carnaval espectacular prefirió Dreyer la exposición austera de un drama psicológico, estructurado con escrupuloso respeto a los estudios historiográficos sobre la santa y a las mismas actas del proceso, provocando una malhumorada reacción del arzobispo de París.

Consecuencia de este criterio realista fue que el rodaje siguiera la progresión cronológica del guión, cosa absolutamente inhabitual en la industria cinematográfica; que los actores prescindieran de todo maquillaje, merced al empleo innovador de la sensible película pancromática; que en la escena en que a la santa se le debían cortar los cabellos, se hiciera así realmente, sin trucos. Y, naturalmente, las lágrimas de Marie Falconetti (que actuaba por primera y última vez ante las cámaras) no iban a ser de glicerina, sino nacidas de su profunda y dolorosa crisis. En contraste con este realismo, los decorados eran de una blanca y estilizada simplicidad. Esto no era un capricho de Dreyer. La intensa concentración del drama nacía, en primer lugar, del uso sistemático y reiterado del primer plano (de los 1.200 que tiene la película, no llegan a la veintena los planos generales) y en segundo lugar de la simplicidad escenográfica, que no distraía la atención de los personajes.

El equilibrio realismo-estilización de *La pasión de Juana de Arco (La passion de Jeanne d'Arc*, 1927-1928) y su uso magistral y exhaustivo de la técnica del primer plano (con frecuencia encuadrado en ángulos contrapicados), hicieron de ella una película insólita, de una extraña y conmovedora belleza plástica. Rodada casi íntegramente en interiores, todo el juego dramático estuvo conducido por una sucesión de primeros planos –las rugosas epidermis y ceñudas muecas de los jueces frente a la pureza del rostro de Juana–, que conformaban la geografía escénica gracias a la dirección de sus miradas. Fue una lástima que los rótulos literarios viniesen a quebrar el admirable ritmo visual de sus imágenes, portentosas imágenes que en su repudio de los insertos escritos parece reclamar imperiosamente el advenimiento del sonido. No sería justo silenciar la excepcional labor del operador Rudolph Maté, responsable de la belleza fotográfica de los encuadres que componen este patético oratorio visual, fijos o en movimiento y violentamente desnivelados en muchas ocasiones.

Dreyer, que es uno de los grandes místicos de la historia del cine, siguió siéndolo al abordar el universo fantástico de *La bruja vampiro (Vampyr ou l'étrange aventure de David Grey*, 1930), su primera película sonora, que realizó también en Francia y gracias al mecenazgo de un noble holandés, sobre una novela vampírica del irlandés Sheridan Le Fanu y bajo la influencia del depurado expresionismo de *El hundimiento de la casa Usher*, de Epstein. Nuevamente nos hallamos ante el obsesionante tema del Mal, de las fuerzas satánicas y sobrenaturales, que ha tentado a los grandes

187

místicos de la pantalla, como Murnau o Bergman, aunque también se ha escrito, tal vez abusivamente, que el film de Dreyer supone una premonición del nazismo. Pero la película era demasiado personal y virtuosa –su culminación fue la escena del entierro *vista* por el muerto a través de la mirilla del ataúd– para interesar al gran público, como ocurriría con las obras del ciclo terrorífico que iniciaría al año siguiente el cine norteamericano. Su rotundo fracaso económico abrió un paréntesis de inactividad en la carrera de Dreyer, que se prolongó durante doce años.

Una buena parte de la vanguardia, como se ve, avanzó por los senderos de la fantasía sin fronteras, desde el geometrismo de las formas puras a la pirueta surrealista. Pero otro sector se polarizó hacia la tendencia documentalista, en la que las imágenes arrancadas de la realidad urbana eran ofrecidas en un álbum impresionista que recuerda, en no pocas ocasiones, las experiencias del Cineojo de Dziga Vértov.

Esta tendencia fue inaugurada en Francia por el trotamundos brasileño Alberto Cavalcanti, que había debutado en 1923 como escenógrafo de Marcel L'Herbier y que en 1926 realizó *Rien que les heures,* cinta impresionista sobre un día de la ciudad de París, entre el amanecer y la medianoche, interrumpida periódicamente por primeros planos de un reloj que señala la hora. Cavalcanti ha puesto su sentido de la imagen al servicio de la poesía visual de los ambientes populares, las calles de París y sus suburbios, en la tradición populista que arranca de *Fièvre* y de *Cœur fidèle* y que anuncia su ulterior actividad en el seno de la escuela documental británica. Luego realizó las películas *En rade* (1927), rodada en los muelles de Marsella, y la que Paul Rotha califica de «cine-poema burlesco» *La P'tite Lili* (1928), ilustrando con imágenes la cancioncilla popular «La Barrière».

Sobre el mismo registro populista el emigrante estonio Dimitri Kirsanov realizó *Ménilmontant* (1926), film rodado en el barrio parisino del mismo nombre y que hoy calificaríamos de neorrealista, a pesar de su intriga melodramática. Todas estas páginas de la vida urbana, que desplazan las pupilas de los experimentos malabaristas para aproximarlas a la vida cotidiana, redescubierta en su lozanía por las cámaras tomavistas, anuncian el inminente nacimiento de la escuela naturalista francesa, de la mano vigorosa de Jean Renoir.

En Alemania, la tendencia documental estuvo representada por Walter Ruttmann, tránsfuga del cine abstracto que influido por Vértov canta en imágenes a la capital alemana durante la primavera en *Berlin, Symphonie einer Grosstadt* (1927), cuya acción, al igual que en el film de Cavalcanti, transcurre desde la calma del amanecer hasta el caos de la noche berlinesa. Pero la pirotécnica formalista de la vanguardia surge aquí con fuerza, con imágenes sobreimpresionadas y *collages* fotográficos que contrastan diversos ambientes ciudadanos a la misma hora, enloquecedor calidoscopio visual que a veces transforman la película en un puro documental abstracto y geometrista, jugando con cables telefónicos o ángulos de calles. De todo ello se desprende una visión del hombre, no social como en Vértov, sino zoológica, como si de hormigas se tratase, pululando en un mundo sin sentido.

Parecidas características tuvo su primera película sonora, *La melodía del mundo (Melodie der Welt*, 1929), realizada por encargo de una compañía de navegación y que esta vez no se limitaba a una ciudad, sino a todo el globo terráqueo, constituyendo un informe y ruidoso himno cósmico, tejido de paralelismos y de contrastes. «Lo que importaba mostrar –ha declarado Ruttmann– eran tanto las semejanzas como las diferencias de los hombres, su parentesco con los animales, los vínculos que les unen a los paisajes y a los climas, así como los esfuerzos que hacen para liberarse de las bestias o de su medio ambiente.» El éxito de estas películas inauguró en Alemania la era de los *Kulturfilms,* que más que detallar una realidad con sentido didáctico, se entretenían en juegos malabares de vertiginoso montaje: altos hornos, chorros de vapor, músculos tensos, chimeneas humeantes, rostros crispados... En resumen, la pedagogía devorada por el más rabioso formalismo.

Por eso se nos aparece hoy como mucho más válido –y, sobre todo, menos pedante– *Menschen am Sonntag* (1929), que realizan en Berlín un grupo de judíos austríacos que se harán más tarde famosos en Hollywood: Robert Siodmak la dirige, con un guión de Billy Wilder, Kurt Siodmak y Edgar G. Ulmer, mientras Fred Zinnemann va como ayudante del operador Eugen Schüfftan. Las diversiones de dos parejas de trabajadores que pasan un domingo junto al lago Wandsee están integradas en un ambiente popular, captado con técnica documental, como harán más tarde los neorrealistas italianos. Por vez primera el cine alemán se aproxima a la condición de los humildes, no para hacerles protagonizar tragedias, como en Lupu Pick, o sórdidos dramas de degradación moral, como en Pabst, sino para mostrarlos tal y como son, en su prosaica y banal pequeñez y no sin cierta dosis de tierna melancolía. Es la senda que conducirá más tarde a títulos como *Marty* y *El empleo.*

Casi sin darse cuenta una buena parte de la vanguardia se ha ido deslizando desde el fetichismo formal de los «terroristas» del arte a la observación naturalista y al verismo documental. Este itinerario nos conduce hasta la gran personalidad de Jean Renoir, hijo del célebre pintor impresionista, que ha llegado al cine tras el impacto que le produjo el serial de aventuras *Los misterios de Nueva York* y la decisiva revelación de Charlot y de *Esposas frívolas,* de Erich von Stroheim: «Este film me dejó estupefacto –ha confesado–. Lo he debido ver por lo menos diez veces.» No es raro que Renoir dejase de lado sus actividades de ceramista y que, impregnado por la gran tradición del realismo francés, en su doble vertiente literaria (naturalismo) y pictórica (impresionismo), se orientase hacia el cine, adaptando la novela de Zola *Nana* (1926), interpretada por su esposa Catherine Hessling, ex modelo de su padre, historia de una famosa *cocotte* del Segundo Imperio que marca un hito en la historia del naturalismo cinematográfico francés.

Aunque irregular, la producción muda de Renoir revela ya un talento cinematográfico poco común y una versatilidad ante los géneros que viene avalada por la divertidísima farsa cuartelera *Tire-au-flanc* (1928), notable además por la desenvoltura de sus prodigiosos movimientos de cámara. Ya veremos cómo la plenitud de Renoir se desarrollará en el período sonoro, pero ya ahora maneja la técnica en función de sus exigencias veristas y es de los primeros en utilizar la nueva emulsión pancromática en interiores, para lo que introduce la revolucionaria iluminación mediante lámparas de filamento, en sustitución de los arcos voltaicos. Esto fue lo que hizo, y no deja de resultar paradójico, para rodar una cinta fantástica inspirada en Andersen, *La cerillerita (La petite marchande d'allumettes)*, en 1928, año crucial en el avance de la técnica cinematográfica, ya que de esta fecha datan también *La pasión de Juana de Arco* de Dreyer y *Sombras blancas en los mares del Sur* de Van

Dyke (Oscar a la mejor fotografía del año), que se ruedan íntegramente con la emulsión pancromática que, lanzada al mercado por Kodak en 1913, se venía utilizando únicamente en exteriores.

También el belga Jacques Feyder, que había dado sus primeros pasos en el cine como actor, tomó la senda naturalista después del gran éxito comercial de su suntuosa versión de *La Atlántida* (*L'Atlantide*, 1920-1921), primera versión cinematográfica de las muchas que se harán de la novela de Pierre Benoit, que se rodó en el Sahara y resultó ser el film más caro del cine francés de la época. Artista nómada a la busca de la independencia creadora por los platós de Austria, Suiza, Francia y Alemania, malversó su riguroso sentido de la precisión ambiental en una *Carmen (Carmen*, 1926), en la que se pasó el rodaje discutiendo con Raquel Meller, antes de conquistar unánimes elogios con *Thérèse Raquin* (1927), adaptación de la novela de Zola rodada en Berlín con técnicos alemanes, que dejaron impreso el sello de su estilo fotográfico contrastado a lo largo de sus imágenes naturalistas, a juzgar por las fotos fijas que han sobrevivido a esta obra desaparecida. Después Feyder marchó a Hollywood, dejando tras de sí en Francia un explosivo vodevil, *Les Nouveaux Messieurs* (1928), farsa política sobre el ascenso de un obrero socialista a ministro, que tuvo no pocos problemas con la censura.

Muchos fueron los extranjeros que contribuyeron al esplendor de la edad de oro del cine mudo francés. Pero con significar muchísimo los nombres de Buñuel, Dreyer, Cavalcanti, Feyder, Man Ray o Kirsanov, no fue nada desdeñable la aportación de un Renoir, de un Cocteau y, especialmente de René Clair, destinado a convertirse por bastantes años en el cineasta más prestigioso de su país. Su verdadero nombre es René Chomette y nació en 1898, hijo de un acomodado comerciante de jabones. Rechazó el confortable y seguro porvenir que le ofrecía su padre para dedicarse a la aventura del periodismo. Cronista literario y crítico de espectáculos en varios periódicos, escribió también canciones para la célebre Damia y una novela titulada *L'île des monstres*. Su experiencia cinematográfica se inició en 1920, casi por azar. Damia le pidió que interpretase un pequeño papel en una película suya, de ambiente coreográfico. Para quebrar su indecisión, Damia le dijo que lo pasaría muy bien con las bellas bailarinas de la película...

Más tarde, Clair confesaría: «Las bailarinas me decidieron a aceptar. Era la primera vez que ponía los pies en un estudio. Entré en él para tres días y me he quedado para toda la vida.»

En 1922 trabajó como ayudante del realizador Jacques de Baroncelli y al año siguiente realizó su primera película, *París dormido (Paris qui dort*, 1923), disparate cómico entroncado con la magia de Méliès, que nos muestra a los habitantes de París paralizados por un rayo que ha descubierto un sabio loco. El protagonista, que ha escapado a estos efectos, se pasea por la ciudad, convertida en un inmenso museo de figuras de cera. Luego vienen los fallos del mecanismo del sabio, que hacen caminar a la gente con movimiento acelerado o retardado, y finalmente la vuelta a la vida normal. Un puro disparate, disparate futurista si se quiere, protagonizado por muñecos más que por seres humanos. Después de esta experiencia, Clair penetra en una vanguardia más ortodoxa –valga la contradicción– al aceptar el encargo de un mecenas para realizar el cortometraje *Entr'acte* (1924), destinado a ser proyectado en el entreacto de los Ballets Suecos, que se exhibían en el Teatro de los Campos Elíseos. El pintor y poeta dadaísta Francis Picabia escribió el argumento, en la más dislocada pureza vanguardista, que Clair convirtió en un festín de imágenes locas que culminaron en la hilarante persecución de un ataúd por su séquito fúnebre. En este *divertimento* dadaísta intervinieron como actores Man Ray y Marcel Duchamp, que aparecían jugando al ajedrez, y Picabia y el músico Erik Satie, llevando un cañón.

Nacido cinematográficamente en el cogollo del vanguardismo, en 1927 Clair dio un viraje decisivo, al adaptar a la pantalla el vodevil de Eugène Labiche y Marc Michel *Un sombrero de paja de Italia (Un chapeau de paille d'Italie*, 1927). Con esta película se inicia la gran obra satírica de Clair. Los elementos que componen la farsa le van a las mil maravillas: una boda burguesa de fin de siglo, cuyo novio se ve obligado a buscar por todo París en el día de la ceremonia un determinado sombrero de paja, para evitar que se descubra la infidelidad de una señora casada, que se entiende con un gomoso teniente de lanceros... La comicidad de la película brota no sólo de la disparatada búsqueda contrarreloj de un sombrero de dama en tan especiales circunstancias, sino de la penetrante caricatura de una época y de unos tipos: el militar seductor y furibundo, el marido cornudo que toma baños de pies en una palangana, la dama falsamente honesta, el tío sordo al que le han rellenado con papel la trompetilla para que no se entere del lío, el alcalde y su protocolario discurso nupcial, verdadera pieza maestra de mimodrama...

Entre los monigotes de *París dormido,* que no guardan ninguna relación con la realidad, y estas caricaturas extraídas de una época y de una clase social concretas, media un abismo creador. Clair se convierte de pronto en el más penetrante caricaturista y el más fino espíritu satírico del cine francés. La tosca pero extraordinaria comicidad de la escuela americana se ve superada por la finísima ironía francesa, que hará merecer a Clair el apodo de «Molière del cine».

Es cierto que este creador, frío y cerebral, mantiene sus críticas en el terreno inofensivo y amable de los aspectos grotescos y ridículos de la confortable burguesía francesa, que es el mundo al que pertenece. Sus películas no desencadenan los escándalos que acompañan, casi inevitablemente, a los demoledores escopetazos de un Buñuel o de un Stroheim. Pretender eso sería pedirle peras al olmo. Clair pertenece a la tradición de una cultura caracterizada por el comedimiento y la frialdad pasional. Retoma la tradición del vodevil y le aplica su afinado estilete crítico, para montar sus farsas a costa de la ceremoniosa, protocolaria, cartesiana y comedida clase media francesa. Y esto lo hace magistralmente.

El gran éxito de *Un sombrero de paja de Italia* hizo que Clair volviese a recurrir a una obra de Labiche y Michel para realizar su película siguiente. Pero *Les deux timides* (1928), su última obra muda, estuvo lejos de constituir un éxito. Había en ella reminiscencias de origen vanguardista, como los acontecimientos que explica el abogado, inmovilizados bruscamente en la pantalla en el momento en que pierde el hilo del discurso, para ponerse luego en marcha nuevamente. En otra escena divide la pantalla en dos porciones para mostrar simultáneamente lo que sueñan dos rivales por amor, que tratan de eliminarse mutuamente. Son los últimos devaneos vanguardistas de Clair, reminiscencias de sus años de aprendiz de brujo, pero a partir de ahora encarrilará definitivamente su cine hacia el mundo de los seres humanos, aunque caricaturizados, enterrando sus experimentos oníricos y su mundo de muñecos nacido en el seno del terremoto dadaísta.

La catástrofe de la Primera Guerra Mundial, con la consiguiente paralización de la producción europea, permitió a la industria cinematográfica americana ascender hasta situarse como la tercera del país, después de las de automóviles y de conservas. Cancelada definitivamente su etapa aventurera, los grandes bancos de Nueva York extendieron sus tentáculos hacia aquella nueva y próspera fuente de riqueza. Las acciones de algunas compañías importantes, como Pathé y Fox, comenzaron a cotizarse en la Bolsa. Se produjo una lucha feroz, de altos vuelos, por el control financiero de Hollywood. Es el período conocido por el expresivo *Company eat Company*. Las combinaciones capitalistas cristalizaron en 1922 en la formación de la poderosa asociación Motion Picture Producers and Distributors of America Inc., presidida por el ex ministro republicano Will Hays, que agrupó las principales empresas y reglamentó sus normas internas de funcionamiento y convivencia.

En estos años de prosperidad para la industria del cine, un metro cuadrado de terreno de Hollywood pasó a valer más que los de ninguna otra ciudad de la Unión. Pero este rápido crecimiento trastornó profundamente los métodos clásicos de producción. Los presupuestos de las películas son cada vez más altos y cada film se convierte en una arriesgada aventura financiera para su productor. Para paliar el riesgo se generaliza la práctica del *block-booking* y se recurre a la estandarización de los productos, en ciclos temáticos y fórmulas de probada rentabilidad. Los *producers-supervisors* de los bancos vigilan los gastos y la marcha de la producción, anteponiéndose su importancia a la de los directores, que pasan a convertirse en meros empleados.

Una de las bazas fuertes de la nueva industria es, naturalmente, el *star-system*, pivote de la histeria colectiva de los públicos que se arremolinan a las entradas de los cines. Las vidas privadas de las estrellas se convierten en pasto de revistas especializadas de enorme tirada. Pero esta inflación publicitaria se revelará pronto como un peligroso bumerán para la industria, con la irrupción de escándalos sensacionales en cadena. Primero fue la muerte de la *starlette* Virginia Rappe durante una orgía en la que participaba el obeso cómico Roscoe Arbuckle, Fatty, a quien le fue imputada (1921).

Luego siguieron el turbio asesinato, jamás aclarado, del realizador William Desmond Taylor (1922), la muerte de Wallace Reid (1923) y de Barbara La Marr (1926) intoxicados por las drogas, el asesinato de Thomas H. Ince (1924) y un sinnúmero de escándalos de alcoba, de todos los tonos imaginables, que movilizaron a las fuerzas vivas del puritanismo militante para el asalto y destrucción de aquella nueva Babilonia, convertida en capital del pecado. El presbiteriano Will Hays convocó al jesuita Daniel A. Lord y al publicista Martin Quigley para redactar un código de normas morales, el famoso Código Hays, que no fue adoptado por la industria del cine hasta 1930 y del que tendremos ocasión de volver a ocuparnos.

A este período fastuoso de Hollywood corresponden los grandes alardes de producción y las borracheras de presupuestos. El impacto escenográfico de las nuevas películas alemanas y las grandes puestas en escena de Lubitsch inspiraron *El ladrón de Bagdad (The Thief of Bagdad*, 1924), fantasía oriental en *modern style* de Raoul Walsh para la mayor gloria de Douglas Fairbanks, que con su impresionante arsenal de trucajes nos retrotrae a los viejos tiempos de Méliès. Rex Ingram lanza a Rodolfo Valentino como estrella en *Los cuatro jinetes del Apocalipsis (The Four Horsemen of the Apocalypse*, 1921), disfrazado de gaucho y bailando un tango que corta el aliento a las damas más respetables. Fred Niblo realiza para la Metro-Goldwyn-Mayer un colosal *Ben-Hur (Ben-Hur*, 1926), que cuesta seis millones de dólares, para lucimiento de Ramón Novarro, sucesor de Valentino arrebatado a México, como lo serán Dolores del Río y Lupe Vélez.

Pero el más astuto de todos estos hombres de negocios será Cecil B. DeMille, que aprovechando la popularidad de la Biblia en la civilización anglosajona y su gusto por los fastos de la comedia musical lanza en 1923 *Los diez mandamientos (The Ten Commandments)*, monumental pirámide de oropel que encandila a los públicos, boquiabiertos ante la milagrosa separación de las aguas del Mar Rojo. Este inmenso éxito le permitirá servirse nuevamente de las Sagradas Escrituras con su carnavalesco *El rey de reyes (The King of Kings*, 1927). Predicador de pacotilla, el impenitente DeMille entregará su alma al cielo después de haber realizado en 1956 una nueva versión «más fastuosa todavía» de *Los diez man-*

damientos. A la vista de estos monstruos cinematográficos, René Clair escribe, en 1927, unas amargas meditaciones: «Hay quien sonríe cuando se habla de la muerte del cine. No bromeo: al cine lo matará el dinero.»

El cine americano se ha impuesto a los públicos de todo el mundo al descubrir –como señala Hauser– que «la mente del pequeñoburgués es el punto de encuentro psicológico de las masas». Las películas de aventuras de Douglas Fairbanks, los apasionados dramas de Valentino y las comedias de la *flapper* Clara Bow (exponente de la «era del jazz» y llamada la chica del *It,* ya que todavía no se ha puesto en circulación el término *sex-appeal)* responden a un conformismo mental y a un esquematismo de fácil aceptación universal. En este sentido, tanto la personalidad como las películas de la pelirroja Clara Bow adquieren el valor de testimonio de las mutaciones morales y sociales de la comunidad americana al liquidarse la guerra mundial en 1918. Theda Bara desaparece rápidamente de las pantallas y las viejas ideas románticas sobre el matrimonio, la virginidad y el adulterio van a ser enérgicamente revisadas a la luz del feminismo nacido del tránsito de la sociedad agraria a la sociedad industrial y urbana. Clara Bow niega el arquetipo paulino de la mujer-sumisión y su afán de emancipación social y sexual le lleva a incorporar sus personajes a la vida laboral americana (aunque claro, en empleos tan peculiares como *taxi-dancer,* manicura o instructora de natación). Clara Bow capitaneó una legión de *jazz-babies* que parecen arrancadas de una página de Francis Scott Fitzgerald (Bessie Love, Colleen Moore, Anita Page) y que proponen al público internacional las excelencias del excitante *American way of life* de los movidos años veinte. La fórmula es infalible porque el lujo, el sexo y la aventura son valores mitológicos que no tienen meridiano y que, convenientemente dosificados, pueden barajarse en ciclos y en fórmulas hasta la eternidad. Y los productores americanos no lo ignoran.

Con los ojos abrumados por esta avalancha asfixiante de lujosas escenografías y frívolos enredos, los críticos americanos recibieron como un bálsamo purificador la revelación de *Tol'able David* (1921), de Henry King, rodada casi íntegramente en exteriores en una aldea de Virginia. Después de tantos palacios, alcobas y hoteles de lujo, poblados por inverosímiles enredos dramáticos, parecía que el cine redescubría el aire libre y la realidad de la vida americana en sus pequeñas localidades. La película exponía la transformación psicológica del débil y mimado David (Richard Barthelmess), al ver cómo unos forajidos hieren a su hermano y matan a su perro, tomando la determinación de vengarles. Sabemos, por sus escritos, la influencia que ejerció este film sobre Pudovkin, sensible al realismo de los clásicos americanos que arranca de Griffith y de la Vitagraph. Estas virtudes de sobriedad y simplicidad narrativa se encuentran también en los *westerns,* que penetran como bocanadas de oxígeno en la claustrofóbica producción cosmopolita y fastuosa de Hollywood.

El *western* había conocido unos años de postración, pero se revitalizó a partir del gran éxito de *La caravana de Oregón (The Covered Wagon,* 1923) de James Cruze, narrando la aventura de los pioneros que en 1842 emprendieron una larga y penosa marcha desde Iowa y Missouri hasta Oregón. Tampoco hay aquí un solo plano rodado en el estudio y muchos actores fueron elegidos entre los habitantes de Snake Valley (Nevada). La escena antológica de la partida de las carretas o el paso del ganado a través del río tienen una veracidad documental que se multiplica al compararla con la contemporánea producción de los estudios. El cine americano, en efecto, acaba de redescubrir el realismo de los escenarios naturales al aire libre y los temas de su historia como cantera dramática.

El mismo Cruze, que había adquirido un sólido oficio como director de seriales, volvió a apuntarse otro tanto con *Los jinetes del correo (The Pony Express,* 1925). A este nuevo aliento épico pertenecen también dos obras que para la Fox realiza John Ford, director de origen irlandés que ha debutado en 1917, y que le sitúan como uno de los maestros del género: *El caballo de hierro (The Iron Horse,* 1924), que evoca los primeros tendidos de la vía férrea de la Union Pacific Railway a través de las Montañas Rocosas, y *Tres hombres malos (Three Bad Men,* 1926), película inspirada en la avalancha aventurera hacia el Oeste desencadenada por la «fiebre del oro». Ahora podemos decir, en verdad, que el clasicismo americano no ha muerto y que la tradición de Ince no ha perecido diluida en los turbios remolinos pasionales de Hollywood.

Pero el índice de la máxima vitalidad artística del cine mudo americano procede de su brillante escuela cómica, que nacida de las furiosas pantomimas de Mack Sennett se desarticulará a la llegada del sonido, golpe mortal a su expresividad mímica. Hoy se nos aparece la figura de Buster Keaton, llamado *Pamplinas* en España, como uno de los gigantes del cine cómico de todos los tiempos. Procedente como tantos otros del *music hall*, Keaton llegó al cine en 1917 de la mano de Fatty. Su rostro impasible le valió ser calificado como «el actor de la cara de palo» y «el hombre que nunca ríe». Pero si es cierto que Keaton permanece impertérrito aunque el mundo se derrumbe a su alrededor, la profundidad de sus ojos enormes desborda en expresividad y en capacidad de comunicación poética. Una cláusula de su contrato le prohibía reír en público y a esta constante violencia psíquica se atribuyó el ataque de locura que en 1937 le llevó a ser internado en una clínica. Es difícil saber lo que haya de cierto en esto, pero la verdad es que en Keaton, actor y mito aparecen fundidos en un personaje insólito, que a veces adquiere una dimensión extraterrestre, meticuloso en la preparación de los cuidadosos *gags* que salpican sus obras maestras: *La ley de la hospitalidad (Our Hospitality*, 1923), *El moderno Sherlock Holmes (Sherlock Junior*, 1924), *El navegante (The Navigator*, 1924) y *El maquinista de la General (The General*, 1926). Con la gravedad del mármol, Buster Keaton pasea impertérrito por estas películas, creando unos *gags* extraordinariamente elaborados y calculados. Se ha dicho que Keaton es un cerebral y Chaplin un sentimental, opinión inexacta para Keaton, pues Keaton es, además de excelente creador de *gags,* un extraordinario y sensible poeta de la imagen.

Muy diferente es el caso del supertímido Harry Langdon, que dio sus primeros pasos en la pantalla en 1926, a las órdenes del también debutante Frank Capra: *El hombre cañón (The Strong Man*, 1926), *Sus primeros pantalones (Long Pants*, 1927). Con su aire de bebé soñoliento, que recuerda el rostro lunar de Pierrot, Langdon jugó al equívoco de la inocencia hasta sus límites patológicos, tan temeroso y huidizo ante las mujeres que en una película asesinaba a su esposa en la noche de boda para no tener que afrontar sus obligaciones conyugales. Su comicidad masoquista abre las válvulas psicológicas del público, que se regocija cruelmente con las desventuras de la hipertimidez morbosa, aunque su mecanismo cómico, que va de la ingenuidad hacia el sadismo, hizo de él un personaje que injustamente fue poco apreciado por el gran público, siendo mucho mejor comprendido por las minorías intelectuales.

A diferencia de Langdon, Harold Lloyd logró sobrevivir a la implantación del cine sonoro. Comenzó su carrera para Hal Roach con el seudónimo de Lonesome Luke, formando pareja con la atractiva Bebe Daniels. Aunque al principio calcaba a Charlot, con bigotito incluido, luego adoptó el sombrero de paja y las gafas redondas de carey, creando un personaje obstinado y tenaz, caricatura del americano medio, aunque con escasa resonancia humana y poética. Basó principalmente su comicidad en recursos mecanicistas, cuyos límites alcanzó en el inestable equilibrio de su cuerpo suspendido en el vacío, en la famosa escena de la fachada del rascacielos de *El hombre mosca (Safety Last,* 1923). Tal vez por ofrecer una tan precisa imagen caricaturesca de la vitalidad y del optimismo americanos, Harold Lloyd llegó a ser el más popular de los cómicos de su país, lo que puede medirse por su extensa filmografía, pues rodó ciento sesenta cortometrajes, es decir, más que Chaplin, Keaton, Laurel y Langdon juntos.

Pero entre el enjambre de cómicos que poblaban las pantallas americanas de la época (entre otros, Harry *Snub* Pollard, Larry Semon *Jaimito* y la contrastante pareja del «gordo y el flaco» Stan Laurel-Oliver Hardy, creada en 1926), destacó por su enorme personalidad la figura de Charles Chaplin, convertido ya en productor de sus propias películas, que escribe, dirige e interpreta. Tras sus primeros años de actividad cinematográfica, a los que ya nos hemos referido, vemos cómo en 1921, durante su tormentoso período matrimonial con Mildred Harris, realiza su primer largometraje, *El chico (The Kid),* llenó de amargas resonancias autobiográficas vividas en la miseria de los *slums* londinenses. Convertido por azar en padre adoptivo de un niño abandonado (Jackie Coogan), el vagabundo le instruirá en las artes de la picaresca, haciéndole romper a pedradas los cristales de las ventanas, para que luego aparezca él como servicial vidriero, ganándose algunos céntimos. Pero la aparición de la madre del chico les forzará a una dolorosa separación... Con *El chico* se hace evidente el desplazamiento del mundo chapliniano desde la caricatura hacia la tragedia, trascendiendo lo folletinesco del asunto gracias a la enorme fuerza patética de sus imágenes, y de cuya secuencia del sueño nacerá *Milagro en Milán,* de De Sica. Su itinerario romántico-satírico a través de *Los ociosos (The Idle Class,* 1921), *Día de paga (Pay Day,* 1922) y *El peregrino (The Pilgrim,* 1922), en donde Charlot cambia su traje de presidiario por el de pastor de almas y pronuncia ante sus feligreses un inolvidable sermón mímico sobre David y Goliat, se interrumpe en 1923 con una película insólita, que dirige para la United Artists pero que, por única vez en su carrera, no interpreta: *Una mujer de París (A Woman of Paris).*

La importancia de esta comedia dramática no ha cesado de crecer con el tiempo (a pesar de que Chaplin retiró todas las copias de explotación a la llegada del cine sonoro), considerada como la primera película psicológica de la historia del cine y el primer auténtico estudio realista de costumbres. Eisenstein comparará su importancia, como jalón artístico, a la aparición del templo dórico o del puente colgante de Brooklyn. René Clair, en una crítica de la época, la califica como «la obra más innovadora de la temporada». Sin embargo, la ausencia del popular vagabundo hace que la película sea recibida fríamente, también porque el público no está acostumbrado a contemplar en la pantalla tal sutileza de sentimientos ni la ambigüedad de caracteres, que quiebra el clásico y pueril esquema de «buenos» y «malos».

Una mujer de París narra la dramática historia de Jean Millet (Carl Miller) y Marie Saint-Clair (Edna Purviance), que separados por un equívoco se encuentran un año más tarde en París, él como modesto pintor y ella como la amante de un hombre rico, cínico y vividor (Adolphe Menjou, que con esta película estableció el arquetipo de dandi elegante utilizado por Lubitsch). Tratan de reanudar sus relaciones y vivir juntos, pero las circunstancias les separan nuevamente y Jean se suicida. Con este asunto banal, el humanista Chaplin lanzaba una amarga acusación contra los prejuicios y la intolerancia que hacían imposible la felicidad de dos seres que se aman. Su extremada preocupación por obtener un gran realismo psicológico de los personajes le llevó a construir algunos decorados con cuatro paredes y a fotografiar las escenas a través de un orificio perforado en una de ellas, como espiando su intimidad. El rodaje de la película duró casi un año y supuso un esfuerzo titánico para su realizador. En su afán de penetrar en el mundo interior de los personajes, utilizó por vez primera en el cine de un modo plenamente maduro y sutil las sugerencias visuales y las elipsis, economía expresiva que le permitió sugerir, por ejemplo, el paso de un tren mediante los reflejos de las ventanillas sobre el rostro de la protagonista. La más famosa alusión elíptica se produjo en la escena del encuentro de los protagonistas en casa de Marie, cuando Jean cree que es una mujer libre y pueden reanudar su antiguo idilio, pero al abrir un cajón caen un cuello y unos puños de hombre, revelando este detalle la nueva situación.

Tras este experimento marginal en su carrera, Chaplin volvió a su sombrero hongo y a su bigotito, para revivir las penalidades sin cuento de los buscadores de oro en la Alaska de 1898, en *La quimera del oro* (*The Gold Rush*, 1925). Aquí asistimos a algunos de los más geniales momentos interpretativos del vagabundo, acosado en una barraca aislada por la nieve por el martirio del hambre y transformado –a los ojos de su robusto compañero– en un descomunal y suculento pollo. Después, aguardando inútilmente a su amada en la noche de Año Nuevo, soñará que le ofrece un prodigioso baile de panecillos, que ensartados en tenedores se transforman por la magia chapliniana en gráciles piernas de bailarina... Pocas veces el cine ha logrado una fusión tan perfecta entre lo tragicómico y la poesía como en esta epopeya burlesca de la fiebre del oro, que nos hace asistir a la tremenda soledad del hombre en su desesperada búsqueda de la felicidad.

Durante el rodaje de *La quimera del oro* la vida privada de Chaplin atravesó el borrascoso episodio de su boda con Lita Grey, coronado por el sensacional divorcio en 1927, tras el cual ella hizo su agosto recorriendo los cabarets del país y narrando al público detalles picantes de su intimidad conyugal. Ya el texto de su demanda de divorcio, jugoso en escandalosas procacidades, había circulado por la nación a diez dólares la copia. La prensa comienza a desatar furiosas campañas contra el «judío extranjero», y no es raro, pues su personalidad es demasiado fuerte e independiente y su sinceridad demasiado insobornable para ser tolerada por Hollywood ni por las hipócritas ligas de biempensantes que tanto abundan en el país. Estos incidentes hicieron que el rodaje de su siguiente película, *El circo* (*The Circus*, 1927), fuese muy lento y explican en parte la frialdad con que fueron recibidas por el público las melancólicas desventuras y amores circenses del genial vagabundo, que están impregnados de una amargura no ajena a los problemas de su vida privada.

En el Hollywood devorado por Wall Street y agarrotado por el *star-system,* la sinceridad y la autenticidad creadora son virtudes nada fáciles de practicar. Por eso la obra de Chaplin emerge con tanta fuerza entre las cascadas de celuloide pomposo, grandilocuente y cretinizante. Por eso admiramos a los cineastas que se atreven y consiguen dar una imagen real y auténtica de la verdadera América, que es la América que amamos. Y por eso amamos a King Vidor y a la parte más viva de su obra.

Nacido en Galveston (Texas) en 1894, la aventura cinematográfica de Vidor comenzó a los diez años, como proyeccionista del cine de su ciudad natal. En sus *Memorias* Vidor ha explicado cómo y cuánto aprendió contemplando una y otra vez las cintas de los primitivos europeos, de Max Linder y de los italianos: «Vi el *Ben-Hur* hecho en Italia, de dos rollos, veintiuna veces al día y ciento cuarenta y siete veces durante la semana que se estuvo proyectando. Los mismos actores que la hicieron no pudieron empaparse de ella más que yo. Durante una proyección concentraba mi atención en la mímica de los personajes tal y como se expresaban por el movimiento de sus manos y brazos; en la siguiente me decidía a estudiar solamente las expresiones faciales y en otra me dedicaba exclusivamente a observar atentamente el pensamiento expresado tan sólo por las actitudes de los cuerpos.»

Con el virus del cine metido en la sangre, Vidor consiguió ser contratado a los dieciocho años como *cameraman* de actualidades por la Mutual y rodó escenas del huracán que asoló Galveston, de maniobras militares, carreras de automóviles y otros acontecimientos locales. Fue ayudante de Ince y de Griffith y aunque inició su carrera de realizador en Hollywood en 1919, su nombre no comenzó a destacar hasta la aparición de *El gran desfile (The Big Parade)*, a finales de 1925, que supuso la culminación del tema de la Primera Guerra Mundial en la producción muda americana.

La película levantó una considerable polvareda polémica y la prensa inglesa acusó a la Metro de haber planeado una maniobra propagandística para demostrar que los Estados Unidos eran los protagonistas de la victoria sobre Alemania. Es cierto que la película está empapada de patriotería barata, que falta en ella la terminante posición antibélica que hace la grandeza de, pongamos por caso, *Armas al hombro,* de Chaplin. Las obras de Vidor, ya se verá con el tiempo, no están vacunadas contra las puerilidades más sorprendentes, que asoman con el simple relato de sus argumentos. *El gran desfile* narra, por ejemplo, cómo el joven Jim (John Gilbert) marcha a combatir en el frente francés, donde pierde una pierna. Al regresar a su país, renuncia a su inconstante novia y regresa a Francia para reunirse con una joven campesina (Renée Adorée), que le ha revelado el verdadero amor.

Aunque la carcoma del tiempo se cebará en las partes más endebles y melodramáticas de este discutido y discutible desfile de imágenes bélico-románticas, hoy quedan todavía en pie los fragmentos antológicos de la marcha hacia el frente, la partida de los camiones, el encuentro de los soldados enemigos en el hoyo de un obús o la marcha a través del bosque de Belleau, imágenes recias y veraces que deben no poco a los recuerdos de guerra de su guionista Laurence Stallings, que combatió en el frente francés.

No es cosa que deba sorprendernos. Con el paso de los años, la explicitación del lenguaje de los sentimientos se ha ido afinando en el cine hasta unos extremos de sutileza (véase Antonioni o Bergman) que no guarda proporción con la escasa evolución del realismo en la captación de escenas épicas y colectivas, cuya cúspide representó la escuela soviética. Estas escenas siguen vigentes, pero todo lo mucho que de melodrama tiene *El gran desfile* se nos aparece hoy como caducado.

Por otra parte, Vidor es, ante todo, un cronista de gestas colectivas, a medio camino entre el cantor homérico y el patriarca bíblico. Como artista, Vidor ha encarnado la mentalidad de la América agraria, patriarcal y conservadora, aunque su integridad moral le ha llevado a ofrecer algunos de los más veraces, incisivos y auténticos retratos de su país. Por eso se nos aparece hoy como infinitamente más válida la crónica social de *Y el mundo marcha (The Crowd,* 1928), drama de la ambición y del fracaso de un modesto empleado, que intenta inútilmente escapar de su clase social en la jungla capitalista de rascacielos. Crudo testimonio del *struggle for life,* a las puertas del gran *crack* de 1929, Vidor eligió como protagonista, para obtener la máxima veracidad, a un oscuro y desconocido actor (James Murray), de físico anodino. La movilidad de la cámara descubierta por los alemanes permitió a Vidor un brillantísimo arranque para extraer a su personaje de la masa anónima, a la que al final le reintegraría. Mostraba al comienzo de su vida laboral a la multitud que entraba y salía de un gran edificio comercial, después la cámara viraba para mostrar las hileras de ventanas y la imponente mole de la edificación. Entonces la cámara comenzaba a recorrer las filas de ventanas, hasta penetrar por una de ellas para contemplar centenares de mesas y de empleados y se aproximaba al protagonista, entregado en su mesa a su rutinaria tarea. Vidor rodó varios finales distintos, pero finalmente la película fue exhibida con el que mostraba al protagonista y a su esposa riéndose estúpidamente en un circo de las payasadas de un clown. La cámara iniciaba entonces un movimiento de retroceso y de elevación para abandonarles como granos de arena inmersos en la multitud.

Cuando nos fijamos en lo más perdurable del gran legado del primer medio siglo de arte cinematográfico, vemos fácilmente que, con contadísimas excepciones, el material mejor inmunizado contra la polilla del tiempo y de las modas es aquel que ha nacido como documento de una época, como testimonio y reflejo de una realidad. Lo más vivo de la narrativa americana –literaria o cinematográfica– tiene ese directo y eficaz estilo de crónica que deriva de su gran tradición periodística. En cambio, una buena parte del viejo cine alemán, esclavo de una moda pictórica y escenográfica, ha envejecido irremisiblemente.

No ha de extrañar, pues, que la simplicidad periodística y el estilo directo de la crónica se apliquen también al gran capítulo cinematográfico de las aventuras y la acción. Esto se hará palpable en la obra de Howard Hawks, que ha demostrado ya su vocación aventurera corriendo como piloto de carreras y luchando como aviador en Europa. «Para mí, el mejor drama es el que trata de un hombre en peligro.» Esta frase de Hawks, que podría haber sido suscrita por Hemingway, nos da una de las claves de su obra, que comienza a despuntar a partir de *Una novia en cada puerto (A Girl in Every Port*, 1928), canto a la amistad ruda y viril de dos marineros (Victor McLaglen y Robert Armstrong), no empañada por sus continuas rivalidades amorosas, porque Hawks es también un portavoz de la misoginia de la sociedad americana, que ha convertido a la mujer en un artículo de consumo o en un ave de presa. En esta ocasión, la mujer es la rutilante Louise Brooks.

Encontraremos a Hawks en su plenitud durante el sonoro como uno de los mejores exponentes del gran capítulo del cine de acción, uno de los géneros predilectos de Hollywood, y como autor también de algunos títulos clásicos de la comedia sonora americana. Y en el apartado del cine romántico, que como veremos enseguida aparece dominado en estos años por el hechizo fotogénico de la Garbo, el cine americano consigue un éxito mundial con *El séptimo cielo (Seventh Heaven*, 1927), de Frank Borzage, que impone la «pareja ideal» Janet Gaynor-Charles Farrell y obtiene un Oscar para su director y otro para su actriz. Jamás Borzage volverá a alcanzar el desorbitado éxito popular de *El séptimo cielo*, ni en *El ángel de la calle (Street Angel*, 1928), ni en *Estrellas dichosas (Lucky Star*, 1929), ni siquiera con la que se considera su mejor película: *Torrentes humanos (The River*, 1929), hoy desaparecida, poema de amor entre las nieves de Alaska protagonizado por un leñador (Charles Farrell) y una joven a la que recoge (Mary Duncan). Este film sobre la iniciación amorosa en plena naturaleza, al modo de *Dafnis y Cloe*, revelaba la persistencia de las lecciones del cine sueco y en su escena culminante Mary Duncan se tendía desnuda sobre el cuerpo también desnudo e inanimado de Charles Farrell, para transmitirle su calor vital. Este difícil equilibrio entre la pureza lírica y el erotismo es algo que no abunda, ni abundará, en la producción de Hollywood para la que el sexo, no entendido como liberación sino como esclavitud, se convertirá en una de sus más rentables y apreciadas mercancías.

EUROPEOS EN LA CAPITAL DEL CINE

El apogeo comercial de Hollywood le ha convertido en un crisol en donde se funden emigrantes llegados de los cuatro puntos cardinales. Ya vimos cómo a lo largo de los años veinte lo mejor del cine alemán fue a parar a los Estados Unidos, en hábil maniobra del banquero Morgan y de sus acólitos, y cómo de la hecatombe del cine sueco fueron a dar Sjöström, Stiller y la Garbo con sus huesos en Hollywood. Pero tampoco es de despreciar la hornada de húngaros que por estos años irán arribando a la Meca del cine, como Bela Lugosi (1921), Paul Fejos (1923), Lya de Putti (1926), Alexander Korda (1926) y Michael Curtiz (1926). Procedentes de Francia llegan también William Wyler (1921) y Jacques Feyder (1929) y de Inglaterra James Whale (1929), que alcanzará la fama dando vida al monstruo de Frankenstein, no en el laboratorio como quiso Mary W. Shelley, sino en la pantalla. Alemanes, austríacos, húngaros, belgas, polacos y rusos se funden en la nueva Babel, atraídos por prometedores contratos o, simplemente, cediendo a la tentación de probar fortuna en la feria del cine.

De todo hay entre estos emigrantes, pero en conjunto la aportación europea no resultará nada desdeñable a la hora del balance histórico. De los húngaros veremos a Curtiz seguir puntualmente los pasos de DeMille con *El arca de Noé (Noah's Ark,* 1928), película que se sitúa en el marco de la Primera Guerra Mundial, pero que retrotrae sus personajes a la época de la catástrofe bíblica, y cuyo descomunal Diluvio atraviesa fácilmente las capas de la sensibilidad popular, permeables a los fastos de las grandes reconstrucciones bíblicas. Por el momento, la obra de Paul Fejos tiene superior interés. Con sólo cinco mil dólares realizó *The Last Moment* (1927), película experimental que desarrollaba en imágenes la teoría de que los ahogados, en sus últimos momentos, recuerdan detalladamente todos los hechos de su vida. El público americano recibió muy mal este ensayo psicoanalítico y vanguardista, pero Chaplin lo defendió públicamente con encendidos elogios y así Fejos pudo rodar *Soledad (Lonesome,* 1928), que sería la mejor pieza de su irregular carrera.

La acción de *Soledad* transcurre entre la tarde del sábado y el amanecer del domingo, casi íntegramente en el parque de atracciones de la Coney Island neoyorquina, en donde se conocen y viven un intenso idilio el mecánico Jim (Glenn Tryon) y la telefonista Mary (Barbara Kent). Pero la multitud les separa accidentalmente y regresan consternados a sus hogares, sin saber que el uno vive al lado del otro. Cuando Jim evoque su breve historia de amor poniendo en su tocadiscos la melodía de moda *Always,* descubrirán los dos su casual vecindad. No puede pedirse mayor simplicidad argumental (ni siquiera existe el clásico triángulo) a esta obra poética y delicadamente intimista, que sorprende también por su veraz y penetrante observación de las costumbres y diversiones de los pequeños empleados de una gran ciudad americana. Su calidad poética y su valor documental hacen que olvidemos de buena gana sus envejecidos efectismos técnicos (sobreimpresiones, efectos de montaje rápido) y la inoportuna banda sonora que, por razones comerciales, se añadió para su explotación.

De los suecos, quien se llevará la palma será Greta Garbo, mientras su descubridor y maestro, el pobre Stiller, se hundía en la mediocridad, sin conseguir dirigir una sola de las películas norteamericanas de la estrella. Toda la potencia industrial de Hollywood y el genio de Erich Pommer, que para el rodaje de *Hotel Imperial (Hotel Imperial,* 1926) hizo levantar un enorme complejo de ocho habitaciones y proporcionó a Stiller varias cámaras para que funcionaran simultáneamente, no servirán sino para demostrar que el alma de los poetas se acomoda mal a los métodos superindustrializados de la producción de Hollywood. Veremos lo mismo con el otro titán del cine sueco, Victor Sjöström, que con la notable excepción de *El viento (The Wind,* 1928), con Lillian Gish azotada por el viento que barre las desiertas planicies de Arizona, anda dando penosos traspiés y pasos en falso por los inmensos estudios de la Metro.

Stiller falleció en 1928, a tiempo para ver que su criatura ascendía hasta situarse como un astro solitario en el firmamento de Hollywood. Refugiada en su enigmática soledad, con el estigma de su soltería y bisexualidad tejido en torno a su figura, la Garbo llenó con su etapa americana toda una era del cine romántico de Hollywood, que se inició con *El torrente (The Torrent,* 1926), de Monte Blue, adaptación de *Entre naranjos,* de Blasco Ibáñez, y concluyó con *La mujer de las dos caras (Two Faced Woman,* 1940), de George Cukor. Su famoso «¡Quiero estar sola!» y su independencia de los hombres se plasmaron en su mito con una clara preferencia hacia los papeles de mujer soltera, es decir, de mujer libre y con una ambigüedad femenino-masculina que tal vez tuvo su mejor muestra en *La reina Cristina de Suecia (Queen Christina,* 1934), de Rouben Mamoulian. Hoy comienza a discutirse si la Garbo era realmente una gran actriz o, simplemente, un caso monstruoso de fotogenia. Sea como fuere, esta prodigiosa encarnación de uno de los más perdurables espasmos del Romanticismo literario del siglo XIX creó un mito universal al que sólo consiguió hacer sombra otra estrella europea, enfrentándose las dos en la rivalidad de los públicos, el provocativo erotismo carnal de Marlene Dietrich (Paramount) al etéreo misticismo erótico de la «divina Greta» (Metro).

Gracias a la Garbo, Louis B. Mayer fue uno de los productores que mayor tajada sacó de la emigración europea. Fue él también quien importó al belga Jacques Feyder, tránsfugo de los estudios de Viena, Suiza, París y Berlín, que se limitó a dirigir a la Garbo en *El beso (The Kiss*, 1929) y en la versión alemana de *Ana Christie (Anna Christie*, 1930), para regresar a Francia después de unos trabajos de mero artesanato.

No ha de extrañar que los directores europeos, acostumbrados a una relativa libertad artística, encajen mal en la complicada maquinaria industrial de Hollywood, que crea sus productos a la mayor gloria del dólar y con métodos de producción en cadena. «Producir películas con la regularidad de una máquina de hacer salchichas –declarará Stroheim– forzosamente tiene que hacerlas tan parecidas como salchichas.» Y así veremos a gentes de la capacidad de Paul Leni –que creará para la Universal y a partir de *El legado tenebroso (The Cat and the Canary*, 1927) la *Mystery Comedy* de gusto expresionista y con pinceladas de humor–, Erich Pommer o E. A. Dupont convertirse en grises operarios de esta inmensa fábrica de embutidos cinematográficos, luchando a brazo partido para imprimir siquiera sea un asomo de su sello personal a sus productos *made in Hollywood*.

De entre los que mejor resistieron esta delicada operación de trasplante artístico estuvo el ladino Lubitsch, que llegó a California requerido por Mary Pickford y a quien *Una mujer de París* de Chaplin le hizo abrir los ojos y le orientó hacia la alta comedia mundana, género frívolo de procedencia europea del que se convertirá en su más consumado especialista, bordeando las escabrosidades gracias a la maestría del «toque Lubitsch» *(the Lubitsch touch)*, empleo de sugerencias y elipsis que ha aprendido de la lección chapliniana, alusiones visuales reveladoras –el *pars pro toto* o sinécdoque del arte retórico– que trenzan y destrenzan sus elegantes enredos ocultados y sugeridos tras puertas que siempre se abren o cierran. Lubitsch fue el fundador de la comedia ligera americana, ligeramente satírica y ligeramente erótica, que desplazó el humor de sal gruesa y de porrazos creado por Sennett. Durante el período mudo realizó *Los peligros del flirt (The Marriage Circle*, 1924), *La frivolidad de una dama (Forbidden Paradise*, 1924) –ambas con un Adolphe Menjou que procede en línea directa de *Una mujer de París*–, *Divorciémonos (Kiss me Again*, 1925), *El abanico de Lady Windermere (Lady Windermere's Fan*, 1925), según la obra de Oscar Wilde, y *La locura del charlestón (So this is Paris*, 1926). Toda una generación de realizadores americanos –Monta Bell, Malcom St. Clair, Frank Tuttle, Harry Beaumont, Roy del Ruth– se coló por esta puerta abierta por Lubitsch, para hacer de la comedia ligera uno de los géneros más cotizados en el país.

William Fox, por su parte, se sintió orgulloso de haber conseguido atraer a Hollywood a F. W. Murnau, gran maestro del cine alemán, y le dio carta blanca para el rodaje de *Amanecer (Sunrise*, 1927), sobre un guión de Carl Mayer que adaptaba la novela *Viaje a Tilsit*, de Hermann Sudermann. De acuerdo con los métodos alemanes de trabajo, Rochus Gliese construyó, junto al lago Arrowhead, los inmensos decorados de la ciudad donde transcurre parte de la película. Nada se escatimó para conseguir la brillantísima factura y el desenfrenado refinamiento estético de tan elemental melodrama. Su argumento, como en las obras de teatro, estaba dividido en tres actos muy bien delimitados, el primero y el tercero desarrollados en clave dramática, de filiación expresionista, mientras el segundo era un inserto de comedia americana, de corte realista y con su correspondiente *happy end.* Veamos su asunto: un joven campesino (George O'Brien) tiene una aventura amorosa con una mujer de la ciudad (Margaret Livingstone), que le incita a matar a su esposa (Janet Gaynor), planeando llevar a cabo el asesinato en el curso de la travesía del lago, camino de la ciudad. Durante el viaje en barca él titubea y su mujer intuye la situación. Su mirada angustiada le hace desistir del intento. Segundo acto: van juntos a la ciudad y su viaje se convierte en una especie de itinerario sentimental, en el curso del cual los esposos van redescubriendo su amor, entre el bullicio y las diversiones ciudadanas. Tercer acto: al caer la tarde regresan a la aldea, pero cuando están atravesando el lago estalla una tempestad, la barca se hunde y el marido, desesperado, cree perder a su esposa, que finalmente es hallada con vida por unos pescadores al amanecer.

Amanecer resulta ser una curiosa componenda artística entre el expresionismo y simbolismo del cine alemán y el realismo americano, con su exigencia comercial de «final feliz». Expresionista es la maniquea y simplicísima división de los personajes, con todas las virtudes del lado de la joven campesina *(the country girl)* y toda la perversidad de parte de la chica de la ciudad *(the city girl)*. Simbolista es todo el canto idealista al Hombre y a la Mujer y ese «amanecer» de la conciencia al amor. Pero es también durante un amanecer real cuando la mujer es hallada con vida, y es asimismo realista, con penetrantes observaciones psicológicas, toda la parte central que transcurre en la ciudad, desarrollada con agudos toques impresionistas.

Murnau navegó entre estas dos aguas con su proverbial maestría, dando vida a un brillantísimo concierto de imágenes que, aunque puede tacharse de frío en muchas ocasiones, contiene algunos fragmentos de antología. Tal es el caso del virtuoso y complicado *travelling* que muestra al protagonista acudiendo a una cita nocturna con su amante: la cámara, convertida en sujeto dramático, va precediendo al hombre a través de un paisaje brumoso, pero luego le abandona y avanza rápidamente para llegar a un claro en donde descubre a su amante aguardándole, que al oír los pasos que se acercan se arregla precipitadamente.

Con tres Oscar a cuestas por su aplaudido *Amanecer*, F. W. Murnau defraudó con sus dos siguientes películas, *Los cuatro diablos (Four Devils*, 1928) y *El pan nuestro de cada día (Our Daily Bread*, 1929), pero volvió a encontrar su inspiración en los mares polinesios, de donde regresó con su obra maestra *Tabú* (que examinaremos en el apartado del cine documental) y con una maldición pagana sobre su cabeza que, al decir de los supersticiosos, le segó la vida a poco de concluir la película.

Mientras Murnau entonaba su canto del cisne, el hebreo austríaco Josef von Sternberg, de padres húngaro-polacos, se afianzaba como una de las grandes promesas del cine americano. Llega al cine, después de doctorarse en Filosofía, con una película experimental, ramificación americana del *Kammerspielfilm,* financiada por el actor George K. Arthur: *The Salvation Hunters* (1925). Rodada en las marismas de San Pedro, al sur de los muelles de Los Ángeles, *The Salvation Hunters* se alineaba, junto a *Avaricia,* como uno de los primeros aguafuertes de sordidez social realizados en América y costó sólo 5.000 dólares.

Una aventura artística de esta naturaleza resulta siempre insólita y peligrosa en la metalizada América, pero de nuevo la voz de Chaplin se alza públicamente en defensa de esta sórdida historia de una prostituta y su amante, y Sternberg puede iniciar su carrera comercial en Hollywood, no tardando en dar su primera campanada con *La ley del hampa (Underworld,* 1927), cuyo éxito inauguró en el cine americano el gran capítulo del cine de gángsters.

La famosa «ley seca», nacida de la puritana enmienda 18 de la Constitución americana (1919), tuvo el efecto paradójico de desencadenar una ola de corrupción y delincuencia organizada en las grandes ciudades, en donde los miembros de la mafia italoamericana instalaron sus prósperos negocios clandestinos de bebidas alcohólicas, juego y trata de blancas. Algunos gigantes del hampa –como Al Capone en Chicago y Lucky Luciano en Nueva York– pasaron al primer plano de la mitología popular y era lógico que el cine, el medio de expresión más receptivo a la sensibilidad de las masas, se adueñase de aquel sugestivo y turbio inframundo para elevarlo a las pantallas.

En *La ley del hampa* Sternberg exponía el drama del gángster Bull Weed (George Bancroft), que se halla en presidio condenado por el homicidio de su rival Buck Mulligan (Fred Kohler), y al que ayudan a escapar Rolls Royce (Clive Brook) y su amiguita *Feather* (Plumitas) McCoy (Evelyn Brent), antigua amante de Bull Weed. Sin embargo, Bull Weed es localizado y acosado por la policía en su refugio y cuando acuden a ayudarle Rolls Royce y Plumitas, dándose cuenta de que se quieren, les pide que le abandonen.

La ley del hampa aparece dominada por una visión heroica del personaje del gángster, exaltación romántica de la rebeldía del individuo contra la sociedad que le oprime. Esta original perspectiva anarquista es típicamente sternbergiana, como lo es el penetrante estudio del turbio medio social y de los caracteres que componen los bajos fondos. Su densidad dramática derivó también de su construcción en largas escenas, según las leyes de continuidad del cine sonoro, a pesar de ser una cinta muda, debido tal vez a la presencia del comediógrafo Ben Hecht como argumentista, que por tal labor recibió el Oscar de 1928.

El gran éxito de *La ley del hampa* inauguró uno de los géneros mayores del cine americano, que alcanzará su plenitud en los años del sonoro. El propio Sternberg avanzó por este sendero de violencia desatada con *La redada (The Dragnet*, 1928) –en donde George Bancroft invirtió su papel, pasando a ser el heroico policía que lucha contra los gángsters–, *Los muelles de Nueva York (The Docks of New York*, 1928), en donde, fiel a su estética personal, Sternberg reconstruyó en los estudios parte de los muelles de Nueva York y barrios adyacentes, con sus bares y cabaretuchos, consiguiendo efectos plásticos de elaborada belleza, y *Thunderbolt* (1929), su primera cinta sonora, que iniciaba el ciclo de los gángsters en derrota, destinados a concluir sus días en la silla eléctrica.

El romanticismo anarquista de Sternberg, su gusto por los ambientes turbios y equívocos y su barroquismo formal serán también características que aparecerán en la obra de otro austríaco de tremenda personalidad, Erich von Stroheim, uno de los grandes titanes del cine mudo, al que la industria de Hollywood acallará para siempre en 1928, después de hacer añicos su obra y en la plenitud de su madurez creadora. La aventura cinematográfica de Erich Oswald Stroheim es una de las más apasionantes, comenzando por sus inciertos orígenes, ya que después de haberse creído durante muchos años que procedía de la alta nobleza austríaca –hijo del coronel del 6.º Regimiento de Dragones y de una dama de la emperatriz de Austria– y que había emigrado a los Estados Unidos por un asunto de honor, investigaciones posteriores confirmarían que nació en Viena en 1885, hijo de un comerciante judío dedicado a la fabricación de sombreros de fieltro y de paja.

Lo que sí sabemos es que, por oscuras razones, marchó a los Estados Unidos hacia 1909, en donde vivió los azares de la emigración, empleándose en los oficios más variados y sorprendentes. Fue, entre otras cosas, vendedor de globos, profesor de equitación, charlatán en un restaurante bávaro, empaquetador, soldado, mozo de cuadra, representante de una marca de papel matamoscas, recepcionista de hotel y capitán del ejército mexicano. Este pintoresco catálogo de quehaceres, que le empujaron de un extremo a otro del país, le permitió profundizar en el conocimiento de la naturaleza humana, con sus debilidades, sus lacras y sus mezquindades, que aparecerían luego en el amargo e impresionante retablo de su obra. Su errabundo itinerario le llevó a recalar en el Hollywood de los años heroicos, al que llegó después de haber tanteado sin buenos resultados la fortuna literaria, comenzando a trabajar como humilde extra en 1914. De simple figurante ascendió pronto a *stunt-man,* es decir, a doble especializado en escenas de riesgo físico, y a asesor militar, empleo que ejerció en varias ocasiones junto a D. W. Griffith, que le utilizó como figurante en un papel minúsculo de *El nacimiento de una nación y* como ayudante de dirección y actor (en un papel de fariseo) en *Intolerancia.*

Metido de lleno en el remolino del naciente Hollywood, Stroheim comenzó a destacar como actor al que la dureza de sus rasgos físicos le encasilló en papeles de personajes crueles, con frecuencia como oficial alemán, etiquetado con el eslogan «el hombre que a usted le gusta odiar» y con terribles leyendas tejidas en torno a su figura, como la de que bebía una taza de sangre para desayunar. Pero las aspiraciones de Stroheim apuntaban mucho más alto y en 1918 convenció a Carl Laemmle, emigrante centroeuropeo como él, para que le diese la oportunidad de dirigir *Blind Husbands,* que prefigura ya muchos aspectos de su gran obra posterior.

La acción de *Blind Husbands* se sitúa, como varias de sus películas, en Europa Central, en una aldea austríaca de montaña, antes de 1914, y además de su función de director Stroheim encarna al oficial Erich von Steuben, que fiel a su repulsivo arquetipo es un conquistador impenitente que trata de seducir a la esposa de un médico americano y que finalmente muere destrozado entre los peñascos de los Alpes Dolomitas. La película obtuvo tan buenas recaudaciones que Laemmle no vaciló en darle carta blanca para la realización de *Esposas frívolas (Foolish Wives,* 1921), para cuyo rodaje reconstruyó en el estudio el Casino de Montecarlo y sus alrededores, con toda meticulosidad, ante la mirada complaciente de su productor, que anuncia muy ufano su obra como «el primer film del millón de dólares» y hace poner dos barras verticales a la inicial de su realizador, transformándola en la divisa del dólar.

Todo fue sobre ruedas hasta que Irving Thalberg fue promovido a un alto cargo ejecutivo en la Universal y decidió frenar el impetuoso genio creador de Stroheim. Comenzó por podar la película reduciéndola de veintiún rollos a catorce. Stroheim aceptó a regañadientes los cortes y la película así amputada inició una carrera comercial salpicada de incidentes y furiosas voces de protesta. El universo contenido en estado embrionario en *Blind Husbands* se expandía aquí con enorme fuerza, componiendo un estremecedor retablo de la depravación de la elegante y decadente aristocracia que frecuentaba el lujoso mundo de Montecarlo. El propio Stroheim interpretó el papel del repugnante conde Wladislas Sergius Karamzin, cuyo cadáver es al final arrojado simbólicamente a una cloaca.

Se elevó un coro de protestas en torno al film. «Yo mataría a quien fuera capaz de llevar a mis hijos a verlo», escribió un periodista. El crítico de *Photoplay* lo calificó de «un insulto a los ideales americanos y a la femineidad». Naturalmente, intervinieron los arreglos para endulzar la versión. El embajador americano que aparece en la película pasó a convertirse en un simple millonario. Pero a pesar de estos apaños, *Esposas frívolas* se revelaba como la más feroz e implacable acusación llevada jamás al cine del turbio mundo de bajas pasiones que se esconde hipócritamente bajo el oropel de las plumas, joyas y uniformes del gran mundo, expuesta con el más violento naturalismo. «Dirán algunos que tengo tendencia a ver lo sórdido –declarará Stroheim–. No. Lo que ocurre es que hablo también de lo que pasa detrás de las cortinas que bajaron, detrás de los cerrojos corridos; de lo que la cortesía y el buen tono quieren que no se hable, porque lo que se hace a escondidas explica el comportamiento a plena luz y no es posible disociarlos.»

En la plenitud de su prestigio, formado por el escándalo y las altas recaudaciones, Stroheim abordó *Los amores de un príncipe o el carrusel de la vida (Merry-Go-Round*, 1922), que transcurría en la Viena anterior a 1914. Pero Thalberg, pragmático hombre de negocios y poco amigo de los genios, interrumpió el rodaje, despidió a Stroheim e hizo que la película fuese concluida por el mediocre Rupert Julian, a pesar de lo cual ésta conservó incisivos apuntes críticos sobre la aristocracia vienesa anterior a la Primera Guerra

Mundial. Malos resultados da el ser genio en la Meca del cine. Lo estamos viendo con Stroheim y lo veremos luego con Chaplin y con Orson Welles. Pero a pesar de su fama de extravagante y despilfarrador, la Metro se decidió a jugar la carta de la genialidad y contrató al pobre Stroheim —bien que le iba a pesar— para adaptar al cine en *Avaricia (Greed,* 1923) la novela naturalista *McTeague,* del escritor norteamericano Frank Norris, seguidor de Zola.

El argumento de *Avaricia* expone cómo el joven McTeague (Gibson Gowland) abandona su oficio de minero para instalarse como dentista en San Francisco. Allí conoce y se enamora de Trina Sieppe (Zasu Pitts), novia de su amigo Marcus (Jean Hersholt). McTeague y Trina se casan, por lo que Marcus, rencoroso, le denuncia por ejercer como dentista sin tener diploma. Las relaciones entre los esposos se hacen tensas, agravadas por las consecuencias económicas del desempleo. En ella se despierta un creciente sentido de la avaricia, mientras su marido se entrega al alcohol y la maltrata. Un día asesina a su esposa y huye con el dinero que ella guardaba celosamente. La policía averigua que ha huido al Valle de la Muerte y Marcus, acuciado por el rencor y por la recompensa ofrecida, parte en su busca y le halla en pleno desierto. Encadena una de sus muñecas a la de McTeague con unas esposas, pero en el curso de la pelea McTeague mata a Marcus y, perdida la llave de las esposas, queda unido a su cadáver en la abrasadora soledad del Valle de la Muerte.

En *Avaricia* Stroheim podía dar rienda suelta a su desenfrenada pasión naturalista, a su amor por el detalle verdadero y exacto, que le había llevado al extremo, en *Esposas frívolas,* de colocar timbres auténticos en las habitaciones a pesar de ser una película muda. Decidió que *Avaricia* debía rodarse en los mismos lugares que describe la novela, por lo que, anticipándose a los maestros del cine ruso y preludiando las técnicas del neorrealismo, alquiló una auténtica mina abandonada, llevó su equipo al tórrido Valle de la Muerte y rodó los interiores en una casa del barrio viejo de San Francisco, sin eliminar los techos, innovación técnica que sería abandonada hasta la aparición de *Ciudadano Kane (Citizen Kane,* 1941) de Welles.

Con el material rodado durante nueve meses Stroheim montó una copia de cuarenta y dos rollos, es decir, de más de ocho horas de proyección. Pero los dirigentes de la Metro juzgaron que tan desmesurada longitud impedía su explotación y el propio Stroheim la redujo a treinta rollos. Los hombres de negocios no se sintieron satisfechos y exigieron una nueva poda, y luego otra, y otra, con la intervención de las manos pecadoras de Rex Ingram y de June Mathis. Se dice que Stroheim lloró como un niño ante aquellos crueles tijeretazos que le arrancaban parte de sus entrañas. La versión comercial definitiva, que Stroheim no aceptó, quedó reducida a diez rollos (2 h. 45 min.). Con razón podría decir: «Lo que yo hago en dos años de intenso trabajo, me lo destroza un hombre que cobra cincuenta dólares y que no tiene en la cabeza más que un sombrero, en dos semanas.»

A pesar de sus bárbaras mutilaciones, *Avaricia* nos sigue pareciendo hoy como una gran obra maestra, mojón capital en la historia del realismo cinematográfico. Con fidelísimo respeto a la novela original, Stroheim estructuró su película sobre la evolución minuciosamente examinada de la psicología de los personajes, bajo la influencia de la sordidez del medio y de sus mutuas relaciones. Esta gradual transformación de los caracteres, técnica novelística que por primera vez se aplicaba a la narrativa cinematográfica, explica la gran longitud requerida por Stroheim para componer su impresionante retablo sobre la degradación humana y la pasión por el dinero, que además de ser un estudio de conductas era un veraz retrato de la condición del proletariado y de la pequeña burguesía de una gran ciudad norteamericana de finales de siglo. Película psicológica y social a la vez, en su exigencia de vincular los individuos al medio ambiente utilizó magistralmente la fotografía con gran profundidad de campo, que en la sensacional escena de la boda de Trina y McTeague permite mostrar en último término, a través de la ventana, el paso de un cortejo fúnebre por la calle. También este recurso expresivo no sería plenamente reactualizado hasta la aparición de Orson Welles, dieciocho años más tarde.

Pero la carrera de Stroheim estaba destinada a tropezar sistemáticamente con la incomprensión de los productores, los censores, los críticos y las ligas puritanas. *Avaricia* fue un fracaso comercial y, para poder subsistir, Stroheim aceptó llevar a la pantalla una versión de *La viuda alegre (The Merry Widow*, 1925), con Mae

Murray, la que hacía temblar al león de la Metro. Durante el rodaje del film, Stroheim disputó con Mae Murray y los dirigentes de la Metro decidieron sustituir al realizador por Monta Bell, pero el equipo se negó a seguir trabajando sin Stroheim y así pudo concluir el film. Con sus incisivas anotaciones críticas sobre la aristocracia vienesa, esta película puede hacer pensar en las sátiras del mundo elegante de Lubitsch, aunque sus estilos se diferencian en la medida que, como ha señalado el propio Stroheim, aquél nos muestra a un rey en su trono antes de llevarle al dormitorio, mientras que Stroheim nos lo enseña primero en el dormitorio, para que cuando lo veamos en su trono no nos hagamos ninguna ilusión sobre él.

La viuda alegre fue un éxito de taquilla, que permitió a Stroheim realizar *La marcha nupcial (The Wedding March*, 1927), otra obra maestra que debía durar tres horas, pero que tuvo también tropiezos con la producción, quedando amputada de su segunda parte, *Luna de miel (Honeymoon)*, que montó Josef von Sternberg y no se exhibió en los Estados Unidos. Stroheim encarnaba aquí al príncipe austríaco Nikki, por una vez no convertido en monstruo de perversión, sino en el producto y víctima de una sociedad corrompida y de unos padres que le hacen rechazar a la mujer humilde que ama (Fay Wray) para aceptar el matrimonio de intereses con la cojita Cecilia Schweisser (Zasu Pitts), hija de un acaudalado fabricante de callicidas. Tampoco pudo concluir Stroheim *La reina Kelly (Queen Kelly,* 1928), de cuyos residuos emergen con poderosísima fuerza sus obsesiones personales: la colegiala (Gloria Swanson) a la que se le caen las bragas ante todo un escuadrón de dragones, la barroca alcoba de la libidinosa reina (Seena Owen) con sus Cupidos, su *champagne* y, sobre la mesita de noche, el crucifijo junto al *Decamerón* y la morfina.

Con el desastre de *La reina Kelly,* interrumpido por orden de su productora y protagonista Gloria Swanson, se quebró para siempre la carrera de uno de los más gigantescos creadores del séptimo arte. Por ser un implacable moralista, tropezó una y otra vez con los prejuicios de la moral convencional y pacata. Nunca se vio ni se verá tanta ferocidad en la descripción de la mezquindad y bajezas humanas como en la obra de Stroheim. Cierto es que su actitud moralista se limita, casi siempre, a una virulenta crítica de costumbres. No es un crítico revolucionario al estilo de Buñuel, con quien a veces se le ha comparado, y el mundo que critica es siempre demasiado excepcional. Para Buñuel, por ejemplo, el amor se convierte en un sentimiento liberador y revolucionario, pero Stroheim, que es un necrómano social, casi siempre lo contempla desde el ángulo de la perversión sexual y la aberración patológica.

Su arrolladora pasión naturalista, que le llevaba a acumular detalles y más detalles en los decorados y en la caracterización de los personajes, convertía sus escenografías en cuadros barrocos, que trascendían el realismo para aproximarse al expresionismo. En sus obras convergen muchas resonancias estilísticas. Ya hemos citado el mundo elegante de Lubitsch. Podría asociarse el nombre de Pabst a su gusto por la sordidez como material dramático y su uso de lo «ornamental expresivo», y el de Sternberg por su barroquismo escénico y su interés por los temas sexuales. Con Stroheim culmina y se destruye la estética del cine mudo. André Bazin ha escrito un juicio certero sobre su obra: «Es necesario que un lenguaje exista para que destruirlo sea un progreso. La obra de Stroheim es la negación de todos los valores cinematográficos de su época.» En efecto, a la discontinuidad del cine mudo, basado en el arte del montaje y en la hipertrofia significativa del plano, Stroheim opuso –como Murnau– la continuidad y coherencia espacio-temporal de las escenas, convertidas en unidades de acción dramática. Este paso de gigante no hace sino anunciar, de un modo profético, la estructura narrativa propia del cine sonoro que ya está a punto de nacer.

EL CINE SONORO

EL CINE APRENDE A HABLAR

En 1926, año de plenitud del arte cinematográfico mudo, Hollywood vivía tiempos dorados de prosperidad y la demanda del público no exigía más de lo que por entonces la producción de los estudios le ofrecía, aunque empezaba a acusar la competencia de la radio. No pedía, por ejemplo, que las sombras de la pantalla rompiesen a hablar, porque le satisfacía plenamente el lenguaje visual al que estaba acostumbrado. Pero los hermanos Warner, cuyos negocios bailaban sobre la cuerda floja de la bancarrota, pensaron que tal vez podrían alejarse del fantasma del *crack* si lanzaban al mercado la golosa novedad del cine *sonoro*.

¿Una novedad el cine sonoro? Relativa, pues ya vimos que Edison y Pathé, y otros tras ellos, se aplicaron a obtener la sincronización de las imágenes con discos o rodillos gramofónicos aunque, todo hay que decirlo, sus trabajos no pasaron de ser una curiosa aventura experimental. Pero en 1907, el ingeniero americano Lee de Forest había inventado su válvula amplificadora *triodo*, de modo que el problema de la amplificación del sonido a los niveles exigidos por una sala de grandes dimensiones había sido resuelto. Hizo falta que el espectro de la quiebra se abatiese sobre la Warner Bros para que esta novedad técnica se incorporase a la producción comercial, primero con cierta timidez, con el *Don Juan (Don Juan,* 1926), de Alan Crosland e interpretado por John Barrymore, sincronizado con música grabada con motivos de la ópera de Mozart; luego con *Orgullo de raza (Old San Francisco,* 1927), también de Crosland, que incorporaba por vez primera los ruidos y efectos sonoros, y finalmente con el *fortissimo* de *El cantante de jazz (The Jazz Singer,* 1927), en el que tras una canción, Al Jolson se dirigía al público estupefacto y le decía: «Esperen un momento, pues todavía no han oído nada. Escuchen ahora.» La platea del teatro Warner se conmovió como sacudida por un terremoto la noche histórica del 6 de octubre de 1927 en que por vez primera la imagen de Jolson pronunció esta frase premonitoria ante las masas, gracias a la magia blanca del Vitaphone.

Efectivamente, los espectadores apenas habían oído nada, y no por el celebrado *Ma-a-a-mee* que entona este hijo de un rabino, que había proferido sus primeros gorgoritos cantando en la sinagoga y que ahora aparece ante las multitudes, con la cara embetunada e interpretando al hijo de un cantor religioso judío, aficionado al jazz, que sigue su vocación a pesar de la oposición familiar y triunfa en los escenarios, sino por toda una nueva era del cine que se inaugura con este punto y aparte decisivo. Ya veremos el chaparrón de películas musicales que se nos vendrá encima a partir del éxito de *El cantante de jazz,* obra mediocre del muy mediocre Alan Crosland, que costó medio millón de dólares y reportó cinco veces más. Pero, entretanto, los hombres de negocios afilan sus espadas y toman posiciones para la batalla que se avecina. El gigantesco pulpo de la American Telephone and Telegraph Company, hijo financiero de la Banca Morgan, pasó a ejercer el dominio absoluto en el terreno de la fabricación de aparatos, a través de su filial Western Electric, propietaria de la patente del sistema Vitaphone, creado por Case y Sponable, que al principio utilizaba discos gramofónicos, pero que luego empleó el sistema actual de fotografiar las oscilaciones sonoras sobre película.

Por su parte, el Chase National Bank, feudo de Rockefeller, que tampoco es grano de anís, detentaba los derechos de la patente Photophone a través de su filial Radio Corporation of America, y para explotarla absorbió un gran circuito de exhibición, el Keith Orpheum Theatre Circuit, lo que hizo nacer un nuevo trust cinematográfico: el Radio Keith Orpheum Corporation o RKO. La Banca Morgan y Rockefeller, en consecuencia, pasaron a controlar la industria del cine sonoro americano a través de sus patentes. En Alemania, a su vez, los trabajos de Hans Vogt, Joe Engl y Josef Massolle condujeron al monopolio de los aparatos de registro por la Tonbild Syndikat A. G. «Tobis» y de los aparatos de reproducción de sonido por la Klangfilm Gmbh, dependiente de Siemens y Halke. Ni que decir tiene que en esta frondosa guerra de patentes, los tiburones de los negocios sacaron mucha mejor tajada que los inventores e ingenieros.

La implantación del cine sonoro duplicó en poco tiempo el número de espectadores cinematográficos e introdujo cambios revolucionarios en la técnica y en la expresión cinematográficas. Los cambios, al principio, fueron decididamente negativos. Encerrada en pesados blindajes insonoros, la cámara retrocedió al anquilosamiento e inmovilidad del protohistórico «teatro filmado»; además, el ritmo de sus encuadres fijos, como las viejas estampitas de Méliès, vio su fluir bruscamente frenado por su sujeción a interminables canciones o diálogos. Los productores, atacando la línea de menor resistencia del público, convirtieron el cine en una curiosidad para papanatas, anunciando muy ufanos sus películas «cien por cien habladas», en donde las voces y ruidos esclavizaban a la imagen, convertida en insípida ilustración gráfica de los dictados del gramófono. Fueron los años del furor del cine musical, que tuvo su culminación en *El desfile del amor (The Love Parade*, 1929), sátira de las viejas monarquías europeas, con sus majestades Jeanette Mac Donald («la voz de oro de la pantalla») y Maurice Chevalier cantando unas melodías de Victor Schertzinger con las que el astuto Lubitsch se puso las botas. Y tras él avanzó un nutrido pelotón de canciones y de disciplinadas chicas de conjunto: *Broadway Melody (Broadway Melody,* 1929) de Harry Beaumont, *Fox Follies de 1929 (Fox Movietone Follies of 1929)* de David Butler, *El rey del jazz (The King of Jazz,* 1930) de John Murray Anderson, *Río Rita (Rio Rita,* 1930) de Luther Reed... En Europa, la tradición austrogermana de la opereta llegó también al cine con *Al compás del tres por cuatro (Zwei Herzen im 3/4 takt,* 1930) de Geza von Bolvary y se impuso definitivamente con *El trío de la bencina (Der Drei von der Tankftelle,* 1930) de Wilhelm Thiele y con Lilian Harvey.

Abrumados por aquella ruidosa avalancha que hacía *tabula rasa* del complejo y rico lenguaje visual elaborado trabajosamente por el arte mudo, los artistas más responsables declararon de modo inequívoco su hostilidad hacia lo que ellos llamaban el «sonido en conserva». Chaplin, por ejemplo, declarando que los *tal-*

kies habían asesinado al arte más antiguo del mundo, al arte de la pantomima, afirmó solemnemente que jamás haría una película sonora y que, si la hacía, interpretaría en ella el papel de un sordomudo. Más cauto, René Clair afirmó: «El cine hablado no es lo que nos asusta, sino el deplorable uso que nuestros industriales van a hacer de él.» Los maestros del cine soviético publicaron un célebre manifiesto en 1928, firmado por Eisenstein, Pudovkin y Alexandrov, señalando el peligro de que la palabra y el diálogo, de duración concreta, esclavizasen la libertad creadora del montaje, pilar del arte cinematográfico. Por ello proponían como solución el empleo antinaturalista y asincrónico del sonido.

Todos los portavoces de la *intelligentzia* cinematográfica coincidieron en su crítica acerba del sonido. El teórico alemán Rudolf Arnheim, por ejemplo, dio por estos años coherencia doctrinal a la estética del cine mudo, al señalar que el arte nace precisamente de las limitaciones técnicas que obligan a deformar la representación de la realidad, impidiendo caer en un puro calco mecánico. Para Arnheim, las posibilidades expresivas del cine nacían de las siguientes «limitaciones»: limitación de la superficie por el marco rectangular de la pantalla, abolición de volúmenes y de la profundidad por la superficie plana de la pantalla, ausencia del color, abolición de la continuidad espacial y temporal por el montaje y abolición del mundo sensible no óptico (sonido, olor, etc.). Consecuente con su teoría, Arnheim declara que el cine sonoro, en color y en relieve es, simplemente, el teatro.

Pero a medida que la curiosidad del público fue cediendo y el «sonido en conserva» dejó de ser una novedad, se fue revelando que el cine sonoro podía ser algo más que un pariente pobre del *music hall* y de la opereta. La cámara volvió a caminar, aunque lentamente y con dificultades. William Fox fue el primero que se atrevió a abordar un *talkie* rodado en exteriores: *En el viejo Arizona (In Old Arizona,* 1928), que inició Raoul Walsh, pero que, al sufrir un accidente en el que perdió el ojo derecho, concluyó Irving Cummings. Michael Curtiz, valiéndose de una plataforma con las ruedas bien engrasadas, se atrevió a hacer los primeros *travellings* del cine sonoro en *The Gamblers* (1929).

Estos difíciles movimientos, que se nos antojan tan delicados como los primeros pasos de un bebé, adquirieron mayor soltura gracias a Rouben Mamoulian, un caucasiano procedente del teatro que llegó a Hollywood en el momento de transición del mudo al sonoro, atraído como tantos otros prohombres de la escena (George Cukor, Ben Hecht), por el SOS que el nuevo Hollywood parlante lanzó a Broadway. En *Aplauso (Applause,* 1929), Mamoulian disoció el micrófono de la cámara tomavistas, de modo que ambos pudieron moverse con libertad y asombraron al público en el largo paseo de los protagonistas por el puente de Brooklyn, reconstruido en los estudios Paramount, en un amanecer neoyorkino. Será también el sensible Mamoulian quien, seis años más tarde, inaugure los derroteros estéticos del cine en color con *La feria de la vanidad (Becky Sharp,* 1935), rodada íntegramente en el estudio, con el sistema Technicolor tricrómico. Otro paso importante en esta liberación lo dio Lewis Milestone, que al adaptar la obra teatral de Ben Hecht y Charles Mac Arthur *The Front Page* (1931), cuya acción, repleta de diálogos, transcurría casi únicamente en una redacción de periódico, se encontró –como le había ocurrido antes a Murnau– con la necesidad de agilizar la monotonía espacial del relato con una cámara en perpetua movilidad, valiéndose del *travelling,* de la grúa y del montaje.

Paradójicamente, fueron las revistas musicales las que acabaron de liberar la cámara, en su exigencia de seguir las evoluciones coreográficas y trenzar arabescos sobre los escenarios. Para el rodaje de *Broadway (Broadway,* 1929), Paul Fejos hizo construir una grúa gigante para la toma de vistas que costó 25.000 dólares y con la que la cámara pudo finalmente volver a volar.

En 1930 aparecieron tres películas capitales en tres países distintos, que demostraban que la nueva técnica caminaba ya por un sendero de plena madurez artística. Se trataba de *Aleluya* en los Estados Unidos, *Bajo los techos de París* en Francia y *El ángel azul* en Alemania, de las que nos ocuparemos en su momento. Pero en otras películas más banales comenzaban a apuntar también los hallazgos que preludiaban las posibilidades del nuevo cine sonoro. Así, por ejemplo, en la celebrada *Broadway Melody,* en una escena se veía cómo el rostro de Bessie Love se entristecía mientras se oía (sin verse) el ruido de una portezuela al cerrarse y la partida de un automóvil. Esta misma escena hubiera necesitado por lo menos tres planos para ser expresada en cine mudo: uno de la actriz mi-

223

rando, otro del coche que arranca y nuevamente otro de la actriz entristecida. En otra escena aparecía Bessie Love acostada, triste y pensativa, a punto de llorar. Pero cuando su rostro comenzaba a contraerse, la imagen fundía en negro y de la pantalla oscura surgía un sollozo.

La controversia en torno al cine sonoro no se liquidó de un plumazo. En plena era del cine parlante veremos todavía brotes de rebeldía que se resisten a aceptar la «impureza» de la palabra hablada, fiando únicamente (o casi) en la expresividad de la imagen, la música y los sonidos. A este capítulo, que resulta curioso más que convincente, pertenecen películas como *María, leyenda húngara (Marie, légende hongroise,* 1932) de Paul Fejos, *Éxtasis (Ekstase,* 1933) de Gustav Machaty, *Rapto (Rapt,* 1933), rodada en exteriores suizos por Dimitri Kirsanov, y *El espía (The Thief,* 1952) de Russell Rouse.

Pero al aquietarse las aguas de la polémica podrá valorarse todo lo que, en el plano estético, ha aportado el sonido. En primer lugar, una mayor continuidad narrativa, al eliminar los rótulos literarios que antaño salpicaban la narración visual y a los que, con criterio justo, los artífices del *Kammerspielfilm* desterraron como elementos perturbadores. El advenimiento del sonido supuso un duro golpe a la estética del cine-montaje, al permitir una gran economía de planos, eliminando las abundantes imágenes explicativas y metafóricas del lenguaje visual mudo y facilitando, además, representar porciones de la realidad que estuvieran fuera del encuadre por la única presencia de su sonido (sonido en *off),* como el ejemplo citado de *Broadway Melody.* Como consecuencia de todo ello se redujo considerablemente el número de planos de las películas y aumentó la longitud de los mismos, que pasó a depender de un elemento de duración concreta hasta entonces desconocido: el diálogo de los actores. No faltará quien, cogiendo el rábano por las hojas, crea con Marcel Pagnol que «el film mudo era el arte de imprimir, fijar y difundir la pantomima y el film parlante es el arte de imprimir, fijar y difundir el teatro». No es éste el camino del cine sonoro, que, entre otras cosas, ha descubierto como nuevo elemento dramático algo muy importante y desconocido por el cine mudo, precisamente por serlo: el silencio.

Pero no hay que asombrarse de nada porque en estos años de

búsqueda y desorientación se verán las más sorprendentes piruetas, como la que se le ocurre al ingenioso Walter Ruttmann, que decidido a explorar el nuevo medio sin prejuicios ni purismos compone *Week-End* (1930), una película en donde sólo hay sonidos, pero no imágenes, que le son sugeridas al espectador (¿hay que llamarle así?) por aquéllos. Sin darse cuenta, Ruttmann acaba de reinventar la radio.

Lo que sí constituyó un obstáculo serio a la difusión universal del cine sonoro fue la diversidad idiomática, que se trató de resolver con el rodaje de diferentes versiones de cada película en varios idiomas. En ese momento crucial el cine español perdió una oportunidad única para potenciar su desarrollo a través del mundo hispanoparlante, pues el Congreso de la Unión Cinematográfica Hispanoamericana celebrado en Madrid (1931) no llegó a ningún resultado práctico y Hollywood comenzó a importar masivamente artistas y técnicos españoles, para intervenir en las versiones castellanas de su producción, tales como Juan de Landa, Catalina Bárcena, Conchita Montenegro, Miguel Ligero, Raquel Meller, Rosita Moreno, Julio Peña, José Nieto, Ernesto Vilches, Enrique Jardiel Poncela, Martínez Sierra, Benito Perojo y López Rubio. Un poco más tarde comenzaría a difundirse la práctica de la traducción de los diálogos mediante subtítulos y, en algunos países, del doblaje.

A finales de 1930 el cine sonoro se había generalizado en casi todo el mundo y se estaba superando el sarampión de las comedias y revistas musicales filmadas. La perspectiva histórica nos muestra hoy, bien a las claras, que la evolución estética fue lógica y que las últimas obras mudas de Stroheim, Dreyer, Murnau o Clair tendían vocacionalmente en su madurez a la incorporación del sonido, al tiempo que repudiaban el rótulo escrito, intruso en el mundo de las imágenes, por mucho ingenio gráfico que quisiera echársele a sus letras. Y al incorporar la palabra, el cine se veía capaz de abordar conflictos y personajes mucho más sutiles y complejos que los que permitía la sola imagen, cuyo lenguaje visual había llegado al límite de su evolución y madurez creadora en la obra de los grandes maestros.

El cine ha conquistado la palabra y no cesará de evolucionar y de progresar. Las primeras creaciones del nuevo cine sonoro se proyectaban sincronizadas con frágiles e incómodos discos. Pero Eugène Lauste había demostrado que las vibraciones del sonido se podían fotografiar sobre película, incorporándose a una *banda sonora* paralela y contigua a las imágenes y sobre el mismo soporte.[1] A partir de ahí pudo descomponerse la banda de sonido en sus tres componentes fundamentales –diálogos, música y efectos sonoros– que se fundían en la banda sonora definitiva mediante la operación de *mezcla*. A su vez, las bandas de música y de efectos mezclados pasaron a constituir el *sound-track* o *banda internacional* que se exporta con las películas para permitir su doblaje a otro idioma. Más tarde, la grabación magnética de sonido, perfeccionada durante la guerra por los servicios de escucha de la Gestapo, comenzará a introducirse en el cine a partir de 1950.

La revolución tecnológica del siglo XX nos ha llevado del silencioso parpadeo de las imágenes de Lumière a la ruidosa era de los *talkies*. Veamos ahora qué es lo que han hecho los artistas con este nuevo y sensible instrumento que les permite una más fiel y completa reproducción del mundo real.

ALEMANIA AL BORDE DEL NAZISMO

La revolución del cine sonoro benefició a Alemania, en primer lugar porque disponía de patentes nacionales de registro y reproducción de sonido, y en segundo lugar porque reabsorbió una buena parte del censo artístico alemán emigrado a Hollywood, cuyo marcado acento extranjero le impidió continuar allí su carrera. Artistas de la categoría de Emil Jannings y Conrad Veidt retornaron a trabajar para la UFA, y entre los recién llegados estuvo el austríaco Josef von Sternberg, que iba a asombrar al mundo con la sensacional revelación de *El ángel azul (Der blaue Engel,* 1930).

El argumento de *El ángel azul* procede de la novela *Profesor Unrath* de Heinrich Mann (hermano de Thomas Mann), implacable fustigador de los vicios de la sociedad burguesa alemana de

---

1. La inclusión de una *banda sonora*, de 2,13 mm de anchura, junto al borde izquierdo de los fotogramas, obligó a reducir sus dimensiones, que pasaron de 18 × 24 mm (formato mudo) a 15,25 × 20,95 mm.

su tiempo, y narra la tragedia del solterón, severo y metódico profesor Rath (Emil Jannings), que acude a reprender a la provocativa cantante Lola-Lola (Marlene Dietrich), que con sus actuaciones en el tugurio El Ángel Azul tiene alborotados a sus alumnos. Pero el profesor cae en las redes de encantamiento de la bella Lola-Lola y llega a casarse con ella, por lo que es expulsado del colegio. Los años que siguen son de continua humillación y degradación moral para Rath, convertido en payaso y al que sus discípulos han apodado *Unrat (basura,* en alemán), produciéndose el colmo de la humillación al regresar la compañía ambulante a El Ángel Azul, en donde Rath debe actuar ante sus antiguos conciudadanos. Pero en el momento de su actuación, ante el público regocijado, tiene un acceso de locura, intenta estrangular a Lola-Lola y va a morir asido a un pupitre de su antigua clase.

Sternberg había titubeado largamente antes de decidir qué actriz debería interpretar el papel de Lola-Lola, pero su casual descubrimiento de la entonces desconocida Marlene Dietrich (Maria Magdalena von Losch, de verdadero nombre), cuando actuaba en la pieza de Georg Kaiser *Zwei Krawatten,* fue una baza decisiva que contribuyó al éxito de esta película, excepcional por muchos motivos. *El ángel azul* era la primera película importante del cine sonoro alemán y fue, además, una de las más decisivas aportaciones a la nueva y titubeante estética del cine audiovisual. Su utilización dramática del sonido (la voz ronca y sensual de la cantante, el desgarrado «kikirikí» que emite en escena el profesor convertido en payaso, las risas y retazos de canciones cuyo volumen varía al abrirse y cerrarse las puertas, etc.), su turbio erotismo, con la provocativa belleza de Lola-Lola exhibiendo sus espléndidas piernas enfundadas en medias de seda, subrayada por el lujurioso punto de vista de la cámara baja, y su sadismo implícito, que hurga sin piedad en la llaga de la degeneración física y moral del antiguo profesor, fueron los factores que más contribuyeron a su éxito universal, convirtiendo esta película, desde el día de su estreno, en un «clásico» del cine sonoro. Su argumento, si bien se mira, tiene muy poco de original y reincide en la mitología clásica de la *vamp* devoradora de hombres, sin olvidar el ejemplar castigo final que condena la pasión carnal. Pero la película era también, como ha observado Sadoul, «la imagen de la decadencia de ciertas capas burguesas alemanas que proporcionaban al nazismo una parte de sus efectivos». Y todo ello expuesto con el característico y asfixiante barroquismo escenográfico de Sternberg, herencia del *Kammerspielfilm*, en el que los objetos adquieren valor dramático, con su enervante pesadez de atmósfera y con su proverbial refinamiento fotográfico.

Esta obra maestra del «realismo fantástico» de Sternberg obtuvo tal éxito que, mientras en París se abría un club nocturno bautizado El Ángel Azul, Sternberg y Marlene Dietrich, convertida de la noche a la mañana en un mito erótico universal, se embarcaban rumbo a América contratados por la Paramount.

Al partir Sternberg, quedaban en Alemania G. W. Pabst y Fritz Lang como las dos personalidades dominantes del cine germano. Pabst prosiguió su trayectoria polémica con *Cuatro de infantería (Westfront 1918, 1930)*, película antibelicista que exponía con gran realismo las penalidades de cuatro soldados en las trincheras alemanas de primera línea, durante la Primera Guerra Mundial. No faltaron, ciertamente, los deslices melodramáticos tan caros a Pabst, como en la escena en que el soldado de permiso encuentra a su esposa en brazos del carnicero, que en compensación le suministra raciones extraordinarias de carne. Sectores de la crítica europea de izquierdas fueron severos con la película, reprochándole su ambigüedad y timidez en la explicitación de las causas de la guerra, pero se exhibió con éxito en Alemania por los mismos días en que aparecía *Sin novedad en el frente (All Quiet on the Western Front*, 1930), de Lewis Milestone, sobre la novela de Erich Maria Remarque, que al ser presentada en Berlín promovió manifestaciones de protesta, que degeneraron en choques entre los nazis que pedían su prohibición, y los comunistas, que la defendían. Finalmente, su exhibición fue prohibida en Alemania.

Después Pabst abordó una adaptación de la sátira social de Bertolt Brecht *La ópera de cuatro cuartos* en *La comedia de la vida (Die Dreigroschenoper*, 1931), contubernio festivo del hampa y de la policía londinense que obtuvo un éxito mundial, a pesar de la repulsa de Brecht, que descontento de la adaptación promovió un pleito contra la Nero Film, fallado en contra del dramaturgo. En el mismo año Pabst rodó el film minero *Carbón (Kameradschaft*, 1931), inspirado en un hecho real y que Pabst dedicó «a los mineros de todo el mundo». En esta película coral y sin protagonistas individuales, en la tradición del mejor realismo soviético (se reconstruyeron en los estudios galerías de mina utilizando auténticos bloques de carbón), Pabst mostraba una catástrofe en el interior de una mina fronteriza francesa, que provocaba la ayuda de sus camaradas alemanes, que para salvar a los mineros franceses rompían la reja subterránea de separación fronteriza establecida en 1919. En este drama colectivo sobre la solidaridad obrera, por encima de las convencionales barreras geográficas y políticas, Pabst hizo que los personajes hablasen su propio idioma. Esta exigencia realista tuvo afortunadas proyecciones dramáticas, como en la escena en que un minero francés semidesvanecido ve llegar a un hombre con una careta antigás que habla alemán, haciéndole enloquecer al creer revivir los episodios de la guerra. Algunos críticos franceses interpretaron la simbólica rotura de la reja fronteriza como una reivindicación de Alemania sobre la Alsacia-Lorena, pero lo cierto es que la película, a pesar de la ingenuidad de los discursos finales, que condenan «el gas y la guerra» como los enemigos de la clase obrera, está animada por el generoso aliento humanitario y pacifista del mejor cine realista de Pabst. El contundente plano final, que muestra la reposición de la sólida reja fronteriza, fue amputado por las censuras de varios países.

La subida de Hitler al poder en 1933 provocará una desbandada, el segundo gran éxodo del cine alemán, en el que encontraremos a Pabst, Fritz Lang, Max Reinhardt, Conrad Veidt, Max Ophüls, Paul Czinner, Elisabeth Bergner, Joe May, Peter Lorre, Robert Siodmak, Leontine Sagan, Eugene Schüfftan, Alexis Granowsky, Billy Wilder, Fred Zinnemann y Slatan T. Dudow, que cometieron el grave delito de nacer judíos o, simplemente, de tener ideas democráticas. Muchos de los fugitivos acabarán por converger en Hollywood, pero no será ése el caso de Pabst, que tras un vagabundeo por Francia, en donde realizó una sorprendente y discutible versión de *Don Quijote (Don Quichotte,* 1933) –con fragmentos cantados por el bajo Fiódor Chaliapine disfrazado de caballero de la triste figura y con un sabor figurativo a lo Gustave Doré– y tras una fugacísima visita a Hollywood, retornó a la Alemania nazi en 1941.

En estos años en que se masca la próxima tragedia que se abatirá sobre Alemania, una parte de su cine aparece vivamente sensibilizada por la situación política. Acabamos de verlo en la obra de Pabst y lo veremos también en *Hampa (Berlin-Alexanderplatz, 1931)*, de Phil Jutzi, que a pesar de su equívoco título español es un testimonio social y un aguafuerte de la sordidez del barrio berlinés de Alexanderplatz, con los mendigos, prostitutas y gentes miserables que pululan sobre su asfalto. Es un trozo de la dolorida Alemania que, buscando una panacea para sus males, se arrojará de un modo suicida a los brazos de un antiguo pintor de brocha gorda que lleva en su bolsillo el carnet número siete del partido nazi.

Pero antes de que esto suceda, el sector más sensible del cine alemán lo está profetizando en sus obras. Véase *Muchachas de uniforme (Mädchen in uniform,* 1931), la excelente película que Leontine Sagan realiza sobre una novela de Christa Winsloe, que obtuvo además un gran éxito popular, lo que significa que la Sagan no anda predicando en el desierto. Interpretada únicamente por mujeres, *Muchachas de uniforme* es una denuncia de la rigidez prusiana que impera en un internado para hijas de oficiales, tejida a través de un conflicto de fondo lesbiano, que empuja a la hipersensible protagonista (Herta Thiele) hacia el suicidio. Tratando con extraordinaria delicadeza un problema pedagógico y sexual bastante común (el amor de una adolescente hacia su profesora), Leontine Sagan denunció el «espíritu de Postdam» encarnado en la severa directora del internado, materialización femenina del fantasma de Federico el Grande. Y todo esto expuesto con una finura psicológica y con una sutileza que no son comunes en el cine (claro que tampoco es común que las películas sean dirigidas por mujeres), virtudes que no servirán de atenuantes a la hora del desastre político, en que la Sagan tendrá que huir de su país para refugiarse en Inglaterra.

La nota más aguda del realismo social y político la dio en 1932 el búlgaro Slatan T. Dudow al rodar *Kühle Wampe (Kühle Wampe),* con guión de Bertolt Brecht y Ernst Ottwald y música de Hans Eisler. *Kühle Wampe* era el nombre de una colonia de barracones en las afueras de Berlín, poblada por obreros desocupados, en donde transcurría la acción. La película fue prohibida por la censura alemana alegando que atacaba al jefe del Estado, a la administración de la justicia y a la religión –¿qué más puede decirse?–, pero circuló profusamente por los cine-clubs extranjeros, en sesiones organizadas por el Socorro Rojo Internacional.

Fritz Lang, en cambio, dio su mensaje social a través de las sinuosidades de dos importantes obras policíacas, género que es uno de sus predilectos por permitirle exponer el drama del hombre acosado, una de sus obsesiones más constantes. En *M o El vampiro de Düsseldorf (M,* 1931) llevó a cabo un penetrante estudio sobre una colectividad conmovida por un caso de criminalidad patológica, tan abundante en la Alemania de aquellos años (recuérdense los nombres de Peter Kürten, Haarman, Grossman y Denke). Peter Lorre encarnó magistralmente al asesino de niños que con sus crímenes sádicos conmueve a la sociedad, provocando una reacción en cadena. La policía multiplica sus operaciones de búsqueda, lo que perturba la actividad habitual del hampa, de modo que ésta decide movilizar a todas las fuerzas de los bajos fondos para cazar al criminal. Un mendigo ciego le localiza y le marca con una *M (Morder:* asesino) en la espalda. Finalmente, acorralado y capturado, es conducido a una fábrica abandonada para ser juzgado por el hampa.

La película fue a la vez la exposición de la tragedia interior de un obseso sexual y una corrosiva visión crítica de la sociedad en que vive, con regusto brechtiano: coincidencia de objetivos de la policía y del hampa cuando sus actividades rutinarias se ven perturbadas, la caricatura del juicio oficial, con las voces que reclaman el exterminio físico de los seres anormales... Fritz Lang pensó en titular el film «Asesinos entre nosotros», pero el partido nazi se sintió aludido y amenazó con boicotear el film, por lo que Lang cedió a sus presiones y lo cambió. Después, Lang recurrió a un viejo conocido, el diabólico doctor Mabuse, que creado por la pluma de Norbert Jacques había inmortalizado llevándolo por vez primera a la pantalla en 1922, con el serial *El doctor Mabuse (Dr. Mabuse der Spieler).* Ahora, cuando Hitler está a punto de asaltar el poder, resucita oportunamente a este Genio del Mal en *El testamento del doctor Mabuse (Das Testament des Dr. Mabuse,* 1932), que con su capacidad hipnótica sobrehumana dirige una vasta y bien organizada red criminal, presagio de la larga noche de terror que se avecina. También Fritz Lang abandonará en 1933 su país y a su esposa nazi, rechazando el alto puesto oficial que le ofrecía Goebbels, gran admirador (como Hitler) de su *Metrópolis* y *Los Nibelungos,* para conocer el exilio en América, tras una breve estancia en Francia, donde adaptó la pieza de Ferenc Molnar *Liliom (Liliom,* 1933), film menor que mostraba el dilema de la culpabilidad o inocencia de su protagonista fallecido. ¿Irá al infierno o al purgatorio? El tema de la culpabilidad, verdadera o falsa, es uno de los ejes de toda la obra de Lang.

Mientras Pabst y Lang, por caminos muy distintos, daban con su obra testimonio de una realidad social y política asfixiante, otros cineastas tomaban caminos muy diversos. El geólogo Arnold Fanck, por ejemplo, cantaba la épica montañera y la fotogenia de la naturaleza en las altas cumbres heladas en *Prisioneros de la montaña (Die weise Hölle von Piz Pallü,* 1929), que realizó en colaboración con G. W. Pabst, y en *Tempestad en el Mont Blanc (Stürme über der Montblanc,* 1930), cuyos rodajes entre los glaciares alpinos eran ya toda una gesta y que constituían a la vez un himno panteísta a la naturaleza y un canto prometeico a los héroes que se atrevían a conquistar sus cimas, con resonancias entre paganas y fascistas, reforzadas en esta última película –la primera sonora de la serie– con fragmentos de Bach y de Beethoven, emitidos por una radio abandonada en el Mont Blanc, para orquestarse con los rugidos de la tormenta.

El género creado por el doctor Fanck culminó con Leni Riefenstahl (que había debutado en 1925 como actriz de sus películas) en *Luz azul o El monte de los muertos (Das blaue Licht,* 1932), en donde aparece como intérprete y directora, con un guión de Béla Balázs y una espléndida fotografía de Hans Schneeberger. Es la historia de la joven Yunta, que descubre el secreto de la luz azul del monte Cristallo que tiene atemorizados a los campesinos y que es debida al brillo de los cristales de roca de una gruta en las noches de luna llena. Cuando su amante descubra la secreta gruta a los campesinos, Yunta morirá despeñada por un precipicio...

El frenético romanticismo del alma alemana domina el ciclo montañero, con su imponente solemnidad formal, épica y wagneriana. Pero el romanticismo tiene un registro muy amplio y en su vertiente intimista lo pulsa el austríaco Paul Czinner, especialista en análisis de la psicología femenina, que dirige a su esposa Elisabeth Bergner en *Ariane, la joven rusa (Ariane,* 1931), sobre la novela de Claude Anet. Y en su vertiente frívola culmina con la superopereta *El Congreso se divierte (Der Kongress tanzt,* 1932), de Erik Charrell, que sitúa en el célebre Congreso de 1814, en la imperial Viena, los amores del zar Alejandro de Rusia (Willy Fritsch) y de una gentil guantera (Lilian Harvey), film que sería prohibido por Hitler en 1937. La inmensa poularidad de *El Congreso se divierte* sólo será igualada por *Vuelan mis canciones (Leise flehen meine Lieder,* 1933), realizada por el austríaco Willy Forst para la mayor gloria vocal de Martha Eggerth.

Forst se convertirá en uno de los puntales del cine austríaco, con su brillante ejercicio de estilo en *Mascarada (Maskerade,* 1934), que gira en torno a un cínico pintor, un adulterio y un retrato de mujer comprometedor, temas banales que adquieren consistencia por la grácil liviandad de un estilo. La obra de Forst, que ofrecía una imagen del mundo elegante de Viena con una perspectiva opuesta a la de Stroheim, no pasó de ahí y se quedó en promesa, cosa que no ocurrió con su compatriota Max Ophüls, que llegará a convertirse, valga la paradoja, en el gigante del género liviano. Enamorado de la Belle Époque, romántico, nostálgico, irónico, barroco y hasta manierista, obtiene su primer éxito con *Amoríos (Liebelei,* 1932), adaptación de una pieza de Arthur Schnitzler y que narra los amores de dos muchachas con dos oficiales de caballería. Una (Luise Ulrich) desenvuelta y divertida, otra (Magda Schneider) tímida y retraída, pero cuando se entere de la muerte de su amante en un lance de honor, se matará arrojándose por una ventana. La historia agridulce de estos amoríos vieneses, con pasos de vals y paseos en trineo, señala la culminación histórica y el final de un estilo, el apogeo y muerte de la efímera escuela vienesa, que decapitada por el nacionalismo será continuada y aun superada, en un trasplante parisino, con el regreso de Max Ophüls a Francia (1950) desde su exilio americano.

EL MITO DE LA «PROSPERITY»

El nacimiento del cine sonoro americano coincidió con el espectacular y desastroso *crack* económico de 1929, que, nacido de un chispazo bursátil en Wall Street, irradió la más grave y repentina depresión económica que registra la historia del mundo industrializado. Este desastre nacional generó en los ciudadanos una necesidad casi patológica de evasión y de diversión, lo que tuvo como consecuencia que la industria cinematográfica fuese una de las poquísimas del país que no sólo no perdió terreno, sino que ascendió verticalmente en estos años de crisis. Resulta difícil deslindar en el incremento de la frecuentación cinematográfica lo que deba atribuirse a la innovación del sonoro y lo que corresponde a los efectos morales del colapso económico. Algo parecido puede decirse del auge de las revistas y comedias musicales, que son productos de evasión por excelencia.

La tremenda sacudida de la crisis tuvo, además de sus efectos específicamente económicos, la virtud de quebrar el ciego y difuso optimismo en el sistema capitalista, creado como reflejo durante una década de arrolladora y engañosa *prosperity*. Los escritores americanos de los treinta darán un buen testimonio de esta pérdida de valores, de este súbito despertar a una amarga realidad. El trauma espiritual de toda una generación de intelectuales, recién sensibilizada por la ejecución de Sacco y Vanzetti, sirvió para reanimar la tradición de la novela social de los grandes cronistas de la vida americana, como Theodore Dreiser y Sinclair Lewis, que han escrito su *American tragedy* y su *Babbit* en la primera mitad de la década que acaba, en una América que baila el charlestón y que no quiere prestar sus oídos a los agoreros, que creen ver gigantes en donde sólo hay molinos de viento. Toda una generación de escritores, que comprende a John Dos Passos, John Steinbeck, Richard Wright, Erskine Caldwell y Upton Sinclair, tomará el camino de la narrativa social, poniendo el dedo en las llagas que más escuecen a esta sociedad que ha cometido el error de creer en la prosperidad sin límites.

Era lógico que en el cine se produjese un movimiento paralelo, sobre todo desde el momento en que Franklin D. Roosevelt gana las elecciones de 1932 e inaugura la etapa del *New Deal,* que promueve el reformismo en el campo económico y social y estimula la autocrítica en el político e intelectual. Este clima colectivo explica la súbita radicalización de una buena parte de la producción de Hollywood en estos años, que parece alcanzar por fin una edad adulta con el examen crítico de los grandes problemas que ensombrecen el rostro del país, desde los grandes monopolios hasta el paro obrero, desde la administración de la justicia hasta la corrupción política, pasando por las instituciones penitenciarias y los problemas agrarios.

Un recorrido por la producción americana de los años treinta revela la vitalidad y vigor de sus testimonios sociales: *Sin novedad en el frente,* de Lewis Milestone, es uno de los más violentos alegatos contra la guerra que ha producido jamás el cine; en *Soy un fugitivo (I Am a Fugitive from a Chain Gang,* 1932), Mervyn Le Roy denunció las inhumanas condiciones de los presidios de Georgia, con una historia auténtica en la que el actor judeopolaco Paul Muni encarnaba magistralmente a la trágica víctima de un error judicial; Chaplin compone un retablo satírico-dramático sobre la taylorización y el desempleo en *Tiempos modernos (Modern Times,* 1936); Fritz Lang lanza dos violentas requisitorias, contra el linchamiento en *Furia (Fury,* 1936) y sobre las dificultades en la reincorporación a la vida civil de un ex presidiario (Henry Fonda), que vuelve a la cárcel condenado injustamente, en *Sólo se vive una vez (You Only Live Once,* 1936), historia inspirada en su parte final en la biografía real de los gángsters Bonnie Parker y Clyde Barrow; la cofradía sanguinaria del Ku-Klux-Klan es puesta en la picota en *The Black Legion* (1937) de Archie Mayo, que denunciaba a una organización secreta americana dedicada a atacar a los inmigrantes, mientras William Wyler expone el drama de la infancia miserable de Nueva York en *Callejón sin salida (Dead End,* 1937). La grave situación de los campesinos es el tema de *Las uvas de la ira (Grapes of Wrath,* 1940) de John Ford y de *The Land* (1940-1941) de Robert Flaherty. Alentadas por un militante espíritu democrático estuvieron también las biografías que William Dieterle rodó sobre Pasteur (1936), Zola (1937) y Juárez (1939), interpretadas todas por Paul Muni.

También la comedia, o una parte de ella, decide olvidarse de los frívolos enredos del mundo elegante aunque, como de comedias se trata, siempre acaban con el mejor de los finales, con la injusticia derrotada por algún esforzado caballero de los nuevos tiempos. El siciliano Frank Capra y su guionista Robert Riskin fueron los adalides de esta corriente del «optimismo crítico», que lo que quiere demostrar, a la postre, es la inquebrantable salud del sistema democrático americano, en el que cualquier ciudadano puede convertirse en multimillonario o en presidente de los Estados Unidos. En *Sucedió una noche (It Happened One Night,* 1934) veremos cómo un periodista poco afortunado (Clark Gable) puede ascender a la cúspide social gracias a su matrimonio con la hija de un multimillonario (Claudette Colbert).

En la filosofía social de Capra sólo es infeliz el que quiere, porque la sociedad americana está abierta a todos y la corrupción y la injusticia se desmontan haciéndoles frente. Esto es lo que hizo Gary Cooper en *El secreto de vivir (Mr. Deeds Goes to Town,* 1936), con tan buena fortuna que el Gary Cooper's Fans Club de San Antonio inició una campaña para que el actor fuera elegido presidente del país en las elecciones de 1936. Portavoz del optimismo de la era rooseveltiana, Capra ha sido caracterizado por Juan Antonio Bardem como «nuestra abuelita Frank Capra», porque cuenta una y otra vez la fábula del dragón de la plutocracia y del abuso vencido por un gentil caballero, o por una agraciada secretaria, que al casarse con un millonario jefe abolirá sus injustas diferencias sociales...

Esta tendencia no puede disociarse de la implantación en 1930 del Código Hays de autocensura, que no entra de hecho en vigor hasta 1934 para los miembros de la MPPDA, que son los cinco titanes que controlan el negocio cinematográfico –la Paramount, la Metro-Goldwyn-Mayer, la Fox, la Warner Bros y la RKO–, más tres compañías menores: Universal, Columbia y United Artists. Este tinglado que manejan, en su base financiera, Morgan y Rockefeller, lleva tiempo recibiendo las más feroces invectivas de las ligas puritanas, que se horrorizan de los pantalones que osa llevar Marlene Dietrich y se ponen muy nerviosas con las cosas que canta Mae West, a quien acabarán por hacerle la vida tan imposible que abandonará el cine en 1937. Está, además, el nada desdeñable capítulo de los suicidios con barbitúricos que se ponen de moda por estos años en Hollywood. El abuso de somníferos llevará el sueño eterno a Alma Rubens (1931), Marie Prévost (1934), George Hill (1934), John Gilbert (1935), James Murray (1937) y Lupe Vélez (1944), entre otros.

El rigor puritano de Hays, apodado «el zar del cine», no alcanza tan sólo a la moral sexual, sino a la social, la política y hasta la racial, como el precepto de su Código que prohíbe mostrar relaciones amorosas entre blancos y negros, que ha estado vigente hasta 1956. Su objetivo final es que las películas americanas presenten una sociedad inmaculada, confortable, justa, ponderada, estable, aséptica y tranquilizante, en donde la lacra y el error son sólo pasajeros y accidentales. Una sociedad que insufle a los americanos el orgullo de ser tales y a los extranjeros la envidia y la admiración de su modélico *way of life* y de la calidad de los productos que utilizan. Esto lo traducirá a un más franco lenguaje comercial un alto político de Washington, al declarar: «Allí donde penetre una película americana, allí se venderán más gorras americanas, más automóviles americanos y más productos de nuestro país.»

Se han hecho muchos chistes a costa del sibilino puritanismo de Hays. Elmer Rice, en su viaje al imaginario mundo cinematográfico de Purilia, escribe: «La vida procede en Purilia de una fuente ignorada, y si no alcanzo a definirla, puedo en cambio certificar que no es la consecuencia de una unión sexual. Pero me apresuro a añadir que, aun sin ser el resultado de esta unión, el nacimiento es siempre provocado por un matrimonio.» Pero el puritanismo es arma de doble filo, a cual más cortante, y en las filigranas de guionistas y directores para burlar astutamente la letra del Código se evidenciará que, más que como restricción, actuará en muchos casos como excitante positivo de la imaginación erótica a través de las más rebuscadas e insólitas argucias freudianas.

Los directores tendrán que medir celosamente en adelante la longitud de los besos y los centímetros de desnudo. Los mitos eróticos sufrirán naturalmente una transformación considerable. Tampoco hay que ignorar otro factor tan decisivo como es la incorporación masiva de la mujer a la vida laboral, acentuada después de la crisis de 1929, que hace añicos las últimas estampas mitológicas de procedencia romántica. La mujer se convierte en compañera de trabajo y de lecho, despojada de su complicado atavío mítico. Es la secretaria y la dactilógrafa, la compañera de aventuras que encarnan Joan Crawford o Jean Arthur como arquetipos de la muchacha-que-quiere-vivir-su-vida, libre y desenvuelta y espejo de millones de norteamericanas. Es el signo de los nuevos tiempos, que con la acelerada democratización de la cultura ya no acepta personajes tan irreales y distantes como las divas de antaño, exigiendo a los dioses del Olimpo de Hollywood que bajen a la tierra y se hagan seres humanos.

Queda el triunfante mito de Marlene Dietrich como devoradora de hombres que ha nacido con *El ángel azul*. De la mano de Sternberg, hasta su ruptura profesional y sentimental en 1935, la veremos evolucionar desde sus primeras cintas americanas. En *Marruecos (Morocco,* 1930) no sólo no devora al hombre, que en este caso es Gary Cooper, sino que en la escena final arroja sus lujosos zapatos para correr tras él y compartir como una humilde beduina los riesgos y penalidades del desierto. En *Fatalidad (Dishonoured,* 1931) se convertirá en espía por amor, traicionará a su patria y será fusilada, y en *El expreso de Shanghái (Shanghai Express,* 1932) sacrificará su honor para salvar al hombre que ama.

Sternberg hizo evolucionar a su Galatea en un universo desenfrenadamente barroco, acariciándola con la luz tamizada por los difusores, con su excepcional sabiduría fotográfica y su recreada morosidad narrativa, con sus larguísimos encadenados que alcanzan hasta diez segundos, atosigante andamiaje estilístico puesto al servicio del intenso fatalismo romántico que modula sus películas. El ciclo Sternberg-Dietrich concluyó con *La Venus rubia (Blonde Venus,* 1932), *Capricho imperial (The Scarlet Empress,* 1934) y *Capricho español (The Devil Is a Woman,* 1935), que por ofrecer una imagen ridícula de la guardia civil motivó una airada protesta del gobierno español, amenazando con prohibir todas las producciones de la Paramount si no se retiraba la película de circulación, como así se hizo, por presiones del Departamento de Estado norteamericano.

La primacía comercial de Hollywood en estos años se asienta en la gran aceptación popular de sus géneros: la comedia musical, el cine policíaco y de gángsters, el cine fantástico-terrorífico, el cine de aventuras y el film romántico.

La comedia americana fue uno de los géneros triunfantes del cine sonoro de Hollywood mientras los grandes cómicos del cine mudo abandonaban la pantalla, o transformaban profundamente su estilo, como ocurrió con Chaplin. Su hueco será llenado por la feroz y disparatada comicidad, rayana con el surrealismo, de los hermanos Chico, Harpo y Groucho Marx, que llegan al cine en

238

1929 procedentes del *music hall*, de donde vienen con su piano el primero y su arpa el segundo. Pero la comedia ligera, creada por Lubitsch y remozada por Capra, es la que se llevará la parte del león. Títulos como *Vive como quieras (You Can't Take It With You*, 1938) de Capra, *La fiera de mi niña (Bringing Up Baby*, 1938) de Howard Hawks o *Ninotchka (Ninotchka*, 1939) de Lubitsch, sátira antisoviética que nos trae como novedad unas fotogénicas carcajadas de la Garbo, llenan las plateas y demuestran que lo que fundamentalmente busca el público en el cine es divertirse. Y la *Sophisticated Comedy*, con sus enredos y la propaganda pasada de matute, con sus ambientes elegantes y su chorro de optimismo, cumplirá esta función a las mil maravillas.

La comedia musical es la principal novedad que ha aportado el sonoro, y aunque las alas de su imaginación son bien cortas, pues siempre asistiremos a las mismas peripecias del grupo de jóvenes emprendedores que tratan de estrenar su espectáculo en Broadway, como pretexto para intercalar cada cinco o seis minutos un número musical, lo que importa es el despliegue de medios y los sincrónicos arabescos rítmicos de unas *girls* transformadas en robots y fuerza de choque de un aséptico y deshumanizado erotismo. El género encontró su tope y culminación en *La calle 42 (42nd Street*, 1933), de Lloyd Bacon y con coreografía de Busby Berkeley, estajanovista del género, que no será rebasado hasta los nuevos planteamientos que traerán en la posguerra Vincente Minnelli y Stanley Donen. Capítulo aparte merece el virtuoso del claqué Fred Astaire, que entre 1933 y 1939 formó una popularísima pareja cinematográfica con Ginger Rogers.

Uno de los géneros mayores y más originales del cine americano de los treinta fue el importante ciclo de films de gángsters y de presidio, a los que el sonido ha restituido la voz de sus macabros y excitantes conciertos de metralletas. El gángster heroico de *La ley del hampa* se transforma en *Hampa dorada (Little Caesar*, 1931), de Mervyn Le Roy, en el egocéntrico y feroz Rico Bandello (Edward G. Robinson), que con prurito intelectual se siente convertido en el César de los bajos fondos de Chicago. Esta epopeya de la depravación, con final moralizador, señala las nuevas directrices del género, que ve ahora en el gángster una lacra social que debe ser extirpada, aunque jamás llegará al fondo de la cuestión y no se atreverá a bucear en las causas y razones que hacen posible el inquietante fenómeno del gangsterismo. Por eso, lo mejor de este nutrido ciclo vale sobre todo como documento, como testimonio, como página periodística de impresionante fuerza expresiva, más que como diagnóstico e investigación de sus raíces sociales.

Ben Hecht, que había escrito el argumento de *La ley del hampa*, fue también el guionista de *Scarface, el terror del hampa (Scarface*, 1932), de Howard Hawks, que con su biografía del gángster italoamericano Al Capone (que por precaución rebautiza en la película con el nombre de Tony Camonte, encarnado por el actor Paul Muni), lleva el género a su culminación, con su trasfondo incestuoso y episodios tan impresionantes como los asesinatos en el hospital y la bolera, que harán merecer a la película el título de «himno a la metralleta triunfante».

Howard Hawks ha declarado sobre *Scarface:* «Quería describir a la familia Capone como si se tratase de los Borgia instalados en Chicago», y Howard Hughes, productor del film, proclamó en su publicidad que éste era «el film de gángsters que acababa con todos los films de gángsters». No lo fue y a este ciclo de violencia desatada, que en parte derivó hacia los dramas carcelarios, pertenecen *El presidio (The Big House,* 1930) de George Hill, *Public Enemy* (1931) de William A. Wellman, *Las calles de la ciudad (City Streets,* 1931), de Rouben Mamoulian, *Quick Millions* (1931) de Rowland Brown, *Aristócratas del crimen (Bad Company,* 1931) de Tay Garnett, *Soy un fugitivo* de Le Roy, a la que nos hemos referido en otro lugar, *20.000 años en Sing Sing (20.000 Years in Sing-Sing,* 1933) de Michael Curtiz, *Contra el imperio del crimen (G-Men,* 1935) de William Keighley y *El bosque petrificado (The Petrified Forest,* 1936) de Archie Mayo, que impone la fascinante personalidad de Humphrey Bogart, en el papel del gángster Duke Mantee que ya había interpretado en el escenario, quien perderá su vida por esperar a la mujer que ama, prefigurando un nuevo y atractivo tipo romántico: el *badgood boy* (o «malo-bueno») que alcanzará su plenitud en la posguerra y que, para no ofender la susceptibilidad de mister Hays, deberá perder su vida en las últimas escenas de cada película, humedeciendo los ojos de sus admiradoras pero acallando así la irascibilidad de las conciencias puritanas.

También los elementos sádicos son integrantes primordiales del ciclo fantástico-terrorífico que, reactualizando los resortes estilísticos del expresionismo que ha importado Paul Leni de Alemania, lanza en 1931 la Universal, pilotado por Tod Browning con *Drácula (Dracula)* y por el inglés James Whale con su *Frankestein, el autor del monstruo (Frankestein, the Man Who Made a Monster)*, libre adaptación de la novelita gótica de Mary W. Shelley (1816) llevada ya a la pantalla en 1910, que debía protagonizar el actor húngaro Bela Lugosi, pero que, descontento con el aparatoso maquillaje que le haría irreconocible al público, fue interpretado por el oscuro actor británico Boris Karloff, que inició así una brillantísima carrera como especialista en personajes monstruosos o perversos. Ya Mary Shelley había referido la hazaña biológica del doctor Frankenstein al viejo mito de Prometeo, que intenta robar el fuego sagrado (en este caso es el secreto de la vida) y recibe por ello un severo castigo divino. Esta constante ejemplarista había aparecido ya en otras ocasiones en que el cine había picoteado en este viejo mito, como en *El Golem* (el hombre de arcilla), en *Homúnculus* y en el robot-María de *Metrópolis*. Los desmanes de los monstruos humanoides y la hecatombe final que suele coronar estas películas, con el consabido castigo al sabio ambicioso y pecador, representan el reflejo de una postura hostil al progreso científico, que sólo en rarísimas ocasiones será superada.

Quien más alto brilló en este escaparate de monstruos, vampiros, zombis y momias resucitadas fue el director Tod Browning, que había demostrado ya su talento dirigiendo repetidamente al gran actor Lon Chaney, pionero del género y maestro en el arte del maquillaje, aunque jamás permitió que sus tremebundas caracterizaciones devorasen una personalidad psicológica sensible y estudiada. A Tod Browning, llamado el «Edgar Allan Poe del cine», debemos el aquelarre goyesco *La parada de los monstruos (Freaks,* 1932), película alucinante en la que seres deformes (hombres-tronco, mujer barbuda, hermanas siamesas, liliputienses) se vengan de la bella Olga Baclanova mutilándola bárbaramente, para exhibirla como un monstruo más en su galería circense. Por su parte, Ernest B. Schoedsack y Merian C. Cooper, que proceden del cine documental, dieron dos obras maestras al género con las sádicas cacerías de hombres del conde Zaroff en *El malvado Zaroff*

(The Most Dangerous Game, 1932) y con la plasmación del mito de la Bella y la Bestia en su insólito y hermoso *King-Kong (King-Kong,* 1933), basado en un relato de Edgar Wallace (acaso inspirado en Jonathan Swift), en donde el entrañable gran gorila desempeñó el papel de víctima y de personaje positivo y que supuso la primera utilización del trucaje denominado *transparencia*. Al nutrido ciclo de la Universal pertenecen también *La momia (The Mummy,* 1932), dirigida por el prestigioso operador alemán Karl Freund, y *El hombre invisible (The Invisible Man,* 1933) de James Whale y según la novela de H. G. Wells, que al final de la película es delatado por sus huellas en la nieve y al morir recupera su opacidad.

El cine de aventuras, puerta abierta a la evasión de los problemas cotidianos, se bifurca en varias direcciones. Al capítulo exótico, que ha nacido como consecuencia del éxito de los documentales de Flaherty, pertenece la serie de Tarzán de los monos, personaje creado por el novelista Edgar Rice Borroughs en 1912 y que tiene su ascendencia en la obra de Rousseau (el salvaje bueno y feliz) y en la de Darwin (adaptación de los seres vivos al medio ambiente). También pertenecen a este grupo la nutrida serie de epopeyas colonialistas que cantan las gestas racistas de los atractivos actores de Hollywood en sus luchas contra los feos, sucios y sanguinarios indios, malayos o africanos de otros continentes: *Tres lanceros bengalíes (Lives of a Bengal Lancer,* 1934) de Henry Hathaway, *La carga de la brigada ligera (The Charge of the Light Brigade,* 1936) de Michael Curtiz, *Gunga Din (Gunga Din,* 1939) de George Stevens, *La jungla en armas (The Real Glory,* 1939) de Henry Hathaway, *Policía Montada del Canadá (North West Mounted Police,* 1940) de Cecil B. DeMille.

Las gestas del aire, por su parte, penetran en el cine con el éxito de *Alas (Wings,* 1927) de William Wellman y encuentran en el ex piloto Howard Hawks un consumado especialista: *Por la ruta de los cielos (Air Circus,* 1928), *La escuadrilla del amanecer (The Dawn Patrol,* 1930), *Águilas heroicas (Ceiling Zero,* 1935) y *Sólo los ángeles tienen alas (Only Angels Have Wings,* 1939). Otros prefieren el drama del mar, como Michael Curtiz, que lanza a la popular pareja Errol Flynn-Olivia de Havilland en *El capitán Blood (Captain Blood,* 1935), pero el título más memorable de este género lo crea el escocés Frank Lloyd con *Rebelión a bordo o La trage-dia de la Bounty (Mutiny on the Bounty,* 1935), inspirada en una expedición de 1789 a Otaheite (Tahití), en busca del famoso ár-bol del pan, truncada por el motín de la tripulación contra el capi-tán Bligh (Charles Laughton), sublevación que fue secundada por su primer oficial Fletcher Christian (Clark Gable).

Si el cine de aventuras sigue funcionando sobre los viejos y es-tables esquemas de antaño, el cine de amor acusará la mutación de las modas eróticas y de las costumbres, consecuencia de la trans-formación de la situación social de la mujer y de las exigencias de la democratización de la cultura, que tienden a barrer los clichés del Romanticismo e imponen una cierta democratización, más aparente que real, a sus mitos. Y aunque la Garbo sigue paseando su silueta que parece de otro mundo por las pantallas, las angulo-sas facciones y enormes ojos de Joan Crawford han creado un nuevo tipo de mujer, llevando al celuloide la historia de su propia vida, la de la *self-made-woman* de origen plebeyo que se asfixiaba en su San Antonio natal, del que escapó para probar fortuna en otros horizontes más anchos.

Encontró su suerte en Nueva York al ganar un concurso de baile, atrayendo la atención de los jerarcas de la Metro. Pasemos por alto ciertas noticias sobre su intervención en cintas sicalípticas reservadas para caballeros de paladar erótico exigente, que la vida es dura y el precio de la supervivencia no siempre es grato. Su tra-yectoria desde *Vírgenes modernas (Our Dancing Daughters,* 1928) de Harry Beaumont, su primer gran éxito, hasta convertirse en la estrella número dos de Hollywood, a la zaga de la Garbo, y en una gran señora de la pantalla, resumen su biografía real, que la con-ducirá a ser la señora de Douglas Fairbanks jr. y, más tarde, a ocu-par uno de los más altos cargos de la Pepsi-Cola Inc.

Joan Crawford formó pareja en muchas películas con Clark Gable, que la compartió con Jean Harlow, quien es, tal vez, la ac-triz que mejor define el *sex-appeal* de la época, pues ahora ya se le llama así. Fue la primera *vamp* rubia de la pantalla, más exacta-mente, *rubia platino (Platinum Blonde,* título de la película que bajo la dirección de Capra interpretó en 1931), e impuso esta «moda Harlow» a las mujeres americanas. Jean Harlow inició un proceso importante de revalorización erótica del seno, alardeando ostentosamente, a través de sus generosos escotes delanteros y de espalda, de que no utilizaba sostenes. Su erotismo directo y agresivo nos dice bien a las claras que la mujer ha dejado de ser ya un ente para ser cantado por los trovadores. La mujer nueva, producto de la industrialización, de la jornada de ocho horas y de las fábricas de cosméticos, se llama Jean Harlow.

Pero a pesar de la nueva imagen de la mujer americana, que es la que desvelará en toda su desnudez el doctor Kinsey unos años más tarde, los rescoldos del Romanticismo siguen alimentando los sueños de muchas jovencitas. Por eso Hollywood sigue produciendo sus cantos al amor, entendido al viejo estilo, bajo la dirección de artesanos tan seguros como Paul Czinner o John M. Stahl. La nota más aguda de este Romanticismo la da Henry Hathaway con una película absolutamente insólita, inspirada en una obra de George du Maurier: *Sueño de amor eterno (Peter Ibbetson*, 1935). Se comprende que a André Breton le encantase este desmelenado himno al Amor en el que la separación física de Mary (Anne Harding) y Peter (Gary Cooper), encerrado en la cárcel, es superada por la arrolladora potencia de sus sentimientos, que les permite reunirse realmente durante sus sueños y, finalmente, después de la muerte.

Este carácter de excepcionalidad, en donde el amor es un pasadizo cursi que conduce a la magia, no lo tiene en cambio la película de Tay Garnett *Viaje de ida (One Way Passage*, 1932), una de las mejores historias de «amor imposible» llevadas jamás al cine, entre un delincuente destinado a la silla eléctrica (William Powell) y una tuberculosa incurable (Kay Francis), que viven una intensa aventura sentimental durante un viaje en barco entre Extremo Oriente y San Francisco, ocultándose celosamente sus circunstancias personales y fraguando planes para un imposible futuro.

Los géneros y ciclos, que repetían con variantes accidentales temas y fórmulas de comprobada rentabilidad, fueron los arietes de penetración comercial de Hollywood y garantizaron la estabilidad de sus mercados. Pero por encima de los ciclos y de las series emergió la personalidad de los grandes creadores, cuya obra se resiste al encasillamiento formulario.

Tenemos en primer lugar a King Vidor, que otorgó mayoría de edad al cine sonoro americano con su *Aleluya (Hallelujah!,*

1930), película interpretada íntegramente por actores negros y que trata de captar y resumir la esencia del alma negra a través de su folclore musical. Su narración es simplicísima y expone la trayectoria de Zeke (Daniel L. Haynes), que, habiendo matado involuntariamente a un hombre en una pelea, se convierte en predicador evangelista. Pero el espíritu del mal, encarnado en la atractiva Chick (Nina Mae McKinney), reaparece en su vida y se adueña de sus sentimientos. Cuando Chick huya con su antiguo amante Hot Shot (William Fontaine), Zeke partirá en su persecución, alcanzará con un disparo a su amada y perseguirá a su rival por un pantano hasta darle alcance y estrangularle.

Aunque la película procedía en su concepción de la avalancha del cine musical de los primeros años del sonoro, superaba al resto de la producción por su extraordinaria calidad estética y por sus hallazgos en la utilización del nuevo medio, como la canción de Zeke al regresar al hogar, que prosigue ininterrumpidamente en las escenas discontinuas en el barco, en el tren y en los campos; las conversaciones superpuestas de los negros que hablan a un tiempo mientras juegan a los dados; el sermón de Zeke reflejado a través de las expresiones faciales de Chick y la persecución final, en donde el dramático silencio de los pantanos es roto por el chapoteo de los pies, las ramas que se quiebran, el chillido de un pájaro, célebre escena que inspirará a Dovjenko el comienzo de su *Aerograd* (1935). Su gran belleza audiovisual, con momentos antológicos como el del bautizo en el río, no ha de hacer olvidar, sin embargo, la radical falsedad de esta visión del mundo de los negros, que recogen el algodón cantando alegremente en un mundo en el que no existen blancos, ni barreras ni conflictos raciales, en un mundo estilizado hasta la falsedad, para crear un soberbio espectáculo, eso sí, sobre el folclore negro del sur de los Estados Unidos.

Más realista y periodística es su adaptación del drama de Elmer Rice *La calle (Street Scene*, 1931), que transcurre íntegramente en un barrio humilde de Nueva York, con un catálogo de tipos arrancados de la vida americana: el judío, la mujer ligera, el emigrado italiano, la vieja chismosa... Vidor tiene una visión simple e ingenua del mundo y si es cierto que su grandeza deriva casi siempre de esta elementalidad suya de cronista o de cantor de gestas, también es cierto que, a la hora de abordar problemas complejos, como el de la crisis en las zonas agrarias, su bagaje le resultará insuficiente. Su inmensa buena fe de socialista utópico y romántico le llevó a formar una cooperativa con actores y técnicos para financiar *El pan nuestro de cada día (Our Daily Bread,* 1934), que recoge a los héroes –¿o antihéroes?– de *Y el mundo marcha,* para situarlos en una granja arruinada, cuya explotación se hará finalmente posible por el trabajo en cooperativa. Pero esta vez el aliento épico de Vidor, que no le falta, no es suficiente para remontar las puerilidades de este ingenuo sermón campesino, atiborrado de buenas intenciones.

Chaplin, en cambio, es un humanista que reconoce bien a la sociedad en que vive y sabe de sus lacras e injusticias, que ha padecido en su propia carne. Por eso sus *Luces de la ciudad (City Lights,* 1931) aparecen impregnadas de una lúcida amargura. El vagabundo idealista será zarandeado por los zigzagueantes azares de la vida, que en esta película toman cuerpo en un millonario (Harry Myers) al que ha salvado del suicidio en plena borrachera. Cuando se halla en estado de embriaguez, el caprichoso millonario se convierte en su amigo y protector, pero le repudia y desconoce cuando está sereno. Charlot obtiene su ayuda económica para que pueda operarse de la vista una humilde muchacha ciega vendedora de flores (Virginia Cherril), por la que siente un tierno afecto. La mala fortuna y el variable humor del millonario se confabulan para llevarle a la cárcel. Cuando sale, la bella florista ha recobrado la vista y tiene una tienda elegante, pero no reconoce al pobre vagabundo. Le obsequia con una flor y una moneda y, al hacerlo, se da cuenta de que es su bienhechor. Ella ve, al fin.

Esta incursión en el más puro folletín podría haber resultado fatal para otro artista, pero la gracia alada de Chaplin convierte el melodrama en una película conmovedora. Su repudio del cine sonoro le llevó a utilizar únicamente una banda musical (basada en el tema de *La violetera* de José Padilla, que Chaplin había oído de labios de Raquel Meller), pero incluyó una burlona parodia del cine hablado en el ininteligible discurso protocolario de la inauguración de una estatua, al principio de la película.

Su espíritu polémico tuvo ocasión, en *Tiempos modernos (Modern Times,* 1936), de hacer un balance pesimista de la barbarie del supercapitalismo y de la deshumanizada ultratecnificación industrial: el enloquecedor trabajo en cadena, la máquina que ahorra el tiempo que los obreros invierten en la comida, la multitud que acude al trabajo como rebaño de corderos, el desempleo... Este tragicómico retablo social de los años de la depresión, que no es tanto una crítica contra el maquinismo industrial como una crítica contra la inhumana explotación del hombre por el hombre, estuvo realizado también siguiendo los cánones de la estética muda y de la pantomima, si bien con el añadido de una banda musical, numerosos efectos sonoros (ruidos de máquinas, timbres, etc.) y hasta algunas palabras.

De hecho, esta película cerró el ciclo de su autor y fue, también, la última obra protagonizada por el vagabundo Charlot. La aceptación plena de las posibilidades del cine sonoro no se produjo hasta su siguiente *El gran dictador (The Great Dictador,* 1940), sátira feroz contra las dictaduras nazi y fascista que Chaplin realiza a pesar de las presiones y amenazas de la embajada alemana en Washington. La valiente postura combativa de Chaplin en una América que todavía permanece neutral y espectadora ante el incendio bélico que abrasa a Europa, le valió no pocas críticas y levantó encendidas polémicas. Chaplin realizó una creación magistral en dos papeles distintos, el del dictador Hynkel (caricatura de Hitler) y el de un pobre barbero judío perseguido por las fuerzas del dictador, mientras la figura de Benito Mussolini era parodiada por Jack Oakie, en el papel de Napaloni.

El carácter excepcional e independiente de Chaplin y su humanismo polémico le colocan como una figura fuera de serie, criticado y combatido por el mundillo chismoso de Hollywood y por la influyente cadena periodística de William Randolph Hearst. En realidad, se trata de un caso marginal e insólito en relación con el grueso de la producción cinematográfica americana. Por eso, la industria de Hollywood le mira con escéptico recelo y no le toma en cuenta en sus sistemas de valoración. Para Hollywood, los «tres grandes» del cine americano de anteguerra son Frank Capra, John Ford y William Wyler.

De Capra nos hemos ocupado ya y a Ford le sorprendimos en otro capítulo en trance de crear algunos de los mejores *westerns* del cine mudo. A través de su copiosa filmografía se ha ido afirmando su estilo, que alcanza plena madurez en la década que sigue a la gran crisis. Ford ha asimilado las lecciones del *Kammerspielfilm* alemán y, auxiliado por los guionistas Dudley Nichols y Nunally Johnson, creará los títulos más sólidos de su carrera en estos años. En *La patrulla perdida (The Lost Patrol,* 1934) aparece claramente el hermetismo de atmósfera y el respeto de las tres unidades, a través de la aventura de la patrulla inglesa acosada en el desierto por los árabes, sin que éstos aparezcan jamás, salvo en las últimas escenas, para potenciar la agobiante angustia del cerco. También esta opresiva pesadez de atmósfera gravita sobre *El delator (The Informer,* 1935), adaptación de una novela de Liam O'Flaherty, que transcurre en doce horas, en la noche de un brumoso Dublín reconstruido en los estudios de la RKO. Es el drama de Gypo Nolan (Victor McLaglen), un pariente espiritual de Judas y de Raskolnikoff, que expulsado de una asociación nacionalista irlandesa cede a la tentación de denunciar a la policía a un dirigente revolucionario. Cobra su recompensa, pero roído por el terror y el remordimiento despilfarra el dinero y es detenido por los nacionalistas, que le juzgan secretamente y le ejecutan al amanecer.

La concentración dramática y la opresión ambiental de estos dramas fatalistas, que son una prolongación americana del *Kammerspielfilm,* se relajó en *La diligencia (Stagecoach,* 1939), merced a su rodaje en los espléndidos espacios abiertos de Nuevo México. Pero este *western* magistral siguió siendo fiel a las leyes de construcción dramática de Ford. Al igual que en *La patrulla perdida,* el espectador asistía a la aventura de un heterogéneo grupo de individuos unidos por el destino en el interior de una diligencia. Los conflictos dramáticos de la película nacían de esta forzada convivencia de caracteres en la cerrada unidad de lugar y a lo largo de las unidades de acción y de tiempo acotadas por el trayecto hasta Lordsburg. Con ello Ford introducía la psicología como factor dramático determinante en el *western,* género preocupado únicamente hasta entonces por la pura dinámica física. *La diligencia* se convirtió en uno de los puntos de partida del *western* moderno, que cumplía la formulación señalada por King Vidor: «Para los *westerns* mudos bastaban intrigas débiles, porque su acción era intensa. Pero desde el advenimiento del sonoro el diálogo debe aumentar la intriga en profundidad.» Incontables serán los hijos bastardos que nacerán del saqueo de esta histórica diligencia y de su periplo que, por guardar fidelidad a los cánones medulares del género, no desdeña el clásico motivo del ataque indio, secuencia que se inicia con un plano antológico, por la gran economía de su resolución técnica. Situada la cámara en lo alto de una montaña, sigue mediante una panorámica hacia la izquierda el movimiento de la diligencia a lo lejos. Este movimiento natural permite descubrir, de improviso, a los indios en primer término que, desde lo alto de esta montaña, vigilan el avance de la diligencia.

Después Ford realizó con *Las uvas de la ira,* según Steinbeck, uno de los títulos más vigorosos del cine social americano. Nuevamente asistimos a la odisea de un grupo humano, la familia campesina Joad, que, expropiada su pequeña granja de Oklahoma, recorre en un viejo camión las carreteras del país a la busca de una inalcanzable tierra de promisión. Su patético acento de veracidad nacía, como en *La diligencia,* por el predominio de escenarios exteriores, ventana abierta al drama agrario americano, cosa que no ocurrió en *Hombres intrépidos (The Long Voyage Home,* 1940), que al condensar cuatro piezas dramáticas cortas de O'Neill, de ambiente marinero, da lugar a los opresivos decorados de estudio, fotografiados con profusión de claroscuros por Gregg Toland. La arquitectura de la obra es la propia del estilo de Ford: un grupo de marineros sufre mil contratiempos y penalidades en el interior de un barco cargado de municiones. El drama nace, otra vez, del hermético mundo cerrado por las unidades, sea en alta mar o en un sórdido cafetín de puerto.

William Wyler compartió con John Ford el incienso de los máximos honores en el cine americano de anteguerra. Alsaciano educado en Francia y Suiza, este sobrino del productor Carl Laemmle aterrizó en Hollywood en 1921. Después de realizar una veintena de *westerns* para la Universal, la empresa fundada por su tío, comenzó a destacar por sus sólidas adaptaciones, concienzudas y meticulosas, de novelas y piezas dramáticas a la pantalla: *El abogado (Counsellor-at-Law,* 1933), según la pieza de Elmer Rice, *Desengaño (Dodsworth,* 1936), de Sinclair Lewis, *Callejón sin salida (Dead End,* 1937), drama social de Sidney Kingsley, *Jezabel (Jezebel,* 1938), novela sureña de Owen Davis, *Cumbres borrascosas (Wuthering Heigths,* 1939), de Emily Brontë, *La carta (The*

Letter, 1940), de Somerset Maugham, y *La loba (The Little Foxes,* 1941), de Lillian Hellman, drama típicamente wyleriano de tensiones familiares alimentadas por conflictos de intereses. Con estas dos últimas películas y con *Jezabel,* que le valió un Oscar a Bette Davis, impuso el nombre de esta actriz como uno de los más vigorosos temperamentos de la pantalla americana.

Con Wyler se pone sobre el tapete la espinosa y debatida cuestión del cine literario, que no oculta su filiación y que aporta al cine una revalorización del guión y de los diálogos, enriqueciendo con la savia de sus fuentes literarias el análisis psicológico de los personajes, insertos en un marco social bien definido. Esta orientación del cine hacia el estudio psicológico propio de la novela va a tener consecuencias importantes. Porque la evolución psicológica necesita como soporte narrativo la homogeneidad temporal. Por eso, el respeto de la arquitectura literaria de sus fuentes llevó a Wyler a estructurar sus películas en largas escenas, sostenidas por la acción y diálogos de los personajes que evolucionan en el decorado.

Puesto que lo importante en el cine-escritura de Wyler es la continuidad de la interpretación y los diálogos del actor inserto en el decorado, con la valiosa ayuda de su operador Gregg Toland asienta la técnica de su puesta en escena sobre el espacialismo que permite la fotografía con gran profundidad de campo, que Jean Renoir y John Ford comienzan a emplear también por estos años, beneficiándose del uso de las sensibles emulsiones Super Sensitive Eastman que Kodak ha lanzado al mercado en 1934. Con este método, los personajes evolucionan por el decorado sin perder nitidez de enfoque y aparecen vinculados a su medio, al mismo tiempo que el realizador puede presentar simultáneamente dos actuaciones o situaciones, colocadas a diferentes distancias de la cámara, sin tener que fragmentar la escena mediante el montaje, pasando de una a otra. «Así –escribe Wyler– puedo seguir una acción evitando los cortes. La continuidad que resulta hace los planos más vivos, más interesantes para el espectador que estudia cada personaje a su gusto, efectuando él mismo sus propios cortes.»

Esta técnica, que en oposición al clásico cinemontaje de la época muda abre tras la pantalla un paralelepípedo de espacio tan real y coherente como el de un escenario teatral y revaloriza la importancia del actor, de los diálogos y del decorado, levantará no pocas discusiones sobre el «cine impuro», que tan ardientemente defenderá el crítico y teórico francés André Bazin. Pero, al fin y al cabo, es la consecuencia lógica de la aportación al arte de las imágenes del elemento sonoro, que ya no siente el rubor de su pretendida «impureza» y, sin reservas ni complejos, se integra con plenos derechos en la estética audiovisual. Es cierto que el honesto ascetismo funcional de Wyler quita brillantez a su lenguaje visual, pero ya veremos cómo Orson Welles, partiendo de las mismas premisas técnicas, llegará a la cúspide del desenfreno figurativo.

El fenómeno del cine literario de Wyler, al servicio de un realismo psicológico teñido de un individualismo pesimista, va asociado a la incorporación de directores de procedencia teatral al cine, europeos o de ascendencia europea en su mayoría, como Rouben Mamoulian, George Cukor, Otto Preminger y hasta Max Reinhardt, que lleva a la pantalla *El sueño de una noche de verano (A Midsummer Night's Dream,* 1935), y tendrá como consecuencia una traslación masiva de *best-sellers* y de éxitos de Broadway al celuloide. Aunque en Hollywood no se llegue a los excesos del «teatro filmado», tal como lo entendía Marcel Pagnol, asistiremos sin embargo a algunos casos límite, como el trasplante a los estudios de los decorados teatrales de *The Green Pastures* (1935), película realizada por William Keighley sobre una pieza de Marc Connelly, evocación bíblica vista a través de la ingenua mentalidad de los negros y que con su postiza y elemental estilización escenográfica delata ostentosamente su origen teatral.

El mayor éxito comercial del cine sonoro americano nacerá también de la traducción cinematográfica de un *best-seller,* de la novela sudista y racista de Margaret Mitchell *Lo que el viento se llevó (Gone With the Wind,* 1939), iniciada por George Cukor y concluida por Victor Fleming, que impone definitivamente el procedimiento Technicolor y con sus recaudaciones se coloca a la zaga de *El nacimiento de una nación.* Decididamente, el espíritu de la guerra de Secesión no ha muerto en la conciencia del pueblo americano.

La marcha ascendente del cine francés, uno de los más avanzados de Europa, sufrió un serio tropiezo a principios del sonoro. Dos fueron las causas principales de este bache. La primera radicó en la crisis económica irradiada desde los Estados Unidos, cuyos efectos, a través de los eslabones de la mecánica de mercados, no tardaron en perturbar la vida económica francesa, enterrando el espumeante optimismo de los llamados «felices veinte» bajo la losa de las quiebras, el desempleo y la agitación social. Pero además el cine francés, que no poseía patentes propias de sistemas sonoros, se vio desarmado ante la nueva situación y su industria cinematográfica tuvo que convertirse en un vasallo de los bancos de Nueva York y de Berlín. La Paramount americana ocupó los estudios de Joinville, mientras la Tobis alemana se equipaba e instalaba en los viejos estudios Eclair-Menchen, donde René Clair rodaría sus primeras cintas sonoras, producidas por la Tobis.

No es raro que en estas circunstancias la aventura cinematográfica se hiciera cada vez más difícil y al desmantelarse el motor de la vieja vanguardia, liquidada con el advenimiento del sonido por el vertiginoso aumento de los costos de producción, tan sólo lograra sobrevivir la obra insólita de Jean Vigo, realizada de espaldas a la industria y en dificilísimas condiciones. Hijo del escritor y militante anarquista Miguel Almereyda, que murió estrangulado en la prisión de Fresnes, Jean Vigo se convertirá en uno de los más grandes poetas del cine francés –«Rimbaud del cine» se le ha llamado–, en lucha constante contra las circunstancias adversas y con una fragilísima salud, que le llevaría a la tumba a los veintinueve años de edad.

Su brevísima filmografía se inició con el documental experimental *A propos de Nice* (1929), que Vigo califica de *point de vue documenté* y que, de hecho, fue el primer documental social del cine francés, que en clave satírica y recurriendo con frecuencia a los trucajes y montajes de intención irónica rodó en Niza durante las fiestas del Carnaval. El ojo implacable, ácido y mordaz de Vigo ha captado una Niza que tiene muy poco que ver con la que nos proponen las agencias de viaje y las postales turísticas. Es una Niza decadente al gusto de las películas de Stroheim, con sus casinos barrocos, sus gigolós, sus *cocottes* de postín, sus señoras emperifolladas y sus perros de lujo, que su cámara indiscreta, escondida a veces bajo la americana, ha retratado con despiadada veracidad.

La amargura crítica de Jean Vigo impregna también el poema sobre la adolescencia *Zéro de conduite* (1932-1933), rememoración autobiográfica de sus tristes años de escolar que es, a la vez, una representación crítica y simbólica de los estamentos de la sociedad francesa, subrayando el lado grotesco de las jerarquías y de sus ridículas formas protocolarias. En el interior de un sórdido liceo de provincias Vigo entona su excepcional poema anarquista, que culmina con la sublevación de los escolares, en el día del reparto de premios, contra las pomposas autoridades académicas, el prefecto, el director del colegio, enano y barbudo, y el cura, flanqueados por bomberos uniformados, que son puestos en fuga por los muchachos. Pocas veces se han visto en cine escenas tan intensamente poéticas como la revuelta en el dormitorio, con lectura de inflamada proclama y rotura de almohadas y colchones, cuyo blanco plumón se extiende por toda la estancia. Rodada al ralentí y con la música registrada al revés, esta memorable escena nos transporta al corazón del mundo onírico del poeta, en el que se dan cita el lirismo en sus más altos registros y la amarga crítica social de quien ha padecido una infancia huérfana y desamparada.

Las autoridades académicas fueron sensibles a la mordaz caricatura de la película y consiguieron su prohibición a poco de estrenarse, no levantándose esta medida hasta 1946. A pesar de ello, Vigo consiguió realizar *L'Atalante* (1933-1934), nombre de una barcaza fluvial habitada por su joven patrón Jean (Jean Dasté), recién casado con la campesina Juliette (Dita Parlo), que disputa con su marido por sus ansias de «descubrir la ciudad», y el pintoresco marinero Jules (Michel Simon). A caballo de la poesía surrealista y el naturalismo populista, Vigo realizó este poema de amor, que fue alterado y brutalmente mutilado por la Gaumont para su exhibición comercial sin que Vigo, en su lecho de muerte, pudiese hacer nada para impedirlo. La septicemia le segó la vida en plena juventud, pero su brevísima obra, que se admira hoy en las cinematecas de todo el mundo, tendió un puente decisivo entre los malabarismos vanguardistas del surrealismo y el realismo poético que dominará el cine francés de anteguerra.

En lucha con dificultades de todo orden, la obra de Vigo fue realizada, paradójicamente, con una gran libertad creadora y al margen de las estructuras y presiones industriales. De ahí deriva su lozanía y su carácter insólito y atrevido. Más afortunado que Vigo, René Clair, convertido en un valor estable y cotizado en las bolsas cinematográficas, pudo crear su obra en el seno de la gran industria, al amparo del capital francoalemán. Su debut sonoro con *Bajo los techos de París (Sous les toits de Paris,* 1930) demuestra, como las dos obras maestras contemporáneas *El ángel azul y Aleluya,* hasta qué punto los grandes creadores del nuevo cine sonoro son incapaces de sustraerse por completo a la moda del film musical, aunque superen largamente los límites del género. Aquí el protagonista es un cantante callejero (Albert Préjean), que prodiga sus melodías por los barrios de un Montmartre reconstruido por Lazare Meerson en los estudios Tobis. Explotando el pintoresquismo típico de sus callejuelas, de sus *bistrots* y de sus *bal-musettes,* con el cliché del chulo (Gaston Modot) que explota a la muchacha (Pola Illery), convertida en manzana de la discordia de dos entrañables amigos, rociado todo con las cancioncillas típicas del más típico París, Clair consiguió una película que a fuerza de ser parisina pasó inadvertida a los espectadores de la capital de Francia y tuvieron que ser los alemanes quienes despertaran con sus aplausos el chovinismo de la dormida crítica gala y revelaran al mundo la maestría de este retrato poético e irónico de París, o por lo menos de ese trozo pintoresco de la capital que parece fabricado para ser tema de tarjeta postal.

En *Bajo los techos de París* el sonido jugó una baza importante, aunque Clair no dejó de ironizar a costa de su uso y abuso, como en la escena en que dos personajes discuten tras la puerta de vidrio de un café, sin que nada se oiga pero nada se pierda tampoco del contenido de la conversación. El empleo asincrónico del sonido, preconizado por los rusos, fue aprovechado audazmente por Clair. Por ejemplo, en la batalla entre la policía y Fred y sus compinches a lo largo de la valla del ferrocarril, con el ruido del tren que pasa, el humo que envuelve a los personajes y, al apagarse el farol de un balazo, los gritos que surgen de la riña en la oscuridad; o la escena en el dormitorio del protagonista, con Albert y Pola en el suelo, acostados uno a cada lado de la cama, encendiendo y apagando la luz sin dejar de discutir.

En *Bajo los techos de París* tomaba cuerpo el estilizado universo poético de Clair, donde el amor y las pinceladas de ternura acaban por triunfar sobre su galería de caricaturas. Esta exaltación romántica la veremos con frecuencia en su obra posterior. Sin embargo, en su siguiente película, *El millón (Le million,* 1931), vuelve al endiablado ballet grotesco, al estilo de *Un sombrero de paja de Italia,* en persecución esta vez de una chaqueta en cuyo bolsillo va un billete de lotería premiado. Después de esta farsa colectiva, conducida con mano maestra por Clair, éste abordó la sátira social *¡Viva la libertad! (À nous la liberté!,* 1931), historia festiva de un ex presidiario que llega a convertirse, como Pathé, en el multimillonario «rey del gramófono», aunque al final perderá su imperio y sólo le quedará la amistad de su antiguo compañero de presidio. También la solución romántica cerraba esta fábula alusiva al mundo de los negocios, haciendo suyo el proverbio burgués que afirma que «el dinero no hace la felicidad», pero con incisivas anotaciones críticas sobre la civilización industrial y el trabajo en cadena, que inspirarían a Chaplin a la hora de realizar *Tiempos modernos,* hasta el punto de que el doctor Goebbels, apoyándose en que el film de Clair había sido financiado por la productora alemana Tobis, intentó un proceso por plagio contra el artista inglés, que fue desmontado por Clair al declarar que se sentiría orgulloso de haber podido ayudar, siquiera fuera en pequeña medida, a su admirado maestro.

En la cúspide de su prestigio, Clair volvió a su entrañable universo parisino de *Bajo los techos de París,* tomando como pretexto las fiestas del *Catorce de julio (Quatorze Juillet,* 1932) y corroborando aquello de que nunca segundas partes fueron buenas. Abordó a continuación la farsa política *El último millonario (Le dernier milliardaire,* 1934), cuya acción transcurría en el ficticio reino de Casinario (deformación caricaturesca de Montecarlo), en donde la crisis económica hacía desaparecer el dinero para retornar al rudimentario sistema económico del trueque. El film fue un grave fracaso comercial y Clair, desanimado, marchó a Inglaterra para rodar allí *El fantasma va al Oeste (The Ghost Goes West,* 1935), que con humor francobritánico narraba la divertida historia de un castillo escocés comprado por un millonario americano y trasplantado piedra a piedra, con su fantasma incluido, a los Estados Unidos.

René Clair fue el artista solitario que mantuvo enhiesto el pabellón del cine francés durante el bache que va de 1930 a 1934. Junto a él, pero a respetable distancia, comienzan a destacar algunos nombres, aunque a veces, como en el caso de Julien Duvivier, no se trate de recién llegados, sino de veteranos. El nombre de Duvivier, que había firmado una buena colección de estampitas piadosas para consumo de beatas, empieza a sonar con su adaptación de la novela de Jules Renard *Pelirrojo (Poil de Carotte,* 1932), estudio sensible de la psicología infantil.

Jacques Feyder, por su parte, preludia el renacimiento del cine francés con la ruidosa campanada de *La kermesse heroica (La kermesse héroïque,* 1935), que conmovió a los Países Bajos, provocando apasionados incidentes. Elementos del partido nacionalista flamenco, pronazi, soltaron ratas en la sala del estreno y destrozaron sus butacas. Hubo choques con la policía y detenciones en Amberes, en Amsterdam y en Gante y la película fue prohibida en Brujas. El motivo de estas algaradas era una farsa jovial sobre la dominación española en Flandes, cuyos soldados se aproximan a una pequeña ciudad, provocando el pánico en el burgomaestre (André Alerme), que decide hacerse pasar por muerto, mientras su esposa (Françoise Rosay) y las restantes mujeres de la localidad organizan una recepción triunfal y se entregan alegremente a los gallardos ocupantes españoles, para obtener su clemencia. Después, a la luz del alba, las alegres violadas verán partir con nostalgia a los apuestos soldados que, por unas horas, han interrumpido la gris monotonía de sus vidas.

La meticulosidad y exactitud de la espléndida reconstrucción ambiental, con decorados de Lazare Meerson y fotografía de Harry Stradling, estuvo inspirada en los testimonios pictóricos de la gran escuela flamenca: Brueghel, Jan Steen, Jordaens, Franz Hals, Vermeer... Con su ropaje desenfadado, *La kermesse heroica* señalaba al cine francés las posibilidades de su vocación realista, de exacta y documentada recreación de ambientes, como ninguna otra cinematografía del mundo parecía capaz de superar.

El rigor naturalista será, en efecto, una constante que dominará también la obra de Jean Renoir, que alcanza su madurez expresiva en esta primera década del sonoro. Con *La golfa (La Chienne,* 1931), adaptando una novela de Georges de la Fouchardière, Renoir prosiguió su discurso naturalista brillantemente iniciado con *Nana. La golfa* constituye un aguafuerte sobre la degradación de un modesto empleado que a las puertas de la vejez vive su primera aventura pasional con una prostituta, por la que llega a convertirse en asesino. Este relato cinematográfico, con resonancias de *El ángel azul,* nos dice del gusto de Renoir por los tipos abyectos, los ambientes sórdidos y los detritus de la sociedad que afloran cada día en la página de los sucesos.

No ha de extrañar que, tras un breve interludio comercial, Renoir se inspire directamente en la crónica de sucesos, de la que extrae la historia de un crimen pasional acaecido en una zona rural del mediodía de Francia, lugar de confluencia de la emigración obrera italiana y española. Su *Toni* (1934), rodada casi íntegramente en exteriores de Martigues, sin estrellas, sin música exterior al film y con un estilo fotográfico de reportaje, fue una película neorrealista al pie de la letra. Cuando Renoir rueda su obra nadie habla todavía de neorrealismo porque ni siquiera ha sido inventada esta palabra. Bien es verdad que el sentido de protesta social del cine italiano de posguerra está ausente de *Toni,* que no pasa de ser la crónica de un conflicto pasional, pero sus aportaciones –más allá de lo formal, que el cine ruso ha llegado en esto mucho más lejos– son las de haber convertido un tema destinado al género policíaco en crónica y reportaje social y haber desplazado la temática de los sentimientos y de las pasiones del marco elegante y burgués, al que parecía indisolublemente ligada, para llevarla al terreno de los humildes.

Con la formación del Frente Popular (1936), que radicaliza a la opinión política francesa, el realismo de Renoir adquiere un tinte más polémico y comprometido. Esta etapa se inicia con *Le crime de M. Lange* (1935), sobre un guión del poeta Jacques Prévert, que añade al estudio de un medio popular (como en *Toni)* la novedad de una solución revolucionaria, con la formación de una cooperativa de obreros que se hace cargo de la imprenta abandonada por su dueño, cínico y desaprensivo (Jules Berry), que al reaparecer para hacerse cargo del negocio cuando marcha viento en popa cae muerto por uno de sus antiguos subordinados (René Lefèvre). En esta misma línea política se inscribió el documental *La vie est à nous* (1936), en el que interviene Renoir, realizado para propaganda del Partido Comunista.

Pero el humanismo de Renoir es, como el universo pictórico de su padre y la tradición burguesa que representa, hedonista, sensual, nostálgico y populista. Esta bonhomía romántica domina su obra maestra inacabada, *Un día de campo (Une partie de campagne,* 1936), con sus escaramuzas amorosas en un paisaje fluvial a lo Auguste Renoir, que culminan en ese magistral fragmento poético de la seducción de Henriette (Sylvia Bataille), tendida al borde del río, con el cuerpo estremecido y los sentidos embriagados por la caricia de los labios de Henri (Georges Darnoux). Recordando aquello de que lo bueno si breve dos veces bueno, habrá que celebrar por una vez que una película haya quedado inacabada. Su siguiente adaptación de Máximo Gorki en *Los bajos fondos (Les Basfonds,* 1936) resultará notablemente inferior.

Los dos vectores que mueven la obra de Renoir, el idealismo romántico y el progresismo social, aparecen fundidos en su generoso alegato pacifista *La gran ilusión (La grande illusion,* 1937), que más que condenar la barbarie de la guerra explica su génesis en la injusticia, mostrando que más graves y profundas que las convencionales divisiones fronterizas lo son las divisiones que separan a los hombres en el seno de una misma sociedad. Los vínculos aristocráticos que unen en automática complicidad y simpatía al oficial alemán Von Rauffenstein (Erich von Stroheim) y a su prisionero, el oficial francés De Boeldieu (Pierre Fresnay), son una de las claves de la obra, resumida en la amarga confidencia de Von Rauffenstein a su colega de armas: «No sé quién va a ganar esta guerra, pero sé una cosa: el fin, cualquiera que sea, será el fin de los Rauffenstein y de los Boeldieu.»

La gran ilusión se presentó en Venecia, provocando no poco revuelo. El Gran Premio fue a parar a *Carnet de baile (Un Carnet de Bal,* 1937), de Duvivier, y para atenuar el desafuero se otorgó a Francia el premio «al mejor conjunto de películas». En honor a Renoir hay que señalar que Goebbels calificó a su obra de «el enemigo cinematográfico n.° 1» y que el presidente Roosevelt, por el contrario, opinó que «todos los demócratas del mundo deberían ver este film».

Después de realizar *La gran ilusión,* Renoir rindió homenaje a la Revolución Francesa en *La Marsellaise* (1937), película financiada –primer caso en la historia del cine– mediante emisión y suscripción popular de acciones, experiencia muy acorde con el clima del Frente Popular. Luego volvió a adaptar a Zola en *La bête humaine* (1938) y, antes de embarcarse hacia América, realizó con *La regla del juego (La règle du jeu,* 1939) una de sus obras más originales. Tal vez ha sido la ruptura del Frente Popular en 1938 lo que ha desencadenado esta lúcida comedia, que, vagamente inspirada en Musset, abandona el mundo de los humildes y de los detritus de la sociedad para rizar el rizo del vodevil con una mascarada elegante y corrosiva, organizada con ritmo de frenético ballet en una lujosa mansión de Sologne, poblada por una clase social que ha dejado de creer en sí misma para preocuparse únicamente de las apariencias, de las reglas del juego social. Por su agresiva novedad, tratando con aparente ligereza un tema grave y con la continuidad del relato articulada en una línea narrativa zigzagueante, la película no fue comprendida, fue prohibida por la censura militar al comenzar la guerra y constituyó un enorme fracaso comercial, que tardaría varios años en ser reivindicado.

La personalidad artística de Renoir creció a pasos de gigante, al tiempo que la de René Clair, establecido en Inglaterra, parecía pasar a un segundo plano. El tono realista que ha impreso Renoir a sus películas será una constante que, con variados matices, dominó a lo mejor de la producción francesa de anteguerra, agrupada por los historiadores bajo el calificativo de «naturalismo poético» francés o «realismo negro» francés.

El «realismo negro» de anteguerra es naturalista por su significativa elección de los personajes, arrancados de las capas más bajas del escombro social: desheredados de la fortuna, legionarios, desertores, chulos, mujerzuelas, echadoras de cartas, maleantes, suicidas. Es también naturalista por la topografía que componen sus sórdidos ambientes: muelles, suburbios industriales, tabernas, hoteluchos equívocos, callejuelas brumosas, paredes desconchadas... Poético lo es por su estilización romántica de esos elementos realistas y negro por el implacable fatalismo que domina a estos dramas en los que la felicidad aparece como un espejismo inalcanzable, que rezuman una visión sombría y pesimista del hombre, tendiendo un puente entre el gusto populista de los treinta y el desesperado nihilismo existencialista que cristalizará en la posguerra.

259

No es casual que algunas de las películas más significativas de la serie, como *El signo de la muerte (Le grand jeu,* 1933) de Jacques Feyder y *La bandera (La bandera,* 1935) de Julien Duvivier, estén situadas en el marco de la Legión, último refugio de los peores depósitos de la resaca social, o que sus personajes se presenten, como el protagonista de *El muelle de las brumas (Quai des brumes,* 1938), de Marcel Carné, como desertores del ejército colonial. Otras se desarrollan en el turbio laberinto de la Casbah argelina –*Pépé-le-Moko* (1936) de Julien Duvivier–, en la brumosa zona portuaria de Le Havre *(El muelle de las brumas),* o en una sórdida pensión, como la *Pension Mimosas* (1934) de Jacques Feyder, poblada por tahúres, y el *Hôtel du Nord* (1938) de Marcel Carné, situado junto al canal de Saint-Martin.

Jacques Prévert y Charles Spaak aportaron la mayor parte de los guiones del movimiento naturalista poético, en el que, a decir verdad, privaba descaradamente lo poético y lo romántico sobre lo realista, utilizado tan sólo como sugestivo armazón plástico por su riqueza expresiva y su turbio pintoresquismo, caldo ideal de cultivo de sus dramas pesimistas sobre la degradación humana y la aplastante inflexibilidad del destino. Raramente sus personajes escaparon a la excepcionalidad social, y cuando Duvivier decidió prescindir de maleantes o proscritos para utilizar vulgares y honestos obreros desempleados, como hizo en *La belle équipe* (1936), coronó también su aventura con el fracaso final de su empresa cooperativa, debido como siempre a la presencia perturbadora de una mujer, ángel-demonio que precipita invariablemente todas las tragedias de este ciclo, demostrando que debe mucho más al romanticismo y al *Kammerspielfilm* que al realismo puro y simple, tal como lo entendieron los rusos y lo entenderán los italianos.

Jacques Feyder fue quien disparó este ciclo, con *El signo de la muerte* y *Pension Mimosas,* que tuvo sus más asiduos cultivadores en Julien Duvivier y en Marcel Carné. Con *La bandera,* que ofrece unas imágenes inéditas del famoso «barrio chino» de Barcelona, *La belle équipe* y *Pépé-le-Moko,* Duvivier lanzó al actor Jean Gabin y lo impuso como un puntal de esta serie, antihéroe de perfil trágico, *mauvais garçon* u obrero simpático, mascullando su argot con acento canalla y confinado al gris suburbio de las ciudades industriales o bien a la jungla de los bajos fondos.

Pero fue Marcel Carné, procedente del periodismo cinematográfico, quien, trabajando casi siempre con guiones del poeta Jacques Prévert, hizo culminar el movimiento con *El muelle de las brumas,* que creó la popular pareja Jean Gabin-Michèle Morgan, *Hôtel du Nord* y *Amanece (Le jour se lève,* 1939), en donde asistiremos a la tragedia de un hombre que, acosado por la policía en el interior de un edificio suburbial, evoca el drama amoroso que le condujo al crimen y finalmente se suicida al romper el día. Jean Grémillon, también con un guión de Prévert, cerró la serie con *Remordimiento (Remorques,* 1939-1940), con Jean Gabin convertido en marinero navegando contra las revueltas corrientes del destino, de nuevo junto a Michèle Morgan.

A este deprimente retablo habitado por desarraigados y asociales podría añadirse el Raskolnikoff (Pierre Blanchard) de *Crimen y castigo (Crime et châtiment,* 1935), de Pierre Chenal, muy coherente con los tintes sombríos y el axiomático determinismo pesimista del «naturalismo poético». Al hacer el balance de este ciclo, removiendo entre el lodo y los escombros de sus universos rarefactos, podremos recapitular un impresionante catálogo de hombres y mujeres proscritos por la sociedad, que han quemado inútilmente sus vidas en busca de una imposible felicidad. Veremos suicidarse al bandido Pépé-le-Moko (Jean Gabin), después de ser apresado por la policía en el puerto, al atreverse a salir del refugio de la Casbah por causa de su amor hacia Gaby (Mireille Balin); contemplaremos el trágico final del desertor Jean (Jean Gabin), cuando pretendía huir con Nelly (Michèle Morgan) al Brasil, para construir una nueva vida en *El muelle de las brumas;* asistiremos, en fin, al fracaso colectivo de los obreros de *La belle équipe,* enfrentados por el amor de Gina (Viviane Romance), y a las últimas horas de François (Jean Gabin), que antes de suicidarse rememora la historia de su crimen pasional, en *Amanece.*

Este denso ciclo *canaille,* que ofrece jugosos elementos para un estudio de la mitología imperante en los años del Frente Popular, ejerció gran fascinación sobre los públicos cultivados de Europa. Su negro pesimismo hizo que estas películas fuesen muy admiradas por la joven crítica italiana, como reacción contra la retórica optimista de su cine oficial. Los puntos de vista actuales son muy distintos, y estos films han caído en un olvido no siempre justo.

261

Pasemos por alto todo lo que de melodramático tiene la serie, que no es poco, con los personajes femeninos convertidos en detonantes sistemáticos de estas tragedias arrabaleras, pues la calidad del ropaje literario y la riqueza visual de sus imágenes, creadas con filtros difusores y artificiosas brumas de estudio, recubren estos fangosos melodramas con una capa de negra poesía que, en algunos casos, ha soportado airosamente la carcoma del tiempo. Aunque vistas las cosas con perspectiva, este ciclo pesimista que ventiló tantas ruinas humanas puede aparecérsenos hoy como una detección sutil de la atmósfera densa y cargada que precede a la tormenta de la guerra. El naturalismo poético francés, que guarda no pocos puntos de contacto con «las tragedias cotidianas» del naturalismo alemán, es el lenguaje artístico que corresponde a una época de crisis, a un momento de quiebra de valores y de desconfianza en la estabilidad social. Y la involuntaria profecía pesimista de sus desgarradoras películas no va a tardar en cumplirse.

LA EDAD MEDIA DEL CINE SOVIÉTICO

El gobierno soviético se había tomado muy en serio la importancia del cine como instrumento de información, agitación y propaganda para las masas. Si en 1925 había tan sólo dos mil salas de proyección sobre la gigantesca piel del país, al acabar el primer plan quinquenal (1928-1932) su número se había elevado a veinte mil. En contraste con esta espectacular expansión, la importación de películas extranjeras fue drásticamente limitada en un intento de autoabastecer su mercado interior y el cine sonoro no fue adoptado hasta disponer de un sistema propio que evitase el vasallaje al capital extranjero, de modo que no comenzó a difundirse hasta 1931, gracias a los trabajos de los ingenieros P. G. Tager y A. F. Shorin.

El cine sonoro soviético inició su marcha con paso titubeante, a pesar del éxito excepcional de su primer largometraje, *El camino de la vida (Putevka v zizn,* 1931) de Nikolái Ekk, inspirado en las experiencias pedagógicas de Makarenko, que exponía un retablo desgarrador de la infancia abandonada y delincuente *(bezprizornye),* al término de la guerra civil, reeducada y recuperada por la sociedad mediante el trabajo en común, en la construcción de una línea ferroviaria. Pero este impresionante documento social (que por su esperanza de recuperación de los jóvenes mediante el trabajo fue uno de los motivos de ruptura de algunos surrealistas con el comunismo) domina con mucho el nivel medio de los primeros años del cine ruso y será un insólito meteoro sin continuidad inmediata.

El sonido era una novedad que, al nacer, hizo fruncir el ceño a los grandes maestros del cine soviético, y para preservar la libertad del montaje habían postulado su empleo antinaturalista y contrapuntístico. Pero en 1931 se han producido ya en el mundo películas sonoras tan decisivas como *Aleluya, El ángel azul* y *Bajo los techos de París,* de modo que veremos a Pudovkin apropiarse del nuevo elemento expresivo con un gran entusiasmo experimental, en *El desertor (Dezertir,* 1933), tras el fracaso de su *Prostoi sluciai* [La vida es bella] (1931), película que se exhibió finalmente en versión muda y en la que Pudovkin experimentó el «primer plano del tiempo» (ralentí).

Aunque Pudovkin –y con él todos los cineastas soviéticos– acabará aceptando el sonido sincrónico con todas sus implicaciones, se resistirá a admitir la decadencia del montaje en la nueva estética y su película *El desertor* se realiza con cerca de 3.000 planos, cifra desmesurada en relación con las películas sonoras que se están haciendo por el mundo. En ella vuelve Pudovkin a los virtuosos efectos de montaje corto en las briosas escenas de choques entre los huelguistas alemanes y la policía. Pero además, *El desertor* va a resultar premonitoria sobre el destino del nuevo cine soviético. Su primera y última parte, que cantan la lucha revolucionaria de los obreros portuarios de Hamburgo, vibran con el aliento de las grandes epopeyas revolucionarias del mejor cine ruso. Su segunda parte, en cambio, que muestra la estancia del obrero «desertor» alemán en la Unión Soviética, tiene el tono de un sermón propagandístico, chato y convencional. Y es que, como veremos enseguida, resultan mucho más agradecidas y brillantes, artísticamente hablando, las gestas del combate revolucionario, las escaramuzas callejeras con la policía, la furia de la lucha de clases y la crítica del capitalismo que los sermones de propaganda y el cine didáctico, cantando las excelencias de la patria del comunismo.

Esta nueva etapa, que corresponde a los duros años de industrialización acelerada y de construcción del socialismo, abre una ingrata Edad Media en la historia del cine soviético, en su tránsito del «cine de poesía» al nuevo «cine de prosa».

La puesta en marcha del segundo plan quinquenal en 1932 incluye un atento replanteamiento de la situación del cine y una fijación de directrices para su desarrollo ulterior. Ya en el Congreso de Trabajadores del Cine de 1928, a las puertas del primer plan quinquenal, se había iniciado la crítica contra el «fetichismo técnico» de las grandes producciones soviéticas mudas y se había pedido una más austera funcionalidad expresiva, para que la narración cinematográfica fuera asequible e inteligible a todos los espectadores, que van desde los profesores universitarios hasta los incultos *mujiks*. No hay que olvidar el hecho de que el lenguaje cinematográfico se basa en una serie de convenciones gráficas (sucesión de planos con diferentes tipos de encuadre, saltos espaciales y temporales, etc.), cuya comprensión requiere un aprendizaje mental. Las proyecciones de películas en zonas rurales en las que el cinematógrafo era desconocido habían demostrado que una gran parte del público, especialmente el de más edad, era incapaz no ya de seguir las incidencias argumentales, sino de comprender las elementales convenciones de la gramática cinematográfica. Por eso el Partido pide que se renuncie a los «intelectualismos» y «formalismos», que es tanto como decir a la libre experimentación, en aras de una mayor eficacia social. Ésta es una de las contradicciones inherentes a este arte de masas, en donde con demasiada frecuencia la audacia expresiva anda reñida con la aceptación popular, a pesar de que el caso excepcional de Chaplin o el de *El acorazado Potemkin* demuestren que también es posible lograr un equilibrio a nivel genial entre calidad y amplia popularidad.

En 1932, pues, se gesta la teoría artística del «realismo socialista», que será definido en el Primer Congreso de Escritores Soviéticos (1934) como «la representación verídica de la realidad apresada en su dinamismo revolucionario». Marx ya había defendido la tesis del arte realista, criticando la presentación de los personajes «con coturnos en los pies y una aureola alrededor de la cabeza», y Engels lo definió como «la representación exacta de personajes típicos en situaciones típicas». Y si es bueno que el arte refleje la realidad en su dinámica dialéctica, es malo que nazca en los despachos de los burócratas, que poco conocen de ella y que, en el mejor de los casos, confunden lo que es con lo que ellos querrían que fuese. El «realismo socialista», entendido como consigna burocrática más que como producto de una espontaneidad creativa, dominará a una parte de la producción de la Edad Media del cine soviético, que ha pasado de la era de la poesía a la era de la prosa. Su fe de vida aparece con *Contraplán (Vstrechnij,* 1932), de Frederij Ermler y Serguéi Yutkevich, película que responde al esquema del realismo socialista aplicado al cine y que resulta ser, según como se mire, una curiosa película policíaca de suspense.

Contraplán trata de la construcción de un gigantesco prototipo de turbina, cuya fabricación tropieza con los manejos de un ingeniero saboteador, aunque finalmente y después de muchas vicisitudes el plan de producción logrará cumplirse puntualmente. Aquí aparece ya la acentuada «tipificación» maniquea de los personajes, que es tanto como decir aniquilación psicológica, y que, si era válida en las epopeyas colectivas de Eisenstein, demostrará ahora su insuficiencia aplicada a conflictos de personajes individualizados, que aparecen como monigotes moralmente predeterminados y desprovistos de toda complejidad, en aras de su fácil comprensión por parte de los más vastos y heterogéneos públicos.

La discutidísima teoría del «tipo», difícil compromiso entre lo general y lo particular, será uno de los caballos de batalla de las polémicas en torno al «realismo socialista», que para explicar las fuerzas que mueven la realidad social tenderá peligrosamente a sustituir a los personajes vivientes por símbolos didácticos. Con todo, en *Contraplán* palpita el aliento revolucionario en algunas curiosas escenas, como la del nacimiento a la vida de la descomunal turbina, que adquiere el carácter de un protagonista vivo, con el ruido de sus entrañas auscultado ansiosamente por el viejo Babchenko, como un médico auscultando el corazón de un gigantesco bebé de acero. Las máquinas son, para la nueva sociedad en acelerada transformación, elementos preciosos a los que se mima y mitifica, como ocurre durante el dramático suspense de la puesta en funcionamiento de la turbina.

Este fetichismo tecnológico será una de las características del cine revolucionario que canta la transformación industrial. Ya vimos el papel que jugaban los tractores en *La línea general* y en *La tierra*. La constancia de esta obsesión hará nacer en los países capitalistas, cuyo momento histórico-social no tiene nada que ver con el ruso, la chanza de que «el chico y la chica se casaron y tuvieron un tractor». Y es que al enjuiciar la instrumentalización política del cine soviético –que condujo a resultados lamentables en el plano cultural– no hay que olvidar la observación de Marcuse: «Lo que es irracional fuera del sistema, es racional dentro del sistema.»

Las tareas urgentes de la industrialización y de la revolución agraria convertirán al cine soviético en un arma propagandística de emergencia, con todo lo que ello supone. En este ingrato momento artístico, Eisenstein abandona el país junto con su operador Tissé y su ayudante Grigori Alexandrov para estudiar en el extranjero la nueva técnica del cine sonoro A su paso por París estampa su firma en la *Romanza sentimental (Romance sentimentale,* 1930), que realiza su ayudante, y luego se embarca en dirección a Hollywood. El periplo americano de Eisenstein será una de las páginas más dolorosas que registra la historia del cine. Si la dictadura del proletariado plantea a veces incómodas consignas a la libertad creadora del artista, ahora se constatará que la dictadura del capital es capaz de destrozar a los más potentes genios de la creación. La Paramount rechazó uno tras otro los proyectos que le sometió Eisenstein, entre ellos una adaptación de *An American Tragedy* de Dreiser, que finalmente sería encomendada a Sternberg.

En situación angustiosa, con la negativa de las autoridades de prorrogar su permiso de residencia en el país, Eisenstein encontró su última oportunidad en el proyecto que le ofreció el escritor Upton Sinclair para realizar una gran película en México, que a través de un prólogo, un epílogo y cuatro episodios *(Sandunga, Magüey, Fiesta* y *Soldadera)* componían un vasto fresco que sintetizaba los grandes temas de la historia y de la cultura mexicanas: la superposición de la civilización cristiana a una cultura pagana, la explotación de los peones en las grandes haciendas y los estallidos revolucionarios, el ritual del amor y de la muerte en los trópicos...
¡Que viva México! (1930-1931) podría haber llegado a ser la película más importante de la brillantísima carrera de Eisenstein. Pero cuando llevaba rodados cerca de cuarenta mil metros (o sea, unas

veinticuatro horas de proyección), Upton Sinclair le retiró el apoyo económico, sumiendo a Eisenstein en la consternación.

El material impresionado había sido remitido regularmente a los Estados Unidos, pero Eisenstein se encontró hundido y desarmado al negarle la policía el permiso de entrada en este país. La penosa aventura de *¡Que viva México!* concluyó de la peor manera, con gran parte del prodigioso material plástico que rodó Eisenstein malvendido a la Bell and Howell y montado por manos mercenarias. Con los retazos de su monumental retablo destrozado se montarán, entre otras películas, *Tormenta sobre México (Thunder Over Mexico,* 1933), de Sol Lesser y Upton Sinclair, *Death Day* y *Time in the Sun,* de Marie Seton, obras que jamás fueron reconocidas como propias por el genial director ruso. Con el material que pudo salvarse de este desastre, el historiador Jay Leyda montó su interesantísimo *Eisenstein's Mexican Film: Episodes for Study,* en 1957.

Profundamente deprimido, Eisenstein regresó a su patria, en donde tampoco pudo llevar a feliz término el rodaje de *La pradera de Bejin (Bejin lug,* 1935-1937), tragedia campesina saboteada por Boris Chumiatski, a la sazón máximo responsable de la Dirección Central de Cinematografía, que la juzgó poco ortodoxa en el plano político (hasta 1965 no se exhibió en la URSS –y luego en todo el mundo– un montaje realizado con fotos fijas de esta película inconclusa que, según la versión oficial, fue destruida durante la guerra, al evacuar los estudios Mosfilm a Alma-Ata). Entonces Eisenstein, como Pudovkin, se refugió en la enseñanza en el Instituto de Cine y en la elaboración de su importante obra teórica, hervidero de ideas fecundísimas sobre el empleo del sonido y del color, que desgraciadamente no tuvo ocasión de experimentar durante estos años cruciales para la evolución de la técnica cinematográfica.

Este período de indecisión y titubeo del cine soviético se cerró con el éxito arrollador de *Chapaiev, el guerrillero rojo (Chapaiev,* 1934), de Serguéi y Gueorgui Vassiliev, que en tres años fue vista por cincuenta y dos millones de espectadores y que Stalin puso como ejemplo y modelo de lo que debía ser el realismo socialista en cine. *Chapaiev, el guerrillero rojo* señalaba el fin de una etapa y el nacimiento de otra. Basada en la novela histórica de Dimitri

Furmanov, narraba las gestas de este héroe de la guerra civil, mostrando su transición de guerrillero de tendencias anarquistas hasta su incorporación a la disciplina del naciente Ejército Rojo. Ha sido otra vez, como vemos, una gesta épica la que ha devuelto su perdida grandeza al cine revolucionario. Pero esta gesta épica, a diferencia de los grandes retablos colectivos de Eisenstein, tenía por hilo conductor a un «héroe positivo» individualizado. Sin embargo, uno de los méritos mayores de la película fue el de no caer en un tipo monolítico y sin defectos, sino mostrar a un ser humano limitado por numerosas deficiencias. La misma objetividad ocurría en la presentación del enemigo, sin ocultar sus perfiles heroicos, como en la impresionante carga de los oficiales blancos, avanzando impertérritos a ritmo de tambor, mientras sus filas van siendo diezmadas por las balas del enemigo. Las debilidades de Chapaiev, su incultura y sus torpezas, eran parcialmente suplidas por un comisario político, de modo que este film a la gloria de Chapaiev era también contra Chapaiev, pues como observa sagazmente André Bazin, «ponía en evidencia la primacía de una visión política a largo plazo sobre la acción de un jefe de guerrillas heroico y provisionalmente útil».

Con el inmenso éxito de *Chapaiev, el guerrillero rojo* nacía el primer gran héroe individual del realismo socialista, históricamente ligado a las masas populares. Este detalle y su independencia de todo arquetipo generado por el *star-system* es lo que diferencia, precisamente, a un héroe de este corte de los del cine occidental, como Tom Mix, Río Jim, Pearl White o Douglas Fairbanks. Chapaiev sería el primer héroe, pero no el último, del nuevo cine soviético. Pisándole los talones apareció el obrero bolchevique Máximo, cuya evolución fue narrada en una trilogía que totalizó seis horas (1934-1939), realizada por Grigori Kózintsev y Leonid Trauberg, a través de tres momentos históricos significativos: antes de la Primera Guerra Mundial, julio de 1914 y el año 1918. El obrero Máximo fue un héroe popularísimo en la Unión Soviética, como Nick Carter o James Bond lo serían en Occidente. El éxito de esta fórmula permitió emprender también una trilogía sobre la vida del héroe de las letras Máximo Gorki, que realizó Mark Donskoi (1938-1940).

El desplazamiento del cine de masas hacia la biografía forzará al cine soviético hacia un mayor psicologismo, como se hace evidente en *Veliki grazdanin* [El gran ciudadano] (1939) de Frederij Ermler, biografía camuflada con seudónimo del dirigente bolchevique Serguéi Kírov, asesinado en 1934, que debatía los problemas de la industrialización que por aquellos años eran el eje de la planificación económica.

El cine aplicado a exponer las grandes gestas revolucionarias, como *Los marinos de Cronstadt (My iz Kronstadt,* 1936) de Dzigan, o las biografías de sus protagonistas, como la del profesor Polezaiev en *El diputado del Báltico (Deputat Baltiki,* 1937), de Zarkhi y Kheifits, inspirada realmente en la figura del botánico Timiriazev, es una consecuencia lógica del imperativo realista y del interés por los capítulos más recientes de la historia patria. Dovjenko se plegó a esta corriente que Jay Leyda califica de «realismo histórico» con *Chors* (1939), canto al modesto carpintero que se convirtió en héroe de la guerra civil en Ucrania, y Pudovkin aportó al capítulo histórico *Minin i Pojarski* (1939) y una biografía del general *Suvorov* (1941), ambas en colaboración con Mijaíl Doller y galardonadas con el Premio Stalin en 1941.

Entretanto, la evolución formal del cine soviético ha sido muy considerable. La estética sonora ha encontrado sus cauces a través de una adecuada valorización del diálogo. Todavía en 1934 aparece una película muda, la adaptación que Mijaíl Romm hace de *Boule de suif,* de Maupassant, sustentada en la técnica del primer plano. Pero este mismo año se produce un título que significa una decisiva ruptura estética. Se trata de la adaptación del drama de Ostrovski *La tempestad (Grozà),* por Vladímir Petrov, hombre de formación teatral, que ha estudiado en Londres a las órdenes de Gordon Craig. Su película critica la moral oscurantista de la época del zarismo, a través de la historia de un adulterio que concluye en suicidio. Esta especie de *Madame Bovary* eslava debe a su procedencia teatral un tratamiento en planos largos, con algunos movimientos de cámara complejos, que harán que Pudovkin, aun añorando la eficacia específica del montaje y acusando a la película en cuestión de «teatralizante», escriba que se trata «de uno de los primeros films de nuestro cine que haya dado al actor la posibilidad de sentirse un ser humano».

La nueva estética sonora, que en Occidente están forjando

Jean Renoir y William Wyler, se consolida también en la Unión Soviética con una revalorización del juego interpretativo a través de lo que más tarde se llamará la técnica del plano-secuencia y abandonando la gran fragmentación del cine-montaje clásico, que por su selectividad y capacidad de sugestión era especialmente apto para la orientación psicológica del espectador y la eficacia propagandística. El propio Eisenstein, maestro en el arte del montaje, explicó desde 1933 en sus cursos en el Instituto de Cine la técnica del plano-secuencia y la composición en profundidad, refiriéndose al «montaje dentro del encuadre», equivalente a lo que más tarde Mijaíl Romm llamará «toma de vistas en montaje».

Fue Petrov quien inició el ciclo de exaltación histórico-nacionalista en la producción rusa, que nace como respuesta al agresivo reto del nazismo, con su barroco y monumental fresco en dos partes sobre *Pedro el Grande (Petr Piervyi*, 1937-1939), orientación que culminó Eisenstein con *Aleksandr Nevski* (1938), que cerraba para su autor un paréntesis de diez años de improductividad creadora, en el curso del cual elaboró su revolucionaria teoría del montaje audiovisual, entendido como conjunción, conflicto o contrapunto de dos elementos de naturaleza distinta: la imagen y el sonido.

En *Aleksandr Nevski* aparecen novedades importantes en relación con la obra anterior del maestro. Sin abandonar por completo su clásica concepción coral, Eisenstein centró sin embargo su película en la exaltación de este héroe nacional del siglo XIII, que logró la unidad de su pueblo y batió a los Caballeros Teutones en 1242. También desaparece aquí su vigoroso estilo documental, que otorgó una patética veracidad a *El acorazado Potemkin,* para ser sustituido por una estilizada reconstrucción y un simbólico grafismo lineal (ángulos agudos = agresividad; líneas verticales = autoridad; cuadrados y círculos = defensa). Esta elaborada simbología alcanza también a los colores de los contendientes: blanco (muerte, crueldad) para los teutónicos; y negro (heroísmo, patriotismo) para los rusos. Tan extremado intelectualismo se aplicó también al montaje audiovisual, buscando una exacta correspondencia paralela entre las fluctuaciones de la línea melódica de Prokófiev y el grafismo de sus encuadres.

270

Este inmenso esfuerzo de ingeniería artística tendría como contrapartida, exceptuando las escenas antológicas (como la memorable batalla del lago), una incómoda frialdad que planea sobre esta espléndida ópera cinematográfica «en blanco mayor», como la denomina Sadoul, que marca un hito en la evolución estética del cine sonoro por su innovador montaje audiovisual y por su perfección formal. Película de exaltación patriótica que canta el heroísmo del pueblo ruso en función de su caudillo, se cerraba con una severa advertencia del príncipe Nevski, señalando que la misma suerte que habían corrido los Caballeros Teutones la correrían quienes osaran invadir su territorio. A las puertas de la Segunda Guerra Mundial, Hitler era el destinatario de este mensaje que, insensatamente, se atrevió a menospreciar, y bien que habría de pesarle en la hora amarga de Stalingrado.

A diferencia de lo que ocurre en Occidente, en la Unión Soviética el cine no se plantea como un negocio destinado a devengar dividendos, sino como un servicio prestado a la comunidad. Sería ingenuo ignorar los errores y abusos que pueden derivarse de tal servidumbre didáctica y propagandista, pero en cualquier caso las ideas de servicio y de utilidad social dominan todos sus géneros. No es casual, por lo tanto, que una parte de la producción rusa se aplique para cubrir la demanda del público infantil. Con películas infantiles inició su carrera Petrov, y el cine de marionetas, creado por Ladislas Starevich, tendrá ocasión de fundirse magistralmente con actores de carne y hueso en la fábula sobre *El nuevo Gulliver (Novy Gulliver,* 1935) de Aleksandr Ptushko, que con finalidad didáctica enseña que la unión de muchos, aunque sean pequeños y débiles, puede conseguir el objetivo deseado. Argumentos de Julio Verne fueron vertidos al cine y Legotchin creó una obra maestra con *Byeleyet parus odinok* [A lo lejos una vela] (1937), con las imágenes de la Revolución vistas a través de los ojos de dos niños, hijos de un pescador y de un maestro respectivamente, que cooperan en la lucha. Y es que el cine soviético, no debemos olvidarlo, además de pasatiempo es un arma ideológica de capital importancia en la gran batalla de la cultura de masas.

El cine nació como documental, como reproducción pura y simple de la materia bruta y sin elaborar que se desarrollaba ante las protohistóricas cámaras de Lumière: llegada de un tren, salida de una fábrica, parada militar, demolición de un muro. Pronto rebasó este ingenuo anecdotario para convertirse en testimonio gráfico de actos históricos, protagonizados por los notables de la época, como el zar Nicolás II en la ceremonia de su coronación, el matrimonio del príncipe de Nápoles, el presidente Porfirio Díaz o McKinley en un discurso a la nación. Orillemos discretamente el denso capítulo de las «actualidades reconstruidas» que tan benévolamente aceptaba el público de la época, porque encierran una contradicción ontológica con el género que nos ocupa, para pasar a la prensa cinematográfica periódica ingeniada por Pathé, con su gallo que todo lo sabe y que todo lo ve. Con el noticiario de actualidades, el documental se incorpora de un modo regular y definitivo a la industria del cine.

Los ingleses se llevaron la palma en el terreno del documental en los años heroicos del cine. El país de los grandes filósofos empiristas comprendió el gran poder de la cámara como instrumento de conocimiento del mundo sensible. El productor Charles Urban, fundador de la Warwick Film Co. y de la Urban Trading Co., favoreció la aparición de numerosos documentales geográficos y científicos, con atrevidas incursiones en el mundo microscópico, realizados por Ormitson Smith, George Rogers, Rider Noble y Martin Duncan. También fue el operador inglés H. G. Ponting quien realizó el primer gran documental con *90° South* (1910), salvado milagrosamente de la trágica expedición de Scott al polo Sur, diario gráfico de un viaje al infinito sin billete de vuelta, que demostraba que los Lumière habían acertado al bautizar a su invento como «gran viajero», haciendo posible que las imágenes del último rincón del mundo pudiesen pasearse por las salas de proyección de todos los países.

Con ser todo esto muy importante, limitaba al cine a pasivo reproductor de las apariencias de las cosas. El género documental tendría que aguardar hasta la aparición de Robert J. Flaherty para alcanzar su mayoría de edad, con el material visual construido y articulado con sentido e intención y centrado sobre el hombre, con sus afanes y sus luchas, en calidad de gran protagonista.

Nacido en Michigan, pero de ascendencia irlandesa, Robert Joseph Flaherty estudió en la Escuela de Minas de Michigan, pero sintiendo la llamada de la aventura se convirtió en explorador y cazador en las regiones inhóspitas del Canadá, emprendió varias expediciones a la bahía de Hudson y estableció un mapa detallado de las costas del canal de Fox. Desde 1913 había cultivado el cine como simple aficionado, pero hasta 1920 no pudo contar con el suficiente apoyo económico, en este caso el de la empresa peletera Révillon Frères, para lanzarse a la gran aventura documental con garantías suficientes.

Casi un año pasó Flaherty con su cámara entre los hielos de la bahía de Hudson para rodar la tremenda epopeya de la lucha del hombre contra una naturaleza hostil en *Nanuk, el esquimal (Nanook of the North,* 1920-1922). Su protagonista es Nanuk, un modesto esquimal con su esposa Nyla, sus hijos y sus perros. Su tema es el más simple que pueda darse: las vicisitudes de su vida cotidiana. Con *Nanuk, el esquimal* el cine documental trasciende el estatuto de mera apariencia de las cosas para convertirse en drama, en drama veraz, sin trampa ni cartón, y además y por vez primera un primitivo, lo que solía denominarse un «salvaje», era protagonista de una película.

El enorme e inesperado éxito de este film polar, sin estrellas ni lujosas escenografías, abrió los ojos de los industriales de Hollywood y la Paramount propuso a Flaherty el rodaje de un documental en los mares del Sur. Aceptado el encargo, Flaherty se embarcó con su tomavistas para las Samoa y, empleando película pancromática para obtener adecuada calidad de su riquísima gama de verdes y de la piel de los indígenas, rodó *Moana (Moana,* 1923-1925), interpretada por una joven pareja maorí. Su belleza plástica no bastó para borrar el recuerdo de su anterior creación, ya que *Moana* carecía de aquella dramática dureza y caía en la blanda exaltación rousseauniana del «salvaje bueno y feliz», situado en un mundo paradisíaco y sin conflictos.

Sin embargo, la acogida del público fue también excelente y los productores comenzaron a tomarse muy en serio aquello de los films «exóticos», protagonizados por salvajes y localizados en lugares no contaminados por la civilización blanca. La marea del cine exótico se inició, como subproducto flahertiano, a finales del período mudo. Sería injusto restar méritos a algunas de sus obras, como *Sombras blancas en los mares del Sur (White Shadows in the South Seas,* 1927-1928), rodada por W. S. Van Dyke en Tahití, al principio con la colaboración de Flaherty, que lo abandonó disconforme con la intervención de algunos actores profesionales. La película iba a resultar un producto de gran belleza, pero híbrido desde el punto de vista del rigor documentalista. En ella se barajaban tres grandes motivos: la visión documental de Tahití y de las costumbres de sus indígenas, el poema de amor entre el médico blanco Matthew Lloyd (Monte Blue) y la nativa Fayway (Raquel Torres) y la denuncia de los inhumanos abusos de la colonización blanca en una sociedad primitiva, pero feliz.

Van Dyke no volvió a encontrar tanto aliento poético hasta que realizó en Alaska *Eskimo (Eskimo,* 1933), en donde demostró la primacía de la imagen haciendo que los indígenas hablasen su lenguaje esquimal. Pero el éxito de *Sombras blancas en los mares del Sur* le encasilló por algunos años como especialista de las películas exóticas de la Metro, con las «africanerías» al estilo de *Trader Horn (Trader Horn,* 1930), que obtuvo un éxito inmenso, y la serie de Tarzán, protagonizada por Johnny Weissmuller. Corramos un piadoso velo sobre *El pagano de Tahití (The Pagan,* 1929), lamentable caricatura de *Sombras blancas* que realiza Van Dyke para lucimiento de los pectorales y dorsales de Ramón Novarro, convertido en tahitiano de pura cepa y cantando en inglés *Love Pagan Song.*

Lo mejor del ciclo exótico –a pesar de los indiscutibles méritos de *Batkiari (Grass,* 1926), sobre las migraciones estacionales kurdas, *Chang* (1927), rodado en las selvas de Siam por Ernest B. Schoedsack y Merian Cooper con la innovadora utilización del objetivo *zoom,* y de la aventura robinsoniana de *Caín (Caïn, aventure des mers exotiques,* 1930), rodada por Léon Poirier en Madagascar– fue sin lugar a dudas el espléndido *Tabú (Tabu,* 1930), la obra póstuma de F. W. Murnau. También esta película se inició con la colaboración de Flaherty, que no pudo llegar a buen término por las discrepancias entre su criterio documentalista y el subjetivismo creador de Murnau, tributario del romanticismo pesimista alemán. Aquí reaparece en imágenes de prodigiosa fuerza lírica su gran tema de la pareja enfrentada al Destino o a las fuerzas del Mal, con la mujer asumiendo el papel de víctima expiatoria. Reri y Matahi viven felices en Bora-Bora y se aman. Pero el gran sacerdote designa a la muchacha para ser consagrada a los dioses y, por tanto, declarada tabú para los hombres. Los jóvenes enamorados se fugan a una isla lejana, pero el gran sacerdote acabará por encontrarles y raptará a Reri, mientras su amante perece devorado por las aguas al intentar dar alcance a la canoa que se lleva a su amada. Trágico y bellísimo poema de amor, en donde los elementos naturales, como ocurre siempre en Murnau, se convierten en símbolos sin necesidad de falseamiento formal: el navío que entra por la izquierda del cuadro representando el destino, los pechos desnudos de los jóvenes que bailan a veinte centímetros sin poder tocarse... Durante el accidentado rodaje Murnau violó varios lugares declarados tabú por los indígenas de Bora-Bora y se dijo que su maldición fue la causa de su muerte en accidente de coche, antes de que llegase a estrenar la película.

Aunque todas estas obras, como los *westerns* americanos, aprovechaban de un modo realista los escenarios naturales, su realización no estaba presidida por una específica vocación documental, como ocurría con Dziga Vértov o con las obras de la célebre Escuela Documental Británica, creada por el sociólogo escocés John Grierson.

Grierson estudió Filosofía en la Universidad de Glasgow y, becado por la Fundación Rockefeller, se aplicó al estudio de los medios modernos de información y difusión cultural. De ellos, el cine fue el que atrajo más poderosamente su interés e, influido por el realismo soviético y el cine de Vértov en particular, realizó el documental *Drifters* (1929), sobre las tareas de la pesca del arenque en el Mar del Norte. Su producción estuvo asegurada por el Empire Marketing Board, departamento gubernamental encargado de los problemas de la alimentación del Imperio Británico, que el año anterior había confiado a Grierson la dirección de su departamento cinematográfico, de donde nacería la famosa Escuela Documental.

Grierson fue el aglutinador y el teórico de la Escuela, formada por Basil Wright, Arthur Elton, Paul Rotha, Harry Watt y Edgar

Anstey y a la que se incorporarían, invitados por Grierson, Robert Flaherty y Alberto Cavalcanti. Grierson vertebró toda una teoría del cine documental, definiéndolo como «tratamiento creativo de la realidad». Él había observado que «el precio de una película oscila entre la suma que costaría la construcción de un hospital y el presupuesto indispensable para sanear los barrios bajos de Southwark». Consciente de tamaña responsabilidad social, no oculta que considera al cine «como un púlpito y usó de él como propagandista». Por eso piensa que «el documental inglés debe abandonar los horizontes lejanos de Flaherty» para tratar sus temas «con un sentido social más definido que lo que hicieron los franceses y los alemanes, y con una observación más precisa del trabajo y de los trabajadores que la desarrollada por los rusos».

Con Grierson nace y se desarrolla el documental de información laboral, comercial y social, protegido por instituciones gubernamentales como la GPO (Departamento de Comunicaciones), cuya sección cinematográfica dirige junto con Cavalcanti de 1934 a 1937, y por poderosas empresas comerciales que han descubierto en el cine un influyente medio de información y propaganda que puede alcanzar a todos los confines del Imperio. En 1939 Grierson pasó a dirigir el National Film Board del Canadá y desde 1946 a 1950 trabajó para el departamento cinematográfico de la UNESCO.

Flaherty se incorporó a la Escuela realizando junto con Grierson *Industrial Britain* (1931), sobre la artesanía ceramista de las Midlands inglesas condenada por el rápido desarrollo de la gran industria, aunque subrayando el papel primordial del hombre como factor de producción en la era maquinista. La verdad es que el temperamento lírico de Flaherty no se avenía muy bien con la rigurosa concepción sociológica de Grierson, de modo que no tardó en producirse su separación, en la que es fama que Grierson le dijo a su colega: «Tú márchate a buscar paraísos perdidos, si eso es lo que te gusta. Yo voy a ver lo que hay de puertas adentro. Tú busca los salvajes de los más apartados continentes. Yo voy a ver a los salvajes de Londres o de Birmingham.»

Flaherty no desoyó el consejo porque marchó con su cámara a las inhóspitas islas de Aran, masas rocosas situadas al oeste de Irlanda y azotadas por un viento apocalíptico, cuyos habitantes libran cada día un combate homérico con el mar para arrancarle su subsistencia. Flaherty había decidido rodar un documental en aquella isla cuando regresaba a Europa en un barco con emigrantes arruinados por la crisis estadounidense y uno de ellos le explicó la pobreza terrible de la rocosa isla de Aran, que no dispone ni de un puñado de tierra cultivable. En aquel agreste escenario Flaherty rodó *Hombres de Arán (Man of Aran,* 1934), bello poema del esfuerzo del hombre, en el que anteponía no obstante su visión lírica y su concepción rousseauniana, filtros deformantes que daban mítica hermosura a la durísima lucha de aquella familia pescadora.

Las concesiones preciosistas, en cambio, no fueron casi nunca toleradas (con la excepción de Basil Wright) en la abundante producción de la Escuela Británica. Los temas navales, iniciados por *Drifters,* fueron una de sus constantes: *Shipyard* (1934-1935), de Paul Rotha, muestra la construcción de un gran transatlántico y los beneficios que se derivan de este trabajo para una pequeña comunidad inglesa; *North Sea* (1938), de Harry Watt, está dedicado a las comunicaciones radioeléctricas en el mar y tiende a adquirir una estructura argumental, como en los films de ficción.

En otra vertiente, *Housing Problems* (1935) de Arthur Elton y Edgar Anstey es un documental implacable y riguroso sobre el problema de las viviendas humildes, conducido con un estilo objetivista que será más tarde el de las encuestas televisivas y del *cinéma-vérité.* Alberto Cavalcanti dedicó su *Coal Face* (1935) al examen de la vida en los centros carboníferos, pero fue Basil Wright quien convirtió el testimonio documental en obra de arte con *Night Mail* (1936), en colaboración con Harry Watt, hermoso cine-poema sobre el tren correo nocturno que se desliza hacia Escocia atravesando la geografía del país, realzado por el bello texto poético de W. H. Auden que ocupa la banda sonora.

El mismo Wright había realizado en Ceylán uno de los más hermosos documentales de la Escuela, *Song of Ceylon* (1934-1935), por encargo de la Compañía Británica del Té. Aunque aquí se descubre la oreja de la propaganda colonialista, la película resulta fascinante por sus calidades poéticas y por su esfuerzo creativo en el campo audiovisual, con un inteligente uso del contrapunto eisensteiniano: el elefante empujando el árbol mientras suena el jadeo de una locomotora, la escena del muchacho y el cocotero ilustrada en la banda sonora con textos de rutinaria correspondencia comercial, el trabajo de los nativos contrapunteado con la narración de un viajero del siglo XVII.

Exceptuando las concesiones al lirismo de Basil Wright, el documental británico fue por lo general austero y con un prurito de objetivismo y de imparcialidad política (no se olvide que estaba financiado por el gobierno), que excluía toda demagogia y combatividad social. No se puede decir lo mismo, en cambio, de la llamada Escuela de Nueva York, que nació alentada por el clima liberal de la administración Roosevelt. Su centro fue la productora independiente Frontier Films, fundada por el fotógrafo y documentalista Leo Hurwitz y que agrupó a excelentes fotógrafos, críticos y realizadores, como Ralph Steiner, Pare Lorentz, Paul Strand, Jay Leyda, Lewis Jacobs, Oscar Serlin, Willard van Dyke y Herbert Kline. Sus documentales no fueron meramente descriptivos, sino que casi siempre tuvieron un acento de vigorosa protesta social. Pare Lorentz abordó con valentía los problemas agrarios del valle del Mississippi en *The Plough That Broke the Plains* (1936) y *The River* (1938), sobre un registro parecido al de Flaherty cuando, por encargo del Departamento de Agricultura, realizó con *The Land* (1940-1941) un sombrío retablo de la miseria campesina provocada por la implacable erosión geológica de grandes zonas de los Estados Unidos. Pero *The Land,* en la que por vez primera Flaherty rehuía la tentación lírica y plasticista para ceñirse al rigor testimonial, fue prohibida por el gobierno, considerándola excesivamente pesimista.

La orientación social de esta Escuela llevó a Paul Strand a México a recoger la tradición estética y revolucionaria de Eisenstein en *Redes (The Wave,* 1934-1936), que dirige en colaboración con Fred Zinnemann y Emilio Gómez Muriel, con actores elegidos entre los humildes pescadores de Alvarado, en el golfo de Veracruz. Después Strand denunció la intolerancia racial y social de su país en *Native Land* (1938-1941), en colaboración con Leo Hurwitz, tenida por una de las mejores obras de la Escuela. Claro que la vida de estos vigorosos documentales es semiclandestina, excluidos de los grandes circuitos comerciales, ya que el público norteamericano se nutre con el periodismo brillante de la popular serie de noticiarios *The March of Time* (1934-1943), que produce el veterano Louis de Rochemont como suplemento de la revista *Time,* responsable de la penetración de una estética documental en algunas producciones comerciales de la posguerra.

También a Nueva York fue a parar, en 1936, el holandés Joris Ivens, cuya trayectoria artística es sumamente reveladora. Comenzó por realizar documentales científicos microscópicos (1927) y luego, bajo la influencia del impresionismo vanguardista, utilizó como pretexto el puente móvil sobre el Maas, en Rotterdam, en *De Brug* (1928), y la lluvia sobre Amsterdam, en *Regen* (1929), para realizar dos virtuosos cine-poemas casi abstractos. Pero en 1930 su obra sufre una inflexión y su mundo de formas puras se enriquece con la presencia del hombre, protagonista colectivo de *Zuiderzee* (1930), en la lucha contra la penetración de las aguas del mar. Esta epopeya del trabajo humano disputándole terreno al océano abre una nueva e importante etapa para Ivens, cuyo cine se centrará en adelante sobre los grandes problemas que atenazan al hombre, contra la opresión y la injusticia y en favor de su esfuerzo y de sus grandes realizaciones. Su espíritu polémico, que no excluye altísimas calidades líricas, le convertirá en un artista nómada que irá a la Unión Soviética para rodar *Komsomol* (1932), al corazón de las minas belgas para realizar *Borinage* (1933), a China para filmar *The 400 Millions* (1938) y a la doliente España en armas para arrancar el testimonio *Tierra de España (Spanish Earth,* 1937), que se exhibirá con un comentario de Ernest Hemingway.

La financiación de *Tierra de España* la obtuvo Ivens en Nueva York, de un grupo integrado por Hemingway, Dos Passos, Archibald Mac Leigh, Lillian Hellman y Frederic March. Su presentación tuvo lugar en la Casa Blanca y al acabar su proyección, el presidente Roosevelt exclamó: «¡Es un film que todo el mundo debería ver!» Y es que la guerra de España se ha convertido en un tema candente que apasiona a la opinión pública y atrae a operadores de todas las latitudes: *Heart of Spain* (1938) de Leo Hurwitz y Paul Strand, *Return to Life* (1938) de Henri Carter y Herbert Kline, *Spanish A. B. C.* (1938) de Thorold Dickinson y producido por Ivor Montagu, responsable también de *Defense of Madrid* (1938), *Behind the Spanish Lines* (1938) y *Testimony of Non-Intervention* (1938). Esther Chub monta *Ispaniya* (1939) con material del operador ruso Roman Karmen. En 1939 aparece *Espoir* (o *Sie-*

rra de Teruel), del escritor y aviador André Malraux, que permaneció prohibida hasta la liberación de Francia. Sin necesidad de entrar en los temas de ficción, la lista de documentales sobre esta conmovedora página de historia se haría interminable.

El cine ha descubierto su importancia como espejo de la historia y como vehículo de información. Su destino es el de contribuir a que los hombres, de diferentes latitudes y de diversas costumbres, puedan conocerse y comprenderse mejor y, en consecuencia, se sientan solidarios en sus problemas y en sus objetivos. Y su misión es también la de profundizar en el conocimiento del mundo físico que les rodea, desde las formas de vida microscópicas hasta los cuerpos celestes que se mueven en el infinito. El auténtico fundador del documental científico fue el francés Jean Painlevé, que lo cultivó desde 1925 y permitió a los espectadores contemplar con ojos nuevos el mundo cotidiano, pero ignorado y fascinante, de los fenómenos del reino animal: el pulpo, el caballito de mar, el vampiro, la fecundación y los movimientos protoplasmáticos desvelaron, gracias al ojo analítico de la cámara, todos sus secretos. Por el camino desbrozado por el doctor Painlevé avanzará la legión de los *Kulturfilms* de la UFA, que a partir de 1940 se beneficiará de la incorporación del Agfacolor, para una más fiel y veraz reproducción del mundo físico.

DIBUJOS ANIMADOS

Los dibujos animados nacieron, en rigor, antes que el cine mismo. Recordemos las célebres *Pantomimas luminosas* que Émile Reynaud exhibía desde 1892 en el Museo Grévin para pasmo y delectación de los públicos parisinos. Pero Reynaud pintaba sus muñecos directamente sobre una banda de papel y no como se haría más tarde, es decir, fotografiando sobre película las series de dibujos.

Para que el cine de animación fuera una realidad era menester inventar previamente el trucaje llamado «paso de manivela» o «imagen por imagen», sobre cuya discutida paternidad (Stuart Blackton, Segundo de Chomón, Méliès) no entraremos, porque el auténtico pionero de los dibujos animados no fue ninguno de ellos, sino el francés Émile Cohl, que acabó sus días en la miseria a pesar de ser el fundador de un género que ha reportado luego tan ingentes beneficios económicos. Émile Cohl creó sus primeros monigotes en Francia (1908-1912), pero prosiguió su carrera en los Estados Unidos (1914-1916), en donde dio vida, en colaboración con McManus, al personaje *Snookum,* protagonista de la primera serie de dibujos animados del mundo y, de nuevo en Francia al acabar la guerra, creó junto con Louis Forton la serie protagonizada por *Pieds Nickelés* (1918-1919).

Si el género nació en Francia, conoció su desarrollo y esplendor en los Estados Unidos. Muy poco después de que Cohl iniciase sus experiencias, Winsor McCay creaba en América el curioso y simpático personaje *Gertie, el dinosaurio* (1914), inspirándose en el estilo de las historietas cómicas populares. Fue también el norteamericano Earl Hurd quien perfeccionó decisivamente la técnica de los dibujos animados, al patentar en 1915 el uso de hojas transparentes de celuloide *(cells)* para dibujar las imágenes y que permitirían superponer a un fondo fijo las partes en movimiento *(action)*. Este método de trabajo, mejorado por Raoul Barré, al servicio de Edison, y Bill Nolan, que introdujo el movimiento de panorámica en los fondos, abrió una etapa de gran progreso en los dibujos animados.

Los hermanos Max y Dave Fleischer dieron vida a personajes que alcanzaron gran popularidad, como el travieso payaso *Coco* (1920-1930) y la seductora *Betty Boop* (1930-1939), parodia de la *vamp* con su boca en forma de corazón y su traje ceñido y faldicorto, inspirado en la cantante Helen Kane, que alborotó a las ligas puritanas y finalmente fue prohibido por la censura de mister Hays. Su risa característica *poopoo-pi-doo* será un rasgo del que se apropiará otra *vamp* irónica de carne y hueso: Marilyn Monroe. Su más duradero personaje fue el marinero *Popeye* (1930-1947), creado originalmente por E. C. Segar para la publicidad de espinacas en conserva, pero que desbordó esta función a través de sus eternas querellas con el barbudo *Bluto,* disputándose los huesos más que el corazón de la flacucha *Olive Oyl* (Rosario), recuperada por *Popeye* gracias a sus contundentes argumentos físicos de que hace gala merced a una oportuna ingestión de espinacas. Su popularidad fue tan grande que la marina lo utilizó en sus campañas de reclutamiento antes de la Segunda Guerra Mundial. El australiano Pat Sullivan, por su parte, fue el autor del afortunado gato *Félix* (1917), preludio de los animales antropomórficos que creará Walt Disney.

Nacido en Chicago en 1901 (a pesar de que algunos seudohistoriadores se han empeñado en hacerle español a la fuerza) y fallecido en Hollywood en 1966, el caricaturista y dibujante publicitario Walt Disney se interesó por los dibujos animados hacia 1919 y creó la serie *Alice Comedies* (1924-1926) y la del conejo *Oswald* (1927-1928), antecedente del ratón *Mickey* (1928), ideado por su ayudante Ub Iwerks. La incorporación del sonido en 1928 le permitió jugar con los efectos musicales, creando felices gags cómicos. La etapa de las *Sinfonías tontas (Silly Symphonies)* se inició con *La danza macabra (Skeleton Dance,* 1929), en donde unos esqueletos golpeaban sus huesos emitiendo notas de xilófono, y adoptó felizmente el Technicolor a partir de *Árboles y flores (Flowers and Trees,* 1932).

Disney dio vida a una pintoresca fauna humanoide, como el perro *Pluto* (1930), el pato *Donald* (1934), el caballo *Horacio* y la vaca *Clarabella,* que caricaturizaban bajo sus rasgos animales la psicología de los humanos. *Mickey Mouse,* el primero de la serie y surgido de las cintas musicales, compañero de la encantadora *Minnie,* fue un personaje todavía elemental, cándido y bondadoso, que se convirtió en símbolo del triunfo del débil sobre la fuerza bruta. Pero poco a poco fueron haciéndose más complejos, astutos y hasta agresivos, como el perro *Pluto* y sobre todo el pato *Donald,* caricatura del americano medio, audaz e infantil, vanidoso y emprendedor, lujurioso e irascible, presa fácil de rabietas y de euforias delirantes. Todo un coro de animales estilizados, como la coqueta patita *Daisy* o el simpático, perezoso y despistado *Goofy,* pobló las fantasías de Disney con una tipología digna de la *Commedia dell'arte* y llena de intención, como la de la fábula de *Los tres cerditos (The Three Little Pigs,* 1935), en la que el cerdito trabajador no era devorado por el lobo, eco de las consignas políticas del *New Deal* de Roosevelt.

En 1935 Disney conquistó el nuevo perfeccionamiento de la truca multiplana, que facilitaba la descomposición del dibujo en varios términos independientes y que utilizó por vez primera en *El viejo molino (The Old Mill,* 1937). La madurez de su compleja organización industrial le permitió abordar los primeros largometrajes de dibujos animados de la historia del cine. El primero de ellos fue *Blancanieves y los siete enanitos (Snow White and the Seven Dwarfs,* 1937), que obtuvo un gran éxito mundial, pero que corroboró la debilidad de Disney cuando pulsa su registro sensiblero y moralizante y su incapacidad para animar con eficacia a los seres humanos de corte realista.

La realización de un largometraje de esta especie, que costó 1.700.000 dólares y contó con cerca de 400.000 dibujos, supone una vasta, rígida y eficaz organización, con una acentuada división del trabajo. Pero sus estudios de Burbank estaban en condiciones de acometer esta tarea y, bajo la supervisión de Disney, aparecieron *Pinocho (Pinocchio,* 1940), inspirado libremente en el personaje creado en 1880 por el italiano Collodi, *Dumbo (Dumbo,* 1941) y *Bambi (Bambi,* 1942), que confirman las virtudes y limitaciones del gran mago de los dibujos animados.

Seguro de sí mismo, Walt Disney emprendió con *Fantasía (Fantasia,* 1940) un ambicioso experimento audiovisual, intentando plasmar en imágenes la música de Bach *(Toccata y fuga),* Chaikovski *(Cascanueces),* Dukas *(El aprendiz de brujo),* Stravinski *(La consagración de la primavera),* Beethoven *(La sinfonía pastoral),* Ponchielli *(La danza de las horas),* Músorgski *(Una noche en el Monte Pelado)* y Schubert *(Ave María).* Casi nada. Para completar el *tour de force* combinó imágenes reales con dibujos animados e ideó para la película un sistema de sonido estereofónico con cuatro pistas (Fantasound), sistema que había ensayado ya Abel Gance en 1934. Pero la verdad es que este esfuerzo colosal, en donde los grandes maestros de la música vienen ilustrados con imágenes al gusto de las tarjetas navideñas, fue un fracaso artístico, del que tan sólo se salvó el fragmento de Mickey jugando peligrosamente, como el propio Disney, a aprendiz de brujo, en su simpático y habitual universo poético del que jamás debió salir su autor.

Fantasía venía a inscribirse en el dibujo animado de vanguardia, que había conocido ya algunas curiosas experiencias audiovisuales en Europa. Así, por ejemplo, *Une nuit sur le Mont Chauve* (1933) de Alexandre Alexeieff y Claire Parker, con música de Músorgski, obra en que se obtenía la animación mediante una pantalla de alfileres, cuyas cabezas componían las figuras en un estilo puntillista. Otras obras de este tipo fueron *L'idée* (1934) de Berthold Bartosch, con música de Arthur Honegger, *La joie du vivre* (1934) de Hoppin y Gross y música de Tibor Harsányi, o la cinta abstracta *Colour Box* (1935), pintada directamente sobre película por el neozelandés Len Lye, maestro de Norman McLaren.

Disney prosiguió sus combinaciones de imagen real y dibujo en *Saludos amigos (Saludos amigos,* 1942) y *Los tres caballeros (The Three Caballeros,* 1943), obuses propagandísticos destinados a la América Latina. Pero a pesar de su indiscutible potencia industrial y de la perfección de su técnica, a partir de 1940 su colosal imperio comienza a sentir los aguijonazos de los competidores. Walter Lantz, creador del osito *Andy Panda,* inicia en 1941 la serie del pájaro carpintero *Woody Woodpecker,* producida por la Universal, que introduce el sadismo y el furor destructivo en el género, rasgos que serán quintaesenciados como *sustratum* de la comicidad traumática de la pareja formada por el gato Tom y el ratón Jerry, creados por la imaginación de William Hanna y Joe Barbera, al servicio de Fred Quimby (Metro-Goldwyn-Mayer). Los excitantes sádicos de sus agitadas aventuras, que contrastan con el ternurismo de Disney, señalan un cambio de rumbo en el género, que se acentuará en la posguerra, sin que el mago de Burbank, y a pesar de los anzuelos tendidos a las Américas de más allá del Río Grande, pueda impedirlo. La Segunda Guerra Mundial cierra, en la historia del dibujo animado, la gran era de Walt Disney.

EL CINE BRITÁNICO EN ESCENA

El cine inglés, que había conocido un glorioso amanecer con la Escuela de Brighton, se deslizó a partir de 1908 hacia la más completa postración, víctima del constante aumento de los costes de producción, de la competencia extranjera y del rigor puritano de sus censores. Los éxitos esporádicos, como el de *David Garrick* (1913) de Cecil Hepworth, se hicieron cada vez más raros y desde el final de la Primera Guerra Mundial su mercado se vio inundado por la avalancha norteamericana y su industria sin las fuerzas necesarias para competir, siquiera modestamente, con ella.

La parálisis del cine inglés se prolongó hasta finales del período mudo, momento en que se promulgó una legislación fuertemente proteccionista, la Cinematograph Film Act de 1927, culminación de un sinnúmero de debates parlamentarios y campañas de prensa iniciadas desde tres años antes. La Cinematograph Film Act fijó una producción mínima anual de cincuenta películas y para forzar su salida comercial impuso a los distribuidores y exhibidores una cuota mínima obligatoria del 5 % de films ingleses en su programación. Como consecuencia de este enérgico estímulo, en un año la producción británica se quintuplicó y en 1936 la cuota se elevó al 20 %.

El brusco crecimiento de esta mimada industria determinó la absorción de un crecido número de artistas extranjeros, que con su veteranía contribuirían a consolidar su solidez comercial. Alemanes como E. A. Dupont, Lothar Mendes o Henrik Galeen, húngaros como Alexander Korda, su hermano Zoltan y Paul Czinner, americanos como William Cameron Menzies y Sam Wood y franceses como René Clair y Jacques Feyder establecieron por algunos años su cuartel general en los estudios británicos. El capital inglés confió a estos extranjeros, de probada eficacia artística, sus obras más ambiciosas, que sirvieron para poner a prueba la capacidad de su industria. El astuto Alexander Korda, por ejemplo, fue enviado por la Paramount a Inglaterra en 1931 y allí fundó la empresa de producción London Films. Siguiendo la senda de las «vidas privadas» ideada por Lubitsch había realizado Korda ya en Hollywood *La vida privada de Helena de Troya (The Private Life of Helen of Troy,* 1927) y dispuso ahora de grandes medios materiales para la reconstrucción histórica de *La vida privada de Enrique VIII (The Private Life of Henry VIII,* 1933), con una sensacional creación del actor Charles Laughton, en el papel del monarca lujurioso y glotón, caracterizado tal como lo pintó Hans Holbein, y que fue el primer gran éxito internacional del cine sonoro inglés (costó 60.000 libras y reportó un millón), a la vez que revelaba a su primera gran estrella femenina, Merle Oberon.

Korda prosiguió cultivando este filón con *La última aventura de Don Juan (The Private Life of Don Juan,* 1934), última interpretación de un Douglas Fairbanks en decadencia, y *Rembrandt (Rembrandt,* 1936), mientras su hermano Zoltan, especialista en films exóticos, viajaba a la India para rodar *Sabú (Elephant Boy,* 1935-1937) y a África para realizar una nueva versión en color (la anterior fue la de Lothar Mendes, en 1929) de la epopeya colonialista *Las cuatro plumas (The Four Feathers,* 1939). Tras la realización de *Rembrandt,* el crecimiento de la London Films impidió a Korda continuar dedicándose a tareas de dirección pero se convirtió en el timonel de la industria del cine británico.

También supuso un gran esfuerzo material la producción de *La vida futura (Things to Come,* 1936), del americano William Cameron Menzies sobre guión de H. G. Wells, película de anticipación que muestra el retroceso de la humanidad a la era de las cavernas a causa de una guerra apocalíptica, salvada finalmente por una elite de tecnócratas y de científicos que implantan la Utopía del Bienestar. Otros éxitos notables del pelotón extranjero fueron *El fantasma va al Oeste (The Ghost Goes West,* 1935) de René Clair y el lacrimógeno *Adiós, Mr. Chips (Good-bye Mr. Chips,* 1939) de Sam Wood.

A pesar de que la artillería del cine sonoro inglés estuvo en manos de extranjeros, algunos nombres británicos comenzaron a despuntar con fuerza en este período, como Anthony Asquith, hijo del conocido político, que con la colaboración del inolvidable actor Leslie Howard y del incisivo humor de G. B. Shaw realiza un aplaudidísimo *Pigmalión (Pigmalion,* 1938). Carol Reed, influido por el estilo y la orientación social de la escuela documentalista, adapta la novela de A. J. Cronin *The Stars Look Down* (1939), que expone el fracaso de un minero que se ha convertido en ingeniero en sus intentos por mejorar las condiciones de vida en las minas de Gales. Sin embargo, quien más ruido armará de todos estos realizadores ingleses es el hijo de un comerciante de volatería llamado Alfred Hitchcock, que ha estudiado con los jesuitas y ha abandonado los libros de ingeniería para meterse en eso del cine, a ver qué pasa.

En la patria de Conan Doyle y de Edgar Wallace, Hitchcock fue quien prosiguió con mejor fortuna la rica tradición de la narrativa policíaca, aunque poniéndole sus gotas de ironía jesuítica. Su nombre comienza a sonar con *El vengador (The Lodger* 1926) y el productor John Maxwell le confía la realización de la primera película sonora del cine inglés: *La muchacha de Londres (Black-*

mail, 1929), en la que una joven (Any Ondra), novia de un detective, comete un homicidio y tiene que ser arrestada por su novio. En *Murder* (1930) Hitchcock utiliza por vez primera en el cine, simultáneamente a *La edad de oro* de Buñuel, la voz en *off* como monólogo interior de un personaje. Ciertamente, no carece de inventiva este grueso y flemático inglés, que después de oscilar entre la comedia amable y el género policíaco se ha decidido finalmente por el último, en el que llegará a ser un consumado maestro.

Apartándose de caminos trillados, rehúye los tradicionales ambientes insólitos o truculentos para situar sus intrigas en medios cotidianos y domésticos, entre gentes normales y prosaicas que ven de pronto sus existencias sacudidas por el ramalazo de lo extraordinario. Esto da a sus películas cierto sabor documental y fuerza de veracidad. Está también la ironía, que hace ceder la brutal tensión psicológica de sus suspenses, anglicismo *(to suspense:* mantener en vilo) que se hará de uso común entre las gentes gracias a su obra. Claro que el suspense no lo ha inventado Hitchcock y es incluso anterior a los cuentos que desgranaba la ingeniosa Scherezade para mantener en vilo el interés del califa y salvar así su cabeza. Pero Hitchcock sublimará su técnica jugando con los nervios y con el masoquismo de los espectadores. Sus narraciones progresan implacablemente manteniendo siempre oculto un elemento importante de la intriga, hasta poner su interés al rojo vivo. Hitchcock ha propuesto el gráfico ejemplo del señor sentado en una silla bajo la que se oculta una bomba de relojería, de la que sabemos que estallará, pero ignoramos en qué momento.

Dotado de un estilo brillante y efectista, Hitchcock demostrará su prodigiosa habilidad en *El hombre que sabía demasiado (The Man Who Knew Too Much,* 1934), *39 escalones (The Thirty-nine Steps,* 1935) *y Alarma en el expreso (The Lady Vanishes,* 1938), su penúltimo film inglés y uno de los mejores de su primera etapa, que fue rodado íntegramente en el estudio, utilizando maquetas o el decorado interior de un vagón de tren. Con sus ingeniosas intrigas Hitchcock se adelanta a la ulterior evolución de la narrativa policíaca, sazonando la pura aventura con ingredientes de orden psicológico, social o moral. De todos modos, no es cosa tampoco de tomarse muy en serio a nuestro hombre, porque él tampoco se toma siempre las cosas en serio, como se verá con más claridad en su siguiente etapa norteamericana, donde a veces tendremos la impresión de que se toma, en cambio, al pie de la letra su famosa *boutade:* «¿Qué es el cine? Un montón de butacas para llenar.»

AL SERVICIO DEL TERCER REICH

A poco de subir Hitler al poder, el doctor Goebbels, ministro de Propaganda del Tercer Reich, tomó en sus manos las riendas del cine alemán y pidió a sus artistas en un discurso que creasen *El acorazado Potemkin* del nuevo régimen. Eisenstein le contestó en una carta abierta en la que, después de agradecerle el cumplido, le decía al señor ministro: «No se imagine que su arte gubernamental criado en medio de tanta infamia será capaz de inflamar el corazón de los hombres.» La advertencia de Eisenstein era superflua, porque *El acorazado Sebastopol (Panzerkreuzer Sebastopol,* 1936), de Karl Anton, se encargaría de demostrar que no basta con jugar a los barcos para ser buen almirante en las procelosas aguas del arte.

Con mal pie ha dado el cine nazi sus primeros pasos, a pesar de la protección ilimitada que recibe la UFA, convertida en niña mimada del Ministerio de Propaganda. La desbandada de actores y directores judíos en 1933 evidenciará hasta qué punto ha sido importante la aportación de sangre hebrea al arte cinematográfico alemán. Como un gigantón solitario queda en Alemania el fabuloso Emil Jannings, que se convertirá en una especie de actor oficial, galardonado con el título de Actor del Estado en 1941. Para su lucimiento personal se montan grandes películas biográficas, realizadas por Hans Steinhoff, como *El rey soldado (Der alte und der junge König,* 1935), sobre Federico Guillermo I de Prusia y primer film nazi de exaltación nacionalista a través de un tema histórico, predicando la primacía del Estado sobre el individuo, *Roberto Koch, el vencedor de la muerte (Robert Koch, der bekampfer des Todes,* 1939), homenaje al descubridor del bacilo de la tuberculosis, y *Ohm Kruger* (1941), una de las muestras más punzantes del cine de propaganda antibritánica, que biografiaba al antiguo presidente del Transvaal Paulus Kruger.

Otra vieja gloria del cine alemán, G. W. Pabst, retenido en

Ciudadano Kane (1941) de Orson Welles.

Luz de gas (1940) de Thorold Dickinson.

Nikolái Cherkasov en *Iván el Terrible* (1943-1945) de Serguéi M. Eisenstein.

Roma, ciudad abierta (1945) de Roberto Rossellini.

Paisà (1946) de Roberto Rossellini.

Ladrón de bicicletas (1948) de Vittorio De Sica.

Milagro en Milán (1950) de Vittorio De Sica.

El halcón maltés (1941) de John Huston.

París bajos fondos (1952) de Jacques Becker.

Hamlet (1948) de Laurence Olivier.

La perla (1946) de Emilio Fernández.

Los olvidados (1950) de Luis Buñuel.

Los siete samuráis (1954) de Akira Kurosawa.

Pather Panchali (1955) de Stayajit Ray.

Apache (1954) de Robert Aldrich.

Me siento rejuvenecer (1952) de Howard Hawks.

Senderos de gloria (1958) de Stanley Kubrick.

El proceso (1962) de Orson Welles.

The Brig (1964) de Jonas Mekas.

La dolce vita (1959) de Federico Fellini.

El eclipse (1962) de Michelangelo Antonioni.

Paola Pitagora en *Las manos en los bolsillos* (1964) de Marco Bellocchio.

Brigitte Bardot en *Y Dios creó la mujer* (1956) de Roger Vadim.

Hiroshima mon amour (1959) de Alain Resnais.

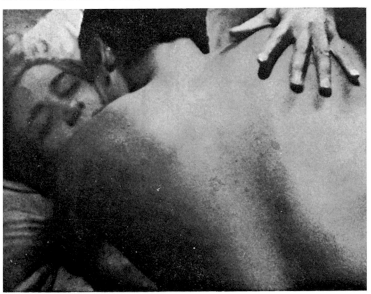

Lola (1960) de Jacques Demy.

La Chinoise (1967) de Jean-Luc Godard.

El cuarenta y uno (1956) de Grigori Chujrai.

Cenizas y diamantes (1958) de Andrzej Wajda.

Viridiana (1961) de Luis Buñuel.

Persona (1967) de Ingmar Bergman.

Viena por un accidente, se reincorpora en 1941 a los estudios de Berlín y realiza con grandes medios y ninguna convicción los films biográficos *Kömodianten* (1941), sobre la actriz del siglo XVIII Karoline Neuber, y *Paracelsus* (1943). Después de la hecatombe, a la hora amarga del *mea culpa*, Pabst aportará a su proceso de desnazificación la cinta projudía *Der Prozess* (1947) y *Der letzte Akt* (1955), sobre el derrumbamiento del Tercer Reich.

Antes de que estallase la guerra, se había abierto ya el fuego entre el cine alemán y las cinematografías aliadas. Goebbels se llevó un berrinche al ver aparecer los primeros puyazos del cine americano, como *Confessions of a Nazi Spy* (1939) del ucraniano Anatole Litvak, y amenazó con boicotear toda la producción americana en territorio alemán. Pero lo cierto es que la batalla del cine propagandístico la iniciaron los nazis el mismo año en que ocuparon el poder con la presentación a bombo y platillos de *Crepúsculo rojo* (*Morgenrot*, 1933), de Gustav Ucicky, considerado como «el primer film del Partido» y exaltación de la «muerte heroica», que fue presentado tres días después del triunfo de Hitler y en presencia del dictador. Goebbels, que tiene puesta su fe en los cineastas arios, a los que transmite sus consignas e instrucciones, parece haber olvidado en dónde reside el secreto y la razón de ser del arte. «Que el hombre político presione –ha escrito Gramsci– para que el arte de su tiempo exprese un determinado mundo cultural es una actividad política, no de crítica artística: si el mundo por el que se lucha es un hecho viviente y necesario, su expansividad será irresistible y dicho mundo encontrará sus artistas. Pero si a pesar de la presión, esta irresistibilidad no se ve y no opera, significa que se trataba de un mundo ficticio y postizo, una elucubración de pigmeos que se lamentan de que los hombres de mayor estatura no estén a la altura de ellos.»

Esto es, precisamente, lo que ocurre con Goebbels, con el doctor Hippel (jefe de su departamento de cine) y con la producción alemana de estos años. La biografía del héroe nazi Ludwig Horst Wessel, autor del himno del Partido, que rueda en 1933 Franz Wenzler, provocó de puertas adentro tan agrias disputas entre el mariscal Goering y Goebbels que hubo que rehacerla y cambiarle el título *(Hans Westmar)*, borrando todo rastro biográfico de aquel personaje, que había vivido a costa de las mujeres.

A la postre, podrán contarse con los dedos de una mano las obras de doce años de propaganda nazi que conseguirán escapar al ridículo, a pesar de tan enormes esfuerzos, de tanta movilización de cerebros y de consignas, de recursos y de medios materiales. El más colosal monumento que alzó el cine alemán a la gloria del Tercer Reich fue el documental *Triumph des Willens* (1936), obra de Leni Riefenstahl, amiga personal de Hitler y nombrada asesora cinematográfica del Partido en 1933, que pasó de la épica montañera a la exaltación wagneriana del régimen, por encargo del mismísimo Führer. Con medios enormes y tras dos años de montaje la Riefenstahl creó este documento apabullante de dos horas, destinado a conmemorar el Congreso del Partido Nacionalsocialista celebrado en Núremberg, y que de un modo automático nos hace evocar el terrible «mundo nuevo» que esbozó Lang en *Metrópolis,* con fantasía de visionario. Su prólogo, que es uno de los momentos clave del film, muestra la aparición, entre las aguas del océano celeste, del pájaro de acero que conduce al Señor de Alemania y que aterriza en Núremberg, entre el entusiasmo de sus adoradores terrestres. La Riefenstahl da un acento pagano a estas imágenes de inspiración bíblica, grandilocuentes pero en ocasiones impresionantes.

La vibración pagana le convendrá mucho mejor a su extraordinario documental *Olimpíada (Olympia,* 1936), que con la ayuda de treinta y cinco cámaras y la colaboración oficiosa de Walter Ruttmann recoge con excepcional calidad las incidencias de los IX Juegos Olímpicos celebrados en Berlín en 1936. Este canto al cuerpo humano y a la belleza del esfuerzo, que todavía no ha sido superado, nos muestra también con gran rigor documental, valiéndose de largos teleobjetivos, los pequeños detalles, los preparativos de las pruebas, los nerviosismos, los gestos y tics del Führer durante las competiciones, recogidos con una inhabitual veracidad, y sobre todo el triunfo sensacional del atleta negro Jesse Owens ante la plana mayor de un régimen que, ejecutivo del doctrinario Rosenberg, se empeña en sostener la absoluta superioridad de la raza aria.

Ningún cineasta alemán será capaz de alcanzar la solemnidad épica de la Riefenstahl en sus films de propaganda. Véanse como muestra otros títulos famosos, como *El flecha Quex (Hitlerjunge*

Quex, 1933) de Hans Seinhoff, historia del hijo de un obrero comunista que se enrolaba en las juventudes nazis y moría heroicamente, o *El judío Süss (Jud Süss*, 1940), el más alto ejemplo de cine antisemita (que todavía se proyecta actualmente en algunos países árabes) y que forja la celebridad de Veit Harlan. Pero esta execrable seudobiografía del judío Joseph Süss Oppenheimer, que fue hombre de confianza del archiduque Karl Alexander von Wurtenberg, produjo por sus excesos una reacción paradójica en los países ocupados en que fue proyectada, suscitando la simpatía hacia esta raza tan maltratada por el aparato de represión. Al acabar la guerra, Veit Harlan tendrá que rendir cuentas ante los tribunales de desnazificación por esta infamia. Se defenderá, como todos, diciendo que se limitaba a cumplir órdenes y que lo mismo hacía aquello que románticas estampitas en Agfacolor, novedad técnica basada en una patente de Rudolf Fischer de 1912, que incorporó Harlan al cine comercial con *La ciudad soñada (Die goldene Stadt*, 1941), protagonizada por su esposa Kristina Söderbaum, que protagonizó también su siguiente *El lago de mis ensueños (Immensee*, 1942), asimismo con las desvaídas pinceladas vegetales del Agfacolor.

El gobierno alemán estaba muy orgulloso de la proeza de sus químicos, que habían conseguido poner a punto el primer sistema europeo de cine en color. Josef von Baky también empleó este sistema para rodar *Las aventuras del barón de Münchhausen (Münchhausen*, 1942-1943), espectaculares y extravagantes, con las que Goebbels quiere conmemorar el décimo aniversario del cine nacionalsocialista, que, según él, enterró al expresionismo («arte degenerado», le llama) y al realismo social, productos zafios de los «intelectuales judíos».

El tiempo no le ha dado la razón. Casi ningún título del período nazi ha pasado a la historia del cine por su calidad y en vano buscaremos alguno que ni remotamente pueda compararse a las grandes obras de Murnau, de Lang o de Pabst. Tan sólo algunos honestos artesanos, zafándose de las consignas, llegaron a realizar productos estimables. Tal es el caso del probo Helmut Käutner, autor de la sensible adaptación de Guy de Maupassant *Romanza en tono menor (Romanze in moll*, 1943), que tal vez sin quererlo reflejó con sus melancólicas imágenes el sufrimiento del alma alemana durante su doloroso itinerario a través de una era de tinieblas.

OTRAS CINEMATOGRAFÍAS

A diferencia de lo que ocurre en otros campos de la creación artística, el cine requiere para su existencia *quia talis* el soporte de una compleja organización industrial, y esta necesidad determina casi automáticamente cuáles son las naciones capaces de convertirse en «grandes potencias» cinematográficas. Pero si es bien cierto que casi toda la historia del cine gira en torno a los países altamente desarrollados, como Estados Unidos, Unión Soviética, Alemania y Francia, es también arriesgado e injusto trazar una divisoria tajante entre las «grandes potencias» y las llamadas «cinematografías menores», en las que la mengua de cantidad no significa necesariamente ausencia de calidad.

Por otra parte, el advenimiento del cine sonoro estimuló el desarrollo de los pequeños cines nacionales, favorecidos por el repudio a la producción hablada en idiomas extranjeros. Así veremos renacer tímidamente el cine sueco, antaño gran potencia, cuya producción se estabiliza en torno a los 25 films anuales. El veterano Gustav Molander revela el talento de la actriz Ingrid Bergman en *Intermezzo* (1937), pero en 1939 será arrebatada a su país por el productor norteamericano David O. Selznick, que hará de ella la actriz escandinava más importante y universal desde Greta Garbo.

Otra antigua gloria, la Italia que ahora pilota Benito Mussolini, siente añoranza de su perdido esplendor y su Duce se empeña en hacer del país una gran potencia cinematográfica. Para ello no vaciló en crear el instituto docente Centro Sperimentale di Cinematografia (1935) y en levantar los inmensos estudios de Cinecittà (1937), los mayores de Europa, al frente de los cuales coloca a su hijo Vittorio. Con *Sole* (1929) y *Tierra Madre (Terra madre,* 1930), del debutante Alessandro Blasetti, Mussolini proclama el nacimiento del nuevo cine italiano, que debe ser grandioso y monumental y debe glosar las glorias pasadas y presentes del Imperio. A *Camisa negra (Camicia nera,* 1932), del mediocre Giovacchino

Forzano, tuvieron la desfachatez de llamarla «el *acorazado Potem-kin* del Fascio». Hoy nadie se acuerda de ella. Para cantar la epo-peya de las campañas coloniales en África Augusto Genina rodó *El escuadrón blanco (Squadrone bianco,* 1936), según una novela de Joseph Peyré, y *Bengasi (Bengasi,* 1942), realizada por encargo di-recto de Mussolini, aunque la ciudad libia cayó en manos de los aliados a poco de concluirse el rodaje para consternación del dic-tador. Este mismo Genina, especializado en cine de perfil heroico, es el autor de la producción italoespañola *Sin novedad en el Alcá-zar (L'assedio dell'Alcazar,* 1940).

La potencia industrial del nuevo cine italiano es sin embargo un hecho y se demuestra con reconstrucciones tan costosas y es-pectaculares como *Escipión, el Africano (Scipione, l'Africano,* 1937) de Carmine Gallone, o con la leyenda *La corona de hierro (La coro-na di ferro,* 1941), del fecundo Blasetti. Junto a este cine monu-mental y grandilocuente proliferan las comedietas sentimentales que la crítica antifascista de la época calificó felizmente de «pelícu-las de teléfonos blancos». Porque no hay que olvidar que la mayor parte de la juventud intelectual, que cultiva la crítica de cine o es-tudia en el Centro Sperimentale (como Antonioni, Pietro Germi, De Santis y Luigi Zampa), se opone al fascismo con las armas que tiene a mano: la pluma y la cámara tomavistas. En las páginas de la revista *Cinema,* que dirigía Vittorio Mussolini, Giuseppe De San-tis se hizo famoso por sus ataques al cine oficial, a las anodinas y vacías comedias de teléfonos blancos y al caligrafismo formal en que se refugian muchos realizadores (como Mario Soldati, Renato Castellani, o Alberto Lattuada), ante la imposibilidad de dar un contenido y una profundidad polémica a sus películas. En el Cen-tro Sperimentale dictan sus clases el crítico Umberto Barbaro y el historiador Francesco Pasinetti, postulando la necesidad de un cine realista y condenando, más o menos veladamente, la ampulosa re-tórica fascista. Se estudian los textos de Pudovkin y en sus aulas y en las catacumbas de los cine-clubs se proyectan y admiran las pelí-culas prohibidas de los maestros rusos, de Eisenstein y de Pudov-kin, y de los artífices del realismo francés, como Renoir, Carné y Duvivier. De la convergencia de todas estas influencias nacerá, en el momento en que se desmorone la dictadura, el neorrealismo ita-liano, que brotará con el ímpetu de un grito de protesta.

Checoslovaquia es otra de las «pequeñas potencias» significativas del cine de anteguerra, alcanzando su producción 54 films en 1937. La influencia del realismo soviético gravitó sobre alguno de sus realizadores, como Karl Junghans, autor del pesimista retablo *Así es la vida (Takovy je zivot,* 1929), si bien su figura más notable fue Gustav Machaty, cuya reputación estuvo ligada al escándalo que suscitaron sus películas. El mérito de Machaty, sin embargo, es el de haber hecho de la temática sexual la protagonista de sus films, con madurez artística y sin rodeos ni disimulos. Hasta ahora se han hecho películas románticas y galantes, incluso con ribetes escabrosos, pero jamás se ha colocado tan francamente el tema de la sexualidad, reducida a puro determinismo biológico, como centro de un film. Machaty coge el toro por los cuernos y comienza a dar que hablar con *Erotikon* (1929), con la bella Ita Ray, que abre los mercados al cine checo y suscita una crítica airada del abate Bethleem. En *Entre sábado y domingo (Ze soboty na nedeli,* 1931) expone en estilo *Kammerspielfilm* la historia de la seducción de una oficinista en un sábado por la noche y su intento de suicidio. La unidad de tiempo (el fin de semana) y la casi completa unidad de lugar (el apartamento del seductor) tienen como contrapunto una planificación ágil, con gusto por los detalles, las metáforas visuales y los ángulos de cámara insólitos.

Este estilo alcanzó su mayor virtuosismo en *Extasis (Ekstase,* 1933), que reveló a la bella actriz austríaca Hedy Kiesler (que en Hollywood sería Hedy Lamarr) causando escándalo (y jugosos taquillajes) por su atrevida exposición del tema del amor físico, a pesar del final moralizante que le impuso la censura y a pesar también de la discreción de las escenas de la actriz corriendo desnuda por el campo y la de su entrega, mostrada elípticamente por las perlas del collar roto que caen al suelo. Su atrevimiento residía en la presentación de la mujer reducida a la categoría de pura hembra, sexualmente insatisfecha de su pareja y que corre a buscar el macho que pueda saciarla, por encima de barreras y convenciones, como en las imágenes simbólicas del caballo y de la yegua en celo que contrapuntean el primer encuentro de los amantes. Jamás volverá a encontrar Machaty tanto aliento lírico como en este poema visual, simple en su tema pero retorcido en su expresión plástica, en donde apenas hay diálogos, pero en el que, junto a un empleo casi exasperante de los simbolismos visuales, el universo sonoro se convierte en un importante elemento expresivo, como ocurre con el jadeo del marido angustiado, ilustrado por el ruido de una locomotora. El talento de Machaty pereció, como el de tantos otros, enterrado en los estudios de Hollywood a partir de 1936.

Y es que las pequeñas cinematografías europeas difícilmente pueden competir con la gran industria norteamericana, basada en la aceptación de sus géneros populares y en la celebridad de sus estrellas. El cine europeo, salvo contadísimas excepciones, es un cine sin estrellas. Y las pocas que surgen son absorbidas, como Ingrid Bergman y como Hedy Lamarr, por la producción americana.

No obstante, el cine español de esta época tuvo en Imperio Argentina a la actriz más popular, en la acepción más completa del término, de toda su historia. Descontando el meteoro de Buñuel, el cine español no tenía artistas de talla ni una industria debidamente organizada. Una mujer del calibre de Imperio Argentina pudo hacer concebir esperanzas sobre su afianzamiento industrial, basado en la gran aceptación pública de sus actuaciones. Florián Rey, el autor de ese «clásico» del cine español mudo que es *La aldea maldita* (1929), melodrama rural que anda a caballo entre la influencia del realismo soviético en las escenas corales y el tema de honor calderoniano, la dirigió en sus más aplaudidas creaciones: *La hermana San Sulpicio* (1934), *Nobleza baturra* (1935), *Morena Clara* (1936) y *Carmen la de Triana* (1938). Pero la cosa no pasó de ahí y en vano se desgañitó Juan Piqueras desde su combativa revista *Nuestro Cinema* (Madrid-París, 1932-1935), pidiendo un cine mejor y más auténtico. Para colmo, el estallido de la guerra civil yuguló la prometedora experiencia de producciones populares de Buñuel para la empresa Filmófono. Tampoco tuvieron más fortuna los restantes cines de habla castellana, con sus nombres más populares (desde Dolores del Río hasta Carlos Gardel) vendidos al capital extranjero.

Los cines asiáticos son un caso aparte. El vastísimo mercado continental permitió el desarrollo cinematográfico en dos polos: en Japón (el país más industrializado de Asia) y, en menor medida, en la India. Japón llegó a alcanzar los 575 films en 1937, rebasando la producción de los Estados Unidos. Su historia cinematográfica es mal conocida en Occidente, que sólo la tomó en consideración tras la sensacional revelación de *Rashomon* en el festival de Venecia de 1951. Pero lo poco que sabemos del viejo cine japonés no es muy halagüeño, debido a la presión de la censura imperial y a un tradicionalismo a ultranza que conducía a extremos tales como que los papeles de mujeres fuesen durante bastantes años interpretados por hombres *(oyamas),* siguiendo las normas de su antiquísimo arte teatral.

Los avatares del cine nipón comenzaron cuando en 1910 la agrupación de actores *kabuki* prohibió a sus miembros trabajar en el cine, lo que provocó el colapso de esta industria y el dominio de su mercado por franceses (Pathé, en particular) y norteamericanos. El nacimiento de la poderosa productora Nikkatsu en 1912 fue el punto de despegue de una cinematografía que en los años veinte alcanzó los 800 y 900 films anuales, aunque de muy escasa calidad, especializando su producción en dos sentidos: los *Gendai-jeki,* films de temas contemporáneos rodados generalmente en Tokio, y los *Jidaijeki,* evocaciones históricas o legendarias rodadas en los estudios de Kyoto, antigua capital del Imperio. Esta división de géneros, con sus naturales subdivisiones, trazarán el perfil de toda la producción japonesa ulterior. Señalemos, más bien como curiosidad, que Kenji Mizoguchi, uno de los «grandes» del cine japonés, comenzó su carrera como director para la Nikkatsu en 1922, después de haber trabajado durante algún tiempo como *oyama.* Pero ni su obra ni la de sus colegas alcanzó un relieve ni remotamente comparable con el de la producción occidental contemporánea, porque el arte necesita para poder desarrollarse –ya vimos los ejemplos de la Alemania nazi y de la Italia fascista– un clima de mínima libertad que no existe bajo la milenaria teocracia del Mikado. Será menester el desplome de sus arcaicas estructuras políticas para que el Japón entre plenamente en la Edad Moderna y, con ello, su cine pueda desarrollarse con inusitada vitalidad artística.

EL PARÉNTESIS DE LA GUERRA

EL CINE AMERICANO VA AL FRENTE

La catástrofe de la Segunda Guerra Mundial, que arrojaría un pavoroso saldo de veinticinco millones de cadáveres entre ambos bandos, abrió un brusco paréntesis en la normal evolución económica y cultural de los pueblos. La economía de paz se transformó precipitadamente en economía de guerra, en una vasta movilización industrial destinada a postergar las máquinas de coser y los automóviles en beneficio de las ametralladoras y de los tanques. El ataque de la aviación japonesa al poético Puerto de las Perlas, en diciembre de 1941, sería el detonante que pondría en marcha la gran maquinaria militar de la mayor potencia del globo. La industria del cine se sumó inmediatamente a la contienda y mientras las estrellas norteamericanas anuncian su decisión de no comprar medias de seda como protesta contra el Japón, los estudios de Hollywood dan un giro a su cine de acción y violencia, transformando a sus sórdidos gángsters en heroicos soldados, que con la sonrisa en los labios se baten gallardamente en las islas del Pacífico, defendiendo a su patria y a la bandera estrellada que la representa.

Pero poco antes de que el chispazo bélico prendiese en la nación, un joven de Kenosha (Wisconsin) llamado George Orson Welles, brillante actor y director teatral considerado como el sucesor americano de Max Reinhardt, había conseguido, a sus veintitrés años, provocar un pánico a escala nacional con su emisión radiofónica de *La guerra de los mundos,* de H. G. Wells, radiada a través de los micrófonos de la CBS, en la noche del 30 de octubre de 1938. A la mañana siguiente, el joven Welles se despertó famo-

297

so, con su nombre aureolado por una publicidad escandalosa, notoriedad que no había conseguido a lo largo de su fecunda y precocísima labor escénica en el Phoenix Theatre, el Federal Theatre y el Mercury Theatre, en donde destacó especialmente por sus interpretaciones shakespearianas. La RKO puso sus ojos en aquel niño prodigio y le ofreció un contrato sin precedentes en la industria cinematográfica, como director, actor, guionista y productor, estipulando una retribución del 25 % de los beneficios brutos de cada film que hiciese y cobrando un anticipo de 150.000 dólares al firmar el acuerdo.

Sin ninguna experiencia cinematográfica previa arribó Welles en 1939 a un Hollywood escéptico y hostil, que se burla de su barba, dejada crecer para interpretar y dirigir una adaptación de *Heart of Darkness,* de Joseph Conrad, que proyectaba rodar íntegramente con cámara subjetiva, como haría luego Robert Montgomery en *La dama del lago (Lady in the Lake,* 1946). Pero el proyecto no llegó a buen puerto, de modo que hasta 1940 no pudo empezar a rodar su primera película, *Ciudadano Kane (Citizen Kane),* que le prestigiaría como uno de los mayores creadores de toda la historia del cine.

Como ha ocurrido con muchas grandes películas, la historia de *Ciudadano Kane* fue bastante accidentada. Welles tomó como modelo para su protagonista al multimillonario y magnate de la prensa William Randolph Hearst, que en la película se transformó en Charles Foster Kane, interpretado por el propio Welles. Hearst trató por todos los medios de impedir que la película fuese exhibida y, aunque no lo consiguió, sus poderosas cadenas informativas boicotearon la película, que tuvo una fría acogida en su estreno y no comenzó a ser justamente valorada hasta su presentación en Europa después de la guerra.

Por su complejidad técnica y narrativa, *Ciudadano Kane* se nos aparece hoy como la *Intolerancia* del cine sonoro: en su fabulosa mansión de Xanadú fallece el multimillonario y magnate de la prensa Charles Foster Kane (Orson Welles), pronunciando una palabra de significado enigmático: *Rosebud.* Al preparar los artículos y noticiarios en su recuerdo, el periodista Thompson (William Alland) recibe el encargo de averiguar lo que aquella palabra significa y comienza a ahondar en la historia y en la vida privada de

Kane, primero a través de la lectura de las memorias de Thatcher (George Coulouris), a cuyo cuidado estuvo en su infancia, y luego, cada vez más profundamente, interrogando a sus amigos y personas que tuvieron estrecho contacto con él: Bernstein (Everett Sloane), su más antiguo empleado, Leland (Joseph Cotten), que fue su mejor amigo, su segunda esposa Susan (Dorothy Comingore), cantante frustrada a pesar de los esfuerzos de su esposo, y su mayordomo (Paul Stewart). Sin embargo, a través de estos fragmentos desordenados que conjuntados componen un retrato apasionante del magnate, no logra desvelar el misterio de *Rosebud*. Cuando Thompson decide abandonar la suntuosa mansión de Kane, un empleado que está arrojando trastos viejos al fuego echa un trineo de juguete (con el que el pequeño Kane jugaba cuando fue arrancado del hogar de sus padres) y la cámara se acerca hasta mostrar, en primer plano, la inscripción *Rosebud*, símbolo de una infancia perdida y de una felicidad que jamás llegó a disfrutar a pesar de su inmenso poder.

Narración acronológica al estilo de las novelas de Faulkner, que con su aparente desorden narrativo incorpora por vez primera al cine la relatividad temporal de Bergson, esta obra maestra del precocísimo Welles era riquísima en significaciones, tanto de orden psicológico, como social y moral: constituía, por una parte, un excelente análisis histórico y psicológico de la formación de un poderoso plutócrata en una sociedad supercapitalista, con su egoísmo feroz, sus debilidades, sus frustraciones íntimas y sus paradojas. («Creo que hay que dar a todo el mundo sus mejores argumentos de defensa –ha declarado Welles–, incluyendo aquellas personas con las que estoy en desacuerdo en la historia. A éstos también les doy los mejores argumentos de defensa que puedo imaginar. Les ofrezco la misma oportunidad de hablar que si fuesen a mis ojos personajes simpáticos. Esto es lo que produce un efecto de ambigüedad: el ser muy caballeroso con los personajes cuyos comportamientos no apruebo. Lo que sucede es que los personajes son ambiguos, pero el significado de la obra no lo es.»)

Pero *Ciudadano Kane* era al mismo tiempo un excelente testimonio sobre la evolución histórica del periodismo en los Estados Unidos y sobre el problema del monopolio de la prensa; se trataba, además, de un inteligentísimo estudio sobre el subjetivismo

299

humano en el conocimiento y apreciación de la verdad, a través de la parcialidad de los diferentes relatos sobre Kane, teñidos siempre de un subjetivismo deformador. Y, en última instancia, era una constatación de la imposibilidad de conocimiento absoluto acerca de la personalidad real e íntima de otro semejante, idea resumida en el rótulo «Prohibido el paso» que abre y cierra la película.

Este apasionante buceo por los laberintos de la condición humana estuvo expuesto en un lenguaje brillantísimo, original y barroco, con una potencia expresiva que aprovechaba la lección expresionista que Welles había aprendido por vía teatral y su dominio del universo sonoro adquirido en su etapa radiofónica. Especialmente notable fue su utilización sistemática de la profundidad de campo, conseguida por su excepcional operador Gregg Toland, que se sirvió de objetivos de 24 milímetros, empleando la sensible película Kodak Super XX y la iluminación de arco voltaico en los interiores. Merced a estos objetivos, que permitían una puesta en escena de exagerada profundidad, con personajes en primerísimo término y otros en el fondo de la escena, se obtenía también una cierta distorsión de las imágenes, que se acentuaba con otro recurso expresionista: la continua utilización de ángulos de cámara insólitos y enfáticos, en la tradición inaugurada por Jean Epstein con sus films vanguardistas desde 1922. El empleo de estos objetivos y de los ángulos bajos obligó a Welles a introducir techos en los decorados contra la práctica habitual.

Todo esto no es absolutamente nuevo. Ya hemos visto que la profundidad de campo se había utilizado en el cine mudo (Lumière, Delluc, Stroheim) y, perdida al advenimiento del sonoro por la mayor cadencia de las imágenes (lo que representó pasar de una exposición de 1/30.° a 1/50.° de segundo por fotograma) y por el empleo de las más lentas emulsiones pancromáticas, fue reintroducida por Renoir, por Ford y por Wyler. Pero en Welles hay una explotación sistemática de éste y de otros recursos hasta entonces utilizados con timidez, como el procedimiento del *flash-back*, el montaje corto, el encadenado sonoro o los movimientos de grúa. Su estilo brillante, nervioso y efectista fue, en suma, una síntesis magistral de dos aportaciones técnicas en apariencia antagónicas: el montaje-choque de Eisenstein y el plano-secuencia con profundidad de campo de Renoir y de Wyler. Añádase a esto la «cámara desencadenada» de Murnau, consecuencia lógica del espacialismo de su puesta en escena, y se obtendrá la complejidad estilística de este *enfant terrible*, Méliès del cine sonoro, cuya obra es un perpetuo reto a las posibilidades expresivas del cine y un desafío a la limitación y rutina de sus técnicos.

Al *tour de force* genial de *Ciudadano Kane*, que fue un fracaso comercial, hizo suceder Orson Welles su adaptación de la novela de Booth Tarkington *El cuarto mandamiento (The Magnificent Ambersons*, 1942), salto atrás en la historia para mostrar el orgullo de la vieja aristocracia terrateniente de finales del siglo XIX, que no acepta mezclar su sangre con la nueva burguesía industrial, representada por un fabricante de automóviles (Joseph Cotten). Este retablo balzaquiano, cuyo montaje final fue modificado por la RKO, sin la autorización de su autor, es también, como *Ciudadano Kane*, un retrato de la verdadera América, un documento sobre la decadencia de las grandes familias sudistas a través de varias décadas, una denuncia del orgullo de clase del aristócrata George Minafer (Tim Holt), que no quiere aceptar como padrastro a un vulgar fabricante de automóviles del Norte. Un fabricante de automóviles que, en definitiva, es el germen de la futura aristocracia, de la clase dominante del porvenir, de la plutocracia que Welles procesó en su *Ciudadano Kane*. Su lenguaje virtuoso y su refinado barroquismo gráfico le permiten utilizar con maestría el plano-secuencia, sin que le asuste aguantar la cámara inmóvil hasta cuatro minutos, como hace durante una conversación entre George Minafer y la tía Fanny.

Pero el talento de Welles es demasiado impetuoso e independiente para ser admitido por Hollywood. Los conflictos que se han iniciado con *El cuarto mandamiento*, que fue otro fracaso económico, se agudizaron con los trabajos truncados de *It's All True* (1942), rodado en América Latina y que quedó inconcluso, y *Estambul (Journey Into Fear*, 1942), que concluyó Norman Foster. Ante tanta incomprensión y dificultades, a Welles no le quedará más remedio que abandonar Hollywood, como hizo Stroheim y como hará Chaplin más tarde, iniciando su exilio tras el rodaje en América, en menos de cuatro semanas, de un *Macbeth* (1948) expresionista, que inauguró su ciclo shakesperiano, proseguido con un barroco y potente *Otelo (Othello*, 1951), rodado en Marruecos e Italia, y con *Campanadas a medianoche (Chimes at Midnight,* 1966), realizada en España.

La revelación del volcánico temperamento de Welles es una nota excepcional en el mediocre panorama artístico de los años de guerra, con los estudios de Hollywood transformados en arsenales destinados a la producción de propaganda bélica de emergencia, ofensiva o defensiva, y con sus nombres más famosos acaparados por las fuerzas armadas. En efecto, Frank Capra, con el grado de coronel, trabaja para el War Department y supervisa la importante serie documental *Why We Fight* (1942-1945), en la que colaboran Joris Ivens y Anatole Litvak (convertido en teniente coronel). John Ford es movilizado y con el grado de comandante pasa a dirigir la producción cinematográfica de la U. S. Navy, mientras el mayor William Wyler se encarga de las fuerzas aéreas. Los «tres grandes» de Hollywood se han convertido en soldados de la retaguardia y a través de sus documentales explican al país las razones de la lucha y los métodos estratégicos que conducirán a la victoria final.

El grueso de la producción de Hollywood camina sobre los mismos pasos, aunque su propaganda se articule con historias de ficción, como ese himno dedicado a la combatividad inglesa que es *La señora Miniver (Mrs. Miniver,* 1942), que William Wyler realiza para compensar los sentimientos antibritánicos nacidos en el país tras la caída de Tobruk. Toda la potencia de Hollywod se pone al servicio de la lucha, glorificando a sus soldados y hasta intentando tranquilizar a los pacifistas y objetores de conciencia, como hace ese experto en el cine de violencia que es Howard Hawks en *El sargento York (Sergeant York,* 1941), basado en la biografía de Alvin C. York, héroe de la Primera Guerra Mundial. Entre los títulos más aceptables de este capítulo bélico, teñido casi siempre por una facilona patriotería, se recordarán *Destino Tokio (Destination Tokyo,* 1943) de Delmer Daves, *Air Force* (1943) de Howard Hawks, *Guadalcanal (Guadalcanal Diary,* 1943) de Lewis Seiler, *Objetivo Birmania (Objetive Burma,* 1945) de Raoul Walsh y *Treinta segundos sobre Tokio (Thirty Seconds Over Tokyo,* 1945) de Mervyn Le Roy. Cuando la guerra tocaba a su fin y ya no era necesario exaltar y dar un ropaje heroico a la ferocidad combativa, William Wellman procedió a humanizar el género con una nueva dimensión sentimental en *También somos seres humanos (Story of G. I. Joe,* 1945), camino rentable que prosiguió con *Fuego en la nieve (Battleground,* 1950).

En la guerra, el espionaje y la Resistencia servirán de pretextos para películas de intriga y de aventuras, como es el caso de *Casablanca (Casablanca,* 1943) de Michael Curtiz, de *Cinco tumbas a El Cairo (Five Graves to Cairo,* 1943) de Billy Wilder o de *Sangre sobre el sol (Blood on the Sun,* 1945) de Frank Lloyd. El propio Hitchcock, instalado en 1940 en Hollywood, saca provecho de la situación política para realizar sus films de intriga *Enviado especial (Foreign Correspondent,* 1940), destinado a arrancar a los Estados Unidos de su aislacionismo, *Sabotaje (Saboteur,* 1942), *Náufragos (Lifeboat,* 1944), que transcurre casi íntegramente en una lancha salvavidas, y *Encadenados (Notorious,* 1946), con el drama de Ingrid Bergman envenenada por su marido, espía atómico nazi (Claude Rains), y que con el pretexto de desenmascarar a una banda nazi que opera en el Brasil, vivió con Cary Grant las mejores escenas de amor de la carrera de Hitchcock, en una nueva variante del conflicto entre el amor y el deber.

Como puede verse, cualquier pretexto es bueno para que Hitchcock componga sus angustiosos suspenses, disfrazados siempre con ropajes ambiciosos, con la apariencia de un conflicto psicológico, una crisis de conciencia o un problema moral. El astuto Hitchcock comienza a aprovechar las enseñanzas técnicas de Orson Welles en *La sombra de una duda (Shadow of a Doubt,* 1943) –que ha considerado, y con razón, su mejor película– sobre un atractivo y en apariencia bondadoso criminal (Joseph Cotten), emparentado con los «héroes demoníacos» de Graham Greene, especializado en el asesinato de viudas y que acaba siendo desenmascarado por su sobrina (Teresa Wright). Con *Recuerda... (Spellbound,* 1945), sobre la redención de un trauma de infancia y de un complejo de culpabilidad, Hitchcock decubre el rentable filón del psicoanálisis –temática tratada ya veinte años antes por Pabst– incluyendo una secuencia onírica concebida por Salvador Dalí y que anuncia el torrente de freudismo barato que el Hollywood ilustrado pondrá en marcha durante la posguerra.

Pero los años de guerra son también años de meditación y la presión de la activa e influyente minoría católica sobre Hollywood cristaliza en la aparición de numerosos films considerados «edificantes», tales como *¡Qué verde era mi valle! (How Green Was My Valley,* 1941) de John Ford, visión sensiblera y paternalista de los problemas de los mineros del País de Gales hacia 1890, *La canción de Bernadette (The Song of Bernadette,* 1943) de Henry King, *Las llaves del Reino (Keys of the Kingdom,* 1944) de J. M. Stahl y adaptando una popular novela de A. J. Cronin, *Siguiendo mi camino (Going My Way,* 1944) y *Las campanas de Santa María (The Bells of St. Mary's,* 1945), ambas de Leo McCarey, con el cantor Bing Crosby como protagonista en el papel de sacerdote.

Apenas nada más puede señalarse en el Hollywood de la era bélica, que cierra el período de esplendor de sus grandes realizadores (Wyler, Ford, Capra), de quienes tomarán el relevo hombres de una nueva generación: Preston Sturges, que parecía destinado a heredar el puesto de Capra, John Huston, George Stevens, Edward Dmytryk, Delmes Daves. También la desenfrenada comicidad de los hermanos Marx comienza a extinguirse por estos años, sin que las bufonadas de Bob Hope ni las de la pareja Bud Abbott-Lou Costello consigan llenar su hueco. Quedan los extranjeros, como Ernst Lubitsch y Fritz Lang, que aportan a la causa antinazi *Ser o no ser (To Be or Not to Be,* 1942) el primero y *Hangmen Also Die* (1943), con guión de Bertolt Brecht, el segundo. Entre los recién llegados hay un nutrido contingente de refugiados franceses, que han puesto pies en polvorosa ante la invasión alemana: René Clair, Jean Renoir, Julien Duvivier, Jean Gabin, Michèle Morgan.

René Clair pasó del hibridismo francobritánico al francoamericano con *Me casé con una bruja (I Married a Witch,* 1942), que demostró la persistencia de los temas mágicos y sobrenaturales en su comicidad y lanzó a la estrella Veronica Lake y su célebre melena sobre el rostro, imitada por todas las mujeres americanas hasta que el Departamento de Defensa le rogó que cambiase de peinado, debido a los errores y accidentes provocados por las obreras que seguían aquella moda en las fábricas de armamentos. En *Sucedió mañana (It Happened Tomorrow,* 1943) Clair expuso la disparatada aventura de un periodista que tenía la prodigiosa facultad de poder leer el diario del día siguiente, hasta que descubre, horrorizado, la noticia de su propia muerte. Afortunadamente, se trataba de un «gazapo» periodístico.

Tampoco la obra americana de Jean Renoir brilló a gran altura, aunque *The Southerner* (1945), sobre la miseria de los trabajadores agrícolas del Sur de la Unión, fue juzgada demasiado avanzada y prohibida su exhibición en varios estados sureños. Sus *Memorias de una doncella (The Diary of a Chambermaid,* 1946), según Octave Mirbeau, y que fue rodada en un pueblecito francés del siglo XIX reconstruido en los estudios de California, resistirá mal la comparación con la versión que Luis Buñuel realizará en 1963.

Julien Duvivier no saldrá mucho mejor parado de este exilio artístico americano, enfrentado con nuevos métodos de producción y sometido a la tiranía de los grandes productores que, deslumbrados por el éxito comercial que obtuvo su romántico film de episodios *Carnet de baile (Un carnet de bal,* 1937), fuerzan al director a copiarse a sí mismo con los recuerdos de una mujer en *Lydia (Lydia,* 1941), o los episodios a que da lugar la azarosa historia de un frac en *Seis destinos (Tales of Manhattan,* 1942) y que concluye sus días como espantapájaros en el campo de un granjero negro.

El balance de estos años de depresión histórica, de la guerra más devastadora que ha conocido la humanidad, es también negativo para el arte del cine. No hay que olvidar que el arte es un espejo de la sociedad en que nace. Y el horizonte de estos años no puede ser más triste y desolador. Tan sólo se salva del mediocre panorama general el genio excepcional de Orson Welles, revelado en las vísperas del ataque nipón a Pearl Harbour, pero amordazado después de 1942 por la metalizada capital del cine, que no alcanza a imaginar los días borrascosos que se avecinan con el final de las hostilidades.

INGLATERRA BAJO LOS «BLITZ»

La Inglaterra machacada por los bombardeos nazis movilizó su cine al servicio de la contienda, sacando un buen provecho de su experiencia y excelente tradición documental. Alberto Cavalcanti sucedió a Grierson, a la sazón en el Canadá, en la dirección del movimiento documental inglés, que se mostró especialmente activo en estos años, con su temática solicitada por la defensa pasiva, el mantenimiento de la moral de la población y la esperanza en la victoria final, que formando una V con sus dedos y con optimista sonrisa en los labios anuncia sir Winston Churchill a la nación.

Humphrey Jennings, que procede del surrealismo, será la más notable revelación del documental inglés en los años de la guerra. Su *Listen to Britain* (1941), en colaboración con Stewart McAllister, es, además de un retablo de la vida civil durante las hostilidades, un documental experimental que trata de demostrar y rehabilitar las posibilidades creadoras de la banda sonora. Su título *(Escuchen a la Gran Bretaña)* es significativo y exacto, porque lo que nos propone Jennings en realidad es un concierto de los ruidos de un país en pie de guerra. Este lujo, porque los experimentos son un lujo en esa larga noche poblada por las alas de los Stukas, no se lo permite ya en *Fires Were Started* (1943), sobre la lucha contra los incendios durante los grandes bombardeos nocturnos de Londres. Su obra más conmovedora fue, sin embargo, *A Diary for Timothy* (1945), carta dirigida al bebé Timoteo que nace en el momento de la liberación de París. Los últimos párrafos de esta carta eran de una lucidez estremecedora: «Te he mostrado, Timoteo, el fin de una guerra. Pero, ¿no nos tocará vivir ahora, como después de la otra guerra, la crisis, el desempleo, la carrera de armamentos y de una cadena de acontecimientos idénticos que conducirán a una nueva carnicería?»

Los *films of facts,* utilizando abundante material documental de archivo, gráficos explicativos y entrevistas ante las cámaras, fueron una especialidad del documentalista Paul Rotha, que realizó para el Ministerio de Infomación *World of Plenty* (1943), excelente exposición didáctica sobre el problema de la alimentación, con un examen de las privaciones a que obliga la guerra y proponiendo una más justa distribución alimentaria en el mundo para cuando finalice.

El rigor documental impregna también las películas británicas de ficción con tema bélico (a diferencia de lo que ocurre con las norteamericanas), hasta el punto de que a veces resulta difícil rastrear la frontera entre el documento y la reconstrucción. Éste es el caso de las películas navales *Sangre, sudor y lágrimas (In Which We*

Serve, 1942), del comediógrafo de moda Noël Coward y de David Lean, convertido en el film oficial de la resistencia británica, y de *San Demetrio London (San Demetrio London,* 1943) de Charles Frend, que llevaba a la pantalla la historia real de este petrolero, torpedeado e incendiado por los alemanes, que era abandonado en el Atlántico y recuperado más tarde por su misma tripulación. También Carol Reed, nombrado director de la Army Kinematograph Service, realizó en *The Way Ahead* (1944) un excelente retablo de la Inglaterra en armas y con material del frente efectuó el montaje de *The True Glory* (1944), en colaboración con Garson Kanin. Pero la elogiable probidad documentalista de los ingleses tuvo, según se ha sabido más tarde, algunos (excusables) deslices. Tal fue el caso de un célebre paso de baile de Hitler, en un vagón ferroviario en Compiègne cuando la capitulación de Francia, que difundieron profusamente los documentales aliados y que en realidad fue «fabricado» por John Grierson, inmovilizando algunos fotogramas en el momento en que el Führer tenía levantada su pierna derecha.

Los industriales del cine saben que en esta hora de angustia la población necesita el sedante de la evasión, válvula de escape para sus nervios erizados, y Alexander Korda propone al sufrido pueblo británico un fantástico viaje a Oriente en *El ladrón de Bagdad (The Thief of Bagdad,* 1939-1940), superproducción en Technicolor que firman Zoltan Korda, Ludwig Berger y Michael Powell. Sin embargo, los mayores esfuerzos de producción correrán a cargo de Arthur Rank, que con sus costosas películas «de prestigio» –como *César y Cleopatra (Caesar and Cleopatra,* 1944) de Gabriel Pascal, según la obra de G. B. Shaw, y el shakesperiano *Enrique V (Henry V,* 1944) de Laurence Olivier– trata de conquistar el mercado norteamericano.

Hijo de un comerciante en granos y harinas, el multimillonario Joseph Arthur Rank fue educado en una rigurosa fe metodista, que le llevó a fundar en 1933 la Religious Films Society, productora destinada a la propaganda religiosa. Pero al palpar el jugoso negocio cinematográfico sintió desvanecer poco a poco sus pías intenciones y acabó por meterse de lleno en el profano oficio. En 1938 adquirió los estudios de Pinewood y de Denham (los más importantes del país) y en 1941 los circuitos de salas Gaumont-

British y Odeon, que le permitieron el control de la exhibición. Al año siguiente fundó la sociedad Eagle-Lion y en 1946 la John Arthur Rank Organization Ltd., que agrupaba las firmas Gaumont-British, Gainsborough Pictures, Two Cities Films, Independent Producers y los estudios de Denham y Pinewood. Así pues, durante los años de la guerra se formó el colosal imperio de celuloide de Rank, que llegará a controlar el 60 % de la producción nacional. Al acabar la contienda sus tentáculos se extenderían por el continente, a través de circuitos de exhibición propios, y alcanzarán a la gran empresa norteamericana Universal-International.

El mayor éxito artístico de Rank fue el *Enrique V* del actor-director Laurence Olivier, que tras una fecunda experiencia dramática debutaba en el campo de la realización cinematográfica con este interesante ensayo de cine-teatro en Technicolor, rodado en Irlanda, con una escenografía de Carmen Dillon inspirada directamente en los tapices de Bayeux y en las miniaturas del *Libro de las horas del duque de Berry*. La originalidad del film reside en que arranca del pretexto de una representación teatral isabelina de la obra, en la que Olivier inserta deliberada y libremente un tratamiento cinematográficamente realista, con escenas al aire libre y movimientos de masas, como las de la memorable batalla de Azincourt. Como puede verse, la culta Inglaterra no pierde los nervios a pesar de las bombas volantes que surcan el cielo y producirá, durante este ingrato período, algunas obras artísticamente muy estimables.

En este capítulo del cine de calidad hallaremos a Thorold Dickinson, que después de haberse paseado con su cámara por la España en llamas, adapta con gran fortuna el drama psicológico-policíaco de Patrick Hamilton *Luz de gas (Gaslight,* 1940), sobre las maquinaciones de un asesino (Anton Walbrook), que trata de hacer enloquecer a su esposa (Diana Wynyard). Cuatro años más tarde George Cukor tratará de rehacer este éxito en los Estados Unidos con *Luz que agoniza (Gaslight,* 1944), con Ingrid Bergman y Charles Boyer, después de que la Metro-Goldwyn-Mayer se hubo asegurado de la bárbara destrucción de todas las copias de esta versión inglesa (una copia fue milagrosamente salvada por el British Film Institute) para impedir de este modo su competencia en el mercado.

308

David Lean, por su parte, expone con gran sensibilidad en *Breve encuentro (Brief Encounter,* 1945) la historia del amor imposible de una madre de familia de la pequeña burguesía inglesa (Celia Johnson), que vive el breve placer y la angustia de una aventura extraconyugal, a la que se obliga a renunciar. Historia veraz y minuciosa de una frustración sentimental, no es ésta –como se ha dicho a veces– la primera película que utiliza de un modo sistemático el comentario en *off,* en primera persona. Esto lo hizo ya Sacha Guitry en *Le Roman d'un Tricheur* (1936), pero jamás se había utilizado este procedimiento con tanta eficacia y funcionalidad dramática.

Un caso aparte es el de la producción de los Estudios Ealing, baluarte independiente que desde 1938 dirige con acierto y con un gran prurito de calidad Michael Balcon. La obra más notable que sale de estos estudios durante la guerra es la película fantástica *Al morir la noche (Dead of Night,* 1945), con cinco episodios alucinantes de la pluma de H. G. Wells, que son llevados a la pantalla por Alberto Cavalcanti, Charles Crichton, Basil Dearden y Robert Hamer. Ya veremos cómo, después de la guerra, los Estudios Earling pasarán al primer plano de la vida cinematográfica inglesa como promotores y mantenedores de la celebrada corriente de la comedia británica.

DE STALINGRADO AL ZAR TERRIBLE

En junio de 1941 Hitler, previa consulta a sus astrólogos y confiando en triunfar allí donde Napoleón había fracasado, lanzó sus mejores divisiones sobre la inmensa geografía de la Unión Soviética. No es cosa de recordar aquí la extrema dureza de la campaña de Rusia; baste señalar las enormes pérdidas infligidas al cine soviético, con la mayor parte de sus estudios ocupados por las fuerzas invasoras (como los de Minsk, Kiev y Jarkov), o destruidos (como los de Moscú y Leningrado) por los raids aéreos o los obuses de la Wehrmacht. Mark Donskoi fue quien con mayor aliento artístico supo reflejar en la pantalla el martirio del pueblo soviético bajo el dominio nazi, en su patético *Raduga* [Arco iris] (1944), situado en un pueblo ucraniano ocupado por los nazis. En estas condiciones el cine soviético retornó a su situación de los años de guerra civil, dando abierta preferencia a las películas documentales, mientras el escaso cine de ficción se refugiaba en los inaccesibles estudios del Asia Central.

El nutridísimo capítulo del cine de guerra, en el que se demostró la excelente capacidad de los documentalistas soviéticos, presenta algunas novedades importantes en relación con lo que se venía haciendo en el país. Esto es lógico, el momento histórico es muy grave y no hay que hacerse la ilusión de que el enemigo podrá ser derrotado por las alegres improvisaciones y el arrojo individual de un Chapaiev, pongamos por caso, prototipo del héroe de la guerra civil. Los tiempos han cambiado y el Ejército Rojo es ahora una organización moderna, coherente y disciplinada, regida por los cerebros de su Estado Mayor. Para subrayar este aspecto reflexivo, racional y metódico de la gran batalla de Stalingrado, Frederij Ermler realizó *Veliki perelom* [El momento decisivo] (1945), considerada como la mejor producción bélica de este período y cuya acción transcurre casi íntegramente en los despachos de los generales, filmando sus debates estratégicos, sus consultas y deliberaciones. Esta original perspectiva historicista, desde el centro nervioso de la lucha, eludió casi completamente la brillante facilidad de las escenas de combates y la única concesión al heroísmo individual del soldado fue la reparación, bajo el fuego de una ametralladora alemana, de una línea telefónica indispensable al Estado Mayor.

Las guerras modernas no se ganan únicamente con audacia y heroísmo, sino con reflexión y estudio. Sería un error creer que esto es una novedad absoluta en el ideario comunista, pero es un matiz que ahora se subraya con insistencia y hasta veremos más tarde al mariscal Stalin estudiando con detenimiento los mapas, con la pipa en la boca y en el silencio de su despacho, en *Stalingradskaya bitva* [La batalla de Stalingrado] (1949) de Vladímir Petrov. La presencia de Stalin en la pantalla, encarnado por actores especializados, como Alexéi Diki y Mijaíl Gelovani, es una curiosa novedad que conviene examinar con cierto detenimiento.

Lenin no comenzó a aparecer en el cine soviético (exceptuando, naturalmente, los documentales) hasta después de su muerte. Esta norma habitual en el cine histórico tan sólo ha osado quebrarse para glosar personajes que, aun estando vivos, han entrado ya de lleno en el área de la leyenda y se hallan, en cierto modo, históricamente momificados. Pues bien, Stalin rompe con esta tradición y desde 1938 ha comenzado a aparecer en las pantallas, adquiriendo la categoría de mito, de superhombre más allá de la historia. En efecto, en *La batalla de Stalingrado* es él, y sólo él, quien estudiando los mapas decide, entre pipada y pipada, las maniobras estratégicas que infaliblemente conducirán a la victoria final. Es él también quien, en *Klyatva* [El juramento] (1946) de Mijaíl Chiaureli, diagnostica de un vistazo la avería de un tractor que ni los campesinos ni un mecánico profesional han sido capaces de localizar. ¡Qué lejos estamos de los tractores de *La línea general!* La tendencia ejemplarista y didáctica del cine soviético se ha deslizado abiertamente hacia la apología más descarada del mito de Stalin. Este Chiaureli, que como Stalin ha nacido en Tiflis y ha sido escultor antes que cineasta, será uno de los especialistas del «culto a la personalidad» de la era estaliniana y su monumental fresco en dos partes y en color *Padenyie Berlina* [La caída de Berlín] (1949) uno de los títulos encausados y más duramente atacados en el informe de Kruschev durante el célebre XX Congreso del Partido Comunista Soviético en 1956.

Cierto es que fue mérito indiscutible de Stalin, obra de su astucia y de su energía, el hacer desempeñar a su país un papel de gran potencia que históricamente no le correspondía en aquel momento, aunque el precio que tuviera que pagarse por ello fuera muy alto y ahora lo estamos viendo en el campo del cine. Por eso, dejando aparte la notable colección de documentales del frente y crónicas filmadas en el corazón de los combates, en Ucrania, en Leningrado, en Orel, en Stalingrado, lo más sobresaliente del período hay que buscarlo por otro lado, en el testamento artístico que rueda Eisenstein en los estudios asiáticos de Alma-Ata, trazando una apasionante y apasionada biografía del zar Iván el Terrible.

Eisenstein se halla en el apogeo de su madurez creadora cuando se dispone a abordar su *Iván Grosni* [Iván el Terrible] (1943-1945), que proyecta como una amplia trilogía. Para llevarla a cabo se rodea de un equipo de extraordinaria calidad: el operador Andréi Moskvin para los interiores y Eduard Tissé para los exteriores, Serguéi Prokófiev se encarga de la música y el gran actor Nikolái Cherkasov interpreta el papel principal. Ya hemos visto cómo Eisenstein ha ido abandonando la teoría del «tipo» y el drama épico y colectivo, al estilo de *El acorazado Potemkin,* para llegar a la exaltación del héroe individual en *Aleksandr Nevski,* aunque justo es reconocer que esta película se halla animada todavía por un intenso aliento coral. Sin embargo, *Aleksandr Nevski* está muy lejos de ser una película psicológica, como lo será en cambio, a pesar de constituir un amplio y profundo drama histórico, este estudio de los desgarradores conflictos que vivió Iván IV, gran duque de Moscovia, que ha pasado a la historia con el ingrato sobrenombre de Terrible.

Eisenstein planteó el drama del zar como cristalización de las contradicciones de un hombre político del Renacimiento, creyente fiel y ortodoxo, pero que en su tarea de crear un Estado fuerte y moderno se ve obligado a enfrentarse con energía, no sólo con los enemigos exteriores del país sino con la disgregante nobleza y con la Iglesia rusa, que no quieren renunciar a sus privilegios feudales. La consecuencia de ello es que la imagen que ofrece Eisenstein de este zar torturado, preguntándose si el poder viene de Dios o viene del pueblo, tenga una humanísima y conmovedora dimensión hamletiana que agradará muy poco a Stalin.

No es casual, desde luego, que Eisenstein plantee en esta película el eterno conflicto entre la razón y el sentimiento, o entre el fin y los medios, que es precisamente el meollo ético de la dictadura de Stalin, con una situación agudizada por la durísima emergencia de la guerra. Pero como las verdades, aun siendo tan honradas y constructivas como en este caso, suelen escocer, después de recibir el Premio Stalin por su primera parte en enero de 1946, verá caer a los pocos meses una prohibición fulminante sobre la segunda y la cancelación del proyecto de la tercera, que pensaba rodar en color. Resulta sobremanera elocuente que Stalin repudiase esta justificación moral del zar terrible, porque quebraba la imagen monolítica y omniperfecta del hombre político del que quería ser reflejo histórico. Eisenstein se defenderá con argumentos harto convincentes. «Resulta difícil creer –escribirá– que un hombre cuyos actos no tenían precedentes en su época, no se detuviera nunca ante la elección de los medios y que jamás tuviera dudas sobre lo que debía hacer.»

Pero sus razones no serán oídas y Eisenstein morirá, caído en desgracia, en la madrugada del 11 de febrero de 1948, mientras estaba escribiendo en su despacho un trabajo sobre el cine en color, sin haber visto reivindicada su obra. Habrá que aguardar a la primavera del «deshielo» para que, en 1958, se levante la prohibición y el público mundial pueda admirar la segunda parte de esta excepcional obra maestra decapitada.

En tantos años de amarguras y de silencio, el maestro ha cubierto un largo y apasionante itinerario creador. De la veraz simplicidad documental de *El acorazado Potemkin* al elaborado y sabio expresionismo de *Iván el Terrible* hay un recorrido que enlaza los dos polos extremos de la estilística cinematográfica. Alambicado, potente, barroco y genial, este impresionante fresco sobre el drama del hombre político señala una de las cúspides del arte cinematográfico. La primera parte es, todavía, una aproximación histórica y un primer contacto con el hombre y su drama, pero la segunda, abocada al corazón del conflicto psicológico-político, vibra con un frenesí expresivo y con una plástica atormentada (incluyendo una secuencia en color) que materializa el drama exasperado y el triunfo del zar, destrozando con sus mismas armas las sinuosas y traidoras intrigas de la corte: «El deseo de describir una figura majestuosa –ha escrito Eisenstein– nos ha conducido a unos medios majestuosos. El lenguaje se torna rítmico, los coros se mezclan con los diálogos. Todos nuestros esfuerzos tendían a mostrar la potencia del Estado ruso. Por eso los salones del palacio se agrandan más y más y los techos se hacen cada vez más altos.» Soberbio espectáculo apuntalado en su famosa teoría del montaje audiovisual, derriba las fronteras que separan las artes tradicionales, la pintura, el teatro, la ópera, la arquitectura, para fundirlas magistralmente en un único medio de expresión, al que vemos por vez primera como el legítimo heredero, depositario y sintetizador de las artes milenarias. ¡Qué sabiduría monstruosa la de Eisenstein, que de golpe y porrazo nos hace descubrir, con ojos nuevos, las inmensas posibilidades de un cine que aún está por nacer!

Renunciando a la fácil apología, Eisenstein ha levantado un colosal monumento a la razón de Estado que, por su tremenda sinceridad y desgarradora veracidad, asusta e irrita a Stalin. Stalin podrá prohibirla, podrá enterrar la película en el más remoto e inasequible *blockhaus* de Siberia, pero el tiempo es el juez de la historia y será el tiempo quien, en este punto crucial, acabará por dar la razón al maestro y quitársela al dictador.

FRANCIA OCUPADA

Soslayando el dique de contención de la cacareada Línea Maginot, los alemanes han conseguido poner sus botas en el territorio francés y el 14 de junio de 1940 las cadenas de sus tanques harán temblar el firme de unos Campos Elíseos despoblados por el pánico y la angustia que oprime a la capital de Francia. Entre el verano de 1940 y el de 1944 el país vivirá la hora amarga de la ocupación alemana, ocupación no sólo militar y política, sino también cultural e intelectual, con los medios de información –prensa, radio y cine– controlados estrechamente por la *Propagandasaffel*. Este control no es simplemente restrictivo, sino que tiene como uno de sus objetivos la activa nazificación del país, invadiendo las pantallas con producciones de Alemania o de la Italia fascista y creando una importante productora, la Continental, que regida directamente por funcionarios nazis se convirtió en la primera del país.

Sin embargo, el espíritu patriótico de los franceses hará fracasar la implantación *manu militari* del cine alemán, desertando de las salas de proyección para frecuentar en cambio con asiduidad las que exhiben películas francesas, aunque la penuria del momento haga que su calidad tenga por lo general un nivel modesto.

Los grandes nombres del cine de anteguerra (Jean Renoir, René Clair, Julien Duvivier, Jean Gabin, Michèle Morgan) han buscado refugio temporal en los estudios americanos. Queda sólo Marcel Carné como representante del realismo poético de los años treinta. Pero ahora, con la dictadura cultural del doctor Diedrich, los temas realistas se han vuelto sospechosos y la presión de la severa censura forzará a la producción francesa a un brusco desvío hacia la «evasión», con temas intemporales y asuntos románticos, que eluden toda referencia a la grave situación actual. Esto explica que el Carné realista y populista reaparezca como narrador de la fantástica leyenda medieval *Les Visiteurs du soir* (1942), escrita por Jacques Prévert, aunque los amores contrariados del trovador Gilles (Alain Cuny) y de Ana (Marie Déa), a quienes el Diablo (Jules Berry) transforma al final en estatuas, bajo cuya piedra sus corazones continúan latiendo, quieran ser una hermética parábola sobre la resistencia del pueblo francés contra el invasor. Todo lo que tenían de romántico, y que no era poco, sus dramas naturalistas, aparece aquí quintaesenciado, en un castillo blanco y fantasmal, con su tema habitual del implacable Destino materializado finalmente bajo los rasgos de un diablo en carne y hueso.

La Edad Media de *Les Visiteurs du soir* es literaria y convencional, como lo será el París de mediados del XIX de *Les enfants du Paradis* (1943-1945), colosal *tour de force* de Carné, que en dos partes que totalizan más de tres horas de proyección reúne a los más prestigiosos actores del país: Jean-Louis Barrault, Arletty, Pierre Brasseur y María Casares, hija del ex ministro español Casares Quiroga, que se convertirá en una primerísima actriz francesa. Carné y Prévert han reconstruido un París literario, arrancado de las páginas de Victor Hugo, de Eugène Sue y de Balzac, cuyo pintoresquismo romántico (ferias, teatros ambulantes, baños turcos, conspiradores políticos, dramas de amor) se impone al espectador por la maestría de la realización y por la prodigiosa interpretación. Estamos ante una de las cotas más altas que ha alcanzado el llamado «cine literario» de todos los tiempos, síntesis del teatro, del melodrama y de la pantomima, que a través de un gran fresco costumbrista narra el eterno tema de Carné: el apasionado amor de Garance (Arletty) y del mimo Debureau (Jean-Louis Barrault), entorpecido por el destino, encarnado esta vez por Marcel Herrand. Y tejido en filigrana, Carné y Prévert desarrollan la contraposición de dos formas antagónicas de existencia, la del soñador e introvertido mimo Debureau y la del extrovertido actor Frederick Lemaître (Pierre Brasseur), rivales por el amor de Arletty.

A la vista de estas películas, a las que la mordaza nazi no ha conseguido asfixiar la vitalidad artística, se comprende la irritada reacción del doctor Goebbels, que en su diario anota (19 de mayo de 1942): «He dado instrucciones muy claras para que los franceses no produzcan más que films ligeros, vacíos y, si es posible, estúpidos.» Pero Goebbels tiene todas las de perder en esta batalla cultural y lo más que conseguirá es constreñir los límites temáticos de la producción francesa, que en su forzado vuelo al romanticis-

315

mo se torna exasperadamente literaria. Jean Cocteau fue el dialoguista de *L'eternel retour* (1943), transposición moderna de la vieja leyenda amorosa de Tristán e Isolda realizada por Jean Delannoy, y de *Les dames du Bois de Boulogne* (1945), del ascético Robert Bresson, que había debutado dos años antes con la película de inspiración religiosa *Les anges du péché* (1943), dialogada por Jean Giraudoux. Jean Anouilh, por su parte, se decide a abordar el cine adaptando su comedia *Le voyageur sans bagages* (1944). El peso literario del cine francés de estos años es, pues, impresionante. Excesivo, incluso. Pero no hay que perder de vista que la «literatura», entrecomillada y en lo que tiene de peyorativo, es decir, de artificioso y parlanchín, de retórico y falsamente ingenioso, ha tentado siempre al cine francés, pero ahora es una forma de evasión agravada por la presión de las circunstancias, una solución de emergencia, un recurso circunstancial.

Por eso resulta mucho más interesante la acusada personalidad de Henri-Georges Clouzot, que sorprende al público y a la crítica desde sus dos primeras películas, que rueda en este período para la Continental. No hay que olvidar que Clouzot ha llegado al cine pasando antes por el «teatro del horror» *Grand Guignol*. Su gusto por la sordidez, por las atmósferas opresivas, sus tendencias sádicas, su negro pesimismo, su visión cruel y torturada de los hombres se apuntarán ya en su primera película, de estirpe expresionista, *El asesino vive en el 21 (L'assassin habite au 21,* 1942), ingenioso suspense sobre un asesino ubicuo y escurridizo, que tras su misteriosa identidad esconde realmente a tres personas distintas, confabuladas para conseguir el crimen perfecto e impune. Los suspenses de Clouzot jamás son divertimientos gratuitos, sino portavoces de una tortuosa condición humana, pesimista, con un regusto nietzscheano en su visión del mundo más allá del Bien y del Mal. En *Le corbeau* (1943), que escandalizará a una parte de la crítica puntillosamente nacionalista, pondrá en boca de uno de sus personajes: «¿Dónde está la frontera del mal? ¿Sabe usted si se halla en el lado bueno o en el malo?» Preguntas que Clouzot deja sin respuesta en cada una de sus películas.

Le corbeau tiene fama de ser una de las mejores producciones francesas del período y estuvo inspirada en un hecho real, en el proceso de Tulle. Aquí Clouzot se ensañó con una pequeña comunidad francesa invadida por cartas anónimas amenazadoras, firmadas por «El cuervo», que atenazan a sus habitantes por el miedo y el temor a las delaciones, oportunísimo estudio de psicología colectiva en el momento crítico que atravesaba el país, ocupado por los alemanes. Su escéptica y pesimista visión del hombre fue juzgada antipatriótica y la película prohibida por la censura militar al acabar la guerra.

También en esta época debutan Jacques Becker, que se ha formado como ayudante de Jean Renoir, de quien heredará su gusto naturalista, del que hace gala ya en el retablo campesino *Goupi Mains-Rouges* (1943), según la novela de Pierre Véry, que enhebra, en su retrato de una poderosa familia campesina, la intriga de una clásica «caza del tesoro», y el joven René Clément, cuyo documental ferroviario *Ceux du rail* (1942) preludia su primer largometraje *La Bataille du rail* (1945), realizada inmediatamente después de la liberación y que es, de hecho, en contraste con lo que ocurrirá en Italia, la única película francesa seria e importante sobre el tema de la Resistencia. Clément ha aplicado su eficaz técnica documental para mostrar, a través de varios episodios, la lucha de los ferroviarios franceses contra el invasor. Realizada con actores no profesionales y otros poco conocidos y producida en sistema cooperativo, *La Bataille du rail* es una experiencia paralela a la que está realizando en este mismo momento Roberto Rossellini en Italia. Pero así como Rossellini desencadenará con su obra la fecunda marea neorrealista, la película de Clément será una pieza solitaria que, aunque conquistará el Gran Premio en el festival de Cannes de 1945, no dejará descendencia.

Esta circunstancia hace resaltar todavía más la importancia, honradez y sobriedad de este fresco semidocumental, veraz, convincente, emotivo, con algunas escenas antológicas, como la del fusilamiento de los rehenes y la del descarrilamiento del tren blindado alemán. Pero el cine francés tiene, por lo visto, la memoria corta y el oído duro y preferirá olvidarse cuanto antes de la pesadilla de la guerra, enterrándola con comedias frívolas o con los ejercicios caligráficos que arroban a *madame la concierge*. Sin embargo, por mucho que intente olvidarlo, ahí están, con sus pupilas vacías y el cuerpo roto, la legión de franceses muertos que ha costado la insensata aventura guerrera del Tercer Reich.

LA POSGUERRA

ITALIA, AÑO CERO

Los sueños imperialistas del Fascio se han venido abajo estruendosamente. Mussolini ha tenido tiempo de meditar sobre la magnitud del descalabro antes de ser ejecutado por los partisanos en Dongo, junto al lago de Como, y quién sabe las cosas que habrán pasado por su cabeza al contrastar sus nostalgias imperiales con la humeante hecatombe que tiene ahora ante sus ojos. La liberación de la península, iniciada con el asalto anfibio a Sicilia en 1943, abrirá una nueva era en la historia de Italia. Es importante comprender esto para medir las diferencias que separan al cine italiano de posguerra del cine francés del mismo período. En Francia, la liberación supuso simplemente el fin de un paréntesis anómalo de ocupación extranjera. La liberación de la Italia fascista, en cambio, en la que jugó un papel decisivo la resistencia partisana, además de una revolución social y política, fue una mutación interna trascendental cuyas grandes convulsiones, al igual que ocurrió tres décadas antes en Rusia, saltarían a su cine operando una ruptura decisiva con la producción anterior.

Claro que el neorrealismo no nació por generación espontánea. En pleno fascismo se han dejado oír las voces de los jóvenes que estudian en el Centro Sperimentale y de algunos de sus maestros reclamando un retorno a la realidad que la censura oficial proscribe. Se pide del cine que sea, como el famoso espejo de Stendhal, un reflejo exacto de la realidad. Y así, mientras algunos de los más dotados directores reaccionan ante el *horror vacui* fascista buscando el refugio formal del caligrafismo, otros comienzan a dar la batalla a pecho descubierto, como hace Luchino Visconti

319

con *Ossessione* (1942), que hoy se considera algo así como la partida de nacimiento del neorrealismo.

Luchino Visconti, duque de Modrone, pertenece a la más noble y antigua aristocracia lombarda. Hombre de vasta cultura y espíritu refinado, comenzó a interesarse seriamente por el cine en 1935. El inmenso prestigio de Jean Renoir (y del cine realista francés de aquellos años) le llevó a cruzar los Alpes para trabajar de ayudante con su admirado maestro en *Les Bas-fonds, Une partie de campagne* y en una *Tosca* (1940) que Renoir no concluyó a causa de la guerra. Con este bagaje técnico regresó Visconti a su país, dispuesto a dar vida a lo que denominaba por entonces el «cine antropomórfico», es decir, un cine que tratase de hombres vivos y no de monigotes, como hacía el cine oficial.

La carrera de Visconti en Italia se inició con *Ossessione,* financiada y dirigida por él, que adaptaba muy libremente a la pantalla la novela negra de James Cain *El cartero siempre llama dos veces,* libro que había inspirado ya a Pierre Chenal (1939) e inspiraría más tarde a Tay Garnett (1946) y a Bob Rafelson (1981). La influencia del realismo negro francés resultó transparente en esta historia de una mujer (Clara Calamai) confabulada con su amante (Massimo Girotti) para asesinar a su marido (Juan de Landa) simulando un accidente de auto, pero resultando luego ellos víctimas de un verdadero accidente, historia que trasplantada por Visconti a la llanura del Po parecía un episodio arrancado de la crónica negra de un periódico.

Con la obertura de un largo *travelling* a lo Renoir, *Ossessione* era un pretexto y un desafío que ha merecido el título de «caballo de Troya dentro del cine fascista». Pretexto, porque en ella los ambientes eran más importantes que los acontecimientos y su populismo le permitía mostrar a gentes vulgares y escenarios naturales proscritos por el retórico cine fascista (la estación de gasolina junto a la carretera, las calles de Ferrara, un vagón de tren de tercera clase, la habitación de una prostituta); desafío, porque esta película, «verista» a lo Giovanni Verga más que propiamente realista, era un reto a todos los tabúes del aristocrático arte que predicaba Pavolini, el ilustrado ministro de Cultura Popular. La accidentadísima carrera de *Ossessione,* que es el *Hernani* del nuevo cine italiano, concluyó con una prohibición que no pudo evitar que la película fuese admirada en numerosas proyecciones clandestinas y ejerciese una gran influencia sobre los cineastas italianos.

Ossessione es el primer drama del neorrealismo, como *Cuatro pasos por las nubes (Quattro passi fra le nuvole,* 1942), del proteico Blasetti, es su primera comedia. Vistas hoy las cosas puede parecer abusiva la calificación de neorrealista a esta comedia amable y sentimental sobre un viajante de comercio romano (Gino Cervi), que para salvar el honor de una muchacha del campo, soltera y encinta (Adriana Benetti), se hace pasar ante su familia por el marido, simulando luego que la abandona inesperadamente. Pero cuando medimos lo que va de la ampulosidad de *La corona de hierro,* pongamos como ejemplo, a este simpático retablo de lugares cotidianos y de gentes comunes, se aprecia hasta qué punto el cine italiano está madurando para su gran eclosión neorrealista.

No hay que perder de vista que estos años de «teléfonos blancos» y de grandilocuencia dannunziana son también los años en que Cesare Pavese descubre y divulga la novela norteamericana (acabamos de ver su influencia en Visconti), que los intelectuales de la oposición se nutren de la tradición realista que va de Zola a Gorki pasando por Verga y que los alumnos del Centro Sperimentale disfrutan en la semiclandestinidad de las escasas muestras de cine ruso y del naturalismo francés que conserva como tesoro su Cineteca.

Esta búsqueda realista, que es una forma de oposición a la cultura oficial, aparece también en *La nave blanca (La nave bianca,* 1941), de Roberto Rossellini, que ha sentido la llamada del cine al contemplar *Aleluya* de Vidor. *La nave blanca* es, sin embargo, una película hecha nada menos que por encargo del Ministerio de Marina. Es, para decirlo claramente, un film de propaganda psicológica sobre los navíos hospitales, destinado a dar seguridad y ánimo a los combatientes en el mar, explicándoles la función de estos hospitales flotantes en los que podrán hallar, además, una enfermera de la que enamorarse. Pero tanto *La nave blanca* como las siguientes obras de Rossellini *Un piloto regresa (Un pilota ritorna,* 1942), de la que Vittorio Mussolini es productor y argumentista, y *L'uomo della croce* (1943), sobre la actuación de un capellán militar durante la batalla de Rusia, señalan la aparición de una tendencia «documentalista» en el seno del cine italiano. Pero el documentalismo de Rossellini e incluso el verismo de Visconti son, solamente, un lenguaje nuevo que se opone a la retórica fascista. Y el realismo, no hay que olvidarlo, es algo más que un simple lenguaje.

Será necesario que Italia recobre su libertad perdida desde 1922 para que, en 1945, se produzca el conmovedor estampido artístico de *Roma, ciudad abierta (Roma, città aperta)*, con la que Rossellini demuestra su potencia expresiva y la enorme vitalidad de este cine revolucionario nacido de unas ruinas todavía humeantes. Sin un guión completo, dejando amplio margen a la improvisación, sin permisos (todo el aparato oficial cinematográfico estaba desmantelado) y con dinero en parte prestado y en parte obtenido con la venta de sus muebles, Rossellini se lanzó a la apasionante aventura de *Roma, ciudad abierta*.

Títulos como *Roma, ciudad abierta* son los que han forjado la grandeza del cine como arte. No importan las improvisaciones, la penuria de medios, la ausencia de actores consagrados. De estas limitaciones Rossellini hace virtudes al describir los últimos días de la ocupación alemana en Roma, con la lucha de la Resistencia que une en un destino común al militante comunista (Marcel Pagliero), al sacerdote católico (Aldo Fabrizi) y a la mujer del pueblo (Anna Magnani), que luchan por la misma causa y que morirán por ella, ametrallada en plena calle la mujer, bárbaramente torturado el militante comunista (en unas imágenes que evocan, y no es casual, las iconografías del doliente Cristo del Calvario) y el sacerdote fusilado al amanecer, en las afueras de Roma, mientras unos niños presencian su ejecución tras las alambradas. Son tres de los episodios más estremecedores de la historia del cine, de un realismo brutal que evoca, automáticamente, los grandes momentos del mejor cine ruso.

Y a partir de este tremendo grito de protesta ya puede hablarse de neorrealismo. Porque *Roma, ciudad abierta* no es un ave solitaria sobre las ruinas calcinadas de Italia. Al año siguiente Rossellini lo corrobora con su enorme *Paisà* (1946), retablo desgarrador de seis episodios que sigue el avance de las tropas aliadas en la Liberación: Sicilia, Nápoles, Roma, Florencia, Romagna y el delta del Po. Con actores improvisados o apenas conocidos (entre ellos, varios soldados americanos) Rossellini consigue algo tan difícil como que la ficción organizada por el artista parezca documental, reportaje directo, página viva arrancada de la historia reciente de Italia.

Será la crítica francesa la que, ante la revelación de Rossellini, llame la atención del mundo hacia aquel brillantísimo brote artístico. Ya señalamos el sentido revolucionario que tuvo en Italia la Resistencia, a diferencia de Francia, y ello explica la resonancia tremenda de este tema en el nuevo cine italiano. Su originalidad nacía de su rabiosa reacción antirretórica, como repudio contra el pomposo y falso arte fascista, y también de la escasez de medios materiales (aunque este factor no debe ser exagerado: *Paisà* fue la película italiana más cara de 1946). Su motor era una incontenible hambre de realidad, un deseo insatisfecho durante años de mostrar el verdadero rostro de los seres y de las cosas, velado hasta entonces por la censura.

Al señalar la originalidad del neorrealismo no conviene olvidar, sin embargo, las anteriores lecciones del realismo ruso, del documental británico y de la obra de Jean Renoir, cuyo influjo fue decisivo, así como del teatro popular «dialectal» y del estilo directo de la narrativa literaria norteamericana moderna. El cine italiano que nace al alba de la Liberación es una nueva etapa del gran cine realista, por eso la crítica le antepuso el prefijo *neo,* y no puede ser desligado de sus antecedentes históricos y estéticos. Su voluntad de objetividad documental y su exigencia verista abarcó dos planos distintos, pero que se condicionan entre sí. En el orden temático, el neorrealismo centró su atención en el hombre considerado como ser social, examinando sus relaciones con la colectividad en que está inserto. En el plano estilístico, se comprende que para dar el máximo vigor realista a estos dramas se apoyase en el verismo documental: actores y escenarios naturales, ausencia de maquillajes, diálogos sencillos, sobriedad técnica, iluminación naturalista, abandono de estudios, decorados y toda clase de artificios en aras de la máxima veracidad. Es la cara más opuesta de las reconstrucciones de escayola y del estilo grandilocuente que tanto placía al Duce. Es la realidad misma, sin adornos ni disimulos, en su implacable y conmovedora crudeza.

Establecidos los métodos de trabajo y la orientación estilística que dominaría toda la escuela, dentro de su natural variedad, Rossellini completó su trilogía con *Germania anno zero* (1948), sobre la tragedia berlinesa de un adolescente solitario que culmina en suicidio. Después de esta obra se produce una inflexión en la producción de Rossellini, acentuando su idealismo paracristiano con *Stromboli (Stromboli, terra di Dio,* 1949), que fue una profesión de fe en Dios durante el caos de la posguerra y que, por sus discrepancias con la RKO, se exhibió en dos montajes distintos para Europa y Estados Unidos, y *Europa 51 (Europa 51,* 1952), interpretadas ambas por Ingrid Bergman, su esposa desde 1950. *Europa 51* constituyó un dramático manifiesto de perplejidad ideológica ante el drama social de la posguerra, virulentamente alejado de todo recetario o programa político, lo que suscitó la extrañeza de muchos críticos.

La diversidad de tendencias en el seno del neorrealismo es un índice de su multiforme vitalidad. Al ala idealista (y a veces cristiana), que ve en el cine un testimonio y espejo de la realidad, pueden asociarse los nombres de Rossellini, De Sica y su guionista Cesare Zavattini, así como la *Revista del Cinema Italiano,* cuyo máximo portavoz es Luigi Chiarini. Al ala marxista que postula el realismo crítico, superando el simple testimonio para extraer conclusiones histórico-políticas a través de sus películas, pertenecen Luchino Visconti, Giuseppe de Santis, Carlo Lizzani y la revista *Cinema Nuovo,* animada por Guido Aristarco.

El caso de Visconti es apasionante. Aristócrata refinado y marxista militante, ha sabido operar en su obra una rara fusión entre el realismo más exigente y un refinadísimo sentido estético, que a veces roza lo decadente. Después de una intensa actividad teatral, poniendo en escena obras de Cocteau, Sartre, Achard, Anouilh y Tennessee Williams, marcha a Sicilia para rodar la ambiciosa trilogía *La terra trema* (1947-1948). Dificultades de producción redujeron el tríptico a un solo fresco, el episodio de los pescadores, quedando en el cajón de los proyectos el de los mineros y el de los campesinos, que debían completar este vasto retablo social sobre las gentes humildes de Sicilia y su rebelión contra la explotación de los más fuertes. Monumento decapitado, pues, tenemos que contentarnos con el primer episodio, inspirado en la novela *I Malavoglia* de Verga, que traza el itinerario del pobre pescador N'Toni Velastro, cuyo intento de emancipación social, trabajando por su cuenta, fracasa rotundamente y pierde en la aventura su casa y su barca. Esta visión pesimista de la inútil rebeldía del hombre solo debía tener su contrapunto, según la idea de Visconti, en el éxito de la acción colectiva del tercer episodio, que jamás llegó a rodar.

Trabajando con actores naturales, pescadores auténticos, y sin un solo decorado de estudio, Visconti consiguió reconstruir un drama social de impresionante veracidad documentalista que, y ahí reside la originalidad de Visconti y su diferencia con Rossellini, aparece plasmado en imágenes de una cuidadísima belleza plástica. Extraña y espléndida síntesis entre el documento bruto y la recreación estética, ha integrado además la técnica de puesta en escena con profundidad de campo (cuya complejidad obligó a Welles a rodar todo su *Ciudadano Kane* en el estudio) en la agreste geografía natural de Sicilia y en interiores naturales. Esta sorprendente integración del realismo documental y del realismo estético es, en cierto modo y como ha señalado Bazin, la cima realista del cinematógrafo. *La terra trema* señala, en efecto, una frontera límite en el terreno del «documental reconstruido» que no será rebasada hasta la aparición de Francesco Rosi, que, y no en vano, trabaja como ayudante de Visconti en esta película.

El empleo sistemático de actores no profesionales ensancha y profundiza la vieja teoría eisensteniana del «tipo». Porque aquí los «tipos» no son meras pinceladas anecdóticas en un retablo colectivo, sino que soportan todo el peso de una larga y compleja acción dramática, con una eficacia y convicción que para sí quisieran muchos actores profesionales. La explosión neorrealista creará en Italia por estos años, entre las gentes humildes, el espejismo de fácil ascenso al estrellato cinematográfico, y sobre este tema candente basará Visconti su siguiente película, *Bellísima (Bellisima,* 1951), en donde Anna Magnani se consagra como actriz excepcional, en sus esfuerzos apasionados y vanos por convertir a su hijita en estrella de cine.

Junto a Rossellini y a Visconti, el tercer gigante del cine neorrealista es Vittorio De Sica, que ha trabajado como actor, en el teatro y en el cine, en papeles de galán elegante y de maneras suaves. En 1940 ha comenzado a dirigir comedias, cuya falsedad y convencionalismo no las distingue de las que están haciéndose por el país en estas fechas. Pero en 1943 se produce el quiebro de *I bam-*

325

bini ci guardano, un drama familiar visto a través de los sensibles ojos de un niño, víctima inocente de las querellas de sus padres. *I bambini ci guardano* se alinea, junto a *Ossessione* y a *Cuatro pasos por las nubes,* en el preludio que anuncia el amanecer neorrealista. La colaboración que ha establecido De Sica con el guionista Cesare Zavattini se revelará de una gran fecundidad después de la Liberación. No hay que perder de vista que Zavattini es uno de los grandes teóricos y defensores del neorrealismo: «Cuando alguien –declarará públicamente–, sea el público, el Estado o la Iglesia, dice "basta de pobreza, basta de películas que reflejan la pobreza", comete un delito moral. Es que se niega a comprender, a enterarse. Y al no querer enterarse, conscientemente o no, se sustrae a la realidad.»

El cine de De Sica-Zavattini se diferenciará del de Rossellini y del de Visconti por su orientación sentimental y ternurista, apelando no a la indignación del espectador (como Rossellini), ni a su intelecto (como Visconti), sino a la compasión. Esta idea cristiana domina su gran trilogía iniciada en 1946, que recoge la soledad y el desamparo de los niños romanos en *El limpiabotas (Sciuscià,* corrupción italiana del americanismo *shoeshine)* y el drama de los adultos en *Ladrón de bicicletas (Ladri di biciclette,* 1948), conmovedora historia del obrero Ricci, pegador de carteles, que durante el fin de semana busca desesperadamente por toda Roma la bicicleta que le han robado, por ser su imprescindible herramienta de trabajo, y al no hallarla se decide a robar una, siendo sorprendido al hacerlo. Este implacable documento social sobre la condición obrera en la Italia de posguerra cargó su acento en la soledad del protagonista, víctima de una feroz insolidaridad ante su angustioso problema y estuvo articulado sobre tres elementos: la bicicleta transformada en imprescindible herramienta de trabajo, la indiferencia del medio ambiente y la atroz soledad del protagonista, víctima del robo. Perspectiva subjetivista que reapareció en *Umberto D* (1951), drama de la soledad en la vejez, protagonizada por un funcionario jubilado que malvive de la pensión estatal sin más compañía que la de su perro. En esta película culminan las teorías zavattinianas sobre la «cotidianidad» del neorrealismo, que al postular «una lucha contra lo *excepcional* para captar la vida en el acto mismo en el cual vivimos, en su mayor cotidianeidad» había querido llevar al cine «los noventa minutos de la vida de un hombre durante los cuales no sucede nada». Pocas veces la gris monotonía de lo cotidiano se ha convertido en algo tan apasionante como en esta morosa incursión de De Sica, con ojo de entomólogo, en la existencia vacía de Umberto Domenico Ferrari. Su técnica de «tiempos muertos», despojada del sentimentalismo de De Sica, será reactualizada más tarde por Antonioni.

Esta amarga trilogía sobre el drama de la Italia de posguerra se completó con la insólita farsa poética *Milagro en Milán (Miracolo a Milano,* 1950), cuya inspiración debe no poco a Chaplin y a Clair, y en la que los pobres habitantes de un *bidonville* milanés, expulsados de sus barracas por un feroz y grotesco plutócrata que quiere explotar el petróleo descubierto en su subsuelo, abandonan en masa este mundo cruel cabalgando sobre escobas voladoras, hacia un país en el que «buenos días» quiera decir realmente «buenos días». De Sica gastó todo su dinero ganado con *Ladrón de bicicletas* para producir esta poética fábula de ambiguo y discutido desenlace. Al preguntarle un malintencionado periodista si los humildes emprendían su vuelo hacia el Este o hacia el Oeste, De Sica le respondió que eso no era lo que importaba, sino el hecho de que volasen todos juntos.

Pero como el idealismo no hace buenas migas con el dinero, De Sica se verá obligado a reanudar su carrera de actor, apareciendo en personajes caricaturescos de innumerables comedietas que le permitirán reponer su bolsillo de las pérdidas producidas a causa de su noble entrega al arte cinematográfico.

Sin embargo, la vitalidad y expansividad del nuevo cine italiano se revela con el nutrido pelotón de realizadores que, siguiendo los pasos de Rossellini, Visconti y De Sica, dan cohesión y envergadura al fecundo movimiento neorrealista, cuya diversidad de matices se aglutina no obstante en la común voluntad de dar un testimonio veraz y sin afeites ni adornos de la realidad italiana de estos años, de la Italia del desempleo, del mercado negro y la prostitución. Luigi Zampa evoca los días de la guerra y del fascismo en *Vivir en paz (Vivere in pace,* 1946), en donde expuso con humor y dramatismo las incidencias promovidas por la presencia de dos soldados fugitivos americanos en un pueblecito ocupado por los alemanes, y en *Anni difficili* (1948); sobre el tema de la Resistencia Carlo Lizzani realiza, en régimen de producción cooperativa, *Achtung banditi!* (1951), mientras Pietro Germi describe el éxodo colectivo de un pueblo minero que abandona Sicilia para buscar trabajo en Francia, en *El camino de la esperanza (Il cammino della speranza*, 1950), que tuvo presente la lección de *La terra trema.*

También quienes habían puesto sus cámaras al servicio del fascismo, como Blasetti, o habían practicado la afiligranada evasión del caligrafismo como Lattuada, se incorporarían al impetuoso torrente neorrealista. Alberto Lattuada, hijo del compositor Felice Lattuada, arquitecto, hombre de sólida formación cultural (había sido uno de los fundadores de la *Cineteca Italiana),* lo hace con cierto acento melodramático en *Il bandito* (1946) y alcanza sus más altos registros en *Sin piedad (Senza pietà,* 1947), crónica de los trágicos amores de una prostituta italiana y de un soldado americano negro, y en *Il mulino del Po* (1949), que al describir las luchas sociales en el campo de Ferrara a finales del siglo es el primer intento de aplicar las técnicas y el espíritu neorrealista a un tema no contemporáneo, tomado aquí de una novela de Ricardo Bacchelli. La acusada personalidad de Lattuada aflora a través del prestigio formal de sus imágenes, delatando sus anteriores actividades de fotógrafo. Es, además, quien primero se atreve a introducir un aliento erótico en la escuela, gracias a la admirable Carla de Poggio (esposa del realizador) de *Sin piedad.* Es también quien primero intenta una síntesis formal entre el neorrealismo y el estilo expresionista, especialmente visible en la adaptación del cuento de Gogol *El alcalde, el escribano y su abrigo (Il capotto,* 1952), en clave grotesca, hibridismo estético prefigurado ya en su obra anterior (ambientes turbios, efectos de luz, encuadres enfáticos) y que aquí utiliza para describir con reminiscencias kafkianas las vicisitudes de una víctima del aparato burocrático.

Otra personalidad notable es la del combativo crítico Giuseppe De Santis, que después de haber colaborado con Visconti, Rossellini y Aldo Vergano debuta en la realización con *Caccia tragica* (1947), vibrante retablo épico de las luchas de las cooperativas campesinas contra los manejos de los grandes propietarios rurales. Cineasta coral, barroco, exuberante, que aprovecha la gran tradición melodramática italiana (como hará más tarde Visconti) en su tarea por crear un cine popular que llegue a las grandes masas, marcha a los arrozales del Po para dar testimonio de la penosa situación de las campesinas que allí trabajan en *Arroz amargo (Riso amaro,* 1948), un film duro y sensual, que impone el nombre de la actriz Silvana Mangano como la primera gran estrella popular del cine italiano de posguerra. Sabia síntesis del cine-documento con juego escénico colectivo, del melodrama y del barroquismo formal, el cine de este militante marxista es uno de los más valiosos intentos de buscar la adhesión popular hacia el neorrealismo que es, en principio, un cine de minorías, aunque se trate de la «inmensa minoría» de los espectadores exigentes de todo el mundo. Por eso pueden perdonársele los excesos melodramáticos de *Non c'e pace tra gli ulivi* (1950), cinta que precede a *Roma, ore 11* (1952), tal vez su mejor película, que arranca de la crónica de sucesos un hecho verídico: la catástrofe ocasionada al ceder la escalera de una casa, en la que se apiñaban doscientas muchachas que acudían en respuesta a un anuncio solicitando una dactilógrafa. Un hecho real, un testimonio de la condición social de la mujer, una denuncia del problema del desempleo a través de un dramático suceso periodístico.

El neorrealismo ha producido un tremendo impacto en el cine mundial y pronto veremos brotar sus consecuencias en Japón, México, España, Grecia... Es un nuevo camino que se ofrece, pleno de posibilidades, a los países cinematográficamente pobres. Es un cine que puede hacerse sin estudios, sin actores, sin grandes presupuestos, sin todo aquello que se interpone entre las cámaras y la realidad para falsearla y mixtificarla. Y aunque el neorrealismo no haya sido una escuela popular, en el sentido de la adhesión de los grandes públicos, impondrá la autenticidad de sus imágenes contribuyendo a crear en el público una mayor exigencia en la veracidad formal del grueso de la producción, del cine que se hace en los estudios y que no tardará en adoptar muchas de las técnicas veristas del neorrealismo, aunque con finalidades bien distintas. Después del neorrealismo se produce un súbito envejecimiento del claustrofóbico «cine de estudio» de los años treinta y se generaliza la práctica del rodaje en exteriores e interiores naturales. Con el neorrealismo ha ocurrido lo mismo que con Picasso en la historia de la pintura. Después de Picasso ya no puede pintarse como se hacía hasta entonces.

Sin embargo, el neorrealismo tiene muchos enemigos que le amenazan. En 1948 la Democracia Cristiana se instala en el poder en Italia, cancelando la era posbélica del romanticismo antifascista militante. En los primeros meses del año siguiente, mientras se prepara la nueva ordenación jurídica del cine italiano, hay un solo film en rodaje en toda Italia. Los cineastas italianos organizan actos de protesta, declaraciones colectivas y manifestaciones. Andreotti descubre en el Parlamento las intenciones del gobierno: «Extender el Plan Marshall al sector del cine, conciliando, sobre la base del arrendamiento de la cinematografía italiana, los intereses de los exportadores americanos con los de algunos, si no todos, los productores italianos.» En efecto, los colonos norteamericanos contemplan con recelo el vertiginoso ascenso del cine italiano y sus presiones se ejercen a través de la coacción de la ayuda económica. Está además la cuestión del «prestigio exterior». El neorrealismo da una imagen triste, dolorosa y miserable de Italia, y el gobierno, pasado el entusiasmo de la revolución antifascista, comienza a fruncir el ceño ante el efecto que puedan causar estos implacables documentos sociales en el extranjero. En consecuencia, mientras la censura se refuerza, se idean sistemas de protección económica a la producción que, de hecho, presionan, mediante una ayuda discriminada, para imprimir un viraje en redondo a aquel cine «miserabilista».

Sin embargo, el prestigio internacional del cine italiano ha permitido consolidar su potencia industrial y comienzan a aparecer grandes productoras, como la Ponti-De Laurentiis (1950), e Italia no tardará en ser la depositaria de las más famosas estrellas del cine europeo: Gina Lollobrigida, Sofia Loren, Vittorio De Sica, Alberto Sordi. Los condicionamientos políticos explican también la aparición de la comedieta neorrealista, subproducto de la escuela que aprovecha sus elementos formales (escenarios naturales, ambientes populares, etc.) para cantar la alegría de vivir de este pueblo meridional. Un antiguo «caligrafista», Renato Castellani, es quien abre la vía a la comedia neorrealista (o «neorrealismo rosa», como algunos le han llamado) con *E primavera* (1949) y *Due soldi di speranza* (1951), cuyo éxito desencadenará una avalancha de títulos, en los que la primitiva lozanía se irá marchitando a pasos agigantados: *Nápoles millonaria (Napoli milionaria,* 1951) de

Eduardo De Filippo, *Guardias y ladrones (Guardie e ladri,* 1951) de Steno y Monicelli, con Totó y Aldo Fabrizi como protagonistas, y *Pan, amor y fantasía (Pane, amore e fantasia,* 1953) de Luigi Comencini, que impone a Gina Lollobrigida, con su provocativo erotismo campesino, como estrella internacional.

En este momento crítico de transición inician su obra dos grandes realizadores que representan ya la fase posneorrealista. Es sintomático que Michelangelo Antonioni desplace, en su primer largometraje, *Cronaca di un amore* (1950), los temas proletarios típicos del neorrealismo hacia el atento examen crítico y psicológico de la burguesía industrial de Milán a través de la historia de un adulterio con implicaciones criminales, que habla bien a las claras de la admiración de Antonioni por el naturalismo negro francés, admiración que le había llevado durante la guerra a Francia (como hizo antes Visconti) para trabajar de ayudante de Marcel Carné. Antonioni será uno de los gigantes del cine posneorrealista, en una Italia que abandona el cine proletario, entre otras razones porque el país va resolviendo sus más acuciantes problemas sociales heredados de la guerra, para encaminarse a grandes zancadas hacia lo que se llamará el «milagro económico».

También Federico Fellini (que ha trabajado como caricaturista y ha intervenido como guionista en películas tan importantes como *Roma, ciudad abierta, Paisà, Europa 51, Sin piedad* e *Il mulino del Po)* será otro de los «grandes» del nuevo cine italiano. Resulta difícil presagiarlo con su debut en *Luci del varietà* (1950), incursión en el engañoso mundo de oropel del *music hall,* en colaboración con Lattuada, y *El jeque blanco (Lo sceicco bianco,* 1952), sobre una joven provinciana enamorada de un héroe de fotonovela, al que se empeña en conocer durante su viaje de bodas a Roma. Sin embargo, apunta ya aquí su sentido del espectáculo extravagante y su gusto por la caricatura histriónica, que serán características de su obra ulterior.

El cine italiano, cumplido ya el fecundo pero irreversible capítulo neorrealista, anda tanteando nuevos caminos y buscando nuevos horizontes expresivos. Al iniciarse la década de los años cincuenta el cine italiano está prestigiado universalmente y considerado como el más avanzado del mundo. Se comentan y admiran las películas italianas como se hizo antes con el expresionismo alemán, la escuela rusa o el cine vanguardista francés. Están además los excelentes documentales de arte de Luciano Emmer y Enrico Gras, género que cultivan desde 1941 y a quienes corresponde la legítima paternidad. El ojo analítico de su cámara ha dado nueva vida a los protagonistas inmóviles de la gran pintura renacentista, gracias al dinamismo del montaje, a los movimientos de la tomavistas y a la música. Los documentales de arte de Emmer y Gras nos han enseñado a contemplar las obras de arte con unos ojos nuevos, al igual que los neorrealistas nos han revelado una nueva forma de observar la realidad, en sus aspectos más auténticos, como un documento vivo, documento novelado si se quiere, pero que nos ayuda a comprender mejor la condición humana como fruto de su convivencia, solidaria o insolidaria, con sus semejantes.

LOS AÑOS TORMENTOSOS DE HOLLYWOOD

Inversamente a lo que ocurrió en Europa, la guerra supuso para los Estados Unidos un período de gran prosperidad económica. En las factorías de Detroit, en las minas de Arizona, en los pozos petrolíferos de Texas y en las granjas de Oklahoma se trabaja a pleno rendimiento. No existía desempleo en el país y las perspectivas futuras eran todavía más halagüeñas. Con una Europa destrozada y un Japón avasallado, los Estados Unidos se habían convertido indiscutiblemente en la primera potencia económica –productora y exportadora– del mundo. El suelo americano no había conocido los raids aéreos y su gigantesca capacidad industrial intacta iniciaba la conquista de nuevos mercados.

En la industria cinematográfica la situación era también óptima. La producción pasó de 358 películas en 1945 a 425 en 1946, año en que la *box-office* registró la marca de 4.680 millones de entradas vendidas, la cifra más alta conseguida desde 1930. Pero el clima de bienestar que se respiraba en las laderas de Beverly Hills, parangonable al de los «felices veinte», no tardaría en enrarecerse hasta sembrar el pánico entre la alegre y confiada colonia cinematográfica de Hollywood. El primer contratiempo vino de Washington, nada menos que del Departamento de Justicia.

Desde los tiempos heroicos de los Independientes, el cine americano ha sido un campo de batalla entre los pequeños productores y las colosales empresas que detentan el cuasimonopolio del negocio cinematográfico. Las *Major Companies* de Hollywood (Paramount, Metro, RKO, Warner Bros y 20th Century Fox) producían del 60 al 75 % de los films americanos y el cien por cien de los noticiarios, distribuían del 90 al 95 % de los films importantes y recibían entre el 85 y 90 % de la totalidad de las recaudaciones. Los productores independientes, agrupados desde 1932 en la Independent Motion Pictures Producers Association, venían batallando desde hacía tiempo contra esta situación que violaba flagrantemente la Ley Sherman contra los monopolios. En 1938 consiguieron que el Departamento de Justicia incoara un proceso contra las grandes compañías. Tras muchas vicisitudes (son casi infinitos los recursos y dilaciones que permite el laberinto del procedimiento jurídico norteamericano), el Tribunal Supremo falló en contra de las grandes empresas, que entre 1949 y 1953 tuvieron que desvincular el negocio de producción del de exhibición, aunque en la práctica las cosas no cambiaron demasiado y las grandes compañías siguieron siendo las dueñas y rectoras del mercado americano.

Mientras las empresas trataban de defender sus intereses con las argucias de sus picapleitos, por otro flanco comenzaba a atacarles un nuevo enemigo mucho más temible: la televisión, cuya era comercial se había inaugurado en 1946. En esta fecha existían en el país unos 11.000 receptores en funcionamiento y, a pesar de la «congelación» del número de emisoras decretado por el gobierno entre 1948 y 1952, en este año el número de receptores había ascendido a 21.200.000. En muchísimos hogares este espectáculo casero pasó a sustituir la frecuentación cinematográfica y los taquillajes de los cines comenzaron a descender en flecha. En 1948 la industria del cine empezó a tomar medidas contra aquella amenaza y estableció un bloqueo de alquileres de películas a la televisión, con la esperanza de conseguir su asfixia por falta de programas. Sin embargo, la gran batalla contra la televisión no comenzó a ser librada hasta 1952, con el cine en relieve, las macropantallas y las superproducciones espectaculares, de todo lo cual nos ocuparemos en el próximo capítulo.

A pesar de estos inquietantes avatares, el cine americano de los primeros años de posguerra prosiguió la valiente orientación crítica de la era rooseveltiana, con sus mejores realizadores sensibilizados por el dramático trauma de la guerra. Porque aunque nueve millones de americanos se reintegraron a sus hogares, hubo millares que no volvieron. Sus cuerpos encontraron reposo en un campo de batalla o en un cementerio lejano. Eran, en el mejor de los casos, una cruz y un hombre: Guam, Guadalcanal, Iwo Jima, Bataan, Corregidor, Bastogne, Normandía... Entre los que volvieron abundaban los mutilados e inválidos, los ciegos, parapléjicos o neurópatas. Hombres física o mentalmente destrozados, rotos e inadaptados.

Al igual que ocurrió con la gran depresión de 1929, la catástrofe bélica actuó como un revulsivo moral, conmocionando a las capas más sensibles de la población americana. En este momento, mientras los consejos de administración dan la orden de reconversión de sus industrias a las necesidades de la paz y en muchos hogares se llora el hueco de los que ya no regresarán jamás, William Wyler rueda *Los mejores años de nuestra vida (The Best Years of Our Lives,* 1946), que muestra el regreso al hogar de tres veteranos de guerra: un oficial de infantería, banquero en la vida civil (Frederic March), un piloto de aviación (Dana Andrews) y un marino mutilado de ambos brazos (Harold Russell). Oportunísimo estudio psicológico-social del período denominado de «reconversión», aunque no exento de concesiones sentimentales, era una llamada a la conciencia del pueblo americano que causó un enorme impacto y cosechó varios Oscars, situándose por sus recaudaciones a la zaga de *Lo que el viento se llevó.*

Wyler es un prestigioso veterano, pero en esta línea polémica e inconformista, que mira cara a cara los grandes problemas del país, se hallan los jóvenes de la que más tarde se llamará «generación perdida», como Robert Rossen, Edward Dmytryk, Elia Kazan, John Huston, Jules Dassin, Joseph Losey y Fred Zinnemann.

El ex guionista Robert Rossen, formado en los escenarios teatrales de Nueva York antes de ser atraído por Hollywood, denunció con vigor la corrupción que roe al mundo del boxeo en *Cuerpo y alma (Body and Soul,* 1947), tema que por sus posibilidades fotogénicas y riqueza dramática atrajo también a Mark Robson, otro joven director de origen canadiense, autor de *El ídolo de barro* (*Champion*, 1949), película protagonizada por Kirk Douglas. Que el tema de la corrupción dominante en muchos sectores públicos y privados del país preocupaba a estos jóvenes aparece claro en sus obras y Rossen insiste en él en *El político* (*All the King's Men*, 1949), adaptando una novela de Robert Penn Warren, sobre la trayectoria de un político de ideas generosas, vencido finalmente por la corrupción del medio ambiente, y que resultó ser una penetrante radiografía del fascismo latente en los Estados Unidos.

Entre los hombres más prometedores de esta generación se encontraba Edward Dmytryk, nacido en Canadá pero de padres ucranianos, que comenzó a destacar con el éxito de *Hitler's Children* (1942) y alcanzó su mejor momento con *Encrucijada de odios* (*Crossfire*, 1947), en donde ponía el dedo en la llaga de un problema candente, el del odio antisemita, mostrando el asesinato de un soldado judío desmovilizado. Este tema rebasa también el interés más o menos patológico del caso particular para convertirse en un documento social y en una acusación pública, ya que son seis millones los judíos que acaban de ser aniquilados en la martirizada Europa, a manos de los esbirros de Hitler, víctimas de un odio similar al del personaje que Dmytryk muestra en su película.

Esta voluntad de ofrecer un documento social es lo que lleva a Dmytryk a realizar, sin mucha fortuna, *Hasta el fin del tiempo* (*Till the End of Time*, 1946), sobre los problemas que plantea el retorno de los mutilados de guerra al hogar, y a adaptar la novela *Christ in Concret* de Pietro Di Donato en su película *Give Us This Day* (1950) rodada en Inglaterra, pasión simbólica de un obrero italiano en Nueva York, en los años de la depresión, que acepta un peligroso empleo y muere en accidente de trabajo, engullido por una hormigonera, el día de Viernes Santo.

El tema del antisemitismo arraigado en esta sociedad americana tan vulnerable a los prejuicios raciales interesa también a Elia Kazan, que lo aborda en *La barrera invisible* (*Gentleman's Agreement*, 1947). En estos años vemos asomar también por vez primera a las pantallas americanas el problema del racismo negro, problema gravísimo y candente, pues entre 1945 y 1950 se han registrado todavía trece linchamientos de hombres de color en los estados de la Unión que alardea de poseer la Constitución más democrática del mundo. Pero muchos negros han perdido la vida en los campos de batalla vistiendo uniforme norteamericano, y comienza a abrirse paso la exigencia de que a igualdad de deberes corresponde una igualdad de derechos. Y a pesar de que en muchas películas el negro sigue siendo el clásico mayordomo bobalicón o el bufón de *music hall,* aparecen algunos films que, todavía con timidez, testimonian por vez primera la existencia de un doloroso conflicto racial en el país. Éste es el caso de *Un rayo de luz (No Way Out,* 1950), de Joseph L. Mankiewicz, y de *El pozo de la angustia (The Well,* 1951), de Leo Popkin y Russell Rouse.

Pero esta saludable corriente de cine crítico fue brutalmente decapitada a raíz de la campaña iniciada en 1947 por la Comisión de Actividades Antiamericanas, destinada a extirpar de raíz la «infiltración subversiva» en el seno de la industria del cine. No hay que olvidar que en este momento la Unión Soviética está a punto de convertirse en potencia atómica y los dos grandes bloques empiezan a cruzar, con sus rivalidades y desconfianzas, el peligroso umbral de la Guerra Fría, cuya temperatura se elevará con la crisis de Berlín y la guerra de Corea. En 1933, el presidente Roosevelt había dicho: «La sola cosa de la que debemos tener miedo es del miedo mismo.» Pero ahora el miedo se ha apoderado de la nación y por todas partes se ven sospechosos, saboteadores, espías, quintacolumnistas. El senador Joseph McCarthy, de ingrata memoria, alentará la histeria colectiva de la nación organizando su «caza de brujas», que alcanzará a algunos de los intelectuales más prestigiosos del país. Los dardos de la Comisión de Actividades Antiamericanas apuntan ahora hacia Hollywood, que para eludir las sospechas pone en marcha una larga serie de películas de propaganda anticomunista, que inicia el veterano William Wellman con *El telón de acero (The Iron Curtain,* 1948).

Pero la Comisión es implacable y realiza una investigación inquisitorial sobre las ideas y creencias políticas de las gentes del cine. Hoy, con la perspectiva que otorga la distancia histórica, puede medirse la envergadura de aquel disparate del que lo menos que puede decirse es que honraba muy poco a los principios de la democracia americana. En el curso de las sesiones de la Comisión se oirán y se verán cosas increíbles. El productor Jack L. Warner, interrogado sobre si se había infiltrado propaganda comunista en sus películas, declaró que «algunas películas contienen alusiones, dobles sentidos y cosas por el estilo, que habría que seguir ocho o diez cursos de jurisprudencia en Harvard para comprender lo que significan». Que el vicepresidente de la Warner Bros no comprendiese el contenido de los films que él mismo producía era bastante grave, pero no lo era menos que la novelista Ayn Rand declarase que *Song of Russia* (1944) de Gregory Ratoff era una película de propaganda roja, porque en ella aparecían niños rusos que sonreían.

El actor Adolphe Menjou, después de afirmar en un alarde de modestia que había realizado «un estudio particular sobre el marxismo, sobre el socialismo fabiano, sobre el comunismo, sobre el estalinismo y sobre sus probables efectos en el público americano» afirmó, interrogado por Richard Nixon (republicano de California), que eran comunistas «todas las personas que tienen ideas no americanas», poniendo como ejemplo a las personas que asistían a los recitales del cantante negro Paul Robeson. La madre y administradora de la actriz Ginger Rogers, señora Lela E. Rogers, que fue saludada por un miembro de la Comisión como «una de las autoridades sobre comunismo en los Estados Unidos», tachó de comunista la película *Compañero de mi vida (Tender Comrade,* 1943) de Dmytryk, en la que hacían decir a su hija: «El reparto, el reparto justo: esto es la democracia.» Declaró también que *Un corazón en peligro (None But the Lonely Heart,* 1944), de Clifford Odets, era propaganda roja, entre otras razones porque el crítico del *Hollywood Reporter* había escrito sobre ella que su historia se desarrollaba «en un ambiente pesimista a la manera rusa». Jack L. Warner tuvo que admitir que su producción *Humoresque* (1947), de Jean Negulesco, contenía propaganda comunista porque en ella John Garfield le decía a Joan Crawford, de la que estaba enamorado: «Tu padre es un banquero», y añadía que el suyo vivía de un humilde negocio de droguería.

Se produjeron durante las lesiones largas y sutiles disquisiciones para tratar de definir, con algún rigor, qué debía entenderse por «propaganda comunista». Finalmente se aceptó que debían tenerse por comunistas las películas que criticasen a las personas ricas o a los miembros del Congreso o que mostrasen a un soldado desmovilizado desengañado de su experiencia bélica.

En aquel clima de puro disparate se alzaron muchas voces de protesta (como las de Thomas Mann, William Wyler o John Huston), pero fueron ahogadas por el presidente de la Comisión, J. Parnell Thomas, que, por cierto, fue encarcelado un poco más tarde por estafa, al descubrirse que se había lucrado con las pagas de inexistentes secretarios.

Entre todas las personas que se sentaron en el banquillo ante la inquisitorial Comisión, hubo diez que se negaron a responder cuando fueron interrogadas sobre sus ideas y filiación política. Éstos fueron Adrian Scott, productor de *Encrucijada de odios, y* su director Edward Dmytryk, el guionista y director Herbert Biberman y los guionistas Alvah Bessie, Lester Cole, Ring Lardner jr., John Howard Lawson, Albert Maltz, Samuel Ornitz y Dalton Trumbo. Invocando la primera enmienda de la Constitución que data de 1791 y que garantiza la libertad religiosa, de palabra y de prensa, criticaron a la Comisión, negándole el derecho a investigar la ideología y filiación política de los ciudadanos. En consecuencia, los diez rebeldes fueron condenados por «desacato al Congreso» a una multa de mil dólares y a cumplir un año de condena en una prisión federal. Aquella condena suponía, además, el despido y el desempleo, a menos que se retractasen ante la Comisión y demostrasen estar bien dispuestos a colaborar en aquella purga política, denunciando nombres a la Comisión.

En aquel clima de pánico e histeria, que se exacerbó durante la guerra de Corea, se produjeron sucesos espectaculares y lamentables. El director Robert Rossen huyó a México en busca de refugio, pero acabó por colaborar con la Comisión y delató nombres. Jules Dassin marchó a Francia, pero el día antes de comenzar el rodaje de *El enemigo público n.º 1 (L'ennemi public n.º 1,* 1953), la actriz Zsa Zsa Gabor (agente al servicio del FBI) se negó a trabajar a las órdenes de Dassin, que tuvo que ser sustituido por el francés Henri Verneuil. Edward Dmytryk, al ser nuevamente interrogado en 1951, admitió haber pertenecido entre 1944 y 1945 al Partido Comunista americano y denunció los nombres de veintiséis antiguos camaradas suyos. Actitud semejante a la adoptada, entre otros, por el actor Sterling Hayden, los directores Elia Kazan y Frank Tuttle y los guionistas Budd Schulberg y Martin Berkeley (este último batió la marca denunciando a ciento sesenta y dos personas), por lo que fueron rehabilitados por el Comité y las empresas productoras. Al cerrar sus sesiones en 1951, la Comisión pudo establecer una *lista negra* que incluía trescientos veinticuatro nombres, a los que los productores, reunidos en cónclave secreto en el Waldorf Astoria, se comprometieron a no dar trabajo en tanto no fuesen depurados por un *Clearing Office* establecido al efecto.

En este clima moral se comprende el éxodo europeo de personalidades como Charles Chaplin, Orson Welles, Jules Dassin o Joseph Losey. La última película americana de Chaplin es *Monsieur Verdoux (Monsieur Verdoux,* 1946), inspirada en un argumento de Orson Welles, que esbozando el retrato de un atildado asesino francés de mujeres, a lo Landru (interpretado por él mismo), expone cómo aquel buen padre de familia asesina a doce mujeres para mantener con su fortuna a los suyos, componiendo una amarga y lúcida parábola sobre la fragilidad de la moral que rige las relaciones humanas. «Para el general alemán Von Clausewitz —declarará Chaplin— la guerra era la continuación de la diplomacia, por otros medios. Para Verdoux, el crimen es la continuación de los negocios, por métodos diferentes.» La película escandalizará a algunos sectores de la opinión pública, que arremeten con furia contra el gran artista. La Comisión de Actividades Antiamericanas ha puesto también sus ojos en él, y Chaplin cablegrafía a su presidente su filiación política: «Soy, solamente, un luchador de la paz.»

En 1952 Chaplin abandona definitivamente los Estados Unidos y realiza e interpreta en Inglaterra *Candilejas (Limelight,* 1952), historia del payaso Calvero que transcurre en el ambiente de los *music halls* londinenses antes de la Primera Guerra Mundial, evocación sentimental con regusto autobiográfico, memorias afectivas del gran actor inglés, como memorias políticas suyas serán *Un rey en Nueva York (A King in New York,* 1957), despiadada disección de la sociedad norteamericana, que causa no pocos quebraderos de cabeza al destronado rey Shadov (Charles Chaplin), exiliado político en este país por haber intentado la locura de utilizar la energía atómica con fines pacíficos.

La situación interna de la Norteamérica de posguerra, atenazada por una neurosis colectiva, es también una de las causas que contribuyen a explicar el auge por estos años del llamado *cine negro,* de temática criminal. Tampoco hay que desdeñar otros factores, como el pavoroso incremento de la criminalidad que sucede a la borrasca de la guerra y que en 1952 alcanzará la aterradora cifra de un delito grave cada quince segundos. Éstos son elementos psicosociales que clarifican las causas de la boga del cine negro, la corriente más densa y homogénea del cine americano de posguerra.

Las novelas negras de Dashiell Hammett, Raymond Chandler y Mickey Spillane habían forjado desde los años treinta la popularidad de este género. La moda llegó al cine, que camina a remolque de grandes capitales, con cierto retraso. John Huston fue el iniciador de la serie en 1941 con *El halcón maltés (The Maltese Falcon),* novela de Hammett ya llevada al cine por Roy del Ruth en 1931 y que ahora interpreta Humphrey Bogart, actor que iba a convertirse en uno de los puntales de este género que se prolongaría hasta 1950. Proscrito el realismo crítico por la presión política y la «caza de brujas», los realizadores americanos más conscientes se refugiaron en este cine que con su sórdida negrura daba, a modo de parábola, un reflejo pesimista de la realidad social, mostrando un mundo en descomposición poblado por seres depravados, criminales sádicos, policías vendidos, mujeres amorales, personajes roídos siempre por la ambición y la sed de dinero o de poder, en un revoltijo de intrigas criminales y de conflictos psicoanalíticos, que distancian considerablemente este género del cine policíaco de anteguerra, mucho menos complejo y bastante menos turbio. Humphrey Bogart, prototipo de *bad-good-boy,* triunfa sobre Edward G. Robinson, último gángster de la vieja escuela, en *Cayo Largo (Key Largo,* 1948), de John Huston.

Quebrado todo conformismo ético, el cine recoge el clima de «crisis moral» que reina en el ambiente y hace añicos el viejo, respetado, estable y tranquilizante esquema del Bien enfrentado y vencedor del Mal, recubriendo a sus personajes (sean detectives o gángsters) con un baño de absoluta ambigüedad moral. La desaparición del maniqueo distingo entre «buenos» y «malos» guarda relación con la divulgación masiva y popularizada de las doctrinas psicoanalíticas (el crecido número de psicopatías de origen bélico es una de sus razones), que difunde la explicación de los actos humanos más allá del Bien y del Mal, en función de motivaciones subconscientes y traumas infantiles. Las teorías de Freud, pasadas por el tamiz degradante del *Reader's Digest,* se han convertido en la *novissima verba* de la cultura americana y el delincuente es ahora un ser patológico o un producto de determinadas circunstancias sociales y, en consecuencia, los criminales dejarán de ser monstruos de maldad inmotivados, para convertirse en los gángsters humanizados que muestra John Huston en *La jungla de asfalto (Asphalt Jungle,* 1950).

Pabst había introducido el psicoanálisis en el cine en 1926, con una noble inquietud experimental. Pero ahora asistiremos a una nutrida avalancha de conflictos psíquicos, aderezados *up to date* con los indispensables elementos de violencia y de erotismo, que los convierten en apetecibles mercancías para la voracidad del público. Esta justificación moral del yo es la que conduce a Robert Montgomery a rodar *La dama del lago (Lady in the Lake,* 1946) íntegramente con la cámara subjetiva, experimento cuyo error reside en que un punto de vista óptico no puede sustituir ni aportar las vivencias que definen y forjan toda subjetividad. Welles había acariciado ya un proyecto similar en 1939, y de la obra de Welles saqueará el cine negro con todo descaro sus elementos estilísticos: ángulos insólitos de cámara, efectos de luz para crear atmósferas inquietantes, empleo del *flash-back,* etc.

El subjetivismo y relativismo moral y el pesimismo nihilista dominaron este sórdido catálogo de historias de psicología criminal, que destrozaba la imagen conformista e idealizada de la sociedad norteamericana. La serie se afianzó con el inmenso éxito de *Gilda (Gilda,* 1946), de Charles Vidor, que trasponía al mundo del hampa dorada un curioso caso de complejo de Edipo (el atormentado amor del protagonista –Glenn Ford– hacia la esposa de su jefe y protector). Elemento primordial de la película fue el fetichismo del traje de seda negro y los largos guantes negros de Rita Hayworth, que se convirtieron en un *sex-symbol* clásico de la mitología del cine. La popularidad de la película y de su estrella (legítima descendiente de Jean Harlow) fue tan grande que una expedición escaló los Andes, con el objetivo de enterrar una copia de esta película para transmitirla a la posterioridad, y la bomba atómica experimental que cayó sobre el atolón de Bikini llevó el nombre de Gilda y la efigie de su protagonista.

La moda de los films de «complejos» y con clave psicoanalítica hizo furor. Anatole Litvak situó en un manicomio de mujeres su *Nido de víboras (The Snake Pit,* 1948) y Hitchcock jugará a fondo la baza de las psicopatías en *La soga (Rope,* 1948), que en un alarde de acrobacia rueda con sólo nueve cortes y planos de casi diez minutos de duración cada uno *(Ten Minutes Takes), Atormentada (Under Capricorn,* 1949) y *Extraños en un tren (Strangers on a Train,* 1951), que explotó brillantemente el tema de la «transferencia de culpabilidad» (dos personas que se conocen en un tren proyectan un doble crimen, intercambiando sus víctimas para asegurar la impunidad). Espíritus torturados, ambientes turbios y penumbras nocturnas (como las de *Encrucijada de odios,* cuya acción transcurre casi toda de noche) fueron elementos integrantes del género dentro de la natural diversidad estilística: el realismo urbano de Jules Dassin, el sentimiento del fracaso de Huston o la crueldad de Raoul Walsh.

En algunas ocasiones estas películas adoptaron el punto de vista de la justicia, en *El justiciero (Boomerang,* 1946) de Elia Kazan, *La ciudad desnuda (Naked City,* 1948) de Jules Dassin, *La calle sin nombre (The Street with No Name,* 1948) de William Keighley o *Pánico en las calles (Panic in the Streets,* 1950) de Elia Kazan. Pero lo más abundante y representativo del género estuvo enfocado desde el interior del ámbito criminal, con una visión escéptica y pesimista del mundo y de la moral. Además de los títulos ya citados, hay que añadir entre lo mejor del género a *Laura (Laura,* 1944) de Otto Preminger, *Historia de un detective (Murder, My Sweet,* 1944) de Edward Dmytryk, *El gran sueño (The Big Sleep,* 1946) de Howard Hawks, *Forajidos (The Killers,* 1946) de Robert Siodmak, en donde debuta Burt Lancaster y se revela la personalidad de Ava Gardner, *Voces de muerte (Sorry, Wrong Number,* 1947) de Anatole Litvak, *Brute Force* (1947) de Jules Dassin, *El beso de la muerte (Kiss of Death,* 1947) de Henry Hathaway, *Persecución en la noche (Ride the Pink Horse,* 1947) de Robert Montgomery, *La dama de Shanghái (The Lady from Shanghai,* 1947), en donde Orson Welles pulverizó el mito erótico de Rita Hayworth, a la sazón su esposa, al dejarla morir abandonada y despreciada por los hombres, *La ventana (The Window,* 1949) de Ted Tezlaff, *Al rojo vivo (White Heat,* 1949) de Raoul Walsh *y El abrazo de la muerte (Criss Cross,* 1949) de Siodmak.

Los «grandes» de anteguerra han quedado desplazados. William Wyler, a pesar de obras tan estimables como *La heredera (The Heiress,* 1949), según la novela de Henry James, y *Brigada 21 (Detective Story,* 1951), adaptación de la pieza del mismo título de Sidney Kingsley, comienza a alejarse de la creación cinematográfica para interesarse más por el negocio de la producción. Frank Capra dirige *¡Qué bello es vivir! (It's a Wonderful Life,* 1946), primera y última película de la empresa Liberty Films (fundada por él, William Wyler y George Stevens en 1945), y luego desaparece prácticamente de las pantallas. En cuanto a John Ford, a pesar de sus *westerns Pasión de los fuertes (My Darling Clementine,* 1946) y *Fort Apache (Fort Apache,* 1947), en donde por vez primera toma la defensa de los pobres pieles rojas, ofrece síntomas de una incipiente fatiga. El vacío que dejan será llenado por los hombres de la «generación perdida»: John Huston, Elia Kazan, Billy Wilder y Fred Zinnemann.

John Huston, hijo del actor Walter Huston, será una de las personalidades más sólidas de la nueva hornada. Actor teatral, periodista, autor dramático, guionista y realizador de documentales durante la guerra, ha debutado como realizador con *El halcón maltés,* primer mojón del cine negro americano. Su obra, de un lúcido pesimismo, girará en torno al tema del esfuerzo y del fracaso: el fracaso de los buscadores de oro de *El tesoro de Sierra Madre (The treasure of Sierra Madre,* 1947), que perderán la vida mientras su riqueza duramente adquirida irá a confundirse con la tierra de la que fue arrebatada, como en el final de *Avaricia;* el fracaso final de los gángsters de *La jungla de asfalto* o la desoladora frustración existencial del pintor deforme Henri de Toulouse-Lautrec en *Moulin Rouge (Moulin Rouge,* 1953), con un excelente empleo del Technicolor, del que hizo ya gala en *La reina de África (African Queen,* 1952), único acorde optimista de la filmografía de Huston en estos años, aunque el optimismo de este film resida menos en su absurdo e irónico desenlace que en el tardío despertar del amor físico en su reprimida protagonista (Katharine Hepburn). Su versión de la novela *Moby Dick (Moby Dick,* 1956), de Melville, adquirió en cambio la dimensión de un desesperado reto a la naturaleza y a la divinidad, simbolizada por la monstruosa ballena blanca.

También Elia Kazan, que ha emigrado a los Estados Unidos desde su Constantinopla natal a los cuatro años en compañía de su familia, pertenece a la generación de aquellos que en su primera juventud se vieron violentamente traumatizados por la gran crisis de 1929. Kazan llega al cine cuando se ha prestigiado ya como director teatral de primerísima fila. Es, además, el fundador de la famosa escuela dramática Actor's Studio (1947) de Nueva York, junto con Cheryl Crawford y Robert Lewis, y que dirige junto a Lee Strasberg. De esta escuela, continuadora del prestigioso Group Theatre (1931-1941) y que aplica las teorías de interpretación naturalista de Stanislavski al cine (ya ensayadas y estudiadas por Pudovkin), saldrán actores de la talla de Marlon Brando, James Dean, Montgomery Clift, Paul Newman, Jack Palance, Karl Malden, Ben Gazzara, Shelley Winters, Rod Steiger, Lee Remick, Eva-Marie Saint y Carroll Baker.

Marlon Brando es su primera revelación en el turbio y misógino drama de Tennessee Williams *Un tranvía llamado deseo (A Streetcar Named Desire,* 1951), con el que ambos –Brando y Kazan– han triunfado ya en Broadway. El magnetismo animal y la interpretación paroxística de Brando causan sensación y el ya famoso actor vuelve a aparecer en *¡Viva Zapata! (Viva Zapata,* 1952), donde Kazan, que acaba de ser depurado por la Comisión de Actividades Antiamericanas como premio por haber denunciado a quince antiguos miembros del Partido Comunista americano, en el que militó entre 1934 y 1936, expone con maestría formal unos episodios de la Revolución mexicana, aunque añadiendo por su propia cuenta y riesgo la tesis de la inutilidad de la Revolución, que corrompe a sus dirigentes cuando han alcanzado el poder. Esta orientación antiobrera tendrá su formulación más explícita y descarada en su alegato contra los sindicatos portuarios de Nueva York *La ley del silencio (On the Waterfront,* 1954). Excelente director de actores, aunque tentado con frecuencia por los «golpes de efecto» dramáticos, Kazan trata de justificar a través de sus películas su actuación pública ante la Comisión de Actividades Antiamericanas. Este fantasma le perseguirá, como a Dmytryk, durante toda su vida.

El pesimismo es un rasgo común que domina a lo más vivo del cine americano de posguerra, sobre el que planea el espectro de la Guerra Fría y de la guerra caliente de Corea. El austríaco Fred Zinnemann realiza una sombría trilogía (a pesar de sus *happy ends*) sobre la herencia de la catástrofe bélica: *Los ángeles perdidos (The Search,* 1948), sobre la infancia abandonada, *Hombres (The Men,* 1950), sobre la difícil reincorporación de los parapléjicos víctimas del frente a la vida cotidiana, y *Teresa (Teresa,* 1951), que impuso a la actriz Pier Angeli, en el papel de joven italiana casada con un soldado americano, que viven años difíciles en Nueva York después de su desmovilización. El mayor éxito de Zinnemann fue sin embargo *Solo ante el peligro (High Noon,* 1952), que demuestra la plena madurez del *western* psicológico que ha nacido con *La diligencia,* a través del conflicto moral de un *sheriff* (Gary Cooper), desgarrado entre el cumplimiento de su obligación y el instinto de conservación, y que era a la vez una punzante parábola sobre el maccarthismo, mostrando a una comunidad que paralizada por el miedo ha perdido su sentido moral y su capacidad de acción. El prestigio de Zinnemann alcanzó su cenit con éste y con su siguiente film, *De aquí a la eternidad (From Here to Eternity,* 1953), adaptación de la novela de James Jones, en la que la epidérmica crítica al ejército norteamericano escondía una hábil y eficaz exaltación de las llamadas virtudes militares.

Su compatriota Billy Wilder ofreció también una visión ácida de la realidad en *El crepúsculo de los dioses (Sunset Boulevard,* 1950), desolador retablo del mundo del cine y de sus viejas glorias (Erich von Stroheim, Gloria Swanson), en el que recurrió a la *boutade* de incluir en su banda sonora el comentario en *off* y en primera persona de un cadáver, y *El gran carnaval (The Big Carnival,* 1951), sobre los desmanes de la prensa sensacionalista, a través de la inhumana explotación periodística de un trágico accidente en una cueva. Este acento amargo es el que aparece también en la adaptación del drama de Arthur Miller *La muerte de un viajante (Death of a Salesman,* 1952), que realiza el húngaro Lazslo Benedek, y en la trasposición de *Una tragedia americana,* la célebre novela de Dreiser que intentó adaptar Eisenstein y que en esta versión de George Stevens se titula *Un lugar en el sol (A Place in the Sun,* 1951).

Cuando Eisenstein trató de llevar a la pantalla este drama del joven humilde que ambiciona lo que está más allá del alcance de su mano y del que se deriva la muerte de su novia, los productores le preguntaron al maestro ruso:

—En la película, ¿Clyde Griffith es o no culpable?

—Es inocente —contestó Eisenstein, para quien la muerte de la joven era una resultante social, recayendo la responsabilidad moral en esta sociedad que rinde culto al triunfo y al dinero.

Pero los patronos de la Paramount querían un *romance,* y la película no se hizo. Ahora Stevens, a caballo del *romance,* del film social y del conflicto de conciencia, realiza un fresco de la vida americana que permite a Elizabeth Taylor crear uno de los mejores papeles de su carrera.

Sin embargo, los condicionamientos de la industria son demasiado abrumadores para que pueda nacer en los estudios de Hollywood un auténtico cine social, comparable al italiano. Los problemas colectivos se reducen, por lo general, a casos particularizados, y aunque por estos años se hable de «neorrealismo americano», la verdad es que el cine americano aprovecha tan sólo las calles de sus ciudades y las fachadas de sus casas, que es tanto como decir la fachada del neorrealismo, para autentificar sus dramas urbanos. Es abusivo, por ejemplo, calificar de neorrealista una película como *La casa de la calle 92 (The House on 92nd Street,* 1945), de Henry Hathaway, contemporánea de *Roma, ciudad abierta,* porque se ruede en las calles de Nueva York desde el interior de una furgoneta dotada de espejos transparentes. Es una técnica documental que, aportada por el productor Louis de Rochemont, se aplica a las «crónicas policíacas» que hacen furor por estos años, pero en que muchos casos distan bastante de tener validez y representatividad social.

Esta crisis del cine social americano se aprecia mejor en el desmantelamiento de la Escuela Documentalista de Nueva York, antaño tan combativa. Algunos de sus componentes han tenido que huir del país perseguidos por la «caza de brujas». El viejo Flaherty queda como figura solitaria y muere en 1951, después de haber realizado por encargo de la Standard Oil el bello documental *Louisiana Story* (1947-1948), en donde este rousseauniano impenitente introduce por vez primera en su cine el mundo de las máquinas, compromiso a regañadientes entre su amor a la naturaleza en estado salvaje y las exigencias del progreso, aunque las perforadoras que horadan en ruidoso concierto los pantanos vírgenes de Louisiana a la busca de petróleo parezcan vistas por Flaherty como terribles monstruos de otro planeta.

En otros géneros sí hay novedades. Tras el hongo de Hiroshima la ciencia ficción comienza a reclamar sus derechos, abriendo la serie *Con destino a la luna (Destination Moon,* 1950) de Irving Pichel. Pero pronto la Física Recreativa se completa con el mensaje moral, advirtiendo a los humanos de la insensatez de sus querellas y subrayando, a través de amenazas cósmicas, la unidad de destino del género humano: *Cohete K-1 (Rocketship X-M,* 1950) de Kurt Neumann, *Ultimátum a la Tierra (The Day the Earth Stood Still,* 1951) de Robert Wise, *Cuando los mundos chocan (When Worlds Collide,* 1951) de Rudolph Maté.

La comedia musical sufre una enérgica renovación a partir del momento en que, perdido todo complejo de inferioridad, prescinde de los clásicos pretextos teatrales e introduce las secuencias musicales con toda libertad y como continuación lógica de la acción. Esta liberación se produce por vez primera, con la eficaz ayuda del Technicolor, en *Un día en Nueva York (On the Town,* 1949), de Stanley Donen y Gene Kelly, dúo responsable también de *Cantando bajo la lluvia (Singin'in the Rain,* 1952), una de las cimas del género, con una deliciosa evocación de los difíciles años del nacimiento del cine sonoro. Estos dos hombres son, junto con Vincente Minnelli, que ha sido escenógrafo nada menos que del Paramount Theatre de Broadway, los puntales de la comedia musical de posguerra. Dotado de un exuberante gusto figurativo, Minnelli realiza con música de Gershwin *Un americano en París (An American in Paris,* 1951), con Gene Kelly y Leslie Caron, demostrando la absoluta madurez de este género que, por razones económicas, no tardará en ser eclipsado.

También ha habido cambios importantes en el campo de los dibujos animados con la revolución copernicana introducida en el género por Stephen Bosustow. Dibujante a las órdenes de Walt Disney, fue despedido en 1941 junto con trece compañeros a causa de un conflicto laboral. Ni corto ni perezoso, organizó en 1943 el grupo United Productions of America e impuso con sus *cartoons* un estilo lineal y esquemático, que revalorizó el color y la esencia gráfica del *gag,* con personajes muy originales, como el niño *Ge-*

rald Mac Boeing Boeing (creado en 1950 por Robert Cannon, otro de los despedidos), incapaz de hablar pero que emite los sonidos más inesperados, y el cegato *Mr. Magoo* (obra de Pete Burness), imagen satírica del norteamericano medio que cree vivir en el mejor de los mundos. Este estilo ágil y sintético de la UPA influirá en muchos dibujantes de todo el mundo, desbancando el imperio del mago de Burbank, que tendrá que refugiarse en el jugoso negocio de Disneylandia e iniciar la producción de films en imagen real.

PRESTIGIO Y ACADEMICISMO FRANCÉS

Todas las victorias tienen su precio y la de la Segunda Guerra Mundial no fue una excepción. En mayo de 1946 se firmaba en Washington un acuerdo comercial francoamericano (preludio del Plan Marshall) que obligaba a Francia a eliminar la cuota proteccionista que limitaba a 120 el número de films americanos doblados explotables en un año. Ante esta incómoda competencia, Francia no tuvo más armas para defenderse que la «producción de calidad», las «películas de festival» y el prestigio de sus maestros. Al igual que Italia tuvo su erupción neorrealista, en Francia se vivirá durante la posguerra la era del *cinéma de qualité,* que acabará por convertirse en labios o plumas de la crítica joven en una denominación peyorativa, sinónima de fósil academicismo.

En el capítulo anterior señalamos que el tema de la Resistencia, tan vivo en el cine italiano, sólo inspiró al cine francés una obra de auténtica calidad: *La Bataille du rail,* de René Clément, que en 1945 aparece como uno de los nombres más prometedores del cine europeo. La guerra vuelve a asomar en su obra con *Les maudits* (1947), que le obliga a un *tour de force* al rodar casi toda la acción en el interior de un submarino, y sobre todo en el poema trágico *Juegos prohibidos (Jeux interdits,* 1952), alegato contra los horrores de la guerra a través de los inocentes juegos de dos niños, a los que la imitación de sus mayores les lleva a copiar con todo candor el ritual macabro de la muerte y de los entierros. Con un aluvión de premios y galardones internacionales, *Juegos prohibidos* representó el punto más alto de la carrera de su autor, que a partir de entonces inició un lento pero continuado declive artístico.

Sin embargo y a pesar del coro de alabanzas que levanta *Juegos prohibidos,* el clima francés no parece propicio al cine de polémica y denuncia, como se ha demostrado con el escándalo de *Le Diable au corps* (1947), el mejor film de Claude Autant-Lara, inspirado en la novela de Raymond Radiguet, que estrenado en Burdeos suscitará la violenta reacción de una parte de la crítica: «Esta producción –escribió un periodista– añade el cinismo más irritante a la exaltación del adulterio, ridiculizando a la Familia, la Cruz Roja e incluso al Ejército. Ante esta marea de fango pedimos, en nombre del público, que este film innoble sea retirado de las pantallas.» Curiosa deformación óptica la que hace ver en el tierno despertar al amor de dos adolescentes (Gérard Philipe y Micheline Presle), en el marco opresivo de la Primera Guerra Mundial, un film pornográfico y antipatriótico. El embajador francés en Bélgica abandonó ostentosamente la sala de proyección al ser presentada la película en el festival de Bruselas demostrando que, después de todo y a pesar de la guerra, la mentalidad de muchas gentes no ha evolucionado desde los días en que *Esposas frívolas* hacía rasgarse las vestiduras a los timoratos y a los custodios de las buenas costumbres.

Los casos de Marcel Carné y de Jean Renoir resultan bien elocuentes. Maestros de la tendencia realista en la anteguerra, ahora parece que renuncian definitivamente a sus virtudes de antaño. Carné trata de conectar con su obra anterior mediante *Las puertas de la noche (Les Portes de la nuit,* 1946), que se sitúa en el París recién liberado, que resulta ser el París brumoso de sus antiguas películas, aunque aquí aparecen, como novedad, un ex resistente y un ex colaboracionista. Tampoco falta el Destino, encarnado en un vagabundo que mete la nariz por todas partes (Jean Vilar). Pero el artificioso realismo *canaille* de los años treinta ha muerto, falto de toda vigencia, y la frescura y vigor de las primeras películas que llegan de Italia van a corroborarlo sin tardanza. No es novedad que se enfrenten el colaboracionista y el antiguo resistente, porque su querella es, a fin de cuentas, como siempre en estas películas, cosa de faldas. Carné se ha situado fuera de la historia, fuera del tiempo, como Jean Renoir cuando reanuda su obra marchando nada menos que a la India para rodar *El río (The River,* 1950), para un productor inglés y con un equipo franco-anglo-indio, y que resulta ser una hermosa meditación acerca de la vida, pero más allá de la historia.

El Renoir del Frente Popular se ha desvanecido y con el espléndido Technicolor de su sobrino Claude Renoir se entrega a una meditación quietista y brahmánica sobre el fluir de las cosas, como las aguas del Ganges, como el curso de la vida, que hace que unos nazcan mientras otros mueren. Film de insólita belleza que nos anuncia que el Renoir polémico de la anteguerra ha cerrado definitivamente una etapa de su carrera: «Antes de la guerra –declarará Renoir–, mi manera de participar en el concierto universal era tratar de aportar una voz de protesta. Hoy, el ser nuevo que soy se da cuenta de que la única cosa que puedo aportar a este universo ilógico, irresponsable y cruel es mi amor.»

En efecto, durante la serenidad de su senectud reaparece el Renoir romántico y hedonista que se anunciaba en *Un día de campo*. Un Renoir sensual, pictórico al modo de su padre, nostálgico, que rehúsa comprometerse con los problemas históricos de su tiempo y que, enamorado de la *Commedia dell'arte* y de Vivaldi, va a Italia a rodar una discutida *La Carrosse d'or* (1952). De nuevo en Francia, aplicará su cultura sensorial y su desenfado en dos reconstrucciones del fin de siglo, tan impecables como intrascendentes: *French Can-Can (French Can-Can*, 1954) y *Elena y los hombres (Elena et les Hommes*, 1956).

También las nuevas sátiras de René Clair se nos aparecen como reblandecidas y limadas de lo que en ellas había antaño de punzante, para tender hacia la nostalgia romántica. *El silencio es oro (Le Silence est d'or*, 1947), inaugura su nueva etapa francesa, con la historia de un veterano y experto seductor (Maurice Chevalier) que inicia en las artes de la conquista a un joven (François Périer), quien al final le arrebata a la mujer de sus sueños (Marcelle Derrien), historia que repite su tema clásico de la renuncia al amor por la amistad. Su tono cambió al abordar, a través del tema de Fausto, una parábola sobre la amenaza atómica en *La belleza del diablo (La Beauté du diable*, 1950), que tuvo una fría acogida. Después de este film fantástico, que en algunos momentos enlaza con sus años surrealistas, retorna a sus viejas fantasías oníricas con *Mujeres soñadas (Les Belles de nuit*, 1952), con el pretexto de un joven tímido (Gérard Philipe) que compensa su frustración sentimental viviendo en sueños extraordinarias y accidentadas aventuras amorosas, en diversas épocas históricas, ironizando sobre el tópico de que «cualquier tiempo pasado fue mejor». Los últimos destellos de Clair se producirán con *Puerta de las Lilas (Porte des Lilas,* 1957), reflexión sobre el tema de la amistad y adiós definitivo a un viejo maestro del cine.

Mientras el cine de Clair entra en una etapa de decadencia aparece en Francia Jacques Tati, una nueva figura cómica que renueva el género retornando, valga la paradoja, a las fuentes del viejo cine cómico, a la pureza del *gag* visual, que no renuncia sin embargo a un rico arsenal humorístico que extrae del mundo de los ruidos. Tati se impone con dos películas que dirige e interpreta y que marcan una fecha en la historia de la comicidad cinematográfica: *Día de fiesta (Jour de fête,* 1949) y *Las vacaciones de M. Hulot (Les Vacances de M. Hulot,* 1953), visión satírica del veraneo pequeñoburgués en una plácida localidad costera. La crítica del hombre moderno inserto en un avasallador mundo objetal le conducirá luego de modo natural a la crítica de la moderna civilización urbana (urbanismo, funcionalismo, diseño, automatismo) en *Mi tío (Mon oncle,* 1958) y en el laboriosísimo *Playtime (Playtime,* 1968), en donde recurre a *gags* visuales propios del cine mudo y a otros puramente acústicos, línea que prosigue lógicamente en su *Tráfico (Trafic,* 1970).

La comicidad de Tati es elaborada e intelectual, como intelectual es y ha sido siempre lo más representativo de la producción francesa, desde los lejanos días del *film d'art.* Por si hiciera falta demostrarlo ahí están las películas de Jean Cocteau, que tras un paréntesis de quince años ha vuelto al cine con la vieja fábula de *La Bella y la Bestia (La Belle et la Bête,* 1945), con la redención del monstruo por el amor de la dama, vista con su temperamento mórbido y misógino, y la libre trasposición a la edad moderna del mito clásico de Orfeo (Jean Marais) y Eurídice (Marie Déa), actualizado al inactual gusto surrealistoide de Cocteau y que, a pesar de su premio en Venecia, fue tan mal acogida que alejó a su realizador por otros diez años de la pantalla, legando antes de morir *El testamento de Orfeo (Le Testament d'Orphée,* 1960), fantasía poética que más parece un film realizado en otro planeta por gentes que no son de este mundo, como jamás lo fue el poeta.

También son rabiosamente intelectuales los «films de tesis» que realiza el jurista André Cayatte, al tomar la pantalla como tribuna para plantear al público un caso de eutanasia y los condicionamientos y motivaciones de los miembros del jurado que deben pronunciar su veredicto sobre él en *Justicia cumplida (Justice est faite,* 1950). Más convincente resultó *No matarás (Nous sommes tous des assassins,* 1952), que además de ser una requisitoria contra la pena de muerte exponía la responsabilidad colectiva que hacía posible que un hombre que ha aprendido a matar durante la guerra y se convierte por ello en héroe, sea condenado como un criminal al hacerlo durante la paz. *No matarás* tiene un claro antecedente en la película americana *They Gave Him a Gun* (1938), de Van Dyke, lo que no empaña la eficacia estremecedora de las imágenes rodadas en el interior de la celda de los condenados a muerte y las del siniestro ritual de la ejecución.

Entre los jóvenes cineastas, H. G. Clouzot y Jacques Becker se imponen como los valores más firmes. La fascinación de la sordidez y del suspense son las bazas que juega Clouzot al rodar *En legítima defensa (Quai des Orfèvres,* 1947), con su teatrucho de variedades, las sucias interioridades de la policía judicial, la mujer fotógrafo y el viejo libidinoso que retratan a jovencitas en «poses artísticas»... Su *Manon* (1948), libre adaptación de Prévost, causó un regular escándalo por su crueldad y las anotaciones necrofílicas de su desenlace. Clouzot es un hombre que gusta hurgar en las llagas más purulentas. Lo hará a placer cuando reconstruya magistralmente en el sur de Francia el miserable pueblecito centroamericano de Las Piedras, en donde sitúa parte de la acción de *El salario del miedo (Le Salaire de la peur,* 1952), película basada en una novela de Georges Arnaud. La acción estuvo estructurada siguiendo las leyes implacables del suspense: una compañía petrolera norteamericana ofrece diez mil dólares de recompensa a quienes consigan transportar dos camiones cargados de nitroglicerina para apagar con su explosión un pozo en llamas. Clouzot organizó metódicamente los contratiempos de tan arriesgado periplo y después de permitir que uno de aquellos desesperados (Yves Montand) consiguiese su objetivo y cobrase la recompensa, se complació en despeñarle con su camión vacío en una revuelta de la carretera. La ferocidad de Clouzot hizo de *El salario del miedo* un drama fatalista, al estilo romántico, más que un documento social sobre el precio de la vida en un país subdesarrollado y semicolonizado por las grandes compañías norteamericanas.

La obra de Clouzot conoció vasta aceptación popular y su nombre mereció la consideración de rival de Alfred Hitchcock, que disfrutaba hasta entonces de un modo indiscutible el cetro de «rey de suspense». El propio Clouzot ha afirmado: «Para mí, el cine es provocación y suspense», lema puntualmente seguido en *Las diabólicas (Les Diaboliques,* 1954), que adaptaba una novela de Boileau-Narcejac y expuso un dúo inquietante con Simone Signoret y Vera Clouzot, condimentado con sabrosos elementos sádicos de *Grand Guignol.* Pero su popularidad comenzó a decrecer con *Los espías (Les Espions,* 1957), original visión poskafkiana de un absurdo mundo de intriga producto de la Guerra Fría. Inferior resonancia entre el público tuvo la obra ejemplar de Jacques Becker, que eludió los efectismos y provocaciones tan caros a Clouzot. Su *París bajos fondos (Casque d'or,* 1952) ha quedado como una de las mejores evocaciones del París de inicios de siglo, con la vigorosa historia naturalista de un obrero (Serge Reggiani) que, enamorado de una bella prostituta (Simone Signoret), se convierte en asesino y acaba sus días en el patíbulo, hechos inspirados en una auténtica historia «apache» (historia que introdujo este término en la lengua francesa). La muerte prematura de Jacques Becker, después de realizar *La evasión (Le Trou,* 1959), ha privado a Francia de un gran artista, que pudo haber sido el sucesor del Jean Renoir de anteguerra. Junto a él, la obra austera, ascética, rigurosa e insobornable de Robert Bresson —autor de *Un condenado a muerte se ha escapado (Un condamné à mort s'est échappé,* 1956) y de *Pickpocket* (1959)— se situó como la aportación estética más personal y original del cine francés.

A la producción francesa pertenece también la última parte de la obra de Max Ophüls, que pasa sus años finales en París, dando cima a la elegancia y barroquismo de la decapitada escuela romántica vienesa, con evocaciones nostálgicas y *travellings* afiligranados, en *La Ronde* (1950), *Le Plaisir* (1951), que recoge tres cuentos de Guy de Maupassant, *Madame de... (Madame de...,* 1953) y *Lola Montes (Lola Montès,* 1953), biografía patética de la favorita de Luis I de Baviera, cortesana destronada del palacio al circo, compendio y suma de su refinamiento formal y de su sentido del espectáculo y que es, además, una de las primeras utilizaciones estéticamente maduras del entonces discutidísimo formato Cinemascope.

Desde el éxito de *La kermesse heroica,* la industria del cine francés detenta un bien ganado prestigio por la veracidad de sus cuidadísimas reconstrucciones ambientales. *París bajos fondos* y la obra francesa de Ophüls lo corroboran. En la Francia de Luis XV sitúa también Christian-Jaque las desenfadadas aventuras galantes y heroicas de *Fanfán el invencible (Fanfan la Tulipe,* 1951), meditación irónica sobre la servidumbre y grandeza de la vida militar, que interpretan Gérard Philipe –el actor más importante de la nueva generación– y Gina Lollobrigida, que es una de las protagonistas de la incruenta «guerra de bustos» que se comienza a disputar en Italia, con unas armas cuyo calibre está bien a la vista.

Pero no todo han de ser frivolidades. El documental, que es un género serio y que ha nacido en Francia al mismo tiempo que el cine, se cultiva con resultados más que satisfactorios. Con material de archivo Nicole Védrès compone su excelente crónica sobre *Paris 1900* (1947), en la que interviene como montador Alain Resnais, que llegará a convertirse en una gran figura mundial. Por lo pronto, deja constancia de su talento dando un giro al documental de arte creado por Luciano Emmer y Enrico Gras, abandonando la contemplación objetiva de la obra de arte para intentar explicar la personalidad del artista en función de su obra. Ésta es la ambición de sus documentales *Van Gogh (Van Gogh,* 1948) y *Gauguin* (1951). El documental de arte comienza a florecer en Francia, con títulos tan valiosos como *Les Charmes de l'existence* (1950) de Pierre Kast y Jean Grémillon, pero Resnais le da un acento polémico y comprometido en *Guernica* (1949), sobre el célebre cuadro de Picasso; y sobre todo en *Les estatues meurent aussi* (1954), que será prohibido por la censura. Porque *Les statues meurent aussi* es un documental de arte y, al mismo tiempo, una acusación contra la barbarie blanca que ha decapitado las culturas africanas: «Cuando mueren los hombres entran en la Historia. Cuando mueren las estatuas entran en el Arte. A esta botánica de la muerte le llamamos cultura», así comienza este impresionante documental sobre el arte negro fosilizado en las vitrinas de los museos. Esta línea polémica es la que le conduce a realizar el estremecedor *Nuit et Brouillard* (1955), pavoroso viaje a los campos nazis de exterminio de judíos, que parte de imágenes en color de los museos de horror que son hoy estos campos para conducir la memoria hacia los documentos de un ayer muy próximo, convirtiéndose en un aldabonazo a las conciencias de los desmemoriados políticos.

Esta vitalidad que exhala el campo del cortometraje preludia el próximo renacimiento del cine francés, en manos de los jóvenes. Los mejores nombres del cine corto (Alain Resnais, Georges Franju, Chris Marker, Pierre Kast, Agnès Varda) se agrupan en 1953 en el llamado «Grupo de los Treinta», que es en cierto modo el embrión de lo más vivo del futuro cine francés. Su actividad no habría podido desarrollarse de no haber encontrado algunas productoras, como la Argos Films, decididas a apoyar aquel cine renovador e inconformista. Su inversión habría de resultar rentable, porque los días del venerado *cinéma de qualité* están contados.

LA INESTABLE PROSPERIDAD BRITÁNICA

Al acabar la guerra, Arthur Rank consolida su colosal imperio cinematográfico buscando firmes conexiones comerciales en los Estados Unidos. De nada han valido las protestas de algunos pequeños productores acusando a Rank de actividades monopolistas. De la encuesta parlamentaria promovida en 1943 se desprenderá que Rank controla más de 2.000 salas de exhibición importantes, pero no sólo el gobierno no le inquietará por ello, sino que Su Majestad no tardará en concederle el título de lord.

El cine inglés afronta con optimismo su posguerra y en 1946 eleva al 40 % su proteccionista *cuota de pantalla,* que sube al 45 % en 1948. Rank prosigue su política «de prestigio» con las adaptaciones literarias de Dickens, que David Lean realiza concienzudamente en *Cadenas rotas (Great Expectations,* 1946) y *Oliver Twist (Oliver Twist,* 1947). No hay que olvidar que en la memoria de todos está el gran éxito de *Pigmalión* realizado hace unos años por Leslie Howard y Anthony Asquith, director que vuelve a ensayar la fórmula del cine-teatro con *La importancia de llamarse Ernesto (The Importance of Being Ernest,* 1952) según la obra de Oscar

Wilde. Pero las recetas del éxito no se patentan fácilmente y Rank no tardará en confesar que ha perdido dos millones de libras esterlinas con sus films de prestigio destinados al mercado americano. Se comprende fácilmente a la vista de películas tan costosas como los suntuosos ballets filmados *Las zapatillas rojas (The Red Shoes,* 1947) *y Los cuentos de Hoffman (The tales of Hoffman,* 1951), del tándem Michael Powell y Emeric Pressburger.

En el plano artístico, las experiencias más interesantes de Rank son las que realiza Laurence Olivier con textos de Shakespeare. Prosiguiendo la línea iniciada con *Enrique* V, Olivier trata de reconciliar la vieja antinomia entre lenguaje teatral y cinematográfico en un *Hamlet (Hamlet,* 1948) rodado con una cámara muy ágil, para enriquecer la dramaturgia teatral con las posibilidades técnicas de desplazamiento en el espacio y en el tiempo que son específicas del cine. Recuérdese, por ejemplo, la famosa escena en que los comediantes interpretan la pantomima que simula el asesinato del rey. La cámara se desplaza por la sala en *travellings* semicirculares en torno a los comediantes, descubriendo en primer término durante su recorrido las reacciones de los personajes que la contemplan: el terror del rey, el júbilo de Hamlet, la inquieta curiosidad de Horacio... Aunque este *Hamlet* resulta heterodoxo en el plano shakespeariano, enfatizando su aspecto psicoanalítico y subrayando el complejo de Edipo del protagonista, causa un considerable impacto y el jurado de Venecia lo prefiere a *La terra trema,* distinguiéndole con el León de Oro de la Mostra en 1948. Olivier no reanudará su discurso shakespeariano hasta siete años más tarde, con un *Ricardo III (Richard III,* 1955), en Technicolor.

De todos modos, el cine de Olivier sigue siendo un cine de minorías, un experimento artístico que no encuentra eco en los grandes públicos. El espectador medio prefiere el cine policíaco, gran tradición nacional que sigue cultivándose en ausencia de Hitchcock. *El farol azul (The Blue Lamp,* 1950), de Basil Dearden, es uno de sus mejores exponentes. Pero en este capítulo quien más alto brillará será el hábil Carol Reed, que no en vano se ha formado a la sombra de Edgar Wallace y que realiza en 1947 uno de sus mejores títulos con *Larga es la noche (Odd Man Out,* 1947), exponiendo magistralmente la caza de un delincuente (James Mason), que recuerda al inolvidable Gypo Nolan de *El delator,* pues el tema del hombre acosado (tan grato a Fritz Lang y a Hitchcock) será también uno de los predilectos de Reed. Al año siguiente se inicia su colaboración con el escritor católico Graham Greene, autor del guión de *El ídolo caído (The Fallen Idol,* 1948), minucioso y sensible estudio de la psicología infantil.

Estas películas bastarían para acreditar el valor de Carol Reed como uno de los puntales más firmes del cine inglés de posguerra. Pero con *El tercer hombre (The Third Man,* 1949), otra vez con un guión de Graham Greene, obtiene un éxito que rebasa todo pronóstico y al que no es ajena la inspirada cítara de Anton Karas. Reed ha aprovechado las lecciones del mejor cine policíaco americano y del expresionismo alemán (angulaciones enfáticas, encuadres oblicuos, claroscuros y efectos de iluminación) al situar en la Viena ocupada de posguerra esta equívoca historia de una amistad traicionada. Verdad es que Harry Lime (Orson Welles) es un monstruo de maldad, que se lucra con el tráfico de antibióticos adulterados. Pero su simpatía y su inteligente cinismo hacen de él uno de los más eficaces *bad-good-boys* que ha creado jamás el cine y que resume así su filosofía: «Italia tuvo a los Borgia y a sus crímenes al mismo tiempo que el Renacimiento y sus maravillas, mientras que en setecientos años de paz Suiza sólo ha creado el reloj de cucú.» Su amigo, en cambio, es un mediocre escritor de novelas baratas (Joseph Cotten), que sólo aceptará la culpabilidad de Harry Lime cuando las pruebas que le presente el mayor Calloway (Trevor Howard) sean abrumadoras. Luego, en la prodigiosa persecución por las laberínticas cloacas de Viena (escena que lleva la firma de Welles, colaborador oficioso en su realización), el mediocre abatirá al genio, como ocurre en tantas películas del propio Welles. Con su astuta turbiedad moral, *El tercer hombre* se incorporaba al nutrido capítulo de cine de Guerra Fría, dando una imagen detestable de los ocupantes soviéticos. Película hábil, brillante, ágil e incisiva, fue todo un compendio de la tortuosa ambigüedad moral de su realizador y de su guionista.

Un éxito mundial como el de *El tercer hombre* obliga a mucho. Y para no correr riesgos, Reed tratará de amalgamar en el Berlín de posguerra las aplaudidas fórmulas de *Larga es la noche* y de *El tercer hombre* en *Se interpone un hombre (A Man Between,* 1953), primer peldaño en el tobogán de su decadencia.

Las prestigiosas películas de Laurence Olivier y los éxitos mundiales de Carol Reed colocaron definitivamente al cine británico entre las «grandes potencias» de la cinematografía mundial. A afianzar su consolidación internacional contribuyó el brillante ciclo de comedias iniciado en 1949 por los Estudios Ealing, que desmienten rotundamente el pretendido localismo del llamado «humor británico». La serie se impuso en todo el mundo tras el éxito de *Ocho sentencias de muerte (Kind Hearts and Coronets,* 1949) de Robert Hamer, con la revelación del excelente actor Alec Guiness interpretando ocho papeles distintos (entre ellos uno de mujer) y a punto de convertirse en una de las grandes estrellas del cine europeo, gracias a sus frecuentes y afortunadas apariciones en esta serie. Charles Crichton realizó *Los apuros de un pequeño tren (Train of Events,* 1949) y *Oro en barras (The Lavender Hill Mob,* 1951), Mario Zampi firmó *Risa en el paraíso (Laughter in Paradise,* 1951) y Henry Cornelius *Genoveva (Genevieve,* 1953). Pero el más personal de todos estos directores fue el angloamericano Alexander Mackendrick, autor de *El hombre del traje blanco (The Man in the White Suit,* 1951), *La bella Maggie (The Maggie,* 1953) y *El quinteto de la muerte (The Lady Killers,* 1955).

Este brillante ciclo de éxitos comerciales se prolongó hasta 1955, fecha en que sir Michael Balcon vendió los Estudios Ealing a la televisión, cuya veloz expansión está haciendo tambalear a la industria del cine inglés. Por otra parte, Rank se ve obligado a desistir de sus intentos de penetrar en el colosal imperio norteamericano, saldando la operación con crecidas pérdidas. El momento es crítico. La muerte en 1956 de sir Alexander Korda, uno de los pilares en que se asentó el desarrollo del cine británico, adquiere el carácter simbólico de un final de etapa. A mediados de la década de los años cincuenta el cine inglés se encontraba, cara a cara, con el fantasma de la crisis.

UN ARTE UNIVERSAL

El advenimiento del cine sonoro, apoyado en las diferencias idiomáticas, había sido un enérgico estimulante para el desarrollo de los pequeños cines nacionales, diversificando los núcleos de producción y presentando batalla al monopolio de las grandes potencias. Al acabar la guerra resulta ya insostenible el equívoco de las «cinematografías menores». El Cairo, por ejemplo, con 64 películas producidas en la temporada 1945-1946, se ha convertido en la capital cinematográfica de los países de lengua árabe. La producción de Hong-Kong alcanza los 200 films en 1948 y no tardará en situarse, cuantitativamente, como la tercera potencia cinematográfica del mundo (a la zaga del Japón y la India), abastecedora del mercado del sudeste asiático. México y la Argentina se consolidan como dos activos centros de producción y Japón comienza a ampliar el perímetro de su mercado gracias a los éxitos alcanzados en los festivales internacionales, que se han convertido (especialmente los de Cannes y Venecia) en plataformas de lanzamiento de las pequeñas cinematografías nacionales, carentes de otros canales para dar a conocer su producción al mundo.

Otro factor que acentúa la internacionalización del cine después de la guerra es la proliferación de las coproducciones entre dos o más países, alianza económica nacida del vertiginoso aumento de los costos de producción y para aprovechar recíprocamente ciertas ventajas (paisajes, actores de otro país, etc.) y ensanchar además el mercado de las películas. En teoría, la coproducción supone un beneficioso intercambio de experiencias artísticas, de valores y métodos de trabajo, pero en la práctica se evidenciará que este compromiso de mercaderes abocará en muchísimos casos a una impersonal estandarización de los productos que no ponga en peligro su crecida inversión financiera.

Después de la guerra el mapa cinematográfico cambia velozmente de fisonomía, con la casi única excepción del África negra, todavía sometida al colonialismo o al neocolonialismo. Alemania, por ejemplo, se convierte en potencia de segundo plano, con sus mejores hombres desperdigados por los estudios de todo el mundo y su producción, que no es ni remota sombra de lo que fue antaño, escindida en dos núcleos: la DEFA, creada en 1946 en Alemania del Este, y la UFA en la Alemania Occidental, que en 1947 toma en sus manos Erich Pommer (súbdito americano desde 1944), por encargo de los ocupantes aliados. Al desbancamiento cinematográfico alemán corresponde, en cambio, el ascenso del cine italiano, mexicano y japonés, o el nacimiento histórico de

nuevos cines, como el de Israel, adonde acude el inglés Thorold
Dickinson con el objeto de rodar para sus hermanos de raza *Hill
24 Doesn't Answer* (1955). Gran parte de los lánguidos cines centroeuropeos, situados ahora en el campo socialista, inician una
nueva etapa histórica y al cabo de pocos años Polonia y Checoslovaquia se convierten en primerísimas potencias europeas.

Entre las más alentadoras novedades que pueden registrarse en
la Europa posbélica se halla el renacimiento de la producción nórdica. Noruega ha llamado la atención de los espectadores de la
Mostra veneciana con *El bastardo (Bastard,* 1941), rodado en La-
ponia por el sueco Gösta Stevens, y Carl Th. Dreyer retorna después de un largo silencio al cine con *Dies Irae (Vredens Dag,*
1943), prosiguiendo su patético discurso sobre la inocencia perse-
guida y martirizada que había tenido su más alta culminación en
La pasión de Juana de Arco.

En *Dies Irae,* Dreyer toma como pretexto un caso de brujería
del siglo XVII, de brujería auténtica (o, por lo menos, con la apariencia de tal la presenta Dreyer), tal vez para hacer más tajante su
condena de la intolerancia que sólo sabe custodiar la fe con ho-
gueras y suplicios, tema que dominó ya su *Blade af Satans bog.* En
un opresivo clima de rigorismo protestante se desarrolla este intenso drama de conciencias atormentadas, expuesto en imágenes
sobrias y con decorados austeramente estilizados, pero en unas
composiciones de una calidad plástica que lleva la impronta de los
grandes maestros: Rembrandt, Ribera, Caravaggio...

Ya hemos visto que el tema de la brujería es una de las obsesiones más arraigadas en el alma nórdica. Este fantasma mental es
también el punto de partida de una de las mejores producciones
suecas de este período, *Himlaspalet* [El camino del cielo] (1942),
de Alf Sjöberg, que procedente del Teatro Real de Estocolmo corrobora su fuerte personalidad con *Tortura (Hets,* 1944), con
guión de un joven todavía desconocido que se llama Ingmar Bergman, drama patológico de un sádico profesor de latín que aterro-
riza a sus alumnos y en el que se ha querido ver una parábola sobre el terror nazi. El gusto expresionista y la constante psicopática
serán también dos características de su mejor película, la excepcional adaptación del drama de Strindberg *La señorita Julia (Fröken
Julie,* 1950), con una Anita Björk prodigiosa, cediendo a la pasión

morbosa que siente por su criado, y con unas audaces transiciones de *tiempo* mediante el recurso *espacial* de los movimientos de cámara, innovador procedimiento que será copiado al año siguiente por Benedek en *La muerte de un viajante y* más tarde por otros realizadores.

El renacimiento del cine sueco se observa en un amplio frente. Un frente que va desde el notable cómico Nils Poppe a los documentalistas Arne Sücksdorff y Gösta Werner, autor éste del excelente *Taget* [El tren] (1943). La revelación de *La señorita Julia* en el festival de Cannes de 1951, conquistando la Palma de Oro, ha alertado a la crítica internacional hacia aquella cinematografía de la que apenas se tenían noticias desde los tiempos remotos de Sjöström y Stiller. Al año siguiente vuelve a producirse en Cannes una nueva conmoción con el poema sobre el amor adolescente *Hon dansade en sommar* [Ella bailó un solo verano] (1952), de Arne Mattson, aunque aquí, es justo decirlo, juega el factor del atrevimiento erótico, con el cristalino abrazo de dos cuerpos desnudos al borde del agua y que es, paradójicamente, una de las escenas más castas que ha ofrecido jamás el cine amoroso de todos los tiempos. Como contrapunto de este bello poema aparece la figura del pastor, severo, intolerante, que condena y maldice estos amores que finalizan trágicamente.

Es curiosa esta obsesión religiosa que gravita sobre una sociedad en apariencia tan laica, racionalista, opulenta, estable, higienizada y que por su aceptación del amor libre se halla ya de vuelta de todo paganismo. Pero las fábulas de brujería y el temor al infierno no sólo no han sido desterrados del alma nórdica, sino que aparecen como sus preocupaciones mayores, como se hará evidente en la obra de Ingmar Bergman, hijo de un pastor protestante que ha hecho sus primeras armas en el teatro y que va a exponer sus atormentados conflictos místicos y existencialistas en un virtuoso lenguaje tributario del expresionismo. Heidegger, Kierkegaard, Sartre y Camus están presentes en la obra de este gran artista, que debuta en 1945 pero que no comienza a adquirir consistencia hasta *Sommarlek* [Juegos de verano] (1950), *Un verano con Monika (Sommaren med Monika,* 1952) y, sobre todo, con el acongojante manifiesto pesimista de *Noche de circo (Gyclarnas afton,* 1953), una consideración casi zoológica de la condición humana y en cuyo final el payaso cuenta un sueño en que imaginó que se iba reduciendo de tamaño hasta retornar al útero materno. Este film sobre el fracaso fue también un fracaso comercial y obligó a Bergman a derivar provisionalmente hacia la comedia rosa, para retornar, después de *Sonrisas de una noche de verano (Sommarnattens Leende,* 1955), a sus reflexiones filosóficas. De su páramo desolador nacería la búsqueda y el planteamiento del interrogante religioso, aunque con torturado agnosticismo, de *El séptimo sello (Det Sjunde Inseglet,* 1956), que abre un nuevo capítulo en su obra.

De Holanda nos llegan los documentales *Spiegel van Holland* [Espejo de Holanda] (1950), que concilia el reportaje turístico y el film de arte, y *Pantha rei* [Todo fluye] (1952), poema del agua y de la tierra, firmados por Bert Haanstra. Por su parte, Joris Ivens, incansable trotamundos, rueda en Australia *Indonesia Calling* (1946), sobre la huelga que paralizó a parte de la marina de guerra holandesa que debía atacar a la Indonesia independiente, marchando luego a rodar varios documentales en los países comunistas de la Europa Oriental. En Suiza, que carece también de tradición cinematográfica, aparece la prometedora personalidad de Leopold Lindtberg (nacido en Viena), realizador de *La última oportunidad (Die letzte Chance,* 1945), mientras del impacto neorrealista nace en Grecia *Stella* (1955), del joven Michael Cacoyannis, que llegará a ser el más sólido director de su país.

En la América Latina se producen también alentadoras sorpresas. En primer lugar está el caso de México, país pionero del arte cinematográfico latinoamericano gracias al ingeniero Salvador Toscano Barragán, que con una cámara comprada a Lumière registró, desde 1897, los acontecimientos más importantes de su país, reunidos luego en *Memorias de un mexicano* (1954). El cine mexicano se afianzó a comienzos del sonoro, con películas musicales y evocaciones del folclore revolucionario: *Sobre las olas* (1932) de Miguel Zacarías y Rafael J. Sevilla, *Allá en el Rancho Grande* (1936) de Fernando de Fuentes. A pesar de su vasallaje al vecino Hollywood México cuenta con instalaciones importantes, como los estudios CLASA (1935), Azteca (1939) y Churubusco (1945), el 49 % de cuyas acciones pertenecían a la empresa norteamericana RKO. Sin embargo, las mejores imágenes cinematográficas de México han sido hasta ahora fruto de episódicas incursiones extranjeras: *¡Que viva México!, Redes* y *The Forgotten Village* (1941) de Herbert Kline, las dos últimas adscritas a la Escuela de Nueva York. Pero estimulado por las medidas proteccionistas del gobierno del general Cárdenas, el cine mexicano comienza a levantar la cabeza y en el festival de Cannes de 1946 sorprende con la fulgurante revelación de Emilio Fernández en *María Candelaria.*

Curiosa personalidad la del Indio Fernández, que a los diecinueve años era ya teniente coronel y conspirador político adicto a la causa de Adolfo de la Huerta, cuyo frustrado «pronunciamiento» le llevó a la cárcel al año siguiente, de la que logró fugarse para alcanzar California, en donde se ganó la vida como bailarín, figurante cinematográfico y actor. Con *Flor silvestre* (1943) y *María Candelaria* (1943), ambas con una Dolores del Río rescatada de Hollywood y con Pedro Armendáriz como protagonistas, Fernández se coloca como el primer realizador mexicano. Cuenta Fernández en estas películas, y en las que seguirán, con la excepcional colaboración del operador Gabriel Figueroa, cuya cámara recoge los paisajes, los tipos y los cielos de México con una vibración plástica que evoca a los grandes fresquistas nacionales Rivera, Orozco y Siqueiros. Pesa, además, la gran lección de *¡Que viva México!* y de *Redes,* cuya herencia temática y plástica aprovecha Fernández en sus obras, adscritas en un realismo poético y nacionalista, vigorosamente enraizado con la cultura indígena. Todo lo que hay de melodrama populista en sus obras (la «mala mujer» injustamente proscrita por la sociedad, el peón oprimido, el cacique feroz, la exaltación del folclore indígena) adquiere grandeza y convicción por la pulsación lírica de Fernández y por el ropaje estético, que acabará, sin embargo, por degenerar en academicismo puro y simple. Pero antes de que esto suceda, Fernández nos ha ofrecido obras tan intensas como *La perla* (1946), según Steinbeck, *Enamorada* (1946), *Pueblerina* (1948) y *La red* (1953), que es el punto final de su gran carrera o, si se quiere, su primera renuncia, vendiendo la libertad de su inspiración a cambio de la transparente camiseta de Rossana Podestà en el papel más erótico de su carrera.

Pero además de contar con Fernández y con algunos de los mejores operadores del mundo (como Gabriel Figueroa y Alex

363

Phillips), el cine mexicano ha dado actores de vasta aceptación popular, como el cómico Mario Moreno *Cantinflas,* ídolo de los países de habla hispana tras el éxito de *Ahí está el detalle* (1940), o María Félix, *vamp* mexicana de apasionada frialdad descubierta por Miguel Zacarías en *El peñón de las ánimas* (1942), así como Pedro Armendáriz, Dolores del Río, el actor y cantante Jorge Negrete y Aturo de Córdova, los actores más cotizados de América Latina, con cuya popularidad sólo puede medirse el cómico argentino Luis Sandrini y su compatriota Hugo del Carril, cantante, actor y director, que realiza su mejor película con el drama social *El infierno verde* (o *Las aguas bajan turbias,* 1952), rodado en la selva del alto Paraná.

En 1950 la producción mexicana alcanza los 121 films y la argentina 57. En este año se produce también la sensacional reaparición en México de Luis Buñuel con *Los olvidados* (1950), tras un largo y estéril vagabundeo por los Estados Unidos desde el final de la guerra civil española, ocupándose en menesteres cinematográficos subalternos. *Los olvidados* es un grito desgarrador ante el problema de la infancia miserable y delincuente que florece como planta venenosa en el asfalto de las grandes ciudades, y una constatación de la inutilidad de la pedagogía de los buenos sentimientos para resolver tal problema, en abierta oposición a la moraleja optimista del film soviético *El camino de la vida.* La crueldad de sus imágenes procede en línea recta de *Tierra sin pan,* aunque no faltan aquí las anotaciones surrealistas, como el angustioso sueño de Pedro o la obsesiva presencia de unos gallos alucinantes de pura estirpe surrealista a lo largo de la película. Que Buñuel no ha roto con el surrealismo se hace evidente en *Subida al cielo* (1951), que vuelve a triunfar en Cannes con el premio «al mejor film de vanguardia». Luego Buñuel prosigue su línea inconformista, saludablemente perturbadora y personalísima, con *El bruto* (1952), *Robinson Crusoe* (1952), que estudió con ojo de entomólogo la soledad del hombre amputado de la sociedad, el extraordinario examen de un caso de paranoia en *Él* (1952) y *Ensayo de un crimen* (1955), comedia surrealista que es una réplica irónica al ciclo psicoanalítico de Hollywood (la conversión del impulso erótico en ansia homicida) y uno de sus films más fascinantes.

Otro exiliado español que enriquece el cine mexicano es Carlos Velo, que procede del campo del documental y colabora en la realización de *Raíces* (1955), de Benito Alazraki, film compuesto por cuatro episodios indigenistas de Agustín Rojas González, antes de realizar con *Torero* (1956), interpretado por Luis Procuna y su familia, una violenta desmitificación de la fiesta taurina, poniendo al desnudo el pavor del torero y viendo en el público a la auténtica fiera de este sangriento rito pagano. Son, ambas, producciones independientes promovidas por el inquieto Manuel Barbachano Ponce, responsable también del *Nazarín* de Buñuel.

El cine brasileño también alcanza su mayoría de edad en esta época con el triunfo en Cannes de *Cangaceiro (O Cangaçeiro,* 1953), de Lima Barreto, sobre las actividades de los *cangaçeiros,* típicos bandoleros del nordeste del Brasil, vistos con romántica admiración por este cine joven y elemental, en el que al igual que en *Raíces* su tosco pero vibrante primitivismo no es defecto sino virtud. O, más bien, condición peculiar de toda épica primitiva, extinguida definitivamente en las culturas occidentales, y que por ello ejerce sobre nosotros tan gran fascinación.

Canadá, que era otro país cinematográficamente estéril, ha cobijado desde 1941 al dibujante inglés Norman McLaren, discípulo de Len Lye que con inagotable espíritu de búsqueda va a ensanchar hasta límites insospechados el campo del cine de animación. Sus revolucionarios experimentos dibujando con paciencia las imágenes directamente sobre la película, e incluso la banda sonora *(sonido sintético),* causan sensación. *Blinkity Blank* (1954) es, en este sentido, un prodigio de ingenio creador, aplicado a las dislocadas peripecias de dos gallináceas. Pero McLaren, incansable, experimenta el cine de animación con actores reales, pinturas al pastel, siluetas, guarismos, formas abstractas, objetos y hasta figuras estereoscópicas, como hace en sus películas tridimensionales *Now Is the Time* (1951) y *Around Is Around* (1951).

El cine japonés, como el italiano, produjo su gran eclosión artística después del final de la guerra. Los años anteriores habían sido muy duros para el cine nipón y para su arte en general. La censura militar había prohibido cualquier película que tratase «de la bondad individual, de la libertad o que hiciese un elogio del amor». Las autoridades militares pedían films «edificantes», entendiendo con ello que debían «tratar de la guerra, del Asia libre, del odio a los anglosajones y de la victoria próxima». Cuando los norteamericanos ocuparon el país, dictaron disposiciones que prohibían «todos los films que exalten el feudalismo, el amor a la guerra y a las batallas, el nacionalismo, el militarismo y el culto a la venganza». Destruyeron además todas las películas que trataban de estos temas, lo que redujo las existencias del cine japonés en un 25 %. Esta medida negativa fue completada con la consigna de la democratización de la vida japonesa a través de la escuela del cine, con el poco afortunado eslogan «El cine americano es la cultura». El cine americano, sin embargo, hizo furor, aunque la censura trató de limar algo los films de violencia (como *Fort Apache,* de Ford, que fue prohibido), dictaminando que la pistola era un «arma que exalta el amor a las batallas, al igual que los sables de los samuráis». Esta operación de «a la democracia por el cine» no fue demasiado afortunada. Como escribe un historiador del cine japonés, se trataba de «películas de nivel muy bajo, que enseñaban la democracia por medio del erotismo, de novelas policíacas de baja estofa y de toda clase de licencias».

Calcando el modelo capitalista americano, el cine nipón se estructuró sobre cinco poderosas compañías (Schochiku, Toho, Daiei, Toei y Nikkatsu) y, también como en Norteamérica, la producción más avanzada estuvo financiada por grupos independientes, e incluso por los sindicatos obreros, estimulada especialmente por las violentas huegas que de 1946 a 1949 agitaron la industria del cine japonés. Hacia 1950 se inició su auténtica «edad de oro», abierta con su clamoroso «descubrimiento» en Venecia gracias a *Rashomon (Rashomon,* 1950) de Akira Kurosawa. *Rashomon* cayó como una bomba en las plácidas aguas del Lido, porque su perfección técnica y su densidad psicológica sólo podían proceder de una industria altamente desarrollada y de un creador de gran madurez artística.

En efecto, el Japón había producido en este año 215 films, casi tantos como la producción de Italia, Inglaterra y Alemania sumadas, y su autor Akira Kurosawa (o Kurosawa Akira, a la manera japonesa) había estudiado Bellas Artes, estaba empapado de la mejor literatura mundial (con predilección por los clásicos rusos) y trabajaba en la industria del cine desde 1936. Su pirandeliano *Rashomon,* conducido con mano maestra, plantea (como *Ciudadano*

Kane) el problema del egoísmo y del subjetivismo de los hombres, a través de las diferentes versiones que narran las personas que han participado en un suceso sangriento, del que ha resultado un hombre muerto y su mujer violada. Con su torbellino de semiverdades y de mentiras, este relato medieval estuvo modulado por una tensión que aunaba la furia expresiva del gran cine soviético y la ferocidad del cine americano de violencia.

Kurosawa, cineasta de aliento poderoso, cuyos rugidos no excluyen un alto registro lírico, de impetuosidad expresiva y de sutilezas psicológicas, es autor de una obra abundante y variada, pero inspirada siempre por un generoso aliento humanista. Al cine policíaco-psicológico pertenece *Nora inu* [El perro rabioso] (1949), recurre a su dilecto Dostoievski para rodar *Hakuchi* [El idiota] (1951), en *Ikiru* [Vivir] (1952) enfrenta a un viejo funcionario con el fantasma de su enfermedad fatal y realiza una espléndida película de aventuras medievales con *Los siete samuráis (Shishinin no Samurai,* 1954), especie de *western* nipón que ofrece una visión crítica de la actividad samurái.

Kurosawa es, en su concepción artística, un cineasta «occidentalizado», mientras Kenji Mizoguchi (el otro «grande» del cine japonés, fallecido en 1956) otorga una genuina impronta oriental, preciosista y refinada, a sus evocaciones históricas o legendarias. Recordemos tan sólo, de su última etapa: *Saikaku ichidai Onna* [Vida de Oharu, mujer galante] (1952), *Ugestsu Monogatari* [Cuentos de la luna pálida de agosto] (1953) y *Yokihi* [La emperatriz Yang-Kwei-Fei] (1955).

La riqueza y variedad del cine japonés, con artistas tan grandes como Yasujiro Ozu, Satsuo Yamamoto, Kon Ichikawa y Masaki Kobayashi, que abordan con igual maestría temas contemporáneos *(Gendaijeki)* que evocaciones pretéritas *(Jidaijeki),* le ha convertido en uno de los primeros del mundo. Algunos de sus temas (como el martirio atómico de Hiroshima) han aparecido con significativa regularidad en sus películas –véase *Genbaku no ko* [Los niños de Hiroshima] (1953) de Kaneto Shindo– y a partir de *Godzila (Godzila,* 1954), de I. Honda, se integra en la ciencia ficción, con parábolas apocalípticas de monstruos terribles que amenazan con destruir al género humano.

A diferencia del denso, variado y complejo cine japonés, el

cine indio (289 películas en 1949) se mueve sobre bases mucho más rudimentarias. Del bajísimo nivel cultural del país deriva su estereotipia y raquitismo artístico, con temas mitológicos, históricos y religiosos, salpicados de canciones y danzas, como en los viejos dramas rituales. La gran diversidad idiomática y el abrumador índice de analfabetismo (82,1 % en 1951) impiden los subtítulos, obligan a doblajes múltiples de cada película y explican la existencia de focos de producción diferenciados por el idioma (Bombay, Calcuta, Madrás, etc.). Cine técnicamente tosco y estéticamente deleznable, apuntalado en primarias fórmulas melodramáticas, la envergadura de su volumen no se corresponde con una importancia cualitativa. La formación de técnicos cinematográficos en el extranjero y el impacto neorrealista pudieron hacer concebir esperanzas a la vista de *Do bigha zamin* [Dos hectáreas de tierra] (1952), producida y dirigida por Bimal Roy, y que algunos críticos demasiado benevolentes han comparado a *Ladrón de bicicletas*. Hay en la película, no puede negarse, una honesta voluntad de testimonio social, a través de las penalidades de un campesino arruinado que emigra a Calcuta con su familia, imagen verdadera de la atroz miseria que azota a este gigantesco hormiguero humano, documento cruel del subdesarrollo de un país, de cuyas bajísimas condiciones vitales y culturales es imposible esperar, hoy por hoy, el nacimiento de un arte pujante.

La revelación de Stayajit Ray en el festival de Cannes de 1956 con *Pather Panchali* (1952-1955), demostró que aquel inmenso país contaba, al menos, con un creador de gran talla, si bien es verdad que *Pather Panchali* [El lamento del sendero] se rodó al margen de la industria, con medios muy precarios, y fue concluida gracias al apoyo económico del gobierno de Bengala Occidental. *Pather Panchali* narraba la historia de una familia pobre de una aldea de Bengala, que decide emigrar a Benarés, la ciudad sagrada, y su patética odisea fue completada con *Aparajito* [El invencible] (1957), que conquistó el León de Oro de Venecia, y *Apu Sansar* [El mundo de Apu] (1959). El intenso realismo poético de esta bella y conmovedora trilogía hacen de Stayajit Ray (que reconoce como maestros suyos a Renoir, De Sica, Eisenstein y Flaherty) un ave solitaria que tal vez anuncie un cambio de rumbo en el futuro del cine indio.

EL CINE CONTEMPORÁNEO

SITUACIÓN GENERAL

«No me sorprendería –escribió Bernard Shaw en 1915– si el cinematógrafo y el fonógrafo resultan los inventos más revolucionarios desde el advenimiento de la escritura y la imprenta; es más, aún más revolucionarios que ambas, ya que el número de los que saben leer es reducido, más reducido aún el de aquellos que entienden lo que leen y muchísimo más el de los que al terminar el día no se hallan demasiado fatigados para leer sin caer dormidos.»

Hoy podemos ya medir toda la verdad que contiene este presagio con aire de chanza. El cine se ha convertido en el principal (e incluso el único) alimento espiritual de vastos sectores de la humanidad, con la abrumadora responsabilidad social que esto entraña, pues en manos de las gentes del cine está el contribuir a configurar de un modo o de otro las formas del pensamiento, los hábitos y las creencias de millones de personas. El cine es un arte universal y un arte de masas. Es, con la televisión, el portavoz de los mitos y de las emociones más intensas que conmueven a las grandes multitudes del mundo actual, galvanizadas por una tierna mirada de James Dean, un pícaro mohín de Brigitte Bardot o un preciso golpe de kárate de James Bond. Nadie ignora este hecho, pero todos sabemos hasta qué punto se malversa el tremendo potencial de este arte que ha alcanzado ya la definitiva madurez expresiva y que, en la década de los años cincuenta, ha conocido su última revolución técnica.

Al igual que ocurrió con el cine sonoro, ha sido un reto de naturaleza económica el que ha impuesto las más recientes transformaciones técnicas a la industria del cine. El veloz desarrollo de la televisión en los Estados Unidos hizo que éste fuese el primer país del mundo que tuviera que idear nuevas armas para luchar contra aquel espectáculo casero que le robaba sus clientes a pasos de gigante. La primera de estas armas fue el cine en relieve, que, actualizando un procedimiento de fotografía estereoscópica ingeniado en el siglo anterior y aplicado ya al cine por Lumière y por la Metro-Goldwyn-Mayer en 1935, fue lanzado a bombo y platillos en *Bwana, el diablo de la selva (Bwana, the Devil,* 1952), de Arch Oboler, que superponía dos imágenes sobre la pantalla (correspondientes al punto de vista de cada ojo) y obligaba a los espectadores a utilizar durante la proyección unas gafas con vidrios polarizados, que seleccionaban una imagen para cada ojo, restituyendo así el mecanismo de la visión binocular, que es el fundamento de la percepción tridimensional. Pero la moda del film estereoscópico fue breve (1953-1954), por la incomodidad y fatiga que causaban aquellas gafas al espectador y por el exorbitante precio que el monopolio norteamericano Polaroid Co., estableció para cederlas.

Pero al mismo tiempo que los diarios insertaban anuncios del tipo «un león sobre sus rodillas» o «las más ardientes escenas de amor en 3-D», se iniciaba la era de las macropantallas con *Esto es Cinerama (This is Cinerama,* 1952), sistema presentado en el Broadway Theatre de Nueva York el 30 de septiembre de 1952, que utilizaba tres películas contiguas y sincrónicas con fotogramas de 25,02 × 27,64 mm, para cubrir un ángulo de visión de 146° en horizontal y 55° en vertical, proyectando sus imágenes a la cadencia de 26 por segundo, sobre una gigantesca pantalla cóncava, de proporción entre lados 1/2,06. Este procedimiento era una puesta al día del célebre *Tríptico* que utilizó Abel Gance en su *Napoleón* de 1926, debida a Fred Waller, antiguo jefe de efectos fotográficos especiales de la Paramount, que incorporó también el *sonido estereofónico,* perfeccionado por Hazard Reeves. Las posibilidades gigantomáquicas del Cinerama (utilizado durante la guerra para entrenar a los pilotos de caza) se agotaron en documentales que ofrecían escenas paisajistas y vistas aéreas. Hasta 1962 no se produjo la primera película de ficción dramática en Cinerama, que fue *La conquista del Oeste (How the West Was Won),* pero al año siguiente –por razones económicas y de orden técnico– el sistema de triple película desaparecía y *El mundo está loco, loco, loco (It's a*

Mad, Mad, Mad World) de Stanley Kramer se rodaba ya sobre una película única, pero de 70 mm de anchura, doble de la normal, lo que redujo su ángulo visual horizontal a 120°.

La difusión del Cinerama estuvo frenada por la complejidad y elevado coste de instalación de las nuevas salas. Pero el interés suscitado por el procedimiento sugirió a la 20th Century Fox la posibilidad de disponer de un sistema que, obteniendo parecidos resultados en lo tocante a espectacularidad, fuese más simple y menos costoso. Rebuscando en el desván de los viejos inventos, apareció el objetivo anamórfico *hypergonar,* ideado en 1925 por el técnico francés Henri Chrétien, que permitía la «compresión» óptica de las imágenes durante la toma de vistas. La Fox compró al profesor Chrétien los procedimientos de fabricación de estos objetivos y así pudo nacer el Cinemascope, que proyectaba las imágenes «descomprimidas» sobre una pantalla panorámica cóncava de proporción 1/2,55, en vez de 1/1,33 del formato clásico, adoptado por razones de tradición teatral y pictórica. La película que inauguró este procedimiento fue *La túnica sagrada (The Robe,* 1953), de Henry Koster, cuyo éxito no sólo inauguró la era del Cinemascope Fox, sino que dio lugar a muchas otras variantes de proyección panorámica, que trataban de aprovechar al máximo el área de «visión periférica» del espectador (que en el hombre es de unos 165°), «sumergiéndolo» sensorialmente en la imagen.

Dispuesta a dar la batalla a la pequeña pantalla del televisor con las armas de la espectacularidad y la novedad, la industria del cine se sacó de la manga un abanico de procedimientos, bautizados con presuntuosos nombres grecolatinos. Algunos de ellos, como el Vistavisión de la Paramount (que al utilizar una imagen negativa de tamaño 24 × 36 mm, doble de la normal, mejoraba la definición de las imágenes), tuvieron vida efímera. Otros, como el Aromarama u Odorama (cine oloroso) del millonario y *playboy* Mike Todd, o el Circarama (pantalla circular de 360°) de Walt Disney, murieron apenas nacidos. El Cinemascope, en cambio, se consolidó entre el público, al igual que los procedimientos basados en una película de 70 mm de anchura, que en su forma original (el Todd-AO, es decir, Mike Todd Productions-American Optical) fue ideado por Brian O'Brien y utilizado por vez primera para rodar la opereta *Oklahoma (Oklahoma,* 1955), dirigida por

Fred Zinnemann. El formato de 70 mm, que ha acabado por imponerse definitivamente en el cine espectacular, utiliza fotogramas de 22 × 48,59 mm, con cinco pares de perforaciones laterales.

Al igual que había ocurrido al aparecer el sonido y al difundirse más tarde el cine en color, se produjo una erupción de críticas hacia los nuevos procedimientos que, además de su inmadurez técnica, se utilizaban en función del pueril papanatismo con que suele recibirse toda novedad técnica. Si ayer fueron las revistas, operetas y el teatro filmado, ahora tocaba padecer una avalancha interminable de ejércitos de figurantes disfrazados de legionarios romanos y escenas de batallas en las que los caballos podían correr a placer por la ancha superficie de la pantalla. Se dijo, con razón, que grandiosidad no es sinónimo de calidad (cosa que ya sabíamos desde los tiempos de Abel Gance) y la polémica en torno a los formatos dominó casi toda la década 1950-1960, girando en torno a sus aspectos industrial y estético.

Considerado desde el ángulo industrial, las macropantallas significaban un elemento de alta espectacularidad destinado a restablecer parcialmente la menguada frecuentación cinematográfica, pero también cerraron el capítulo de la universal uniformidad técnica del cine, con procedimientos que a veces obligan a costosas reformas de las salas de proyección. Desde el plano estético, se reavivó una polémica ya vieja y que en 1931 llevó a Eisenstein a pronunciarse por el formato neutro (o cuadrado), aunque con la posibilidad de variar sus proporciones de acuerdo con las necesidades expresivas de cada escena, como había hecho ya con cierta tosquedad Griffith, al oscurecer ocasionalmente determinadas partes del fotograma para alterar su proporción útil.

Era evidente que el formato panorámico favorecía las composiciones de dominante horizontal (paisajes, escenas de masas), pero se le achacó que restaba intimidad a las escenas que la requerían y que sus proporciones hacían difícil el uso del primer plano (en especial del rostro humano), cuyo fundamento reside menos en el tamaño ampliado que en el aislamiento de su entorno. Pero en 1955 aparecieron dos películas, *Lola Montes* de Max Ophüls y *Al este del Edén (East of Eden,* 1955) de Elia Kazan, que demostraron la flexibilidad de los formatos panorámicos al neutralizar con sombras u objetos los bordes laterales de la gran pantalla, para modificar su proporción de modo análogo (aunque más sutil) al recurso utilizado por Griffith.

El Cinemascope, las pantallas panorámicas y la película de 70 mm (con formatos de proporción en torno a 1/2, en contraste con el 1/1,33 tradicional), se fueron liberando de las exigencias pueriles de sus primeros años y entonces algunos teóricos señalaron que este ensanchamiento del panorama visual era un elemento acorde con la evolución general de la estética del cine moderno, destinado (al igual que el plano-secuencia) a dar mayor cohesión y continuidad espacial a la narración, en contraste con la gran fragmentación del espacio en el viejo cine-montaje. La quiebra de la uniformidad técnica, por otra parte, fue elogiada como una saludable diversificación que ampliaba la gama de posibilidades técnicas del artista, de acuerdo con sus exigencias expresivas.

La política de las grandes empresas fue la de reducir el volumen de su producción, pero aumentar en cambio su espectacularidad y costo, utilizando el color, las macropantallas, repartos de grandes estrellas y colosales reconstrucciones históricas. Era, justamente, ofrecer al espectador aquello que no podía contemplar en la micropantalla blanca-negra de su televisor. Si a lo largo de la historia del cine cada conquista técnica (sonido, color) había tenido como consecuencia un alza notable de los costos de producción, ahora el fenómeno revestía proporciones astronómicas a consecuencia de sobreañadirse la fiebre monumentalista de los «films-mamut».

Esta desbocada carrera de cifras ha tenido como consecuencia la proliferación de las coproducciones internacionales, bipartitas o tripartitas, buscando los productores países dotados de buen clima para el rodaje de exteriores y con niveles de precios relativamente bajos para abaratar la producción. En los años cincuenta la plana mayor de Hollywood se desplazó a Roma e invadió los estudios de Cinecittà para rodar sus grandes espectáculos, beneficiando con ello a algunos sectores de la industria italiana. En los gigantescos decorados que hizo levantar Mervyn Le Roy para su *¿Quo Vadis?* *(Quo Vadis?,* 1950), Mario Soldati rodó la parodia *Okey Nerón (O.K. Nerone,* 1951). Pero la alegría duró poco, porque la avalancha americana hizo que los precios subieran en pocos años como la espuma, y los *producers co*menzaron a buscar nuevos horizontes vírgenes, dirigiendo sus miradas hacia Yugoslavia y España, en donde Samuel Bronston, agente del gigantesco monopolio Dupont de Nemours, estableció su cuartel general en 1959 (aunque su aventura financiera concluyó en una espectacular suspensión de pagos en 1964).

Estas premisas explican que en los últimos veinte años, mientras nacían o renacían con vigor los pequeños cines nacionales (Suecia, Brasil, Polonia, México, Cuba), la producción de las grandes potencias haya tendido a bifurcarse cada vez más acusadamente en dos direcciones: los mastodontes superespectaculares con aparatosas escenografías y largos repartos estelares, destinados a atraer a grandes masas de público con su anzuelo sensacionalista y con algo que el pequeño televisor no puede ofrecer, y en el extremo opuesto el llamado «cine de autor», realizado con presupuestos relativamente bajos y con independencia creadora. Entre el «cine de productor» y el «cine de autor» se ha ido haciendo cada día más patente el vacío, al irse eliminando lo que antaño llamábamos «producción media», que cada vez parece más carente de sentido. Esta doble especialización de la producción mundial, siguiendo imperativos industriales por un lado y artísticos por el otro, explica la aparición de los movimientos de cine independiente, de «cine de autor», que surgen en diversos países por estos años, como la *nouvelle vague* francesa, el *Free Cinema* inglés, el *New American Cinema Group* de Nueva York, y el *Cinema Nôvo* de Brasil, que por trabajar con medios casi artesanales y pequeños presupuestos pueden permitirse el lujo de la libre experimentación creadora, contando con la amortización de sus productos gracias a su explotación en cine-clubs, salas de ensayo, filmotecas, festivales y circuitos no comerciales.

Es evidente que el cine ha salido ganando con todo ello. Jamás fue tan rica y variada como hoy la producción, ni se han abordado problemas tan complejos ni ambiciosos, contando con el apoyo de esa «inmensa minoría» de amantes del cine de todo el mundo. El cine se aplicó al planteamiento de problemas teológicos y metafísicos (Ingmar Bergman), a la investigación sociológica (Francesco Rosi, el *cinéma-vérité* francés), al sutil análisis existencial (Michelangelo Antonioni), al replanteamiento de la ontología cinematográfica (Alain Resnais) o a la expresión de nuevas poéticas de carácter acentuadamente político (Bernardo Bertolucci, Glauber Rocha). También su lenguaje se ha enriquecido a pasos agigantados y su escritura formal ha conquistado una mayor libertad, porque una buena parte del público ha aprendido a «leer» los films difíciles y los recompensa con sus aplausos. La madurez del lenguaje y de la problemática de una parte del cine moderno ha quebrado los últimos resquicios de escepticismo que pudieran quedar sobre su antaño discutida nobleza artística y sobre su importancia cultural. Escritores, filósofos, pedagogos y sociólogos han comenzado a tomarse muy en serio el cine considerándolo, no ya a guisa de tópico, como el auténtico arte del siglo XX.

Esta riqueza y diversidad del cine contemporáneo, del cine que estamos viendo hoy, hace difícil apresarlo en un balance esquemático que, forzosamente, tiene que ser provisional y contingente. Veamos, de todos modos, cuáles son las grandes líneas de fuerza que han movido al cine de las dos últimas décadas.

TRANSFORMACIÓN DEL CINE AMERICANO

Hollywood tenía buenas razones para inquietarse seriamente. Los 4.680 millones de espectadores de 1947 habían descendido a 2.470 millones en 1956, a pesar del crecimiento demográfico del país. Este voluminoso déficit de clientes había sido absorbido por otras formas de esparcimiento: motorización, camping, discomanía y, sobre todo, por la pequeña imagen del televisor. Faltas de público, muchas salas de cine cerraron sus puertas, la poderosa RKO, dirigida con alegre despreocupación por el multimillonario Howard Hughes, desapareció en 1957 y actores tan populares como Bob Hope, Greer Garson, Lucille Ball, Maureen O'Hara (malparada tras el escándalo de la revista *Confidential)* y Robert Montgomery abandonaron la gran pantalla, contratados por las cadenas de televisión.

Las grandes compañías reaccionaron con energía ante este descalabro de sus posiciones al tiempo que lanzaban con angustia el eslogan «¡Las películas son hoy mejores que nunca!», jugaban a la desesperada la carta del cine en relieve, las macropantallas, los *drive-in* (cine-aparcamientos: 100 en 1946, 4.700 en 1960) y las superproducciones con larga retahíla de estrellas. Los temas de la Biblia y de la Historia fueron saqueados sin ningún respeto por los guionistas de Hollywood y en los estudios se alzaron gigantescas reconstrucciones, por las que pululaban actores y figurantes disfrazados de gladiadores, apóstoles, monarcas, cortesanas o esclavos. Como contrapartida, la producción de Hollywood decayó de 404 películas en 1947 a 232 en 1954.

Para agravar la situación de los productores, la implantación de la semana laboral de cinco días hizo subir desde 1955 los costos de producción en un 20 %. *Los diez mandamientos,* de DeMille, costó la friolera de 13.500.000 dólares y el *Ben-Hur (Ben-Hur,* 1959) de William Wyler, rodado en Italia, alcanzó los once millones. En su publicidad, la Metro anunció con orgullo que los kilómetros de película impresionada en su rodaje darían la vuelta al mundo sesenta veces.

Las pequeñas productoras, incapaces de competir en el terreno del colosalismo, buscaron atraer al público con temas polémicos. Una personalidad típica de este período fue la del productor independiente Stanley Kramer, responsable de obras tan ambiciosas como *El ídolo de barro, Hombres, Solo ante el peligro* y *La muerte de un viajante.* La Escuela de Nueva York se apuntó un importante éxito comercial con *El pequeño fugitivo (The Little Fugitive,* 1953), de Morris Engel, Ray Ashley y Ruth Orkin, rodada con un presupuesto bajísimo. Algunas productoras independientes pensaron que podrían convertir en beneficio propio los éxitos de la televisión, adaptando a la pantalla grande algunos seriales que habían sido éxitos resonantes en la telepantalla. Y pensaron también que para adaptarlos nadie mejor que los mismos hombres que los habían dirigido en la televisión, que gozaban de la reputación de trabajar con rapidez y economía.

Así surgieron películas como *Marty (Marty,* 1955), de Delbert Mann, que en blanco y negro y sin estrellas, con muy pequeño presupuesto, conquistó para su país en plena era de la superproducción la Palma de Oro en Cannes. Como en toda obra de televisión, una buena parte del mérito corresponde a su guionista, que es Paddy Chayefsky, autor de numerosos retratos veraces de la auténtica América, que tan avara es en dejarse fotografiar sin adornos ni maquillajes. *Marty* es la crónica prosaica del amor entre un tosco carnicero (Ernest Borgnine) y una tímida institutriz (Betsy Blair). Los personajes son justamente lo contrario de los «héroes» creados por la mitología de Hollywood y sus escenarios son los lugares populares del Bronx neoyorquino, llenos de gentes vulgares, tan vulgares como los protagonistas de la película. Esta «otra América», que es la América que conocemos gracias a Sinclair Lewis o Arthur Miller y no a través de las superproducciones de Hollywood, reapareció en *La noche de los maridos* (*The Bachelor Party*, 1957), también de Delbert Mann-Paddy Chayefsky, tristísima fiesta de despedida de soltero, que es una angustiosa radiografía de la soledad y frustración del americano medio y un curioso documento de la homosexualidad latente en las «juergas de hombres».

Se esperaba mucho de esta «generación de la televisión», formada por Delbert Mann, Martin Ritt, John Frankenheimer y Sidney Lumet, que se incorporó al cine en 1956-1957. El grupo tuvo unos inicios prometedores con películas como *Donde la ciudad termina* (*A Man Is Ten Feet Tall*, 1957), que intenta ser una réplica a *La ley del silencio* de Kazan, *Más fuerte que la vida* (*No Down Payment*, 1957), crítica del *American way of life*, ambas de Martin Ritt, y el intenso teledrama *Doce hombres sin piedad* (*Twelve Angry Men*, 1957), en donde Sidney Lumet explora a una heterogénea microcomunidad enjaulando su cámara en la sala de deliberaciones de un jurado, de la que no saldrá en hora y media de película, para exponer la necesidad del diálogo democrático en la búsqueda de la verdad. Posteriormente, sin embargo, la «generación de la televisión» cedió a las tentaciones y presiones comerciales, para ingresar sus componentes dócilmente en el redil de los artesanos del montón, dispuestos a rodar lo que les encarguen.

Uno de los flancos por los que el cine americano se sintió atacado fue por la penetración y aceptación del cine europeo en su propio país, que comienza a registrarse por estos años. La producción francesa, italiana o sueca, que responde a criterios intelectualmente más adultos y cuya franqueza erótica es mucho mayor, comienza a interesar a sectores del público relativamente amplios. No son sólo, entiéndase bien, los escotes de la Pampanini o la atractiva grupa de la Bardot (aunque estos argumentos anatómicos también pesen lo suyo), sino las películas de Fellini, de Bergman o de Truffaut, que cada vez encuentran mayor eco, especialmente en las grandes ciudades. Por eso una parte de la producción de Hollywood decide «intelectualizarse», utilizando como estrellas los nombres de sus escritores más cotizados, de preferencia especialistas en problemas sexuales y conflictos morbosos. Tennessee Williams, ducho en dramas de degradación femenina, se llevará la palma: *The Rose Tattoo* (1954) de Daniel Mann, *Baby Doll* (1956) de Elia Kazan, anatemizada por el cardenal Spellman desde su púlpito, *Piel de serpiente (The Fugitive Kind,* 1960) de Sidney Lumet, *La gata sobre el tejado de zinc (Cat on a Hot Tin Roof,* 1958), *Dulce pájaro de juventud (Sweet Bird of Youth,* 1962) de Richard Brooks, y *La noche de la iguana (Night of the Iguana,* 1964) de John Huston. Martin Ritt elige a William Faulkner, al que adapta en *El largo y cálido verano (The Long Hot Summer,* 1957) y *El ruido y la furia (The Sound and the Fury,* 1958), y Anthony Mann lleva a la pantalla *God's Little Acre* (1958) de Erskine Caldwell. Dramas «fuertes» siempre, de esos que las damas respetables juzgan *shocking,* y que suelen representar al cine americano en los festivales europeos, en calidad de «producción de prestigio».

Esta tendencia no puede disociarse de la lucha de algunos productores y directores contra el Código de mister Hays, quien muere en 1954 a los setenta y cinco años de edad. En este año la Breen Office, organismo que vela por el cumplimiento del Código, sufrió un serio revés al negarse la RKO a pagar la multa impuesta a causa de su película *The French Line* (1953), de Lloyd Bacon, con una impúdica Jane Russell exhibiéndose en 3-D. Porque para combatir a la televisión y competir con las audacias del cine europeo es menester vestir al cine americano de largo y desvestir un poco más a sus actrices. De todos modos, quien más lejos irá en esta batalla contra la omnipotente MPAA y su dichoso Código será el astuto vienés Otto Preminger, especialista en asuntos «fuertes» y en encontronazos con la censura. Ya en 1947 se había puesto las botas con la adaptación del *best-seller* escabroso *Ambiciosa (Forever Amber)* de Kathleen Windsor, con Linda Darnell. En 1953 rueda la pieza *The Moon is Blue* de F. Hugh Herbert, a la que la MPAA le niega el visado de censura por juzgarla inmoral. Preminger lleva el asunto a los tribunales y, a trancas y barrancas, consigue que la medida sea declarada anticonstitucional y que, sin un solo corte, *The Moon is Blue* sea el primer film exhibido en todo el país sin visado de la MPAA. Grave derrota para el Código e importante precedente para el futuro del cine americano. En 1955 Preminger repite la proeza con *El hombre del brazo de oro (The Man with the Golden Arm)*, primera película americana que se atreve a abordar un tema tabú, prohibido expresamente por el Código, el de las drogas y la toxicomanía (aunque coronó la historia con un final feliz en el que Frank Sinatra se libra del vicio para satisfacción de Kim Novak), y en 1959 tendrá que volver a batallar para que sea levantado el boicot a su film *Anatomía de un asesinato (Anatomy of a Murder)*. La cúspide comercial de la carrera de Preminger se situó con el film de propaganda sionista *Éxodo (Exodus, 1960)*, adaptando la novela de Leon Uris, seguido del interesante film de política-ficción *Tempestad sobre Washington (Advise and Consent, 1962)* y de *El cardenal (The Cardinal, 1963)*, según la novela de Henry Morton Robinson y rodada oportunamente en los días del Concilio Vaticano II. Su prestigio tendió a diluirse en los años siguientes, debido en parte a las cotas de mayor permisividad y agresividad moral de la producción norteamericana al avanzar los años sesenta, pero recuperó su incisividad con el implacable *Such Good Frieds* (1971), visión demoledora de ciertos aspectos de la vida norteamericana.

El resultado de estas escaramuzas es que primero en 1956, enterrado ya el «zar del cine», y luego en 1966, se lleven a cabo dos revisiones «liberalizadoras» del articulado del Código, tratando de sincronizarlo, aunque siempre con retraso, a la hora europea. En la importante revisión de 1966, «para adecuar (el Código) a las costumbres, cultura y sentido moral de nuestra sociedad» desaparece todo el barroco articulado de mister Hays, sustituido por una serie de consejos generales, entre los que figura la tolerancia del desnudo. Esta evolución general ha ido acompañada de una acentuada transformación de los grandes mitos populares que el cine y la literatura catapultan a la sociedad americana. Parece increíble que sólo nos separe un cuarto de siglo de la muerte de Valentino a la vista de los nuevos arquetipos eróticos que consume ahora la cultura de masas. El hombre que ahora interesa es introvertido, complejo y atormentado, no a la manera mítica o patológica de Erich von Stroheim o incluso de Humphrey Bogart o de Richard Widmark, sino como producto del medio social, de la incomprensión familiar o de situaciones conflictivas padecidas en la infancia.

El nuevo Olimpo tiene como huéspedes a jóvenes incomprendidos, huraños, tiernos y coléricos de la talla de John Garfield (que ha abierto la senda), Marlon Brando, James Dean y Anthony Perkins. Es enorme el trecho que va de los barbilindos y seductores gomosos de antaño a este Jimmy Dean inquieto y rebelde, de mirada dulce y miope, misógino pero amado por las mujeres, roído por una atormentada vida interior y en perpetua rebeldía contra un mundo absurdo, que se vengaría de él arrebatándole la vida a los veinticuatro años, en un estúpido accidente de coche. Las adolescentes americanas tocarán con reverencia las manchas de sangre de su maltrecho y potente Porsche —todo un símbolo de la furia de vivir— con el mismo respeto y consternación con que sus madres habían venerado años antes las reliquias de Rudy Valentino. El fenómeno es el mismo, pero el héroe ha cambiado de piel. Su creación de Jim Stark en *Rebelde sin causa (Rebel Without a Cause,* 1955), de Nicholas Ray, echó leña al fuego sagrado del mito en vez de clarificar las causas del fenómeno y conmovió a la juventud norteamericana inadaptada, que viste *blue jeans* a guisa de uniforme, viendo en él un espejo y un retrato en el que proyectarse. Dean fue un estandarte para todos los jóvenes rebeldes americanos (rebeldes «con causa», a pesar del equívoco título) y el símbolo de su generación.

Como Marilyn Monroe, otra huérfana baqueteada por la vida, violada a los nueve años y declarada por un juez «pupila del condado de Los Ángeles», que se convertirá en la primera gran *antivamp* de la historia del cine, a partir del cliché de la Harlow, para efectuar con desenfadada ironía una divertida autocrítica y desmitificación de la *vamp* del ayer. Cuando un periodista le pregunta qué se pone para ir a la cama, ella contesta con todo desparpajo: «Chanel N.° 5». Decididamente, los tiempos han cambiado. Y se comprende, pues después del voluminoso informe Kinsey sobre la conducta sexual en la sociedad norteamericana, la mujer ha perdido los últimos velos de misterio que todavía respetaban nuestros padres. El suicidio de Marilyn Monroe en 1962 cerró, simbólicamente, toda una era de Hollywood, pues a su muerte nuevas estrellas del cine italiano, francés o inglés estaban pulverizando el monopolio que Estados Unidos había detentado en el campo del *star-system* internacional.

Viendo las películas de la nueva generación se constata hasta qué punto el cine de los «primitivos» americanos ha muerto. En vano buscaremos la simplicidad épica y la fresca ingenuidad de Allan Dwan, James Cruze, Henry King, Raoul Walsh, King Vidor y hasta John Ford en la obra de los autores más significativos de la nueva hornada: Robert Aldrich, Richard Brooks, Nicholas Ray y Stanley Kubrick. Los héroes infelices, grises y desafortunados de Robert Aldrich son todo lo contrario de los viejos héroes optimistas del corte de Douglas Fairbanks o de Tom Mix. Cineasta amargo y paroxístico, a quien encantan las escenas de violencia desatada, Aldrich da lo mejor de sí mismo en el alegato pro indio *Apache (Apache,* 1954), en su *thriller* antiatómico *Kiss Me Deadly* (1955), en su antimilitarista *Attack!* (1956) y en *The Big Knife* (1955), una de las más virulentas autocríticas que ha osado hacer Hollywood (sobre la pieza teatral de Clifford Odets) y sin duda la mejor creación de Jack Palance, la estrella apresada en una jungla de intereses y empujada al suicidio por su *producer* (Rod Steiger), que compungido comunicará a la prensa que su gran actor ha muerto de un ataque cardíaco en la bañera. La carrera posterior de Aldrich se definió por sus sucesivas renuncias, aunque no renunció a su gusto por la violencia, que le permitiría articular dos eficaces melodramas en la más pura tradición del *Grand Guignol: ¿Qué fue de Baby Jane? (What Ever Happened to Baby Jane?,* 1962), con las declinantes Bette Davis y Joan Crawford, y *Canción de cuna para un cadáver (Hush... Hush Sweet Charlotte,* 1965), con la también veterana Olivia de Havilland. A pesar de sus muchas renuncias, la titubeante carrera de Aldrich demostró ocasionalmente la persistencia de su talento, como ocurrió en *La leyenda de Lylah Clare (The Legend of Lylah Clare,* 1968), acaso inspirado en la romántica relación que existió entre el director Josef von Sternberg y la actriz Marlene Dietrich, y en el film de gángsters *La banda de Grissom (The Grissom Gang,* 1971).

El tono de denuncia se halló también en las mejores obras de Richard Brooks, que en *Semilla de maldad (The Blackboard Jungle,* 1955) se atreve a abordar el tema de la juventud «rebelde» con mucho menos romanticismo y más realismo que Nicholas Ray y, cosa curiosa, haciendo de un joven negro el personaje positivo de la película y mostrando cómo el maestro (Glenn Ford) conseguía recuperar a los jóvenes sin recurrir a la policía. Este inconformismo molestó a Clara Booth Luce, a la sazón embajadora norteamericana en Roma, que protestó airadamente con ocasión de presentarse la película en el festival de Venecia. Que a Brooks le gusta nadar contracorriente lo corrobora en su siguiente película, *Sangre sobre la tierra (Something of Value,* 1957), que toma partido por la liberación de Kenia en un momento en que la lucha por la independencia colonial es vista en Occidente como terrorismo y la organización nacionalista del Mau Mau como una pandilla de ogros feroces. Después adaptó *Lord Jim (Lord Jim,* 1964), de Conrad, llevó a cabo una espectacular incursión en la Revolución mexicana con *Los profesionales (The Professionals,* 1967) y adaptó con estilo de crónica la impresionante *murder story* relatada por Truman Capote en *A sangre fría (In Cold Blood,* 1967). Su *Dollars* (1971) se inscribió ya en la contemporánea marea de cinismo al abordar el mundo del hampa, mostrando que el delito puede ser un negocio rentable.

Las mejores virtudes del nuevo cine americano aparecen reunidas en grado máximo en Stanley Kubrick, que a los dieciséis años ya había obtenido notoriedad nacional, al publicar la revista *Look* las instantáneas que obtuvo de su profesor mientras leía el *Hamlet.* Fue reportero fotográfico de *Look* y de *Life* antes de sorprender al mundo con la revelación de *Atraco perfecto (The Killing,* 1956), que con su estilo incisivo y ritmo trepidante narra la preparación, ejecución y consecuencias de un atraco a un hipódromo, alternando sucesivamente los diferentes puntos de vista de las personas que toman parte en el golpe. *Atraco perfecto* es, junto con *Sed de mal (Touch of Evil,* 1957) de Orson Welles, la mejor muestra del cine policíaco de los últimos quince años de producción americana y las dos evidencian cómo ha madurado este género, desplazándose desde las ingeniosas puerilidades a lo Conan Doyle y los enredos de la *detective story* en dirección al Dostoievski de *Crimen y castigo* o a los densos universos problemáticos de Kafka o de Sartre.

Kubrick aprovecha la moda del film espectacular para realizar un *Espartaco (Spartacus,* 1960), en el que demuestra cómo los aparatosos *blockbusters* históricos no están necesariamente reñidos con la dignidad artística y pueden ser un vehículo de generosas ideas sociales. Su obra más explosiva será *Senderos de gloria (Paths of Glory,* 1958), prohibida en Francia y causante de violentas manifestaciones y contramanifestaciones en Bélgica, como en los días de *La kermesse heroica.* Pero esta vez los hechos que se narran son rigurosamente históricos (de aquí la virulencia de la película), acaecidos en la Primera Guerra Mundial. Que un oficial francés haga fusilar arbitrariamente a varios soldados suyos «para ejemplo de sus compañeros de armas» es un acto de brutalidad que no admite paliativos. Kubrick lo dice con mucha claridad en la película, con la misma claridad con que advertirá al mundo de lo peligroso que resulta jugar con la bomba atómica en su tremenda fábula tragicómica *Teléfono rojo, ¿volamos hacia Moscú? (Dr. Strangelove or: How I Learned to Stop Worrying and Love the Bomb,* 1963), película que se inscribe en el género relativamente nuevo de la «política-ficción», que florece durante la era de Kennedy y que aparte de la citada está representado por obras como *El mensajero del miedo (The Manchurian Candidate,* 1962), *Siete días de mayo (Seven Days in May,* 1963), ambas de John Frankenheimer, y *Tempestad sobre Washington (Advise and Consent,* 1962) de Otto Preminger. Más adelante, Kubrick realizará la impresionante epopeya cósmica *2001: una odisea del espacio (2001: A Space Odyssey,* 1968), escrita en colaboración con Arthur C. Clarke, y que comienza con el proceso de hominización en el Cuaternario para concluir en una nueva fase de la futura evolución biológica del hombre. *2001: una odisea del espacio* señala la definitiva mayoría de edad del género de la ciencia ficción y abre excitantes perspectivas a este género hasta ahora tenido por menor. Este interés por la indagación del futuro del hombre le lleva a adaptar también la novela de Anthony Burgess *La naranja mecánica (A Clockwork Orange,* 1971), una cínica pero realista exploración de las motivaciones de la conducta humana, enfrentada a todas las filosofías utópicas y expuesta con un brillante lenguaje figurativo.

La complejidad que han ido adquiriendo los viejos géneros, enriquecidos (o tal vez impurificados) con nuevos elementos, se aprecia en lo más notable de la producción americana de los últimos años. Un *western* «intelectual» como *Johnny Guitar (Johnny Guitart,* 1955), del misógino y romántico Nicholas Ray, tiene tan poco que ver con los cánones clásicos del género como *Sed de mal* de Orson Welles con el cine policíaco de los años treinta y cuarenta. Esta mutación se aprecia también en el género de la comedia y hasta en la comedia musical, aunque el austríaco Billy Wilder (que no en vano ha sido guionista de Ernst Lubitsch) prolongue la tradición de Frank Capra, aportando a la comedia la novedad de un sarcasmo y una acidez corrosiva que establecen una continuidad entre su ciclo pesimista de posguerra y la etapa actual de su obra. Wilder ha sido uno de los realizadores que ha contribuido a imponer el mito rutilante de Marilyn Monroe, a la que dirige en *La tentación vive arriba (The Seven Year Itch,* 1955) y *Con faldas y a lo loco (Some Like It Hot,* 1959), pero lo que media entre el optimismo ingenuo de Capra y el pesimismo amargo de Wilder se mide sobre todo por la contemplación cruel del *American way of life* que aparece en sus últimas películas, como *El apartamento (The Apartment,* 1960), con Jack Lemmon en el papel de americano-víctima, *Bésame, tonto (Kiss Me, Stupid,* 1965) y *En bandeja de plata (The Fortune Cookie,* 1966). Lo mismo puede decirse de *La vida privada de Sherlock Holmes (The Private Life of Sherlock Holmes,* 1970), que se asoma irrespetuosamente a la misoginia del prestigioso detective y a su equívoca amistad con el no menos famoso doctor Watson.

En este apartado hay que tener en cuenta también otros nombres nuevos, como el de Richard Quine, que impone el mórbido erotismo de Kim Novak en *La calle 92 (Pushover,* 1954), *Me enamoré de una bruja (Strangers When We Meet,* 1960) y *La misteriosa dama de negro (The Notorious Landlady,* 1961). Del naufragio del cine musical arriban a las playas de la comedia Vincente Minnelli y Stanley Donen, autor de *Charada (Charade,* 1964), mientras Blake Edwards aporta *Desayuno con diamantes (Breakfast at Tiffany's,* 1961), basada en el relato del mismo título de Truman Capote, y el cínico vodevil *La pantera rosa (The Pink Panther,* 1963), que en otros tiempos habría provocado un infarto a Will Hays.

Pero la mayor revelación en el campo de la risa viene del excéntrico Jerry Lewis, que con su pareja Dean Martin llega al cine en 1949 procedente del *music hall* y de la televisión. Tres jalones marcan la carrera cinematográfica de Jerry Lewis: su colaboración con el realizador Frank Tashlin (que se ha formado como dibujante de historietas gráficas, y luego con Walt Disney) a partir de *Artists and Models* (1955), su separación del mediocre Dean Martin en 1957 y su debut como director en *El botones (The Bellboy,* 1960). La tradición del *nonsense* subversivo –que nos remontaría a Mack Sennett– es revitalizada por Lewis merced al uso inteligente del color y de la pantalla ancha, al estudio atento de las frustraciones del americano medio en la moderna civilización capitalista (el mundo del cine, de la televisión, de la publicidad, de la ciencia, del sexo) y con una riqueza inventiva de sus *gags* que le conectan, en su técnica, a lo más vivo y mejor de los cómics y los *cartoons* de la cultura popular americana. A su etapa de director-intérprete pertenecen también *El terror de las chicas (The Ladies Man,* 1961), *Un espía en Hollywood (The Errand Boy,* 1961), *El profesor chiflado (The Nutty Professor,* 1963), *Jerry Calamidad (The Patsy,* 1964), *Las joyas de la familia (The Family Jewels,* 1965), *Tres en un sofá (Three on a Couch,* 1966), *La otra cara del gángster (The Big Mouth,* 1967) y *¿Dónde está el frente? (Wich Way to the Front,* 1970). La última gran revelación del cine cómico americano es Woody Allen, que procedente de la televisión se impuso con *Toma el dinero y corre (Take the Money and Run,* 1969), *Bananas* (1971) y *Sueños de un seductor (Play It Again, Sam,* 1971).

Nos hemos referido antes al naufragio de la comedia musical, que es una de las consecuencias de la crisis económica de Hollywood. El género se eclipsó, de hecho, hasta la irrupción sensacional de *Amor sin barreras (Wet Side Story,* 1961), proeza técnica de Robert Wise y Jerome Robbins, que trasponían a la pantalla un *musical* que había obtenido gran éxito en Broadway. Pero esta adaptación de *Romeo y Julieta* en clave de conflicto racial y ubicada en un bosque de rascacielos, permite también medir cuán lejos estamos de los viejos *musicals* de Bubsby Berkeley, e incluso de los más recientes de Gene Kelly, Stanley Donen o Vincente Minnelli, que habían llegado a un callejón sin salida. Ahora el *musical* cinematográfico ha entrado definitivamente en el sendero de la gran superproducción *(supermusical)* y el formato de 70 mm, a remolque de los triunfos de Broadway, como se demuestra en *Mi bella dama (My Fair Lady,* 1963), en donde George Cukor lleva a la gran pantalla el tema de *Pygmalion,* de G. B. Shaw, trasvasado por la adaptación de Alan Jay Lerner y Frederick Loewe. El éxito de estos títulos promovió un cierto renacimiento del género, que en los últimos años ha ofrecido *Camelot (Camelot,* 1968) y *La leyenda de la ciudad sin nombre (Paint Your Wagon,* 1970), ambas de Joshua Logan, y ha importado de Broadway la figura y la voz de Barbra Streisand, protagonista de *Una chica divertida (Funny Girl,* 1968) de William Wyler y de *Hello, Dolly! (Hello, Dolly!,* 1969) de Gene Kelly. Género intermitente en nuestros días, el cine musical norteamericano obtuvo un resonante triunfo con *Cabaret (Cabaret,* 1972), film de Bob Fosse ambientado en el sugestivo Berlín de 1931 e interpretado por Liza Minnelli, hija de Judy Garland y Vincente Minnelli.

Está claro, pues, que en la etapa 1950-70 Hollywood ha vivido un importantísimo relevo de nombres. Mientras asistimos al crepúsculo de los hombres de la «generación perdida» –crepúsculo variable según los casos, pues algunos, como Elia Kazan, aportan todavía títulos que merecen ser tomados en consideración, como *América América (America America,* 1964), *El compromiso (The Arrangement,* 1969), ambos de raíz autobiográfica, y *Los visitantes (The Visitors,* 1972), que produce y rueda en 16 mm– se asiste también el fallecimiento o retiro de algunos sólidos veteranos, que habían sido puntales de la historia del Hollywood opulento. Éste es el caso de Charles Chaplin, establecido en Europa desde 1953, de King Vidor, Cecil B. DeMille, Josef von Sternberg, Fritz Lang, Frank Capra, Frank Borzage, Rouben Mamoulian, Clarence Brown, Lewis Milestone, Raoul Walsh, Allan Dwan, William Wellman o Tay Garnett, a los que hay que añadir las glorias del viejo cine cómico, como el gran Buster Keaton, que arrastra penosamente su silueta como comparsa en varias películas, antes de su fallecimiento en 1966.

Del relevo general que estamos presenciando en esa etapa (y dejando aparte el cine «independiente», que examinaremos luego) resulta difícil ofrecer juicios definitivos. Tomando un ejemplo, veremos a Sam Peckinpah –con auténtica sangre india en sus venas– debutar brillantemente en el género *western* con *Duelo en la alta sierra (Ride the High Country,* 1961), para ser eclipsado por la industria hasta su clamorosa reaparición en *Grupo salvaje (The Wild Bunch,* 1969) y *La balada de Cable Hogue (The Ballad of Cable Hogue,* 1970), un *western* entrañablemente romántico. Formado en la bronca escuela del *western,* Peckinpah demuestra sin embargo su capacidad para trasladar su violenta tensión al mundo moderno, como hace al rodar en Inglaterra *Perros de paja (Straw Dogs,* 1971), historia claustrofóbica de la toma de conciencia viril de un técnico meticuloso y frío (Dustin Hoffman), cuya esposa (Susan George) es asediada por un grupo de hombres, situación que da pie para que Peckinpah exhiba una efectista galería de crueldades sin cuento y alinee así a su cinta, junto a *La naranja mecánica,* en la nueva moda de *ultraviolence* de la producción americana. Su *La huida (The Getaway,* 1972), que muestra las fechorías de una pareja (Steve McQueen y Ali McGraw), se inscribe, como *Dólares (Dollars,* 1971), en la línea de films cuya moraleja es «el delito es una actividad rentable», prescindiendo de la tradicional y generalmente hipócrita coda del castigo ejemplar del malhechor.

Con todo, no parece aventurado señalar a Arthur Penn, junto a Kubrick, como los más dotados y seguros de los nuevos realizadores de Hollywood. Cineasta de crispadas tensiones y de la violencia, Penn debuta con *El zurdo (The Left Handed Gun,* 1958), biografía del célebre Billy el Niño, a la que sigue un dramático estudio del proceso de reeducación de la no menos célebre Helen Keller, en *El milagro de Ana Sullivan (The Miracle Worker,* 1961). Se trata, por lo tanto, y a pesar de sus diferencias superficiales, de las biografías de dos seres primitivos, movidos por sus instintos desencadenados.

En *Acosado (Mickey One,* 1965), que revela el nombre del actor Warren Beatty (futuro productor de *Bonnie y Clyde),* Penn insiste en el tema de la lucha contra la hostilidad del medio, esta vez a través del hombre perseguido por el inframundo de los cabaretuchos de Nueva York, con algunos toques de fantasía de inspiración felliniana.

Que la violencia instintiva es un buen material dramático en manos de Penn se corrobora con *La jauría humana (The Chase,* 1966), análisis de una pequeña comunidad del Sur, que nos arroja mucha luz sobre los sangrientos sucesos de Dallas en 1963, y, sobre todo, con su hermosa balada impregnada de lirismo *Bonnie y Clyde (Bonnie and Clyde,* 1967). Desde *La ley del hampa* de Sternberg no habíamos asistido a una tal exaltación romántica del personaje del gángster, que en este caso se acentúa al tratarse de una joven y atractiva pareja formada por Clyde Barrow (Warren Beatty) y Bonnie Parker (Faye Dunaway), que vivieron realmente sus aventuras en los años posteriores a la gran crisis de 1929. La impotencia sexual de Clyde juega aquí como explicación adleriana de un caso que lindaría en lo patológico de no ser por la romántica admiración con que Penn nos hace contemplar los desmanes de esta pareja anarquista, en su rebelión instintiva y brutal contra el mundo que les rodea. *La jauría humana* y *Bonnie y Clyde* nos recuerdan, muy oportunamente, que a pesar de las apariencias no estamos tan lejos de la América primitiva de los pioneros y de los viejos mitos de la frontera. Su crítica de la sociedad americana prosiguió en *El restaurante de Alice (Alice 's Restaurant,* 1969), film netamente inscrito en el ciclo de películas que en los últimos años han oficializado una postura autocrítica hacia la cultura y hacia la sociedad norteamericana, como reflejo último del embate de esa *contracultura* representada por el cine *underground* y por la nueva moral *hippy,* finalmente academizada tras el enorme éxito comercial de *Hair.* Esta actitud de revisión crítica de las instituciones y de la historia norteamericana se corrobora con *Pequeño gran hombre (Little Big Man,* 1970), en donde haciendo gala de una peculiar ironía Penn deja malparada la figura del general Custer, uno de los grandes responsables del genocidio indio.

La evolución del gusto cinematográfico americano en esos años debe explicarse por el hecho de que el público joven, y especialmente el *teenager,* se ha convertido en el principal cliente de las salas de exhibición, mientras sus padres prefieren quedarse en casa viendo la televisión, definida como un medio de comunicación más conservador y hogareño. A esa juventud, que ha accedido a la adolescencia bajo la provocación de Vietnam y que ha perdido su virginidad moral con la yerba, con los poemas de Ginsberg y con los textos de Marcuse, no puede seguírsele ofreciendo los cantos apologéticos del *American dream* que implantó en el cine americano papá Capra. Esta mutación moral se observa, en líneas generales, en los nuevos directores de Hollywood, como el berlinés Mike Nichols, que alcanzó rápida celebridad con su versión de *¿Quién teme a Virginia Woolf? (Wood's Afraid of Virginia Woolf?,* 1966), la pieza de Albee que aborda varios temas tabúes de la vida matrimonial, y con *El graduado (The Graduate,* 1967), que le valió el Oscar y reveló a Dustin Hoffman en el papel del joven estudiante que es seducido por su futura suegra. La obra de Nichols progresó con su adaptación de la novela experimental de Joseph Heller *Catch* 22 (1970), de ambiente militar, y sobre todo con su demoledora y pesimista visión de las relaciones intersexuales y de la institución familiar que exhibe en *Conocimiento carnal (Carnal Knowledge,* 1971), film que debe mucho a la colaboración ácida y sarcástica del *cartoonist* Jules Feiffer. Junto a esta irreverencia, cuya dimensión crítica debería matizarse cuidadosamente, aparece también una mayor desenvoltura de lenguaje (fruto de la influencia francesa y del lenguaje televisivo), una escritura cinematográfica mucho más libre y antiacadémica, ejemplificada en alto grado por el film policíaco *Bullitt* (1968), que reveló a otro director, Peter Yates, del mismo modo que John Boorman se había dado a conocer con *A quemarropa (Point Blank,* 1967), una historia de gángsters alejada de los modelos clásicos, para adquirir un tratamiento sofisticado, muy *nouvelle vague,* con refinadas incursiones en la memoria al modo de Resnais.

La presión de los independientes de Nueva York y de California ha sido un factor decisivo en los cambios de orientación de la industria de Hollywood. La nueva agresividad política –*Ice* (1969) de Robert Kramer– y la libertad sexual de los films de Warhol, aplaudidos incluso en Europa, explican que la conservadora Metro-Goldwyn-Mayer contrate a Antonioni y le dé carta blanca para rodar en su país *Zabriskie Point (Zabriskie Point,* 1969). La «conciencia de abuelita» de la tradición cinematográfica hollywoodiense se está derrumbando estrepitosamente y las grandes empresas no sienten el menor escrúpulo en financiar o en distribuir los ataques solemnes al *American way of life* que la juventud exige de las pantallas. Esta visión autocrítica de la vida y de la sociedad americana está muy bien ejemplificada por *Buscando mi destino (Easy Rider,* 1969) de Dennis Hopper y por *Cowboy de medianoche (Midnight Cowboy,* 1969) del inglés John Schlesinger, cuya validez sociológica viene refrendada por el abrumador éxito económico obtenido por ambas, a pesar de sus bajos presupuestos. *Buscando mi destino,* producida e interpretada por Peter Fonda, opera una afortunada síntesis entre el mito del *cowboy* y el marco de los grandes espacios abiertos (un elemento que ya explotó *Bonnie y Clyde)* con dos elementos de la cultura juvenil contemporánea, como son la moto y la moral *hippy*. La historia de estos «cowboys en moto» sería simpática, pero banal, de no intervenir la redención final de su absurdo asesinato, que otorga de pronto a todo el film un sentido crítico y el valor de un documento sobre la brutalidad y el racismo larvados en la comunidad americana. *Cowboy de medianoche* no tiene en común con *Buscando mi destino* más que su amarga contemplación de la vida americana, urbana y rural, respectivamente, a través de las peripecias eróticas asalariadas de un apuesto texano en Nueva York (John Voight), flanqueado por un escudero-parásito (Dustin Hoffman). Variante original del tema «caballero y escudero» e historia de una picaresca amistad con final trágico, *Cowboy de medianoche* obtuvo el Oscar a la mejor película del año para su realizador. Estamos, por lo tanto, ante una provocación e inédita agresividad que la conservadora industria del cine está oficializando, a la mayor gloria de la taquilla y siempre a remolque del cine europeo y de los francotiradores independientes. Y ya que de agresividad moral estamos hablando, ¿por qué no evocar aquí la espeluznante *La noche de los muertos vivientes (The Night of the Living Dead,* 1969) de George A. Romero, que con sus zombies convierte en ridículas las anteriores fantasías necrómanas de Drácula y de Frankenstein?

Por eso, contrastando con la «nueva moral» de la producción de Hollywood –de la que también es buen ejemplo la obra de Robert Altman, autor de la sátira militar *M.A.S.H.* (1970) y de *Los vividores (Mr. Cabbe and Mrs. Miller,* 1972), que examina el nacimiento de la prostitución femenina como industria organizada en los nuevos territorios durante la colonización–, puede sorprender la irrupción en el cine profesional del ex crítico Peter Bogdanovich, que se proclama deudor de la gran tradición clásica del viejo cine de Hollywood. Con *La última película (The Last Picture Show,* 1971), Bogdanovich ofrece un entrañable y veraz retrato, preñado de anotaciones autobiográficas, de la vida de la juventud en una pequeña población de Texas en los años cuarenta, como hiciera Truffaut (y tantos otros directores modernos) en sus primeras realizaciones que cumplen la función de «memorial de agravios» de su propia infancia o adolescencia. La historia demuestra que esta actitud, artísticamente fecunda, es irrepetible en una segunda obra. Por eso Bogdanovich, en *¿Qué me pasa, doctor? (What's Up*

Doc?, 1972) se limita a cantar un homenaje nostálgico a los grandes maestros de la comedia norteamericana de antaño, desde Mack Sennett hasta Ernst Lubitsch, y que a pesar de su brillantez se revela como un ejercicio mecánico y acusa la falta de un auténtico soplo inspirador de la envergadura del que motivó su excelente film anterior. Puede afirmarse que Bogdanovich es una anomalía, y también una supervivencia, en el actual cine de Hollywood.

¿Revolución en el cine americano? Sería más justo referirse a la «antesala» de una revolución, que no obstante difícilmente acallará los reductos románticos o neorrománticos que perviven sólidamente implantados en el cine y en la sociedad, como se ha visto claramente con *John y Mary (John and Mary,* 1969), en donde Peter Yates expone, también con *flash-backs* y asincronías muy *nouvelle vague,* una historia sonrosada y tan vieja como la de Pablo y Virginia, aunque ahora se permita que Mia Farrow y Dustin Hoffman se acuesten en la misma cama, porque al final de la película acabarán casándose, aunque nadie sepa ya –ni importe demasiado– cuándo se divorciarán John y Mary. La culminación de esta tendencia se produjo con *Love Story (Love Story,* 1971), de Arthur Hiller y con argumento de Erich Segal, deleznable novela rosa en la que Jenny muere de leucemia como castigo moral por su matrimonio interclasista, laico y efectuado contra la voluntad de los padres de Oliver.

AMERICANOS EN EL EXILIO

La persecución maccarthista primero y la crisis industrial de Hollywood después, empujaron a cierto número de figuras importantes del cine americano hacia los caminos inciertos del éxodo. El fenómeno era nuevo, porque hasta 1945 Hollywood había venido actuando persistentemente como un polo de atracción de talentos y se había nutrido de nombres suecos, alemanes, húngaros y franceses. Pero ahora, además del caso de Chaplin, asistiremos al exilio de Jules Dassin, que después de proseguir cultivando el cine de bajos fondos en Francia con gran éxito en *Rififí (Du rififi chez les hommes,* 1955), parece encontrar un nuevo país de adopción en Grecia, en donde se establecerá con su nueva esposa, la actriz Melina Mercouri, y en donde rodará *El que debe morir (Celui qui doit mourir,* 1957), que adapta *Cristo de nuevo crucificado* de Nikos Kazantzakis, *La ley (La Loi,* 1959), de la novela homónima de Roger Vailland, *Nunca en domingo (Pote tin Kyriaki,* 1960), exaltación hedonista que impuso internacionalmente el nombre de Melina Mercouri en el papel de una prostituta del Pireo, *Fedra (Phaedra,* 1962) y *Topkapi* (1964), cuyo minucioso atraco al museo de Estambul es un autohomenaje de Dassin que no puede hacer olvidar, a pesar de sus equilibrios, el antológico atraco de su *Rififí.* El exilio de Robert Rossen le conduce a Italia, donde rueda *Mambo (Mambo,* 1954), y luego realiza en España la primera superproducción internacional rodada en este país, *Alejandro Magno (Alexander the Great,* 1956), meditación sobre el fracaso de los idealismos políticos que anuncia el aluvión que, por obra de Samuel Bronston y otros capitostes del cine espectacular, está a punto de caernos encima.

La figura más impresionante de esta diáspora es, sin duda, la de Orson Welles. Su vagabundeo por tierras extrañas se inició en 1951 con su *Otelo,* que en el festival de Cannes se presentó como producción marroquí y permitió a este país ganar inesperadamente la primera y única Palma de Oro de su historia. Luego Welles rueda en España *Mr Arkadin (Confidential Report,* 1955), que retorna los temas medulares de su *Ciudadano Kane,* aunque los sitúa en un mundo siniestro de aventureros sin escrúpulos y asesinos internacionales: el superhombre de los negocios (inspirado, según parece, en el célebre traficante de armas Basil Zaharof) que se enfrenta con un mediocre aventurero y pierde la partida, pues el aventurero hurga en su turbio pasado, descubre su secreto y acaba por robarle el amor de su hija.

Después de este film sobre el poder (e impotencia) del dinero, el barroco genio de Welles rodó *El proceso (Le Procès,* 1962), visión gigantomáquica del poder del Estado adaptada de la atormentada novela de Kafka. Sus últimos films, empañados de amarga melancolía, son *Campanadas a medianoche* (1965), en donde recrea, en paisajes españoles, la figura shakespeariana del grasiento Falstaff, partiendo de textos de *Enrique IV, Ricardo II, Las alegres comadres de Windsor* y *Enrique V,* y *Una historia inmortal (Une histoire immortelle,* 1967), joya cinematográfica realizada para la televisión con gran austeridad de medios y que es una nueva meditación sobre el fracaso del poder. Con estas películas es posible calibrar hasta qué punto permanecen vigentes los módulos del expresionismo que fueron puestos en circulación por la escuela alemana hace cinco décadas. De aquel punto de partida teatralizante y pictórico lo ha rescatado el genio y la sabiduría técnica de Welles, al imprimir a sus films un vertiginoso dinamismo con los movimientos de cámara y el montaje, y también por la renuncia cada vez mayor a los decorados de estudio, en favor de los escenarios naturales. El aprovechamiento que hace Welles de la vieja estación de Orsay, en París, para rodar la tragedia de José K en *El proceso,* demuestra cómo el ojo de la cámara y el empleo de la luz es capaz de trasmutar la realidad y convertirla en una pesadilla que disloca sus estructuras plásticas cotidianas. Tanta capacidad técnica le conducirá, de un modo natural, a la experiencia de *Campanadas a medianoche* y *Una historia inmortal,* películas que rueda sin casi poner los pies en los estudios, pero que a pesar de ello siguen fieles a sus postulados expresionistas.

Un caso muy particular del exilio americano lo ofrece Joseph Losey, que tras una intensa y fecunda carrera teatral en su país (que culmina con la puesta en escena en 1947 de *Galileo Galilei* de Brecht), se ha pasado con armas y bagajes al arte cinematográfico. Pero en 1952, mientras estaba rodando en Italia *Stranger on the Prowl,* recibe la noticia de que debe comparecer a declarar ante el Comité de Actividades Antiamericanas, por haber tomado parte en un seminario de estudios marxistas. Losey se ve obligado a firmar su película con un seudónimo (Andrea Forzano), para escapar al boicot de la industria, y realiza también su siguiente *El tigre dormido (The Sleeping Tiger,* 1954) ocultando su nombre con otro seudónimo (Victor Hanbury). Exilio político, por tanto, es el de Losey, a quien a partir de 1954 lo encontramos establecido en Inglaterra, donde no tarda en convertirse en una de las figuras más importantes de la producción europea.

El estilo de Losey nos ha hecho pensar, en más de una ocasión, en la obra de Murnau. Tienen en común la difícil búsqueda de un equilibrio estilístico entre el realismo y el expresionismo, y la glacial frialdad de sus imágenes se debe, entre otras cosas, a su elaborada composición, previamente estudiada y resuelta mediante dibujos de cada encuadre *(pre-designing)*. Es cierto que la analogía no puede llevarse más allá, porque Murnau era un romántico y Losey es todo lo contrario, y porque sus preocupaciones le vinculan a un firme compromiso social con los grandes problemas del mundo contemporáneo, encuadrados muchas veces a través de su estudio de las servidumbres humanas llevadas al límite de la exasperación. Cineasta *engagé*, por lo tanto, la obra de Losey ha manejado con maestría el mundo del crimen y del hampa en *La clave del enigma (Blind Date,* 1959) y *El criminal (The Criminal,* 1960) y ha utilizado la fantasía y la ciencia ficción en *The Boy with the Green Hair* (su primer largometraje, en 1948), *Éstos son los condenados (The Damned,* 1961) y *Modesty Blaise, superagente femenino (Modesty Blaise,* 1965), sofisticada parodia de los films de agentes secretos, que tuvo como heroína al personaje creado en los cómics de Peter O'Donnell y Jim Holdaway. Su obra, variada y unitaria al mismo tiempo, aplica el escalpelo del análisis implacable al mundo de las relaciones humanas y de las relaciones de clase: *Eva (Eve,* 1962), *El sirviente (The Servant,* 1963), que con guión de Harold Pinter expone con originalidad y fría elegancia un tema clásico, el del sirviente que acaba por vampirizar y dominar a su amo, *Rey y patria (King and Country,* 1964) y *Accidente (Accident,* 1967), que es su segunda colaboración con Harold Pinter como guionista. La obra de Losey avanzó por el sendero de una sofisticada perversión, con impresionantes recreaciones de universos morales descompuestos y rarefactos, a los que Elizabeth Taylor prestó una eficaz colaboración en *La mujer maldita (Boom,* 1968), con guión de Tennessee Williams, y en *Ceremonia secreta (Secret Ceremony,* 1968). Menos originales fueron, a pesar de su estimable calidad, *Caza humana (Figures in a Landscape,* 1969), que tiene por tema la angustiosa persecución de dos fugitivos, y el estudio de psicología infantil de *El mensajero (The Go-Between,* 1970), con guión de Pinter, al que siguió la adaptación de la pieza feminista de Ibsen *A Doll's House* (1973), que proporciona algunos temas caros a la sensibilidad de Losey.

La carrera de Losey, sustraída a los Estados Unidos, puede considerarse ya en cierta manera como una carrera netamente británica, integrada a un nuevo hábitat cultural. No puede decirse lo mismo de otros nombres de este exilio, del que destacó el nómada

John Huston, que inició su carrera europea con *Freud (The Secret Passion,* 1961), dramática página de la historia de la ciencia en lucha contra los prejuicios religioso-morales, y renunció en 1964 a su nacionalidad americana para naturalizarse irlandés. La recia personalidad de Huston consiguió mantenerse a pesar del fastuoso encargo de Dino De Laurentiis para rodar *La Biblia (La Bibbla,* 1965), visión mitológica de las primeras páginas del Génesis, en las que Jehová aparece como un genio cruel e intolerante. Su obra nómada –*Reflections in a Golden Eye* (1967), *The Kremlin Letter* (1969), *A Walk with Love and Death* (1969), *Fat City* (1971), *El juez de la horca (The Life and Times of Judge Roy Bean,* 1972)– raya siempre en lo más interesante.

LA ESCUELA DE NUEVA YORK Y LOS «UNDERGROUND FILMS»

Mientras la artillería pesada del cine americano se trasladaba a los países mediterráneos para rodar sus orgías de masas y escayola –como la tormentosa *Cleopatra (Cleopatra,* 1961-1963), de Mankiewicz, que con sus 37.000.000 de dólares de costo estuvo a punto de hacer naufragar a la Fox–, ciertos grupos independientes realizaban, lejos de Hollywood, algunas de las obras más vivas del cine norteamericano moderno. Éste es el caso de Herbert J. Biberman y Michael Wilson, que con el apoyo económico del sindicato minero International Union of Mine, Mill and Smelter Workers, reconstruyen ante las cámaras los conflictos laborales que en 1951 agitaron a la Delaware Zinc Co., de Silver City (Nuevo México), a raíz de las reclamaciones de los obreros mexicanos exigiendo iguales condiciones que sus compañeros yanquis. *La sal de la tierra (Salt of the Earth,* 1953) resulta un film perfectamente revolucionario producido contracorriente y sorteando las zancadillas de las autoridades en el corazón de un país supercapitalista. La paradoja se explica por tratarse de un film independiente, realizado por dos francotiradores cuyos nombres están inscritos en las «listas negras» de Hollywood. *La sal de la tierra* es una película marginal, insólita, violenta, que a pesar de todos los boicots cosechará una buena colección de premios en el extranjero, entre ellos el de la católica Legión Mexicana de la Decencia.

También en Nueva York, en donde existe una antigua tradición de cine independiente, cristaliza el llamado *New American Cinema Group*, al calor de la revista *Film Culture* que dirige Jonas Mekas, y que en septiembre de 1960 lanza su manifiesto fundacional, que es a la vez una declaración de principios y un desafío que concluye con un contundente «no queremos películas rosas, sino del color de la sangre». El manifiesto respalda, de hecho, a cierto número de películas que se han rodado o se van a rodar al margen de la gran industria y con un vivo espíritu de independencia creativa, como *Shadows* (1960) de John Cassavetes, que cuesta la irrisoria cantidad de 15.000 dólares y expone, con una interpretación de los actores improvisada libremente ante las cámaras a partir de una simple línea argumental, la historia de una joven seducida por un hombre, quien de pronto averigua que ella pertenece a una familia negra y decide abandonarla; el estudio del comportamiento de un grupo de drogadictos es el tema de *La conexión (The Connection*, 1960), de Shirley Clarke, que realiza luego con *The Cool World* (1963) el mejor film rodado jamás en Harlem; no podemos olvidar tampoco la incursión entre los alcohólicos del miserable barrio de Bowery que efectúa cámara en ristre Lionel Rogosin en *On the Bowery* (1956), antes de marchar a África del Sur para rodar semiclandestinamente el impresionante testimonio *Come Back Africa* (1959), o el amargo cine-poema *The Savage Eye* (1960) de Ben Maddow, Sidney Meyers y Joseph Strick. Por su parte, los hermanos Jonas y Adolfas Mekas han aportado a la Escuela *Guns of the Trees* (1961) y *The Brig* (1964), de Jonas, y *Hallelujah the Hills* (1963), de Adolfas.

Mientras el *show business* de Hollywood languidece a ojos vistas (en 1960 alcanzó su punto más bajo con sólo 156 películas, ¡compárese la cifra con los 850 films de 1928!), se afirma cada vez con más fuerza la personalidad de este anti-Hollywood neoyorquino, que hace sus películas sin contar con la gran industria, ni con los sindicatos, ni los códigos de censura, ni con los grandes circuitos de exhibición, ni con las estrellas, ni con las modas, ni con la demanda de los mercados. Cuando con ocasión de un festival internacional coincidió el colosal *Ben-Hur* junto a *Shadows* en el programa de proyecciones, un crítico italiano sacó a relucir la vieja historia de David y Goliat. Pues no sólo se trata de un problema de calidad, sino también de rentabilidad, ya que el cine independiente americano ha probado desde hace años su capacidad para ser un buen negocio: recordemos, por ejemplo, *Jazz en un día de verano (Jazz on a Summer's Day,* 1958), rodado por el fotógrafo Bert Stern en el festival de Newport, o *Elisa (David and Lisa,* 1962), primer film del independiente Frank Perry, que situó en un asilo psiquiátrico la historia de amor de dos jóvenes enfermos mentales y que obtuvo excelentes recaudaciones.

Pero la Escuela de Nueva York, además de crear obras valiosas, ha actuado como un auténtico detonante para todo el cine americano independiente que se realiza desde la costa del Atlántico hasta la costa del Pacífico. A mediados de la década de los sesenta resultaba ya prácticamente imposible hacer un balance, siquiera superficial y provisional, de la ingente cantidad de películas que, en variados formatos y con las técnicas más diversas, se estaban produciendo por todo el país, especialmente en los focos universitarios, en Nueva York y en la costa californiana. Este movimiento difuso, que ha dado en denominarse *underground* (subterráneo), por su carácter semiclandestino y marginal, destinado a consumirse entre las minorías de los cine-clubs o las *Art Houses,* es fruto de la sociedad opulenta, que pone al alcance de cualquier bolsillo la adquisición de cámaras tomavistas y de película de pequeño formato, y del trabajo de grupos de jóvenes en cooperativa, que se improvisan en actores, operadores o realizadores. Esta estructura preindustrial y anárquica procurará ser preservada a pesar de la organización por Jonas Mekas de la Filmmakers Cooperative, que garantiza la distribución y difusión de estas películas a través de los canales *underground,* de los que sale el dinero para amortizar los costos de producción. Es decir, que el cine *underground* ha acabado por crear una verdadera industria, aunque hace todo lo posible para mantenerla en un estadio «permisivo» y evitar que se torne «represiva».

El carácter marginal de esta producción y la absoluta falta de control industrial sobre ella (lo que se traduce en términos de gran independencia creadora) explican las dificultades de un análisis crítico pormenorizado. A pesar de ello, resulta posible trazar algunas de sus grandes líneas y citar algunos nombres. Constatemos, en primer lugar, el gran vuelco que supone para un arte de masas producido con enormes desembolsos financieros la aparición de estas películas que se quieren tan libres de condicionamientos como el poema escrito sobre papel, o el cuadro que apenas requiere un pequeño dispendio para ser creado. Libertad a nivel de autor y restricción a nivel de consumo son dos rasgos que, de modo general, definen este brumoso movimiento que se resiste a todo encasillamiento.

La primera consecuencia de ello es que las palabras «experimentalismo» y «vanguardia» aparezcan en los labios de casi todos sus jóvenes creadores. Claro que de todo hay en esta vanguardia anarquizante, que se subleva contra la sociedad de consumo que ha hecho posible su nacimiento, que protesta contra la guerra de Vietnam y tiene el sexo y la droga como algunos de sus más fuertes polos de inspiración. Mala copia del surrealismo francés en ocasiones, tosco experimento mecánico digno del peor *amateur* burgués en otras, a veces este cine nos sorprende con ramalazos de auténtica poesía.

En el frondoso bosque de esta heterogénea producción destinada al paladar cinematográfico de los *connaisseurs,* han ido imponiéndose ya algunos nombres: Kenneth Anger, autor de *Scorpio Rising* (1962-1964), Jordan Belson, creador de *Phenomena* (1965), Bruce Conner, que ha dirigido *Cosmic Ray* (1961) y *Looking for Mushrooms* (1960-1966), Tony Conrad, autor de *The Flicker* (1965), el brillante Stan Brakhage, Carmen D'Avino, Ed Emshwiller, Peter Emmanuel Goldman, realizador de *Echoes of Silence* (1962-1965), Ken Jacobs, Larry Jordan, Gregory Markopoulos, con *The Illiac Passion* (1964-1966), Harry Smith, etc. De todos ellos, quien más vasta audiencia ha conseguido es el pintor-cineasta Andy Warhol, tal vez gracias a la catapulta del *pop-art,* pero dotado de un gran talento y de una original agresividad sexual, que le han valido a los films de su factoría (muchos de ellos realizados por Paul Morrissey) alcanzar normalmente las pantallas de los *Studios* europeos: *Sleep* (1963), *Chelsea Girls* (1966), *Flesh* (1968), *Lonesome Cowboys* (1969), *Trash* (1970), *Women in Revolt* (1971), *L'amour* (1971), *Heat* (1972).

Resulta imprevisible vaticinar cuáles pueden ser los resultados de esta «revolución cultural» del cine americano, que, a pesar de la importancia de su vastedad, vive divorciado del público como producto de autoconsumo. Cine nacido con voluntad de subversión –subversión en el sexo, en la moral, en el mundo de la droga, de la política o de la estética–, parece aceptar *a priori* la impotencia práctica de su subversión, condenado a vivir en reducidos guetos culturales, contribuyendo esta contradicción a alimentar la «neurosis» de sus creadores en un eterno circuito sin fin, que evidencia a la vez las posibilidades y los límites de esta demoledora explosión. Tal vez los *underground movies* anuncien, sin saberlo, el próximo fin del cine como arte de masas, devorado por las gigantescas cadenas de televisión.

ESPLENDOR ITALIANO

«Como el sudor a la piel –declara Zavattini–, el neorrealismo está unido al presente. No puedo decir cuáles serán sus futuras direcciones porque tampoco puedo adivinar el futuro de la nueva sociedad, que el neorrealismo sabrá reflejar sin ninguna concesión.» Estas palabras las pronuncia el famoso guionista durante el congreso celebrado en Parma en diciembre de 1953, reunido para discutir los males que aquejan al cine italiano, campo de batalla de la «guerra de bustos» de sus opulentas estrellas y agrietado por las presiones del capital y de la censura oficial.

El congreso de Parma es, en el fondo, el reconocimiento de que se ha cerrado una etapa importante en la historia del cine italiano, que se autoexamina ahora víctima del vértigo ante un precipicio cuyo fondo no se adivina. El neorrealismo ha roto su última lanza con la experiencia extremista *L'Amore in città* (1953), «cine-encuesta» organizado por Zavattini sobre diversos aspectos del amor y con episodios dirigidos por Antonioni, Fellini, Lattuada, Carlo Lizzani, Francesco Maselli y Dino Risi. *L'Amore in città*, preludio del *cinéma-vérité* que nacerá en Francia en 1961, de la mano del etnólogo Jean Rouch, demuestra que el neorrealismo ha llegado a un callejón sin salida. Es una experiencia límite y, en cierto modo, un acta de defunción.

Pero mientras esta etapa capital del cine italiano se cierra, Federico Fellini y Michelangelo Antonioni están buscando nuevas fórmulas expresivas y no tardarán en convertirse en las dos personalidades dominantes del cine posneorrealista. Fellini comienza a interesar a la crítica con *Los inútiles (I Vitelloni,* 1953), retrato de los «señoritos» inútiles y holgazanes de una pequeña ciudad playera durante el monótono paréntesis del invierno, vistos con ojos educados en el gusto de la caricatura y de lo grotesco (recuérdese la escena de Alberto Sordi disfrazado de mujer) y que debe no poco a los años adolescentes pasados por Fellini en Rímini. Aunque el film quiere ser, y es, un retrato realista de la vacuidad de sus vidas y de la sordidez de sus aventuras y diversiones, la potente personalidad de Fellini distorsiona los caracteres y las situaciones de un modo que delata ya su divorcio del riguroso testimonio propio de la ortodoxia neorrealista.

Con *La strada (La strada,* 1954), fábula poética del violento titiritero Zampanó (Anthony Quinn) y de la simple Gelsomina (Giulietta Masina), en su vagabundeo por las carreteras de Italia, Fellini se sitúa ya como uno de los valores más firmes del cine italiano. A pesar de su estruendoso éxito, un sector de la crítica le acusa de mixtificador, porque bajo un ropaje realista pasa de matute una fábula angélica que traiciona los postulados del neorrealismo. Ciertamente, con *La strada* Fellini ha soslayado de refilón el tema de la mujer-objeto (Gelsomina) apartándose definitivamente del neorrealismo (aunque utilice algunos de sus presupuestos formales), para crear un poema cristiano sobre el enfrentamiento del Bien (Gelsomina) y del Mal (Zampanó), redimido éste tras el sacrificio expiatorio de la inocente muchacha. Giulietta Masina compone un personaje de inspiración chapliniana, como lo serán todos los suyos, aunque cargando el acento en su dimensión masoquista.

«Hay una línea vertical en la espiritualidad –ha dicho Fellini– que va de la bestia al ángel y en la que oscilamos continuamente.» Este desgarramiento interior, entre la bestia y el ángel, es una de las obsesiones mayores de Fellini, abocado al examen de conciencias sumidas en el fango y que súbitamente se iluminan con un relámpago de luz. Es el Zampanó llorando al anochecer en la playa solitaria al final de *La strada;* es el estafador Augusto (Broderick Crawford) de *Almas sin conciencia (Il bidone,* 1955), agonizando al borde de una carretera después de haber tomado conciencia de la sinrazón de su conducta; es la ingenua prostituta Cabiria (Giulietta Masina) que recobra su confianza en la vida al final de *Las noches de Cabiria (Le notti di Cabiria,* 1957).

Fellini corona sus dramas desgarradores con la purificación final de sus protagonistas. Son, pues, películas de final feliz, no entendido a la manera americana, con beso y boda, sino con un agridulce *happy end* espiritualista. Fellini es un gran poeta, pero no es un autor realista y, en este punto, no hay que llamarse a engaño. La ambigua amalgama de resonancias cristianas y marxistas que hallamos en su obra se debe a la heterogeneidad de sus guionistas habituales (Tullio Pinelli, Ennio Flaiano y Brunello Rondi). Su afición por lo insólito como elemento espectacular se remonta a los días de su infancia, en que se escapó de su casa para enrolarse en un circo. «Para mí, el cine se parece mucho al circo», dice Fellini. Zavattini, en cambio, pedía al cine una lucha contra lo «excepcional» para «captar la vida en el acto mismo en el cual vivimos, en su mayor cotidianeidad». Está claro, pues, que Fellini es un hereje del neorrealismo. Pero, fuera de dudas, un gran hereje y un gran artista.

También hay que tener presente que la angustiosa situación social de los años de posguerra ha cambiado radicalmente (por lo menos en el norte industrial) y a la nueva situación de prosperidad corresponde el llamado «cine del milagro económico», del que es uno de sus más ruidosos exponentes *La dolce vita* (1959), brillante y carnavalesco retablo de la disipación moral de la aristocracia y la alta burguesía romana, concebido al modo de las revistas sensacionalistas de gran tirada pero que tiene su catarsis final a través de la náusea, con el monstruo apocalíptico escupido en la playa por las aguas del mar en la gris tristeza del amanecer. En *La dolce vita* Fellini se debate entre la fascinación provinciana y el repudio cristiano que sobre él ejerce la disipación de la alta sociedad romana, contemplada con sus ojos de perpetuo adolescente enfrentado a solas con un mundo poblado por monstruos bellísimos y repelentes. Su éxito fue enorme, se convirtió en la película europea más taquillera en el mercado norteamericano y provocó una avalancha de imitaciones.

Después de *La dolce vita* se produce un punto y aparte en la carrera de Fellini, con un período de reflexión interior y autocrítica iniciado con *Fellini, ocho y medio (Otto e mezzo,* 1963), confesión impúdica y visceral de un director de cine (Marcello Mastroianni), en donde el psicoanálisis se transforma en gran espectáculo, utilizando Fellini la pantalla para su proyección terapéutica y dando como resultado un film original, que con un barroquismo desatado y un estruendoso caos figurativo traduce su visión del mundo entendido como desorden y confusión, tejido con sus obsesiones íntimas y con los mitos de su infancia. Después aplicará idéntica fórmula a la personalidad de su esposa (Giulietta Masina) en *Giulietta de los espíritus (Giulietta degli spiriti*, 1965), que resultará pálida, a pesar del empleo del Technicolor, comparada con la brillante pirotecnia de *Ocho y medio*. Sus virtudes (pero también sus debilidades) aparecen en grado máximo en su brillantísima versión del *Satyricon* (1969) de Petronio, en donde Fellini expone la «dolce vita» de la Roma imperial con el brío de un excelente director de circo. Después de realizar para la televisión *Los clowns (I clowns*, 1971), rodó un «documental» intensamente subjetivado de la capital italiana, hecho de recuerdos y de vivencias presentes, en *Fellini-Roma* (1972).

También corresponde al cine de la sociedad opulenta la obra de Michelangelo Antonioni, refinado y sutil en sus penetrantes análisis psicológicos, que nos enseñan a contemplar con ojos nuevos el comportamiento de los seres humanos y que causan un impacto enorme a partir de *La aventura (L'avventura*, 1959), film silbado y abucheado en Cannes por un público que se pretende *à la page,* pero que ha sido incapaz de comprender su radical novedad. Resultará luego que *La aventura* es un mojón capital en esa vieja lucha de los creadores del cine por penetrar en la realidad interior de sus personajes. Antonioni lo hace magistralmente partiendo de argumentos mínimos, que sirven de soporte a los «tiempos muertos» a través de los que observa con agudeza de entomólogo el comportamiento y las motivaciones íntimas de sus protagonistas, que tratan de huir de su tremenda soledad a través de la aventura erótica o del adulterio –consecuencia de la incomprensión entre dos seres– o mediante el suicidio, como vía de escape desesperada.

Tan sólo en una ocasión, en *El grito (Il grido*, 1957), Antonioni aplica su fino escalpelo al personaje de un obrero (Steve Cochran), para mostrar su alienación sentimental que le lleva a perder su conciencia de clase y, finalmente, a poner fin a su vida.

Pero sus restantes análisis existenciales se operan sobre personajes pertenecientes a la próspera burguesía industrial o intelectual, examinando sus crisis sentimentales y poniendo al desnudo las graves insuficiencias de su moral de relación: *Las amigas (Le amiche,* 1955), según Pavese, *La aventura, La noche (La notte,* 1960), *El eclipse (L'eclipse,* 1962) y *El desierto rojo (Deserto rosso,* 1964), en donde incorpora con maestría el uso del color para exponer la difícil adaptación del hombre al novísimo mundo, bello y monstruoso a la vez, creado por la civilización industrial. Cine de investigación psicológica, moral y estética es el de Antonioni, cuyos protagonistas femeninos resultan ser siempre mucho más lúcidos que sus oponentes masculinos. Las búsquedas de Antonioni desembocan por fin, de un modo natural, en el viejísimo interrogante de los filósofos sobre el significado de la realidad y la realidad de las apariencias, en su londinense *Blow-Up (Blow-Up,* 1966), de cautivadora belleza, en donde a través de la insólita aventura del fotógrafo inglés de moda Thomas (David Hemmings) plantea, con depuradísimo lenguaje icónico, el conflicto y ruptura entre los significantes y significados de la realidad que nos envuelve. El inmenso prestigio conseguido por Antonioni le valió un contrato de la Metro para realizar en Estados Unidos *Zabriskie Point* (1969), ataque frontal a la sociedad de consumo norteamericana y canto a la moral *hippy,* que careció no obstante de coherencia y convicción.

La novedad de Antonioni es relativa, pues tras sus refinadas imágenes palpita una densa tradición cultural –Flaubert, Gide, Proust, Sartre, Freud, Pavese, Marx– que ha tratado de apresar el duelo dialéctico del hombre y su entorno y el drama de su alienación. Pero la sutileza de su lenguaje figurativo –tiempos muertos, planos largos, composición en profundidad, ritmo moroso, paisajes urbanos y objetos para crear climas psicológicos– y sus grandes temas –la incomunicación, la fragilidad de los sentimientos, la relatividad y envejecimiento de la moral– causarán tan gran impresión que veremos brotar discípulos suyos como hongos en día de lluvia. Pero más allá del epidérmico fenómeno de una moda, su valiosa aportación se incorporará al patrimonio cinematográfico universal, contribuyendo a hacer del cine un arte más adulto y a dar una mayor complejidad y riqueza psicológica a sus personajes.

Con las películas de Antonioni tenemos la impresión de que el ojo de la cámara ha realizado, en grado máximo, la peculiaridad semántica que un profesor de literatura, George-Albert Astré, le ha atribuido: «La de hacer surgir el significado al mismo tiempo que la cosa, lo que ninguna técnica literaria, incluso la de un Faulkner o la de un Dos Passos, es capaz de hacer con tal potencia.»

Esta orientación psicologista también se observa en la obra del sensible Valerio Zurlini, autor de *Estate violenta* (1959), *La chica con la maleta (La ragazza con la valigia,* 1960) y *Crónica familiar (Cronaca familiare,* 1962), según Vasco Patrolini, tres films que pueden resumirse como variantes del tema del encuentro de dos personalidades muy distintas y del ulterior itinerario hacia su lucidez.

En realidad había sido Roberto Rossellini quien partiendo de la más pura ortodoxia neorrealista había derivado su obra hacia el meticuloso estudio de conductas y la crisis de sentimientos con el discutidísimo *Te querré siempre (Viaggio in Italia,* 1953), que examina la evolución sentimental de un matrimonio inglés maduro (Ingrid Bergman y George Sanders) que en contacto con la exuberante vitalidad meridional ve renacer su enfriado amor. La trayectoria de esta pareja es precisamente la inversa de la que siguen los protagonistas de Antonioni, pero la técnica exploratoria de sus sentimientos es la misma, y no muy diversa de la que esbozaron otros antecesores tan ilustres como Murnau en *Amanecer* y Paul Fejos en *Soledad.*

Por haber roto con la ortodoxia neorrealista Rossellini es uno de los nombres más encarnizadamente discutidos del cine italiano moderno. Para unos, sigue siendo el maestro indiscutido e indiscutible; para otros, no es ni la sombra de lo que fue en los días grandes de *Roma, ciudad abierta* y de *Paisà.* Rossellini vuelve a los temas de la Resistencia y la guerra con *El general de la Rovere (Il generale Della Rovere,* 1959) y *Fugitivos en la noche (Era notte a Roma,* 1960), en donde explora sistemáticamente las posibilidades del objetivo de distancia focal variable *(zoom),* y que sirven para echar más leña al fuego de su polémica. En 1964 Rossellini proclama públicamente la muerte del cine como espectáculo en favor del cine didáctico, inflexión hacia los orígenes de su carrera que le lleva a rodar para la televisión varios films de desigual interés: *L'età del ferro* (1965), *La toma del poder por Luis XIV (La prise du pouvoir par Louis XIV,* 1966), *Los hechos de los apóstoles (Gli atti degli apostoli,* 1969), *Socrate* (1970), *Blaise Pascal* (1971), *Agostino d'Ippona* (1972), *L'età dei Medici* (1972), *Caligula* (1973), films que van componiendo un vasto retablo de la historia de la humanidad. Si el caso de Rossellini es discutido, y por lo tanto discutible, reina unanimidad en considerar que algunos de los nombres más interesantes de la generación neorrealista, como Lattuada, De Santis, Lizzani, Zampa y hasta el mismísimo De Sica, que realiza su última película interesante con *El techo (Il tetto,* 1956), han pasado irremisiblemente a un discreto segundo plano.

Queda en pie, en cambio, la rica y proteica personalidad de Visconti, renovándose constantemente y pulsando un amplísimo registro que va desde el examen crítico y cultísimo de la historia italiana en *Senso (Senso,* 1954) y *El gatopardo (Il gattopardo,* 1963), según la novela de Giuseppe Tomasi di Lampedusa, en las que el realismo crítico aplicado a la investigación historiográfica del *Risorgimento* se alía a un deslumbrante esplendor formal, con la ayuda del Technicolor, hasta el romanticismo exasperado y literario de *Noches blancas (Le notti bianche,* 1957), según Dostoievski, pasando por la crónica de la emigración de una humilde familia siciliana a Milán (prolongación de uno de los temas de *La terra trema)* en *Rocco y sus hermanos (Rocco e i suoi fratelli,* 1960), cinenovela en el que Rocco encarnó la esterilidad de los buenos sentimientos (personaje visiblemente inspirado en el Aliosha de Dostoievski) y en el que no faltan las resonancias melodramáticas tan gratas a Visconti, que no ha ocultado jamás que «Verdi y el melodrama italiano han sido mi primer amor; casi siempre mi obra tiene algo de melodrama. Me lo han reprochado, pero para mí representa más un elogio que un reproche». Las siguientes películas de Visconti –*Las hermosas estrellas de la Osa Mayor (Vaghe stelle dell'Orsa,* 1965), actualización del mito de Electra, y *El extranjero (Lo straniero,* 1967) que adapta a Albert Camus– revelaron cierta crisis e incertidumbre en el itinerario de este gran artista, superadas con el impresionante retablo de una poderosa familia de industriales en la Alemania nazi, material dramático que ha inspirado su film *La caída de los dioses (Götterdämmerung,* o *La caduta degli dei,* 1969). Esta potente película, que funde la tragedia política y el melodrama familiar en un mismo crisol, inauguró el ciclo viscontiano inspirado por la cultura o la historia alemana de los últimos cien años, cultura con la que su decadente y culto barroquismo formal, rayano a veces en lo enfermizo, ofrece no pocas concomitancias, a pesar de los planteamientos críticos, en el plano político o social, con el autor. Su *Muerte en Venecia (Morte a Venezia,* 1971) adaptó, recreándola, la novela de Thomas Mann, que plasma un debate acerca de la naturaleza de la creación artística, integrado en el patético drama del músico Gustav von Aschenbach (Dirck Bogarde), que en el ocaso de su vida siente despertar la llamada de los sentidos en su atracción hacia el joven y bellísimo Tadzio. Después Visconti marchó a los bellos escenarios de Baviera para rodar *Luis II de Baviera (Ludwig,* 1974), inspirado en la biografía de Luis II de Baviera (Helmut Berger), nueva pieza en su discurso cultural acerca de la decadencia germana.

Heredera más directa de la tradición neorrealista aparece en cambio la personalidad de Francesco Rosi, que no en vano ha sido antes periodista y ha trabajado como ayudante de Visconti en *La terra trema.* Superando los esquemas narrativos del neorrealismo, Rosi aplica su afán polémico a la investigación de la realidad histórica o social en *Salvatore Giuliano (Salvatore Giuliano,* 1962) y *Le mani sulla città* (1963), sobre el problema de la vivienda en Nápoles, construidos ambos films con la técnica de una encuesta, que con su multiplicidad de puntos de vista permite mostrar el entramado de la realidad social en sus variadas y ricas contradicciones y la evolución de esta realidad gracias al motor histórico de estas mismas contradicciones. Síntesis genial de lo particular y de lo general, del documental y de la ficción, Rosi ofrece con *Salvatore Giuliano* un poliedro a través de cuyas contradictorias facetas se apresa, no al bandido Salvatore Giuliano como hombre (siempre es mostrado distante, en plano general), sino al «fenómeno Giuliano» en toda su complejidad, movido por oscuras fuerzas políticas, que no vacilan en destrozarlo cuando ya no resulta útil a sus intereses. Si, como ha escrito un crítico francés, *Salvatore Giuliano* es *Ciudadano Kane* al servicio de una mayéutica de izquierdas, *La mani sulla città* es un árido problema administrativo y urbanístico elevado a vibrante drama colectivo.

Estas dos películas habían hecho de Rosi un auténtico cineasta brechtiano, en la medida en que apelaba a la inteligencia y a la lucidez crítica del espectador, con un distanciamiento de dimensión desmitificadora. Sin embargo, su siguiente película, rodada en España, *El momento de la verdad (Il momento della verità,* 1965), y a pesar de la belleza de las imágenes de Gianni di Venanzo, no pasa de ser un buen reportaje sobre la historia de un peón campesino que llega a convertirse en torero famoso pero carece de la dimensión profunda y compleja de sus anteriores creaciones. La fascinación de la fiesta taurina ha deslumbrado a Rosi y ha paralizado en buena parte su sentido crítico. Después de algún titubeo y de un estimulante *Uomini contro* (1970), Rosi retornó a su original metodología expositiva en *El caso Mattei (Il caso Mattei,* 1972), «dossier» sobre las actividades y enigmática muerte del potentado italiano del petróleo Enrico Mattei, aunque esta vez la inevitable inclusión de un actor famoso (Gian Maria Volonté), para interpretar a Mattei, empañó la credibilidad del documento, cosa que no ocurría en *Salvatore Giuliano.*

El innovador método narrativo de Rosi lo utiliza también Gianfranco de Bosio, que llega al cine procedente del teatro de Brecht, con su película *Il terrorista* (1963), en donde expone un objetivo documento sobre las discusiones de los representantes de los diferentes partidos políticos en la Resistencia, en el seno del Comité Nacional de Liberación de Venecia, en 1943. Con estas películas se aprecia hasta qué punto el documentalismo anecdótico del neorrealismo ha sido rebasado, afinando sus métodos de investigación de la realidad para captarla en su complejidad dialéctica. Pero su herencia ha sido fecunda y puede medirse por la variada obra del poeta y ensayista marxista Pier Paolo Pasolini, autor de *Accattone* (1960) y de *Mamma Roma (Mamma Roma,* 1963), en donde incorpora una poética nacida de la manipulación estética de los crudos ambientes, tipos y lenguaje del subproletariado romano. Sus subterráneas corrientes místicas cristalizaron en un discutido *El evangelio según san Mateo (Il Vangelo secondo Matteo,* 1964), que contempla la figura de Cristo como «mito épicolírico popular» y rompe con la clásica iconografía de catecismo para beatas, siendo premiado por la Oficina Católica Internacional de Cine. Sus últimos films se han decantado hacia una neta fabulación poética y mitosimbólica, sin prescindir de la crudeza primitiva de los materiales manejados: *Pajaritos y pajarracos (Uccellacci e uccellini*, 1966), *Edipo, el hijo de la fortuna (Edipo re*, 1967), *Teorema* (1969), *La pocilga (Porcile*, 1969), *Medea* (1970) y, en una nueva inflexión creativa, obtuvo un éxito popular excepcional con sus adaptaciones de *El Decamerón (Il Decamerone*, 1971) de Boccaccio y *Los cuentos de Canterbury (I racconti di Canterbury*, 1972) de Chaucer. Tampoco deben olvidarse los nombres de Florestano Vancini, con *La larga noche del 43 (La lunga notte del' 43*, 1960), del ex documentalista Ermanno Olmi, con *El empleo (Il posto*, 1961), de Vittorio De Seta, con *Banditi a Orgosolo* (1961), que utilizando actores no profesionales explica la historia de un pastor sardo al que las circunstancias le empujan a convertirse en bandido, y de Nanni Loy, autor de la vibrante epopeya coral *Le quattro giornate di Napoli* (1962).

Un lugar especial ocupa, entre los cineastas de esta hornada, el joven Marco Bellocchio, que a los veinticinco años realiza su sorprendente *Las manos en los bolsillos (I pugni in tasca*, 1964), en donde hace asistir a los espectadores a la violenta demolición de la institución familiar. Es cierto que este «cine de la crueldad», que puede situarse en la tradición de Stroheim y de Buñuel, se asienta en unos casos particularísimos que entran de lleno en el campo de la patología y conectan su obra con el turbio mundo de Dostoievski. Pero a pesar de tratarse de un caso límite, la ferocidad de que hace gala Bellocchio, aunque contemple a su joven protagonista (Lou Castel) con gran ternura, evidencia que apunta hacia objetivos más lejanos y que su diatriba se dirige contra la institución de la familia en general. Esta vocación revolucionaria le conduce, tras su brillantísimo debut, a realizar *China está cerca (La Cina e vicina*, 1967), película polémica que es una sátira despiadada del Partido Socialista italiano, pero también de la institución familiar. Recibida con cierta frialdad por la crítica, su *En el nombre del padre (Nel nome del padre*, 1971) volvió a situarle como una figura clave del nuevo cine italiano.

Casi simultáneamente que Bellocchio, se reveló la personalidad de Bernardo Bertolucci, pasoliniano en *La commare seca* (1962), pero que con *Antes de la revolución (Prima della rivoluzione*, 1964) realizó una entrañable confesión «en primera persona» de la abdicación política de un joven burgués inconformista. Alejado de todo cauce naturalista, la personalísima poética de Bertolucci se ha afirmado con sus obras posteriores: *Partner (Partner,* 1968), adaptación libre de *El doble* de Dostoievski, *La estrategia de la araña (La strategia del ragno,* 1970), inspirada en J. L. Borges, y *El conformista (Il conformista,* 1970), bellísima adaptación libre de la novela de Moravia, en donde se acentúa su subjetivismo lírico, al servicio de un conflicto político y moral, con la inclusión de anotaciones parasurrealistas. Apreciado especialmente por las minorías, Bertolucci obtuvo un vastísimo éxito popular gracias al escándalo excesivo que suscitó *El último tango en París (The Last Tango in Paris,* 1972), dúo erótico entre Marlon Brando y Maria Schneider expuesto con gran elegancia figurativa. También en la vanguardia del novísimo cine italiano figuró la fascinante personalidad de Carmelo Bene, con *Nostra Signora dei Turchi* (1968), *Capricci* (1969) y *Don Giovanni* (1970), así como la del ya veterano Marco Ferreri, con *Dillinger è morto* (1968), *Il seme del uomo* (1969) y *La audiencia (L'udienza,* 1971).

A pesar de sus altibajos, el cine italiano siguió siendo extraordinariamente vivo. El género de la comedia, que parecía agotado después del aluvión que desencadenó *Pan, amor y fantasía,* demuestra su vigor con *Divorcio a la italiana (Divorzio all'italiana,* 1962), de Pietro Germi, que confirma las extraordinarias dotes interpretativas de Mastroianni, y *La escapada (Il sorpasso,* 1962), de Dino Risi, protagonizada por Vittorio Gassman. El género de encuesta policíaca, por su parte, que había dado un film tan ejemplar como *Un maldito embrollo (Un maledetto imbroglio,* 1959), de Pietro Germi, se renueva a partir de *Indagine su un cittadino al di sopra di ogni sospetto* (1970), de Elio Petri, para apuntar hacia la corrupción administrativa, adquiriendo un acento político, y engendrar con ello un filón temático: *Confesiones de un comisario (Confessione di un commissario di polizia al procuratore della republica,* 1971) de Damiano Damiani, *En nombre del pueblo italiano (In nome del popolo italiano,* 1972) de Dino Risi, etc.

Pero como además de ser arte el cine es también una industria, veremos a un sector del cine italiano orientarse hacia el jugoso negocio del gran espectáculo. La vieja fórmula del «documental amañado» es remozada por Enrico Grass y Mario Craveri, con pantalla ancha y color, en la excursión asiática de *Continente perdido (Continente perduto,* 1955), iniciadora de una larga serie de turismo de salón. Blasetti dio un paso más al crear con *Europa di notte* (1958) el documental erótico-espectacular, que convierte al «gran viajero» de los Lumière en un «insaciable *voyeur*», generador de una retahíla de paraísos artificiales, con desnudos de celuloide y horrores al gusto del «divino marqués»: *Este perro mundo (Mondo cane,* 1961) del experto en sensacionalismos Gualtiero Jacopetti, *Le città proibite* (1962), *Le dolci notte* (1962), *La donna nel mondo* (1962), *Femmine al neon* (1962), *Mondo sexy di notte* (1962), *Notti nude* (1962), *Paradiso dell'uomo* (1962), *Sexy al neon* (1962), *Universo di notte* (1962), *L'amore nel mondo* (1963), *I piaceri nel mondo* (1963), *Sexy proibito* (1963), *Questo mondo proibito* (1963), *Sexy proibitissimo* (1963), *Universo proibito* (1963)... Una de las cotas más altas del género la alcanza Jacopetti con su *Africa addio* (1965), que levanta un auténtico escándalo político y moviliza a la magistratura italiana.

Al frente del cine comercial hay que señalar, por último, la nutridísima serie de *westerns,* rodados con frecuencia en régimen de coproducción con España, aprovechando la agreste aridez de los paisajes ibéricos y americanizando el nombre de sus actores, género que obtiene su máximo éxito con las sofisticadas realizaciones de Sergio Leone. A la vista de este trasplante histórico, ¿quién se atreverá a hablar, ahora, de «géneros nacionales»?

BAJO EL SIGNO DE LA «NUEVA OLA» FRANCESA

Pocos movimientos cinematográficos han hecho correr tanta tinta y suscitado tan apasionadas discusiones como el cine francés joven de los últimos años, englobado bajo el cómodo y fluido calificativo de «nueva ola» *(nouvelle vague),* a pesar de que la mayoría de quienes hablan y opinan sobre ella desconocen las causas y orígenes históricos de este ruidoso golpe de mar, al que estamos ya en condiciones de valorar con fría objetividad, desbrozada toda la maleza publicitaria y el trompeteo sensacionalista que acompañó su nacimiento, gracias a la perspectiva ganada con el alejamiento del tiempo.

En principio fue tan sólo una actitud crítica. En la revista *Cahiers du Cinéma* (fundada en 1951), François Truffaut arremete con violencia contra el *cinéma de qualité* francés y contra su pretendido «realismo psicológico», del que dice que «ni es realismo ni es psicológico». Truffaut protesta, y con razón, de la abrumadora dominante literaria del cine francés, que es un cine de guionistas más que de realizadores.

La literatura ha sido, desde los días lejanos del *film d'art,* el gran pecado del cine francés. Y esto, claro, supone una desconfianza hacia la autonomía y el poder expresivo de la imagen e implica un vasallaje al arte «noble» de las letras. Por eso, en su culto a la imagen, los críticos de *Cahiers du Cinéma* –que es el embrión donde nacerá la «nueva ola»– exaltan a los «primitivos» americanos y defienden con furor su cine «antiintelectual», poniendo en el candelero a Howard Hawks, Alfred Hitchcock, John Ford, Samuel Fuller, Raoul Walsh, Stanley Donen y Vincente Minnelli.

Se proclaman anti-Carné y anti-Wyler, pero se entusiasman con los *westerns* y las comedias musicales. Su maníaca idolatría del cine americano *naïf,* con todos los excesos propios de una reacción apasionada, materializa su acto de fe en las posibilidades del cine como lenguaje autónomo, recogiendo la idea de la *caméra-stylo* lanzada por Alexander Astruc en un manifiesto de 1948, que hará del lenguaje cinematográfico, dice, «un medio de escritura tan flexible y tan sutil como el lenguaje escrito».

Frente al cine de guionistas y al cine de productor, los jóvenes críticos de *Cahiers du Cinéma,* seguidores y discípulos de André Bazin, oponen el «cine de autor», que busca su expresión a través de la «puesta en escena». Todo esto, en realidad, no es muy nuevo, pues en la memoria de todos están los nombres de los maestros –Chaplin, Eisenstein, Stroheim, Griffith, Vigo– para quienes idea e imagen eran *unum et idem.* Pero los manifiestos coléricos de estos jóvenes nutridos en la frecuentación de la Cinemateca Francesa tienen el valor de un oportuno redescubrimiento en la hora del cine-gramófono, del que han sido máximos beneficiarios los fecundos guionistas Jean Aurenche y Pierre Bost.

La exaltación del «cine de autor» les lleva a descubrir y lanzar al oscuro realizador Jean-Pierre Melville (1917-1973), como patrón, ejemplo y guía de lo que debe ser el «nuevo cine francés». El caso de Melville no deja de ser curioso. Cuando tenía cinco años le regalaron por Navidades un proyector Pathé-Baby y al año si-

411

guiente una cámara tomavistas de 9,5 mm. Melville se apasionó por el cine contemplando películas americanas, pero hasta el final de la Segunda Guerra Mundial no decidió dedicarse seriamente a él con carácter profesional. Tras combatir a los alemanes creó su productora, de modo que Melville, ni corto ni perezoso, decidió adaptar *Le Silence de la mer* (1947), de Vercors, actuando él solo como productor, guionista, director y montador, como si se tratase de un film *amateur*. Por eso los jóvenes críticos de *Cahiers* ven en Melville a un «autor» completo, cuya valía corroborará más tarde con sus densas historias de gángsters, como *El silencio de un hombre (Le Samouraï,* 1967) o *El círculo rojo (Le Cercle rouge,* 1970). Piensan, como Buffon, que *Le style c'est l'homme* y que el artista debe plasmarse a sí mismo y a su universo poético, sin intermediarios ni elementos condicionantes, a través de su libertad en la puesta en escena. Esto lo expresará muy bien Jean-Luc Godard cuando declare que «un *travelling* es cuestión de moral», pirueta dialéctica que descubre hasta qué extremos llegará el fetichismo de estos jóvenes alborotados, después del «golpe de Estado» de Cannes de 1959.

El primer «autor» joven al que tienen la oportunidad de jalear es a Roger Vadim (n. 1928), hijo de un emigrante ruso y que ha trabajado como repórter fotográfico en *Paris-Match,* que se da a conocer en todo el mundo junto con su señora esposa (Brigitte Bardot), que está de muy buen ver, en *Y Dios creó la mujer (Et Dieu créa la femme,* 1956). La verdad es que el éxito de esta producción del astuto Raoul J. Levy, que ha creado dos mitos de un solo golpe, se asienta más en la presencia turbadora y poco vestida de la *femme-enfant* Brigitte Bardot, coqueteando por Saint-Tropez, que en la desenvoltura del realizador y en su sentido visual –al gusto de las *boutiques* de moda–, ciertamente insólito en relación con la rigidez académica del grueso de la producción. El nombre de Vadim se eclipsará dentro de muy pocos años, a pesar de sus intentos por *épater* al público con juegos eróticos de bazar, mientras el de Brigitte Bardot perdurará como un mito importante de nuestra era, que aportará en un año más divisas a Francia que la importantísima empresa Renault.

Brigitte Bardot es la máxima expresión de la fórmula perversa «mujer-niña», prefigurada antes por Mary Pickford, Cécile Aubry,

Baby Doll y los retratos femeninos de Domergue, sintetizando y conjugando la inocencia de la ingenua y el maleficio sexual de la *vamp*. Con sus rasgos faciales adolescentes nos quiere hacer creer que su amoralidad es fruto de su candorosa, espontánea y natural manera de ser, más allá de todo código moral. La fórmula da tan buenos resultados después del éxito de *Y Dios creó la mujer*, con amplia proliferación de rubias colas de caballo y faldas cancán por todo el mundo, que el novelista Vladimir Nabokov tomará el arquetipo y dará un paso más, transgrediendo la frontera que va de la adolescencia a la infancia en su celebrada y escandalosa novela *Lolita*. La señora Vadim se vino a España con su marido para rodar *Les Bijoutiers du clair de lune* (1958), pero a partir de ahí ya se vio claro cuál iba a ser el triste destino del realizador –que quedará en mero «precursor» del nuevo cine– y el brillante futuro de su actriz.

Con todo, la crítica joven recibe con aplausos el fresco ramalazo de erotismo y el vivaz sentido de la imagen que ha supuesto la obra de Vadim para el encorsetado cine francés. Comienza a hablarse de «generaciones», tema siempre peligroso, y la periodista Françoise Giroud acuña la expresión *nouvelle vague* en las páginas del semanario *L'Express,* en diciembre de 1957, al emprender unas encuestas sobre la juventud francesa. Simultáneamente, el veterano Marcel Carné rueda *Les Tricheurs* (1958), que además de intentar retratar a la nueva juventud rebelde y amoralista que pulula por Saint-Germain, prescinde de estrellas conocidas en el reparto, pero obtiene un ruidoso éxito comercial, levantando una polémica sobre este *mal du siècle* y demostrando hasta qué punto el público es sensible a la Sociología entendida al estilo casero del *Elle.*

La «nueva ola», que lleva años larvándose como actitud meramente especulativa, comienza a tomar cuerpo en el curso de 1958. La esposa de Claude Chabrol (n. en 1930 y uno de los redactores de *Cahiers du Cinéma)* hereda treinta millones de francos antiguos de un tío lejano, lo que permite a su marido convertirse en productor y director de *El bello Sergio (Le beau Serge,* 1958). Realizada artesanalmente y sin estrellas importantes, la película resulta tan barata que, mediando la ayuda del Estado y la publicidad que supone el aplauso de la crítica, la operación resulta un buen negocio y el mismo año Chabrol puede rodar *Los primos (Les Cousins).* Paralelamente, François Truffaut (1932-1984) se casa con la hija

413

de un productor modesto, al que convence para financiar el tierno retrato, con resonancias autobiográficas, de una infancia solitaria y baqueteada por la dureza del entorno, en *Los cuatrocientos golpes (Les quatre cents coups,* 1959), film que dedica a la memoria de su maestro André Bazin.

Ya tenemos a la «nueva ola» en marcha, con unas producciones que contrastan por su modestia económica con los costosísimos films de estrellas que intentan atraer al público, pues, por el momento, más que otra cosa la «nueva ola» es un planteamiento nuevo de los métodos de producción y una forma nueva de acceso a la industria cinematográfica. Falta tan sólo la «Operación Cannes 1959» para presentar en sociedad a este nuevo cine, con la benévola y eficaz cooperación de *monsieur* André Malraux, ministro de Cultura de la 5.ª República, y de la estruendosa caja de resonancia de la prensa parisiense. La verdad es que, en los primeros momentos, reina cierta confusión: a *Orfeo negro (Orfeu negro,* 1959), del mediocre Marcel Camus, se le concede la Palma de Oro y a su realizador se le incluye abusivamente en el estante de la «nueva ola», pero el premio a la mejor dirección va a parar a Truffaut por *Los cuatrocientos golpes* y, fuera de concurso, se proyecta con gran éxito *Hiroshima mon amour (Hiroshima mon amour,* 1959), de Alain Resnais. Después de este festival ya puede afirmarse que la nueva República que preside el general De Gaulle tiene también su nuevo cine, listo y dispuesto a la conquista de mercados, a resolver la crisis de la industria cinematográfica francesa y a devolver a Francia su perdida *grandeur.*

Entre 1958 y 1961 saltan a la palestra ciento y pico nuevos realizadores, amenazando con transformar la «nueva ola» en un auténtico temporal capaz de hacer zozobrar la nave del cine francés. Y es que tras el *fiat lux* de Cannes más de uno está intentando pescar en río revuelto, aunque pronto se verá todo lo que de *bluff* y de mandarinismo hay en este 98 del cine francés.

La «nueva ola», que es un cine «de autor» típico, anteponiendo la libertad creadora a toda exigencia comercial, se impone en el mercado porque también existe –y es cosa que se ha silenciado injustamente– una «nueva ola» de espectadores formada en la frecuentación de cine-clubs y cinematecas, que ve en el cine el lenguaje artístico de nuestra época y se halla bien dispuesta para acoger toda novedad en este terreno. Este sector de público exigente desempeñará un papel decisivo, actuando a la vez de portavoz y de catalizador de la opinión pública y haciendo posible la general aceptación de este cine que se presenta con la etiqueta de la novedad. Hay que hablar de novedad y de modernidad porque, en principio, poca cosa más hay en común entre los miembros de esta heterogénea «nueva ola», aunque Sadoul hable de «neorromanticismo» como denominador común, Truffaut señale como único rasgo aplicable a los jóvenes realizadores su pasión por las máquinas tragaperras y Jean Mitry diga que su héroe favorito es el Rastignac de Balzac.

La verdad es que, además de la confesada influencia del cine americano, gravita sobre estos jóvenes –aunque esto no lo pregonen– la lección del neorrealismo y de sus técnicas veristas, que descubren y retratan un París inédito en el viejo cine francés: rodaje en exteriores e interiores naturales, estilo de reportaje, iluminación con *spots,* cámara llevada a mano... Aunque para los autores de la «nueva ola», a diferencia de los italianos, el realismo se reduce muchas veces a la descripción exterior de las cosas, sin hurgar bajo su piel, al igual que hacen los escritores de la celebrada *école du regard* (Alain Robbe-Grillet, Marguerite Duras), cuya objetividad meramente factual tanto tiene en común con la de sus compatriotas cineastas.

De todos los realizadores de la «nueva ola», el que arma mayor revuelo y llega más lejos es el fecundo Jean-Luc Godard (n. 1930), que procedente de las páginas de *Cahiers* irrumpe en la producción con *Al final de la escapada (À bout de souffle,* 1959), y que con Truffaut como coguionista y Chabrol como consejero técnico es un auténtico manifiesto en imágenes del nuevo cine francés. Su asunto no es original y sabe a los viejos melodramas de Carné-Prévert y a los *thrillers* americanos de serie B, por los que Godard siente gran predilección: Michel (Jean-Paul Belmondo), un delincuente simpático perseguido por la policía, llega a París y busca refugio en el apartamento de una joven amiga americana (Jean Seberg), que vende el *New York Herald Tribune* por las calles pero aspira a ser escritora. Se acuestan y esbozan proyectos comunes, pero ella, para demostrarse a sí misma que no le quiere, le denuncia a la policía y Michel es abatido a balazos en plena calle.

Película desesperada, nihilista, de la que Godard ha declarado «he podido realizar el film anarquista que soñaba», era sobre todo un reto a las leyes de la gramática cinematográfica convencional, destruyendo la noción de encuadre –por lo menos entendido a la manera clásica– gracias a la perpetua fluidez de la cámara (llevada magistralmente por Raoul Coutard, que se valió de una silla de paralítico para obtener mayor versatilidad en los *travellings),* quebrando las leyes de continuidad del montaje y saltándose a la torera las normas del *raccord* entre plano y plano y consiguiendo con todo ello un clima de inestabilidad y angustia que traduce de modo perfecto el sentido de su título original.

La movilidad gráfica de *Al final de la escapada* la convierte en un ejemplo modélico de film antipintura, antiacadémico, que trae al cine un aire de chocante novedad comparable a lo que para otras artes han supuesto la música atonal y el cubismo y comparable también a lo que significaron para el cine mudo películas como *El último* o *Varieté.* Cineasta agresivo e insolente, exhibicionista, que gusta salpicar sus películas con citas literarias de sus autores predilectos y *private jokes,* sensitivo e irracionalista, tierno y cínico a la vez, Godard se convertirá en el miembro más discutido y activo de la «nueva ola», capaz de emular en rapidez de rodaje a los realizadores del cine primitivo. Antes de valorar globalmente su aportación, que debe no poco a la maestría del operador Raoul Coutard, señalemos algunos mojones de su nutrida filmografía: *El soldadito (Le petit soldat,* 1960), que estuvo prohibido hasta 1963 por abordar el tema tabú de la guerra de Argelia; *Une femme est une femme* (1961) y *Vivre sa vie* (1962), que lanzan a su esposa Anna Karina como estrella; *Le Mépris* (1963), adaptación de Moravia en donde Godard, convertido en cotizado realizador, entra en el juego de la gran industria con Brigitte Bardot y rodaje en Capri con Technicolor; *La femme mariée* (1964), a la que la cautelosa censura transformó el artículo *La* en el indeterminado *Une; Lemmy Caution contra Alphaville (Alphaville,* 1965), pueril rebelión contra la ciencia –el gigantesco ordenador *Alpha 60*– rodada en un París del año 2000; *Pierrot el loco (Pierrot le fou,* 1965), que incorpora al cine la aventura artística del *pop-art* y la moda de las historietas gráficas; *Masculin-fémenin* (1966), que trata de «los hijos de Marx y de la Coca-Cola»; *La Chinoise* (1967) y *Week-end*

(Week-end, 1968), que contienen implícitamente sus primeras formulaciones de un cine revolucionario, hecho realidad tras la crisis francesa de 1968.

La vastedad e irregularidad de la obra de Godard hacen imposible un juicio sintético. En primer lugar, nos sorprende –y a veces irrita– su narcicismo y su insolencia estética, aunque el cine francés, bien es verdad, estaba hasta ahora falto de insolencia y provocación. Por lo tanto, es obligado referirse a su ruptura de la sintaxis del cine tradicional. Porque destruir un lenguaje ya supone algo muy importante, aunque si nos detenemos a meditar sobre la significación de esta «estética de ruptura», que pulveriza la cohesión narrativa espacio-temporal que el cine había heredado de la gran tradición novelística (desde Flaubert a Thomas Mann), convirtiendo sus películas en simples sucesiones de «momentos», momentos privilegiados o momentos ingeniosos, que articulan su narrativa (¿o habría que escribir *antinarrativa?)* esencialmente antipsicológica y ahistórica, se desprende que este nuevo lenguaje, como no podía ser de otro modo, es el lógico vehículo expresivo que utiliza para exponer su propia visión del mundo ahistórica y antipsicológica, o, por decirlo con palabras más crudas, su visión escéptica, cínica y anarquista de un mundo sin sentido. Por eso, del mismo modo que Eisenstein necesitó inventar un nuevo lenguaje expresivo para cantar sus epopeyas revolucionarias, Godard inventa el suyo propio para expresar un mundo que él percibe en descomposición, absurdo, hecho de fragmentos inconexos, de momentos plásticos desligados, de puras gratuidades, que plasman a la perfección una óptica intelectual que, en terminología lukacsiana, podríamos llamar de «destrucción de la razón».

Godard se subleva contra la noción clásica de argumento y destruye con su atomización y arbitrariedad narrativa la coherencia y el estudio psicológico, que ha sido la gran aportación de la novela y del teatro burgueses del siglo XIX a la cultura literaria. Pulveriza la estructura narrativa del relato en breves anécdotas y caprichosas *boutades* sin prestar demasiada atención a las leyes que rigen el comportamiento de los seres humanos o de las colectividades. Por eso el suyo es un cine antipsicológico y ahistórico, que en una amalgama de puerilidades y de ingenio revienta las leyes clásicas de la narrativa y, como consecuencia, de la técnica estrictamente cinematográfica: saltos de eje, falsos *raccords,* asincronías, trozos de película negativa... Todo lo que significa vulnerar la tradición –bien corta, por cierto– de setenta años de gestación de un lenguaje, es para Godard un modo de manifestar su inconformismo, su destructividad, su rebeldía. Ahora bien: ¿su rebeldía contra qué?

Resulta muy tentador, y muy ilustrativo, comparar el «fenómeno Godard» con otros movimientos vanguardistas, concretamente con los estallidos estéticos que representaron el dadaísmo y el surrealismo en las primeras décadas de este siglo. Estos movimientos de ruptura nacieron como rebeldía ideológica contra la lógica y la razón –entiéndase bien, la lógica y la razón burguesas– que habían llevado al mundo a la catástrofe bélica. Estos movimientos de protesta antiburguesa y anticonvencional eran, aunque nacidos en el seno de cierta intelectualidad de origen burgués, gritos de rebeldía demoledores y explosivos. Pero cuando comparamos esta vanguardia de los años veinte, verdaderamente revulsiva (ahí están los escándalos y prohibiciones que suscitaron las primeras películas de Luis Buñuel) con el vanguardismo inventivo y provocativo de Godard, se constata con claridad meridiana que el demoledor «asalto» a la razón y a la tradición que Godard intentó fue perfectamente aceptado, asimilado y aplaudido por la burguesía. En otras palabras, que su obra carecía del poder revulsivo y terrorista que tuvieron las obras de los primeros dadaístas y surrealistas.

Pero lo que no se le puede negar a Godard es su condición de puntual cronista y fiel testigo de la crisis de la civilización occidental. De ser un mero cronista y atribulado testigo pasará a ser, después de mayo de 1968, activo guerrillero de la cámara, al servicio del ideario marxista-leninista. Pero esta última etapa de su obra, con planteamientos muy próximos a los del cine *underground* americano, apenas ha tenido difusión pública. A ella pertenecen *Vent d'est* (1969), *Lotte in Italia* (1969), *Pravda* (1969) y *Vladimir et Rosa* (1970). Pero Godard, frustrado por la escasa audiencia de su cine, que a pesar de su vocación revolucionaria no alcanzó al gran público debido a su marginación voluntaria de la industria cinematográfica (que controla los canales de exhibición), decidió retornar al *star-system* y a los planteamientos industriales clásicos para rodar, con Yves Montand y Jane Fonda, *Todo va bien (Tout va bien,* 1972), historia de la ocupación de una fábrica por sus obreros, en la que se ven atrapados una periodista y su esposo, un cineasta que ahora se dedica a rodar películas publicitarias. Sin embargo, este film no supuso ningún progreso –ni político ni estético– en relación con su producción anterior.

Menos desordenado e irregular que el *enfant terrible* Godard, el tierno e irónico François Truffaut obtiene un gran éxito con *Jules et Jim (Jules et Jim,* 1961), que corrobora que la «nueva ola», como Cronos, está devorando a sus propios hijos, sublevados contra el cine de estrellas, pero que al convertirse ellos mismos en figuras estelares aceptan los condicionamientos de la industria. *Los cuatrocientos golpes* tenía por protagonista a Jean-Pierre Léaud, un niño desconocido, pero en *Jules et Jim* Truffaut toma a Jeanne Moreau, que es una actriz de primera fila desde el éxito de *Los amantes (Les amants,* 1958), de Louis Malle. La Moreau forma, junto con Brigitte Bardot y Jean-Paul Belmondo, el trío de grandes estrellas surgido de la «nueva ola» y se codea con los nombres más cotizados del cine europeo y americano. Aquí la Moreau interpreta a Catherine, amante compartida por dos amigos entrañables (Oskar Werner y Henri Serre), sin que por ello se quiebre su mutua camaradería. Con este curioso e inestable trío erótico que Truffaut ha arrancado de las páginas de un novelista dandi y septuagenario, Henri-Pierre Roché, quiere expresar la idea de que la «pareja no es una solución satisfactoria, pero hoy por hoy no hay otra solución».

Después, en *La piel suave (La Peau douce,* 1964), hace gala de un penetrante sentido de la observación psicológica al describir la historia de un adulterio protagonizado por un intelectual maduro (Jean Desailly) y una joven azafata (Françoise Dorléac), que concluye en crimen pasional. Truffaut ha demostrado ser uno de los más sensibles estilistas del cine francés, aunque la desenvuelta elegancia de sus realizaciones esconda a veces una ingenua nostalgia de la «adolescencia perdida» –*El amor a los veinte años (L'amour à vingt-ans,* 1962), *Besos robados (Baisers volés,* 1969), *Domicilio conyugal (Domicile conjugal,* 1970)–, o ciertas carencias ideológicas *(Fahrenheit 451,* 1966), que su fina sensibilidad no siempre puede compensar. Pero aunque Truffaut evidencia las insuficiencias del neorromanticismo francés (salvo en su obra más lúcida y lograda, que sigue siendo *Jules et Jim),* es innegable su capacidad para crear siempre unos universos afectivos muy personales, ya se trate de la adaptación de novelas policíacas, a las que siempre añade sus retoques para incorporarlas a su mundo –*La novia vestía de negro (La Mariée était en noir,* 1967), *La sirena del Mississippi (La Sirène du Mississippi,* 1969)–, o de la austera crónica pedagógica de *El pequeño salvaje (L'Enfant sauvage,* 1969). El tema de la «dificultad de amar», que es el eje de muchos de sus films y que se enhebra a veces con anotaciones autobiográficas, reapareció en otra elegante adaptación del novelista Henri-Pierre Roché (el autor de *Jules et Jim),* titulada *Las dos inglesas y el amor (Les Deux Anglaises et le Continent,* 1971).

Salta a la vista que en las películas de estos jóvenes hay una tendencia a contemplar el mundo desde la cama. Y no es que el lecho no sea importante en la vida de los seres humanos, todo lo contrario, pero viendo estas películas, sensibles e inteligentes por lo general, se tiene la impresión de que la cama es el centro del universo y el punto de mira ideal para examinar sus problemas. Es de elogiar la franqueza con que, por vez primera en el cine, estos jóvenes abordan algunas situaciones consideradas hasta ahora tabú, como si el amor físico fuera algo vergonzante. La celebrada y discutida escena de alcoba de *Los amantes,* de Malle (1932-1995), choca porque hasta ahora se cubrían estos actos con un púdico velo, cosa que no se ha hecho, por ejemplo, al describir la vida sexual de los animales. Pero si esta franqueza es elogiable, es discutible la sistemática reducción de todos los problemas a *histoires de coucheries,* cuando la cantera de temas que ofrece el mundo es tan amplia, el país está viviendo el drama de la guerra de Argelia y las viejas piedras de París se estremecen cada día con las cargas de plástico, cuyo eco buscaremos en vano en las pantallas francesas.

El cine de la «nueva ola» es *lato sensu* un cine ferozmente individualista, teñido con frecuencia de un cinismo agridulce, alejado de los grandes problemas colectivos y obsesionado por los problemas de *la pareja.* O de la unidad humana en el límite de lo ocasional, como ocurre en *Fuego fatuo (Le Feu follet,* 1963), de Louis Malle, historia minuciosa de las últimas horas de un escritor alcohólico e impotente (Maurice Ronet), que decide poner fin a su vida. Tan grande es esta preocupación individualista que cuando Alain Resnais (n. 1922) decide hacer un film sobre el apocalipsis atómico de Hiroshima *(Hiroshima mon amour),* con guión de Marguerite Duras, no encuentra medio mejor para expresarlo que a través del amor imposible de un japonés (Eiji Okada) y de una francesa (Emmanuelle Riva), sobre quienes pesa el fantasma del recuerdo de la guerra. Cine-poema subyugante y de gran originalidad expresiva, fusiona la aterradora tragedia colectiva con el drama amoroso de la pareja, saltando desde su presente intimidad sentimental a las lejanas y estremecedoras imágenes de la guerra, actuales en la memoria, mediante un prodigioso ejercicio de montaje.

El tema de la memoria es el centro de gravedad sobre el que gira la obra de Resnais. En *Les statues meurent aussi* nos había advertido ya que «la muerte es el país donde se llega cuando se ha perdido la memoria». En *El año pasado en Marienbad (L'Année Dernière à Marienbad,* 1960), con guión de Alain Robbe-Grillet, realiza un virtuoso experimento sobre una clásica historia triangular, pero con la importante novedad de barajar las imágenes reales del presente con las imágenes recordadas (o inventadas) de cada uno de los personajes. Esta pirueta intelectual sobre los equívocos que nacen de la objetividad presente y esencial de la imagen fotográfica es un replanteamiento de las posibilidades de la semántica cinematográfica y una investigación sobre el *tempo* mental, que no tiene nada que ver con el tiempo de las ciencias físicas. Espíritu inquieto, investigador incansable, Resnais juega con el espacio-tiempo cinematográfico, con su manejo obsesivo de larguísimos *travellings* y con una revalorización del cine-montaje, caído en desuso y descrédito desde los primeros años del sonoro. Retomando la tradición de Eisenstein, Resnais (como Godard) devuelve al montaje sus cartas de nobleza en el período de plena madurez del cine sonoro.

Su siguiente película, *Muriel* (1963), con la obsesión por los recuerdos de la guerra de Argelia y con una sabia utilización del «mal gusto» que impregna a una pequeña ciudad francesa de provincias, fue recibida con cierta frialdad, cosa que no ocurrió con *La guerra ha terminado (La guerre est finie,* 1966), que expone la crisis política y psicológica de un revolucionario español (Yves Montand) que vive en el exilio de París y que es, en cierta medida, una confesión con resonancias autobiográficas de su guionista, el escritor español Jorge Semprún. También aquí juega Resnais con las imágenes del presente, del recuerdo y con las de «futuro posible», aunque tal vez sea ésta la más literaria de todas sus películas. En su film *Te amo, te amo (Je t'aime, je t'aime,* 1968), Resnais aborda por fin los temas del tiempo y de la memoria desde una perspectiva de ciencia ficción, aunque con resultados discutibles e inferiores a los conseguidos, con tema similar, por Chris Marker en *La Jetée* (1963).

Con estos planteamientos contrasta, precisamente, el realizador Costa-Gavras, de origen griego, que después de cultivar el cine policíaco se especializa con gran éxito en la reconstrucción de conflictos políticos acaecidos realmente, ambientados en la dictadura de los coroneles griegos en *Z* (1968), en la Checoslovaquia ocupada por las tropas del Pacto de Varsovia en *La confesión (L'Aveu,* 1970) y en el Montevideo en donde operan los tupamaros en *Estado de sitio (État de siège,* 1972). Películas siempre de cierto interés pero nunca originales ni innovadoras –especialmente si se las compara con los modelos propuestos por Francesco Rosi–, que han acabado por engendrar unos clichés narrativos, a los que también se ha adscrito Yves Boisset al rodar *El atentado (L'Attentat,* 1972), sobre el asesinato del líder marroquí Ben Barka, durante su exilio en París. Obras, todas ellas, muy lejanas de lo que debe entenderse por auténtico cine político, inferiores incluso a un buen «documental reconstruido» y que demuestran una limitación de planteamientos ante el gran legado histórico del cine político de Eisenstein.

Pero lo que mejor pudo definir globalmente al nuevo cine francés de la década 1960-1970 fueron sus esfuerzos en el campo de la inventiva formal, aunque plasmados en registros muy diferentes y con desigual fortuna: Alexandre Astruc, refinado autor de *Une vie* (1958), según Maupassant, de *Tres menos dos (La Proie pour l'ombre,* 1960), de *L'Éducation sentimentale* (1961), según el texto de Flaubert, *La Longue Marche* (1965) y *Flammes sur l'Adriatique* (1968); Georges Franju, cofundador de la Cinemateca Francesa, que demuestra su talento poético en la creación de las atmósferas insólitas o inquietantes de *La cabeza contra la pared (La Tête contre les murs,* 1958), *Los ojos sin rostro (Les Yeux sans visage,* 1959), *Relato íntimo (Thérèse Desqueyroux,* 1962), según François Mauriac, *Judex (Judex,* 1963) y *Thomas l'imposteur* (1965), según Cocteau; Jacques Rivette, realizador de *Paris nous appartient* (1961), *Suzanne Simonin, la religieuse* de Diderot (1966), que tuvo un violento encontronazo con la censura, *L'amour fou* (1967) y *Out 1* (1971); Jacques Demy, creador de *Lola (Lola,* 1960), en donde su variante de *p... respectueuse* cristalizó en un arquetipo femenino tan falso como fascinante (Anouk Aimée), de los films cantados *Los paraguas de Cherburgo (Les Parapluies de Cherbourg,* 1964) y *Las señoritas de Rochefort (Les Demoiselles de Rochefort,* 1967), de *Model Shop* (1968), rodado en los Estados Unidos, y del cuento infantil *Piel de asno (Peau d'âne,* 1971), film de una sensibilidad al gusto de las revistas de modas, así como su esposa Agnès Varda, realizadora de *Cleo de 5 a 7 (Cléo de 5 à 7,* 1961), de *Le Bonheur* (1965), de *Las criaturas (Les Créatures,* 1966) y de *Lion's Love* (1969).

La aportación de la «nueva ola», que por muchas razones recuerda la rebelión colectiva del Salón de los Rechazados en 1863 contra la esterilidad de la pintura académica, ha supuesto una enérgica renovación del lenguaje cinematográfico, un tanto anquilosado desde las aportaciones de Orson Welles en 1941, redescubriendo la capacidad de «mirada» de la cámara, el poder creador del montaje y de otros recursos técnicos caídos en desuso. En este punto parecen haberse puesto de acuerdo tirios y troyanos y si, en líneas generales, puede pesar sobre este movimiento una acusación general de formalismo, su aportación ha servido para reafirmar la noción de cine «de autor», para introducir una inyección de inventiva en los métodos de trabajo con medios escasos, sacando provecho de las novedades técnicas (cámaras ligeras, emulsiones hipersensibles, lámparas sobrevoltadas, iluminación por reflexión) y afinando y enriqueciendo las posibilidades expresivas del lenguaje cinematográfico, considerado como el vehículo artístico más vivo e idóneo de nuestra época.

Es posible, por tanto, establecer una conexión entre la «nueva ola» y el movimiento de vanguardia que capitaneó Louis Delluc en los años veinte, salvando todas las distancias que separan los dos contextos culturales e históricos. A la «escuela impresionista» (Delluc, L'Herbier, Abel Gance, Germaine Dulac) la historiografía ha vinculado la preocupación por una estética *visualista* y una obsesión por penetrar el significado de la *fotogenia*. Este visualismo está también presente como preocupación mayor de los hijos de la «nueva ola», que es, a fin de cuentas, producto de una tradición que en el cine francés no ha muerto, a pesar de todos sus pecados literarios. Sus películas son casi siempre películas sobre la condición humana, contemplada en su sentido más individualista (hay excepciones notables, como Chris Marker o Armand Gatti), condición humana desoladoramente aislada en el marco opulento de la sociedad de consumo. Pero sus obras son, también, auténticos manifiestos en imágenes, que nos vienen a recordar, muy eficazmente, el papel creativo de la cámara y del montaje en la elaboración de una expresividad visual autónoma. Su influencia, como era inevitable, se demostrará enorme en el cine de los años sesenta.

LOS CINES SOCIALISTAS

Al acabar la guerra, la Unión Soviética se encuentra al borde del colapso. No son sólo los veinte millones de muertos (la cifra mayor de todas las potencias contendientes), sino las cicatrices abiertas por las batallas y la inflexible política estalinista de «tierra calcinada» que han desarticulado la capacidad productiva del país a sólo veintiocho años de su revolución. Más de la tercera parte de sus cines han sido destruidos y las pérdidas materiales se evalúan en quinientos millones de dólares.

Para remontar esta situación hacía falta una mano de hierro y, por lo que hoy sabemos, Stalin no era hombre de remedios suaves ni de soluciones a medias. El cine, entre otros sectores de la creación artística, iba a pagar muy caro los platos rotos de la guerra. Para empezar, el Comité de Cinematografía se convierte en 1946 en Ministerio del Cine y su titular no es, como debiera serlo, un hombre de cine, sino un burócrata, y ese mismo año (el 4 de septiembre de 1946) el Comité Central del Partido publica una célebre y enérgica resolución en donde condena la segunda parte de *Iván el Terrible,* el *Admiral Najimov* de Pudovkin y critica duramente otras obras de Leonid Lukov, Grigori Kózintsev y Leonid Trauberg. La resolución de 1946 (año en que se producen tan sólo 21 largometrajes) inaugura el punto más alto de la crisis del cine estalinista, amordazado por la pueril teoría de la «ausencia de conflictos en la sociedad socialista».

Bordeemos piadosamente los años tenebrosos en los que el mariscal de acero obligó a los pobres cineastas soviéticos a refugiarse en blandos films biográficos, adaptaciones de autores clásicos y evocaciones históricas que eludían la problemática actual, aunque algunos, como la biografía del agrobiólogo soviético *Micuirin* [La vida en flores] (1946-1948), primer film en colores del gran Dovjenko y nuevo canto a la naturaleza, tuvo no pocos tropiezos con la censura y se le obligó a rehacer secuencias enteras.

Stalin murió el 5 de marzo de 1953 en unas circunstancias que todavía no han sido suficientemente aclaradas y con su desaparición se cerró una era importantísima en la evolución de la Unión Soviética. A los historiadores les tocará decidir si su conducta, si sus crímenes y arbitrariedades fueron realmente necesarios para transformar a la Rusia feudal en la Rusia de la era atómica y de los *sputniks*. Es posible que todavía nos falte perspectiva histórica para juzgar en toda su complejidad, siniestra y grandiosa a la vez, la dimensión real del «fenómeno Stalin», pero pasémoslo por alto para llegar a la bomba con espoleta retardada del XX Congreso del Partido Comunista de la Unión Soviética (febrero de 1956), en donde Nikita Kruschev presenta su sensacional informe secreto sobre la nefasta actuación de Stalin en el campo de la cultura (entre otras cosas) y atiza un rapapolvo al film *La caída de Berlín*, victoria militar conseguida –si hay que creer a las imágenes retóricas de Chiaureli– por obra y gracia de la personalísima actuación del camarada Stalin. En un párrafo del informe, Kruschev dice: «Stalin conocía la situación del campo y de la agricultura solamente a través de las películas y estas películas habían embellecido mucho la situación real. Muchos films pintaban con tan hermosos colores la vida de los *koljozes* que se veía a la tierra quebrarse bajo el peso de los pavos y de los gansos. Stalin creía que efectivamente era así y no había puesto los pies en el campo desde enero de 1928, cuando visitó Siberia.»

Quítese lo que se quiera a la declaración de Kruschev en razón del oportunismo que siempre alienta al ensañamiento sobre el caído, pero viendo la producción rusa de la posguerra salta escandalosamente a la vista que, con contadísimas excepciones, el cine soviético de estos años no tiene nada de realista ni de socialista y sí mucho de «culto a la personalidad» y de conformista tarjeta postal de horrible gusto *pompier*. Con razón podrá escribir el director Mark Donskoi en su revelador artículo «Nuestros errores» (1956): «El no querer afrontar seriamente y con valentía los problemas fundamentales del espíritu, en los cuales Máximo Gorki indicaba la materia esencial de la dramaturgia, llevó las más de las veces a la sustitución de la narración auténtica, seria y expresiva, por la ilustración insípida de ideas banales, la valoración de trucos antediluvianos y los esquemas uniformes.»

Pero los cambios de rumbo, como enseña el tercer principio de Newton, tropiezan siempre con resistencias. El cine soviético comenzará a levantar lenta y dificultosamente su vuelo gracias a las nuevas promociones que surgen del Instituto de Cine. En 1955 se produce la revelación en Venecia de Samson Samsonov, con su adaptación del relato *Proprygunia* [La cigarra], de Antón Chéjov. Es el primer síntoma de que el «deshielo» cinematográfico se ha iniciado. Dos años más tarde recibe en Cannes el Premio Especial del Jurado la película *Sorok Pervyl* [El cuarenta y uno] (1956), del debutante Grigori Chujrai (n. 1921), que se convertirá en el más avanzado portavoz de la nueva generación.

El tema de *El cuarenta y uno* procede de una novela de Boris Lavrenev llevada ya a la pantalla en 1927 por Yakov Protozanov. Pero esta vez tenemos la novedad del Sovcolor, gracias a los secretos de fabricación del Agfacolor alemán que han caído como botín de guerra en manos de los aliados. *El cuarenta y uno* resulta sorprendente por la tierna historia de amor, en los días de la guerra civil, entre una guerrillera roja y un oficial prisionero, en una playa desierta del Mar de Aral. En tiempos de Stalin no habría podido ni soñarse con una situación así, si bien es verdad que al final Mariutka tendrá que disparar, con lágrimas en los ojos, contra su amante que intenta escapar para reunirse con las tropas blancas.

Es un cine romántico, como romántico ha sido siempre lo mejor del arte eslavo (y desde mucho antes del comunismo), aunque la disciplina revolucionaria termine triunfando aquí sobre el amor, que es, a fin de cuentas, otra forma de romanticismo. Tenemos también como novedad del «deshielo» uno de los primeros desnudos, castísimo desnudo, del cine soviético, que sigue siendo de una pudibundez sorprendente para los espectadores occidentales. Esto, que también es una tradición del arte ruso, se constatará al año siguiente con la celebrada *Letiat jouravlij* [Cuando pasan las cigüeñas] (1957), de Mijaíl Kalatozov, que recibe en 1958 la Palma de Oro en Cannes y que nos asombra tanto por los malabarismos de la virtuosa cámara de Serguéi Urassevski (recuérdese esa prodigiosa salida de la tomavistas desde el interior de un autobús en marcha, que hizo romperse la cabeza a los técnicos en Cannes), como nos desconcierta el pueril puritanismo de una fugaz infidelidad de la novia del soldado en el frente trascendida a drama de dimensiones gigantescas, en contradicción con la que debiera ser la «moral nueva» del socialismo. Claro que con la confusión del «deshielo» –término divulgado por la célebre novela de Ilyá Ehrenburg, uno de los «bonzos» de la cultura soviética– en Cannes se cree que Kalatozov es uno de los jóvenes valores del nuevo cine, cuando en realidad es un veterano casi sesentón.

De todos modos, y a pesar de que con demasiada frecuencia se confunda el virtuosismo formal, en el que los rusos son maestros, con el auténtico aliento poético, el aire puro del «deshielo» circula por *Ballada o Soldatie* [La balada del soldado] (1959), en donde Chujrai desmitifica al héroe bélico y evoca los pavorosos recuerdos de la guerra que ha vivido en su adolescencia (piénsese en la estremecedora escena del joven soldado ante los tanques alemanes), recibiendo nuevamente el Premio Especial del Jurado en el festival de Cannes de 1960 y situándose como el nombre más prometedor del nuevo cine soviético, aunque sus siguientes films, *Cistoe nebo* [Cielo despejado] (1961) y *Gili bili starik so starujoi* [Érase una vez un viejo y una vieja] (1964), no habrían de rayar a la misma altura.

Cierto es que los veteranos siguen trabajando. En 1958 se ha presentado públicamente la segunda parte de *Iván el Terrible* de Eisenstein que se guardaba celosamente bajo siete llaves y en 1965 se exhuman los restos maltrechos de su inconclusa *La pradera de Bejin*. Fallecidos Pudovkin (1953) y Dovjenko (1956), cuya viuda, la actriz Yulia Solntzeva, concluye sus proyectos *Poema o more* [El poema del mar] (1955-1958), *Povest plamennikh Let* [Crónica de los años de fuego] (1945-1960) y *Zatcharavonnia Desna* [El Desna encantado] (1964), relato de inspiración autobiográfica junto a las aguas del Desna, que es un adiós a su tierra a la vez que una negación de la muerte, quedan como los nombres más sólidos de la vieja guardia Mijaíl Romm, autor de *Dieviat dnei Odnogo godat* [Nueve días de un año] (1961), drama de un joven físico atómico, y que ha contribuido a formar a varios jóvenes de la «nueva ola» soviética (entre ellos a Chujrai), y Grigori Kózintsev, que desde 1945 prosigue su carrera separado de Leonid Trauberg y es autor de las cuidadísimas versiones de *Don Quijote (Don Kichot,* 1957), en Sovcolor y rodada en la áspera geografía de Crimea, que a pesar de su esquematismo es la mejor versión cinematográfica de la obra cervantina, de un soberbio *Hamlet (Hamlet,* 1963-1965) antirromántico, en el que subraya la indignación del protagonista ante la tiranía y la injusticia, y, antes de fallecer en 1973, cierra su carrera con una buena adaptación de *Karol Lir* [El rey Lear] (1969-1971).

El acento antirromántico del *Hamlet* de Kózintsev es importante, porque el romanticismo y el didactismo son las constantes más estables de la cinematografía rusa –lastre en unas ocasiones y virtud en otras– que es, desde el punto de vista técnico, una de las más avanzadas del mundo. No es ya sólo por el Stereokino (1940) del ingeniero Semion Ivanov, que inaugurado con el largometraje *Robinson Crusoe* (1946) de Aleksandr Andrievski, parece ser el único sistema eficaz de cine en relieve aparecido hasta el momento, sino por la liberación de las presiones comerciales, del culto a las estrellas, de los plazos de rodaje y de las limitaciones presupuestarias, cosa que permite abordar empresas tan ambiciosas –empresas de Estado, no se olvide– como la colosal *Guerra y paz (Voina i Mir),* del actor y director Serguéi Bondarchuk, en película de 70 mm y Sovcolor, iniciada con medios ilimitados en 1965 y dividida en cuatro partes. No se olvide, por último, que la Unión Soviética es el país del mundo con mayor cantidad de cines (tanto en cifras absolutas como relativas a la población) y el que goza del índice de frecuentación cinematográfica más alto.

Algunas de las limitaciones que nuestro gusto estético aprecia en el cine soviético no son únicamente imputables a razones políticas, sino consecuencia de una viejísima trayectoria cultural divorciada de Occidente. Tomemos un ejemplo: Europa ha tenido a Rembrandt, a Goya, a Giotto y a Durero, pero la aportación de la Rusia milenaria a las artes plásticas ha sido, con excepción de los iconos, de una calidad paupérrima. A pesar de esta carencia histórica, los grandes maestros soviéticos del cine mudo habían alumbrado una cineplástica que debía muy poco a su tradición cultural, salvo acaso a la coreográfica. Que esta energía creativa no ha sido aniquilada por la burocracia jdanovista lo corroboraría Andréi Tarkovski, autor de *Ivanovo detstvo* [La infancia de Iván] (1962) y sobre todo de *Andrei Rublev* (1966), film que tras muchas vicisitudes con la burocracia no alcanza las pantallas occidentales hasta 1969, y cuyo fresco centrado en las peripecias del célebre monje y pintor de iconos del siglo XV posee una fuerza expresiva y un aliento plástico que el cine ruso no había ofrecido desde *Iván el Terrible*. La última revelación del cine soviético ha sido Andréi Mijalkov-Konchalovski, autor de *Dvorianskoie gniesdo* [Nido de nobles] (1969), según la novela de Turguéniev, y de una versión de *Tío Vania (Djadia Vania,* 1971), de Chéjov.

Por esta razón resultan tan interesantes los casos de las nuevas democracias populares en Europa con una cultura más occidentalizada, como Polonia, que acaba de vivir unas décadas históricas borrascosas y que ahora es el teatro de batalla de la original síntesis conflictiva de dos culturas diametralmente opuestas: la vieja cultura burguesa y occidentalizada y su catolicismo tradicional con el nuevo materialismo histórico. Ésta es una de las razones que hacen tan interesante y original la aportación del nuevo cine polaco, que sintetiza formas culturales occidentales (por ejemplo, el estilo expresionista y la preocupación existencialista) con el pensamiento y la *praxis* socialista.

Al ser liberada Polonia en 1945, encontró destruidas sus instalaciones cinematográficas (cinco estudios y siete laboratorios). En el mismo año el cine polaco es nacionalizado y se crea en Lodz el Instituto de Cine, de donde saldrán las nuevas promociones de directores, técnicos y actores. Al frente de la empresa estatal Film Polski figura entre 1945 y 1947 el veterano realizador Alexander Ford, «padre» del nuevo cine polaco. El primer aldabonazo que anuncia la vitalidad de esta cinematografía es *Ostatni etap* [La última etapa] (1948), de la realizadora Wanda Jakubowska, que ha sufrido los horrores de Auschwitz en su propia carne y que ahora, utilizando como actores a muchos supervivientes de los campos de exterminio nazis, reconstruye las jornadas trágicas vividas en la larga noche de la guerra, entre las alambradas, el lodo y los pesti-

429

lentes barracones. No es de extrañar que la pesadilla de la guerra sea una de las obsesiones de la martirizada Polonia (recuérdese que Varsovia fue metódicamente dinamitada por los alemanes), como se verá también en *Kanal (Kanal,* 1957), de Andrzej Wajda (n. 1926), odisea de unos resistentes polacos durante el levantamiento de 1944 a lo largo de los canales de las cloacas de Varsovia. Película atroz, desesperada, que impone en Cannes el nombre de Wajda como uno de los grandes realizadores del joven cine polaco.

La desestalinización ha quemado etapas en Polonia con mayor velocidad que en la Unión Soviética, si bien no hay que olvidar que Polonia es una república socialista de nuevo cuño y su pasado histórico muy diverso. Por eso, tras la crisis política de 1956 aporta como novedad su gran capacidad autocrítica, su alejamiento de todo didactismo ejemplarista, su ejemplar libertad formal y su atención hacia los problemas individuales (características que encontraremos también, por ejemplo, en las contemporáneas novelas de Marek Hlasko), virtudes que convergen en *Cenizas y diamantes (Popiol i diament,* 1958), en donde Wajda rompe con el cliché del «villano» enemigo del socialismo y sitúa en un caótico y barroco retablo de las horas que siguen a la liberación de Polonia al atractivo actor Zbigniew Cybulski (llamado «el James Dean polaco»), moralmente embrutecido por la guerra y que a pesar de la crisis de conciencia que nace en él gracias a una ocasional aventura amorosa, acaba por cumplir las órdenes recibidas de asesinar al jefe del Partido Obrero y va a morir simbólicamente a un vertedero de basuras. Película romántica, se halla, no obstante, muy lejana del edificante y pueril romanticismo de las apologías políticas estalinistas, porque aquí el romanticismo tiene un signo pesimista y lúcido a la vez que devuelve al hombre la complejidad psicológica que le había arrebatado el «realismo socialista» entendido a la manera de Zhdanov y sus burócratas. La obra posterior de Wajda corroboraría la calidad de su sensibilidad creadora: *Lotna* (1959), *Niewinni czarodzieje* [Los brujos son inocentes] (1960), retrato crítico de la juventud polaca de ruptura, formada en la posguerra, en un estilo muy «nueva ola», *Samson* (1961), *Sbirska Lady Makbet* [Lady Macbeth de Siberia] (1962), el *sketch* de *El amor a los veinte años (L'amour à vingt ans,* 1962), el recuerdo trágico de Zbigniew Cybulski (fallecido en accidente en 1967) en *Wszystko na sprzedaz* [Todo está en venta] (1970), *Caza de moscas (Po-lowanie na muchy*, 1969), *Paisaje después de la batalla (Krajobraz po bitwie*, 1970) y *El bosque de abedules (Brzezina*, 1970).

Junto a Wajda brillan en el joven cine polaco las figuras de Jerzy Kawalerowicz, autor de *Matka Joanna od Aniolew* [Madre Juana de los Ángeles] (1960), estudio de un caso histórico de monjas endemoniadas acaecido en el siglo XVII, que a pesar de ser examinado con mentalidad materialista (y con un soberbio sentido figurativo) no cae en la trampa de la simplificación y el esquematismo psicopático, y Andrzej Munk, que da su obra maestra (inacabada a causa de su muerte en accidente de coche en 1961) con *Pasazerka* [La pasajera] (1961), con el retorno de una agente de las SS desde América Latina a Europa con su esposo, a los veinte años de acabada la guerra, y cuyos ojos, al arribar a Hamburgo, se cruzan por un momento con los de una mujer en la que cree reconocer a una antigua prisionera de su campo de concentración. El grupo Kamera, responsable de la película, la concluyó utilizando fotos fijas y resultó ser una de las obras más importantes del cine europeo de los últimos años.

El rápido y brillante crecimiento del cine polaco, unido a las vicisitudes políticas internas, condujo a una súbita crisis hacia mediados de la década de los sesenta. Por una parte, una personalidad tan interesante como Roman Polanski (n. 1933), que había iniciado su carrera en Polonia con *El cuchillo en el agua (Noz w wodzie*, 1962), conflicto triangular y generacional de extraordinaria sensibilidad, se convierte en un trotamundos que recorre las cinematografías occidentales e impone su nombre con el enorme éxito de *Repulsión (Repulsion*, 1965), estudio de una joven psicópata sexual (Catherine Deneuve) rodado en Londres. A partir de este momento, la imaginación de Polanski se moverá entre lo insólito y lo demoníaco, cargando las tintas en las descripciones crueles e inquietantes, pero demostrando también una gran capacidad para asomarse a sus infiernos desde la perspectiva del humor: *Callejón sin salida (Cul-de-sac*, 1966), *El baile de los vampiros (The Fearless Vampire Killers*, 1967) y *La semilla del diablo (Rose-mary's Baby*, 1968). El brutal asesinato de su esposa Sharon Tate abrió un paréntesis de inactividad en la carrera de Polanski, que se reanudó con una versión poco convincente de *Macbeth* (1971) y un vodevilesco *What?* (1972). Menos afortunada fue la carrera occidental de su compatriota Jerzy Skolimowski, a pesar de sus brillantes inicios con *Rysopis* (1964), *Walkover* (1965), *Barriera* (1966) y *La partida (Le départ,* 1967).

Por otra parte, el crecimiento industrial del cine polaco le ha hecho ceder ante la tentación de las superproducciones, como *El manuscrito encontrado en Zaragoza (Rekopis Znaleziony Saragosia,* 1964), en donde Wojciech J. Has adapta eficazmente la imaginativa novela del conde Jan Potocki, *Popioly* [Cenizas] (1963-1965), según la novela de Stefan Zeromski y que ocupa durante dos años a Wajda, y *Faraón (Faraon,* 1966), en donde Kawalerowicz plantea, a través de la historia del antiguo Egipto, un problema muy vivo en su país: el conflicto entre el poder civil y la influyente clase sacerdotal, es decir, entre el Estado y la Iglesia. Esta inteligente meditación sobre el poder político demuestra hasta qué punto son diferentes las grandes *machines* de Hollywood de las que ahora nos propone Polonia. Sin embargo, será una pena que las energías del joven cine polaco se quemen en empresas tan costosas, que monopolizan todo su aparato de producción. Entre los realizadores polacos de la última hornada merece especial atención Krysztof Zanussi, autor de *La estructura del cristal (Struktura krysztalu,* 1969) y de *Zycie rodzinne* [Vida de familia] (1971).

Capítulo aparte merecen Jan Lenica y Walerian Borowczyk, maestros en el cine de animación, que han proseguido su carrera en Occidente. De obligada mención resulta aquí el atormentado largometraje de dibujos animados *Le théâtre de M. et Mme. Kabal* (1966), realizado por Borowczyk en Francia.

Mientras se producía un cierto languidecimiento de la escuela polaca, Checoslovaquia resurgía de un prolongado letargo y pasaba a convertirse en una de las primerísimas cinematografías europeas. En 1948 el cine checo fue objeto de una planificación, enmarcada en el primer plan quinquenal de la nueva república socialista, pero su renacimiento fue laborioso y no se produjo hasta los primeros años de la década de los sesenta. Antes de que esto ocurriera, el cine checo de animación había comenzado a mostrar una original vitalidad, que se polarizaría en los centros de Praga y de Gottwaldov. Su primera figura fue Jiri Trnka, maestro en la especialidad de animar marionetas articuladas, que fueron utilizadas por él para realizar *Bajaba* [El príncipe Bayaya] (1950), *Stare provesti ceske* [Viejas leyendas checas] (1953), *Sen noci svatojanské* [El sueño de una noche de verano] (1959), *Kybernetycka babicka* [La abuela cibernética] (1962) y *Ruka* [La mano] (1965). También su compatriota Karel Zeman inició su carrera en el campo de la animación de muñecos, pero a partir de *Vynales zkazy* [Una invención diabólica] (1958) introdujo actores reales, insertos en un mundo de total fantasía, por su uso del color, de decorados planos y de toda clase de trucajes, técnica que brilló a gran altura en *El barón fantástico (Baron Prasil,* 1961), sobre las andanzas del barón de Münchhausen.

Cuando la escuela checa ya se había prestigiado en todo el mundo por su maestría en el cine de animación, a partir de 1960 se produjo una deslumbrante eclosión que en 1966 cristalizaría en 26 premios obtenidos por sus largometrajes en los festivales internacionales, y 41 por sus cortometrajes. Examinando atentamente lo mejor de la producción checa de aquellos años, pueden señalarse dos tendencias fundamentales en su seno. Una de ellas, de corte realista, ofrece imágenes veraces de la vida cotidiana, aunque con un matiz crítico, que reviste por lo general la forma de ironía al presentar los personajes y las situaciones. A este criticismo en sordina, sonriente, intimista y sin estridencias, con imágenes que tienen la autenticidad de un documental, pueden adscribirse las excelentes realizaciones de Milos Forman *Cerny Petr* [Pedro el negro] (1964), *Lasky Jedne Plavovlasky* [Los amores de una rubia] (1965) y *Hori ma panenko* [El baile de los bomberos] (1967), así como *Intimni osvetleni* [Iluminación íntima] (1965) de Ivan Passer y *Ostre sledovane vlaky* [Trenes rigurosamente vigilados] (1966) de Jiri Menzel. Los acontecimientos políticos de 1968 determinaron la diáspora de algunos de estos autores y Milos Forman prosiguió su carrera en los Estados Unidos con *Juventud sin esperanza (Taking Off,* 1971), divertido examen crítico de la actitud de los padres ante las formas de conducta de las nuevas generaciones. También en Nueva York rodó Ivan Passer su incisivo *Born to Win* (1971).

La otra tendencia se nutre del «universo absurdo» del gran escritor checo Franz Kafka, cuya aceptación en las democracias populares se ha operado con cierta resistencia. A este cine opresivo y

433

angustioso pertenecen obras tan notables como *Postavak Podpiria-ni* (1963) de Pavel Juráček y Jan Schmidt y *Demanty Noci* [Los diamantes de la noche] (1964) de Jan Němec, odisea de dos fugitivos de un tren alemán de prisioneros, narrada en tiempo condicional y que se ha beneficiado de las investigaciones lingüísticas de *El año pasado en Marienbad*. El mismo Němec, que representa el punto más avanzado de la nueva vanguardia checa, demostró su sólida madurez con *O slavnosti a hostech* [La fiesta y sus invitados] (1966), film basado en una situación simple, pero que admite una muy compleja y sugestiva lectura. Naturalmente, este esquema no agota todo el registro del cine checo, y de él escapa una obra tan original y divertida como *Sedmi Krasky* [Las margaritas] (1966), de la realizadora Věra Chytilová, que nos hace asistir a los disparates y desmanes de dos candorosas y destructivas jovencitas en el mundo opulento de la «sociedad de consumo».

Otros países socialistas, en cambio, permanecieron en el letargo cultural. La República Democrática Alemana, por ejemplo, apenas ha ofrecido alguna cinta de interés, tras su prometedor *Die Mörder sind unter uns* [El asesino está entre nosotros] (1946) de Wolfgang Staudte. En contraste con este sopor, los siguientes años nos hacen asistir a una incipiente floración del cine yugoslavo por obra de Dušan Makavejev, maestro en articular los tiempos narrativos en originales cine-*collages* de gran vivacidad y penetrante ironía: *Govek nije tica* [El hombre no es un pájaro] (1965), *Una historia sentimental o la tragedia de una empleada de teléfonos (Ljubavni slucaj, ili tragedija sluzbenice PTT, 1967), Nevinost bez zastile* [Inocencia sin defensa] (1968), *Wilhelm Reich-Los misterios del organismo (WR-Misterije organizma, 1971)*, incisivo *collage* inspirado en la vida y enseñanzas de Wilhelm Reich y rodado en los Estados Unidos y Yugoslavia. Pero las novedades más importantes de Europa Oriental proceden de Hungría, cuya industria cinematográfica fue nacionalizada en 1948 y comenzó a interesar con las realizaciones de Zoltán Fábri *Korintha* [Tiovivo] (1955) y *Hannibal tanar ur* [El profesor Hanibal] (1956). El último impulso del cine húngaro procedió de la creación en 1961 del «Estudio experimental Béla Balázs», si bien en su posterior renacimiento figuran nombres de la generación intermedia (Miklós Jancsó, András Kovács) junto a los de promociones más jóvenes (István Szabó,

István Gaál, Ferenc Kardos, Ferenc Kósa). Miklós Jancsó se ha acreditado tal vez como la personalidad más relevante del nuevo cine húngaro, por su sentido trágico y su obsesión por componer los planos a base de vastas dominantes horizontales, marco desolador de sus conflictos colectivos: *Szegenylegenyek* [Los desesperados] (1965), historia de la represión campesina en 1848, *Csillagosok, Katonák* [Estrellas, soldados] (1967), crónica de los horrores de la guerra civil, *Csend és kiáltás* [Silencio y grito] (1968), *Fényes szelek* [Vientos brillantes] (1968), que con sus recursos estilísticos arrebatados a la comedia musical muestra a un grupo de estudiantes que en 1947 intentan ganar para la causa del socialismo a los seminaristas de una institución católica, y *Téli Sirokkó* [Siroco de invierno] (1969), que consta sólo de trece planos. A partir de este film la obra de Jancsó acentuó cada vez más su carácter experimental: *Égi bárány* [Agnus Dei] (1970), *La tecnica e il rito* (1971), coproducción con Italia rodada para la televisión.

A la vista de este eruptivo renacimiento, pudo pensarse que la cultura socialista había comenzado a rebasar el ingrato período histórico de su Edad Media, para encaminarse con paso firme hacia los prometidos «mañanas que cantan».

RENACIMIENTO INGLÉS

La industria del cine inglés fue la primera de Europa en sufrir las consecuencias de la arrolladora expansión de la televisión. En 1947 el país contaba con tan sólo 15.900 receptores y la cifra de sus espectadores de cine era de 1.462 millones; diez años más tarde el número de televisores había crecido a 7.100.000 y el de espectadores había descendido a 915 millones. Ante este calamitoso retroceso y en la imposibilidad de competir con los colosos americanos, el cine inglés tuvo que buscar nuevas soluciones y una de ellas fue la de actualizar el cine de terror, cuya eficacia comercial estaba bien probada, aderezado esta vez con el empleo del color (que permitiría crear efectismos cromáticos en tenebrosos laboratorios o potenciar el rojo dramatismo de la sangre) y cargando el acento en el aspecto *sexy,* gracias al atractivo erótico de Christopher Lee, vampiro de apostura caballeresca evolucionando en suntuosas atmósferas góticas y sin un solo rastro de hemoglobina sobre su impecable atuendo.

En 1957 la compañía Hammer Film, que había producido ya *El experimento del Dr. Quatermass (The Quatermass Experiment,* 1955), de Val Guest, compró a la Universal americana los derechos para resucitar a sus viejos monstruos y utilizarlos como fuerzas de choque contra el incontenible avance de la televisión. El equipo formado por el productor Michael Carreras, el director Terence Fisher, el guionista Jimmy Sangster, el decorador Bernard Robinson y los actores Peter Cushing y Cristopher Lee fue el responsable de lo más significativo de esta serie: *La maldición de Frankestein (The Curse of Frankenstein,* 1957), *Drácula (Horror of Dracula,* 1958), *La momia (The Mummy,* 1959)...

Mientras los *horror films* conseguían volver a los días de las largas colas a las puertas de los cines, un grupo de «jóvenes airados» aglutinado en torno al crítico Lindsay Anderson (1923-1994) pasaba a la acción creando el movimiento independiente del *Free Cinema* (Cine libre), revitalizando con sus películas la semiextinguida tradición documental que había dado al cine británico tantos días de gloria. La presentación en sociedad del *Free Cinema* se produjo en febrero de 1956 en una hoy ya célebre sesión organizada por el National Film Theatre (Cinemateca británica), con un programa compuesto por *O'Dreamland,* de Lindsay Anderson, *Together,* de Lorenza Mazzetti y *Momma Don't Allow,* de Karel Reisz y Tony Richardson. Trabajando con formatos de 16 o de 35 mm, estos *angry young men* del cine (que suponían para este arte lo que un John Osborne ha supuesto para el teatro y que, por muchos motivos, se emparentaban con el espíritu y los métodos de trabajo del *New American Cinema Group)* fueron ampliando el número de sus obras: *Every Day Except Christmas* (1957), de Lindsay Anderson, rodado en el mercado de frutas y verduras de Covent Garden; *Nice Time* (1957), de Claude Goretta y Alain Tanner, que es, al igual que *Momma Don't Allow,* una incursión en el mundo de las diversiones populares, esta vez paseando el teleobjetivo indiscreto por la famosa plaza de Piccadilly durante la noche; *We Are the Lambeth Boys* (1958), rodado por Karel Reisz en el humilde barrio de Lambeth; *March to Aldermaston* (1958), obra colectiva montada por Anderson, sobre la marcha anual de protesta antiatómica hacia el centro nuclear de Aldermaston.

El *Free Cinema* nace pues en el mismo año en que los aviones británicos bombardean el territorio egipcio con motivo de la «crisis de Suez». Sus creadores, que reconocen al gran documentalista Humphrey Jennings como su maestro, son gentes insatisfechas de la sociedad en que viven, de su conformismo moral que encubre la más tremenda hipocresía (se verá bien claro cuando salgan a la luz los trapos sucios del «asunto Profumo») y hastiados del principio de autoridad indiscutido e indiscutible que encarna el respeto a sus mayores y a la tradicional monarquía inglesa... Sus ideas han quedado expuestas con claridad meridiana en un revelador libro colectivo, titulado *Manifiesto de los jóvenes airados (Declaration,* 1958), que se convierte en el ruidoso portavoz de la nueva generación.

En lo que atañe al cine, la verdad es que la situación inglesa no es muy brillante en ese momento, aunque desde 1954 el país alberga al norteamericano Joseph Losey, que no tardará en convertirse en un realizador de celebridad mundial. Al igual que los documentalistas ingleses de anteguerra, los hombres del *Free Cinema* han realizado sus cortos o mediometrajes contando con la financiación de empresas comerciales como la Ford Motor Company, pero, a diferencia de sus antecesores, emplean un lenguaje menos austero, más brillante y desenvuelto, un tono menos didáctico y utilitario, y acaban finalmente por incorporarse al largometraje y al cine de ficción dramática durante el período 1958-1961.

El primer largometraje del «nuevo cine inglés» es *Un lugar en la cumbre (Room at the Top,* 1958), de Jack Clayton (1921-1995), historia de un arribista dispuesto a escalar peldaños en la sociedad a cualquier precio y que evoca inevitablemente el asunto de *Una tragedia americana* de Dreiser, con todas las diferencias de matices que se quiera –incluida la capacidad crítica– que separan la cultura americana de la inglesa. Su presentación en Cannes advirtió al mundo de un cambio de rumbo importante en la producción británica. El mismo Clayton sorprendió a continuación por derroteros muy distintos con su alucinante *¡Suspense! (The Innocents,* 1961) inspirado en un relato de Henry James, en donde presenta un caso morboso de puritanismo y de represión sexual (Deborah Kerr), que rebasa lo patológico para entrar en el campo de lo demoníaco. Tony Richardson (1928-1991), por su parte, que ha hecho sus primeras armas en el teatro, adapta la célebre pieza de John

Osborne *Mirando hacia atrás con ira (Look Back in Anger,* 1959) y la de Shelagh Delaney *Un sabor a miel (A Taste of Honey,* 1961), ácida historia de las relaciones de una adolescente (a quien un negro dejó embarazada) con un muchacho homosexual. Karel Reisz (1926-2002) relata con gran autenticidad en *Sábado noche, domingo mañana (Saturday Night and Sunday Morning,* 1961) la vida vacía de un joven obrero inglés (Albert Finney, el futuro Tom Jones), sin clichés conformistas ni de derechas ni de izquierdas, porque se trata de un producto del proletariado neocapitalista, que se gana relativamente bien la vida y únicamente piensa en divertirse, que se siente en rebeldía contra el medio que le rodea, pero desprovisto de la más mínima conciencia política porque nadie le ha enseñado –y si se lo han enseñado lo ha olvidado o no lo ha creído– que lo que diferencia al hombre de las bestias es su capacidad para modificar el curso de la historia y configurar las formas sociales.

Tal vez la cúspide de esta visión sombría de la sociedad británica, tan alejada de las comedidas y conformistas fórmulas victorianas, corresponda a *El ingenuo salvaje (This Sporting Life,* 1962), de Lindsay Anderson, historia del minero (Richard Harris) que llega a convertirse en un famoso *rugbyman,* pero que a pesar de su aparente éxito exterior no consigue escapar de su íntima frustración. Exposición violenta de un caso de alienación, late tras sus imágenes el estrepitoso fracaso de la «sociedad de consumo», de sus mitos y de sus inestables desequilibrios. Los «jóvenes airados» del cine inglés han hecho añicos con sus películas todos los tópicos de la estable, educada, próspera y pudibunda Inglaterra. Su lenguaje es, en todos los casos, amargo y pesimista, alcanzando un nivel paroxístico en el caso de *If... (If...,* 1968), sobre el viejo tema de la insurrección de los estudiantes contra el mundo de los adultos sin que, a pesar de sus incisos poéticos, Lindsay Anderson consiga hacernos olvidar las imágenes entrañables de *Zéro de conduite* y aunque el pesimismo se enmascara en este caso con la precaución retórica de mostrar una sublevación que tiene solamente entidad imaginaria. También resulta fácil referirse a *Los cuatrocientos golpes* al examinar *Kes* (1969), del joven realizador Kenneth Loach, cuya preocupación por estudiar el doloroso conflicto entre el ser humano y el medio social en que se inserta le conduce al excelente *Vida de familia (Family Life,* 1972), mostrando implacablemente el proceso de génesis de la esquizofrenia en una mucha-cha de la pequeña burguesía y señalando las graves insuficiencias de la psiquiatría tradicional. No menos amarga, aunque entre ya en los lindes de la ciencia ficción, es la visión del futuro humano que ofrece Peter Watkins en *El juego de la guerra (The War Game,* 1965), realizado para la televisión con estilo de reportaje autén-tico, y en *Gladiatorerna* (1969), producida en Suecia, que muestra a la guerra como un higiénico expediente liberador de la agresividad humana. Pero en este universo de amarguras hay una excepción notable y es la de Richard Lester, que procedente de la televisión americana utiliza el humor y el desenfado, de estirpe surrealista, para dinamitar al igual que sus colegas las más respetables institu-ciones y costumbres del reino. Su revelación tuvo lugar en *¡Qué noche la de aquel día! (A Hard Day's Night,* 1964), con los Beatles como protagonistas, hermanos Marx melódicos puestos al gusto del día, al gusto de los *comic-books* y del *pop-art* y que representan la alegría de vivir de la nueva juventud, que con sus melenas y atuendos protestan contra el principio de autoridad y las formas de vida de sus mayores.

Gravita también sobre Lester la liberación de la puesta en esce-na iniciada por Godard y Resnais, pero llevada todavía más lejos, destrozando con el montaje la noción clásica de espacio y de tiem-po cinematográfico (recuérdese, por ejemplo, la escena en que los Beatles están a la vez dentro del tren y corren a su lado). Aunque su *¡Socorro! (Help!,* 1965), en color, resulta en conjunto bastante inferior, hay en ella un torrente de excelentes ideas figurativas, un grafismo atrevido y moderno, jugando con los desenfoques (como hizo Antonioni en *El desierto rojo)* para obtener bellas e imprecisas masas coloreadas. De todos modos, lo mejor de Lester es *El knack y cómo conseguirlo (The Knack and How to Get It,* 1965), que otorga espléndidas virtudes cinemáticas a la pieza de Ann Jellicoe, adscrita al llamado «teatro del absurdo».

La destrucción de la noción de argumentos y de psicología que aparece en una buena parte de la narrativa moderna (y tam-bién en la pintura) había tenido hasta ahora su adalid cinemato-gráfico más notable en Jean-Luc Godard, cuyas obras no se basan en la continuidad narrativa ni en la intriga clásica, sino en la acu-mulación de «momento expresivos». Pero el *pop-cine* de Lester se sitúa más próximo al disparate de Mack Sennett y al montaje explosivo de Eisenstein que a los juegos intelectuales de Godard, porque en *The Knack* pulveriza con el arma del humor el pacato puritanismo británico, los buenos modales, la hipocresía y las cosas que no se deben hacer ni decir. Ionesco y Adamov lo habían hecho ya en el teatro; Lester lo hace ahora con la tremenda fuerza que se deriva de la imagen cinematográfica y recibe el Gran Premio en Cannes. Pero sus siguientes *Golfus de Roma (A Funny Thing Happened on the Way to the Forum,* 1966), *Petulia (Petulia,* 1967), y *Cómo gané la guerra (How I Won the War,* 1967) evidenciarán cierta fragilidad de los supuestos en que se asienta su obra, tal vez excesivamente plegada a las modas estéticas.

La obra de Lester se inscribe en la vertiente del llamado «cine-tebeo», que hace furor por estos años y que proporciona a la industria jugosos beneficios, especialmente con las aventuras sádico-eróticas del robot humano James Bond, agente secreto ideado por el novelista inglés Ian Fleming, que ostenta las siglas 007, que significan, nada más y nada menos, licencia para matar con toda impunidad. Encarnado por el actor Sean Connery, este mito narcisista alcanzó celebridad universal gracias a la serie que inició Terence Young con *Agente 007 contra el Dr. No (Doctor No,* 1962). Su irresistible atractivo erótico, su astucia y su crueldad siempre impune hicieron de él un *superman* moderno en el que todo individuo, frustrado en la mediocridad de su vida cotidiana, pudiera proyectarse. La moda del «cine-tebeo» será tan arrolladora que el realizador Joseph Losey, después de obras tan serias y polémicas como *El sirviente* y *Rey y patria* (1964) lo abordará con *Modesty Blaise, superagente femenino* (1965), protagonizada por Monica Vitti, sofisticada desmitificación de la heroína de los cómics de Jim Holdaway.

Esta trayectoria nos conduce hacia el fenómeno de la síntesis entre el «cine-espectáculo» y el «cine de autor», en la línea ya ensayada por el americano Stanley Kubrick con su *Espartaco.* Puesto que el *blockbuster* es una realidad industrial que no puede ignorarse y capaz de atraer a las grandes masas, ¿por qué no abordarlo sin renunciar a la dimensión intelectual que toda obra de arte debe tener? Demostrando su vitalidad artística y su impulso renovador, el cine inglés de los últimos años ha ofrecido algunos ejemplos que se acomodan a estas premisas, negándose a renunciar a la dimensión social del cine como arte de masas (al contrario de lo que hacen, por ejemplo, Ingmar Bergman o Alain Resnais) y elevando el nivel de lo que hasta ahora era espectáculo con altura intelectual de barraca de feria. Tenemos el caso de *Tom Jones (Tom Jones,* 1963), adaptación ejemplar de una novela clásica, satírica y libertina de Henry Fielding (un *angry young man* de la puritana Inglaterra del siglo XVIII), en donde Tony Richardson recrea por vez primera un ambiente histórico con la agilidad y desenvoltura formal del *Free Cinema* (cámara llevada a mano, empleo de fotos fijas), lo que quiebra la tradición académica y encorsetada del género y confiere actualidad a su sátira mordaz y saludablemente grosera, porque groseros eran los clásicos ingleses como lo han sido algunos españoles del Siglo de Oro, actitud nueva que tal vez haya influido en el espíritu con que Welles ha abordado *Campanadas a medianoche,* bien distante de la pulcritud que ha caracterizado siempre a las versiones shakespearianas de sir Laurence Olivier.

El desplazamiento del Tony Richardson «airado» de *La soledad del corredor de fondo (The Loneliness of the Long Distance Runner,* 1963), al Tony Richardson «divertido» de *Tom Jones* se observa también en Karel Reisz, que con *Morgan, un caso clínico (Morgan: A Suitable Case for Treatment,* 1966) nos demuestra que la risa es también un vehículo del vértigo existencialista, especialmente en el demoledor final en que el joven protagonista, un revolucionario trotskista frustrado, compone con flores un inmenso e inofensivo emblema de la hoz y el martillo, en el tranquilo jardín de una clínica psiquiátrica en la que está recluido. El tono «airado» desaparece, pero no la amargura, la frustración y la impotencia, que han nutrido obras tan auténticas del joven cine inglés como *Esa clase de amor (A Kind of Loving,* 1962) de John Schlesinger, realizador cuya obra oscila perpetuamente entre el estudio documental de comportamientos y crisis sentimentales y una singular vena romántica: *Billy Liar (Billy Liar,* 1963), *Darling (Darling,* 1966), *Lejos del mundanal ruido (Far from the Madding Crowd,* 1967), según Thomas Hardy, *Cowboy de medianoche* (1969), ya examinada en otro lugar, y *Domingo, maldito domingo (Sunday, Bloody Sunday,* 1971), análisis de una amistad homosexual.

Pero la incorporación de muchos de estos jóvenes a la gran industria, tras sus brillantes éxitos iniciales, explica este sintomático desplazamiento, que trata de alcanzar la fórmula del cine-espectáculo, capaz de llegar al gran público, sin renunciar por ello el autor a su perspectiva personal, que ofrece una visión del mundo y de la sociedad con un sello propio. Éste es el caso de Tony Richardson, cuya obra abundante no escapa a la irregularidad y a las claudicaciones industriales, pero que ejemplifica las posibilidades (y limitaciones) de esta nueva actitud en *La última carga (The Charge of the Light Brigade,* 1968), reverso de la exaltación épico-heroica al uso, que muestra la voracidad imperialista de las grandes potencias y la mezquindad de sus nobles y oficiales. Una valoración similar puede aplicarse, en orden a la moral individual, a la biografía *Isadora (Isadora,* 1969), de Karel Reisz, con Vanessa Redgrave interpretando a la Duncan.

Un buen ejemplo de sentido del espectáculo integrado en un cine que se quiere adulto lo ofrece Ken Russell, desde su revelación internacional merced a su excelente adaptación de D. H. Lawrence en *Mujeres enamoradas (Women in Love,* 1969), aunque en *Los demonios (The Devils,* 1971) un innecesario sensacionalismo escenográfico empañó el análisis político del proceso incoado a raíz del episodio de las monjas endemoniadas de Loudun, que ya había inspirado a Kawalerowicz. Su biografía de Chaikovski en *La pasión de vivir (The Music Loyers,* 1970), que puso su énfasis en los problemas existenciales e íntimos del compositor ruso, se contrapuso polémicamente al *Chaikowski* (1970) soviético de Igor V. Talankin, de corte mucho más clásico. Convertido rápidamente en uno de los nombres más cotizados del nuevo cine británico, Russell realizó la nostálgica comedia musical *El novio (The Boy Friend,* 1972), protagonizada por la modelo Twiggy, y adaptó luego la novela de H. S. Ede *Savage Messiah* (1972).

Otro inteligente ejemplo de síntesis entre «cine de autor» y «cine-espectáculo», con macropantalla y nutrida constelación de estrellas, es *Lawrence de Arabia (Lawrence of Arabia,* 1962), de David Lean, que con Peter O'Toole como cabeza de reparto estudia la compleja figura del arqueólogo y agente político inglés Thomas Edward Lawrence (1885-1935), una de las personalidades más discutidas y apasionantes de la historia moderna. La siguiente realización de Lean, *Doctor Zhivago (Doctor Zhivago,* 1966), rodada en España para Carlo Ponti-Metro-Goldwyn-Mayer, resultó muy inferior a pesar de su gran despliegue de medios.

No es prudente menospreciar con ingenuidad los imperativos comerciales que gravitan y seguirán gravitando durante bastantes años sobre la industria del cine: estrellas populares, final feliz, escenarios suntuosos, culto al *box-office*... Pero tampoco es justo ignorar la importancia y el significado de estas experiencias que tratan de superar la vieja antinomia entre arte para minorías selectas y superespectáculo para grandes masas de paladar artístico tosco, inaugurando con ello un nuevo capítulo de la historia del cine, que se abre ahora ante nosotros.

El brillante florecimiento del cine británico en la década que se inició en 1960 atrajo a este país a prestigiosos realizadores extranjeros, como William Wyler, que rodó allí *El coleccionista (The Collector,* 1965), François Truffaut, que adaptó la novela de ciencia ficción de Ray Bradbury *Fahrenheit 451 (Fahrenheit 451,* 1966), y Michelangelo Antonioni, que en las calles y parques de Londres fotografió su *Blow-Up* (1967).

EL JOVEN CINE ALEMÁN

Engordada por la masiva ayuda económica americana y no enflaquecida por el colosal despilfarro de la carrera de armamentos y de la conquista del espacio, la República Federal de Alemania ha conseguido crear uno de los arquetipos más ejemplares y escalofriantes de sociedad opulenta y, añadamos, de sociedad amodorrada.

Su cinematografía, castigada con dos grandes exilios y una aplastante derrota militar, no acertó a encontrar el pulso en las dos décadas que sucedieron al final de la guerra. Es cierto que, de tanto en tanto, y emergiendo entre la marea de producciones *sexy* que parecían haberse convertido en su especialidad, el cine alemán había ofrecido algunas piezas aisladas que demostraban su desesperada voluntad de supervivencia. La primera de ellas fue el desolador retablo satírico de *La balada de Berlín (Berliner Ballade,* 1948), de Robert Adolf Stemmle, que a través del deambular del desmovilizado Otto (Gert Froebe) por las ruinas de Berlín y con su absurda muerte, teñido todo de un gusto expresionista que revela en qué medida está adherido este estilo a la sensibilidad germana, mostraba las posibilidades de que aquella cinematografía renaciera literalmente de sus cenizas. Pero no fue así. Retengamos todavía, a título de inventario, *El escándalo Rosemarie (Das Mädchen Rosemarie,* 1958), en la que Rolf Thiele reconstruye un suceso auténtico, el turbio asesinato de la *call-girl* Rosemarie Nitribitt (interpretada por Nadja Tiller) y el film falsamente antimilitarista *El puente (Die Brücke,* 1959), de Bernhard Wicki.

En este año de 1959, y a pesar del éxito popular de la serie cuartelera *08/15* de Paul May (tres films entre 1954 y 1957), la industria del cine alemán se muestra francamente enferma. La UFA revela que durante este año ha sufrido un descalabro de 5.800.000 marcos y echa las culpas a la competencia de la televisión y a la política fiscal. El gobierno federal replica preguntando por qué no se hacen ya películas de calidad como *El ángel azul, El último* o *El doctor Mabuse,* pero el *Frankfurter Allgemeine* contesta que estas películas se hicieron, precisamente, gracias a la ayuda de la República de Weimar. En medio de esas disputas descorazonadoras, el anciano Fritz Lang, que ha abandonado definitivamente su refugio californiano, reemprende su carrera alemana con una especie de retorno nostálgico a los orígenes, a sus viejos seriales de aventuras exóticas, rodando en Eastmancolor *El tigre de Esnapur (Der Tiger von Eschnapur,* 1959) y *La tumba india (Das indische Grabmal,* 1959). Después, como detectando la amenaza del resurgimiento neonazi, resucita oportunamente a un viejo e inquietante conocido en *Los crímenes del doctor Mabuse (Die Tausend Augen des Dr. Mabuse,* 1960).

Cierto es que en dos décadas el cine alemán ha dado vida a un nutrido plantel de estrellas, que pasean sus rostros a lo largo de una retahíla de coproducciones bipartitas o tripartitas (Curd Jurgens, Maria Schell, O. W. Fischer, Romy Schneider, Marianne Koch, Hildegarde Neff, Gert Froebe, Nadja Tiller, Maximilian Schell, Elke Sommer), pero este mismo vagabundeo apátrida de sus figuras revela hasta qué punto el cine alemán es un cine desarraigado, sin personalidad ni originalidad. Pero afortunadamente las sociedades enfermas, como los organismos vivos, acaban por engendrar sus anticuerpos. La rebelión estudiantil, que ventila los nombres de Rudi Dutschke y del anciano filósofo Herbert Marcuse, muestra que el genio alemán no se deja aprisionar en el bienestar amodorrado que patrocinan los profetas de la opulencia. El teatro alemán comienza a agitarse con las obras de Rolf Hochhuth y de Peter Weiss y esta inquietud renovadora contamina también a la literatura (Günter Grass, Heinrich Böll) y finalmente al cine.

El cambio de panorama es tan súbito y sorprendente que impide aún un aquilatamiento objetivo. Pero aun así, es obligado admitir que, desde 1965, ya se puede hablar también de un «joven cine alemán» de contenido profundamente crítico, anunciado con palabras, pero no con películas, en el manifiesto de Oberhausen del año 1962.

Quien primero plasma el nuevo clima renovador es el francés Jean-Marie Straub con *Nicht Versöhnt* [No reconciliados] (1965), adaptando la novela *Billar a las nueve y media,* de Böll. Pero la película no consigue penetrar la coraza de prejuicios que envuelve protectoramente a la sociedad alemana y Straub tendrá que esperar tres años para llevar a la pantalla su ascética crónica sobre Anna Magdalena Bach, segunda esposa del gran músico (*Chronik der Anna Magdalena Bach,* 1967). Sin embargo, el fuego ya se ha abierto y al año siguiente asistimos a las revelaciones de Ulrich Schamoni con *El fruto de la vida (Es,* 1965), que alerta a la crítica al ser presentada en Cannes, y especialmente de Volker Schlöndorff y de Alexander Kluge.

Schlöndorff, que ha estudiado en París, ha ejercido como ayudante de Louis Malle en cuatro de sus películas. Con un dominio pleno del oficio debuta esplendorosamente en la adaptación de la novela de Robert Musil *El joven Törless (Der junge Törless,* 1966). Puede parecer abusivo hablar de premonición del nazismo al referirse a una novela de 1906. Sin embargo, también Nietzsche fue un premonitor, aunque de otro signo y anterior a Musil. El tema del pensionado para adolescentes no es nuevo en el cine alemán, pero la feroz agresividad de los miembros de su comunidad, tratada sin apaños ni eufemismos, y el personaje de Törless, testigo observador de los desmanes de sus compañeros (como ocurrió con muchos intelectuales en la noche del nazismo), adquieren una dimensión que rebasa el estudio psicológico para entrar de lleno en el veraz y aterrador documento sociológico. Su siguiente *Mord und Totschlag* [Asesino y homicidio] (1967) se beneficia del éxito anterior y expone, a través de un homicidio involuntario, un retrato de la juventud alemana inadaptada que ha producido la égida de Adenauer y la economía del bienestar. La obra de Schlöndorff se fue convirtiendo, poco a poco, en la de un cronista histórico, con la narración de la revuelta campesina encabezada por *El rebelde (Michael Kohlhaas,* 1968), utilizando los materiales que le proporciona la novela de Heinrich von Kleist, y sobre todo con *La repentina riqueza de los pobres de Kombach (Der plötzliche Reichtum der armen Leute von Kombach,* 1971), que extrae sus materiales de un protocolo judicial de 1825, narrando la historia de unos campesinos que, para escapar a su miseria, robaron un carruaje que transportaba el dinero del príncipe de Hessen.

El imperio del novelista Alexander Kluge parece apuntar por el momento hacia metas más complejas y ambiciosas. Su historia de Anita G (interpretada por su hermana) en *Una muchacha sin historia (Abschied von Gestern,* 1966), adaptando un relato escrito por él, utiliza una estructura dramática que obliga a referirse, además del inevitable Brecht, a las experiencias de discontinuidad narrativa de Godard, a las técnicas del *cinéma-vérité* y a la narración en primera persona, revelando una fantasía óptica, un humor feroz y unos supuestos intelectuales que superan a los de los otros componentes del joven cine alemán. Las promesas contenidas en este film estallan en todo su esplendor en su inteligente *Los artistas bajo la carpa de circo: perplejos (Die Artisten in der Zirkuskuppel: ratlos,* 1968), film innovador de lectura compleja y difícil, alegoría fascinante emparentada a las poéticas «del absurdo», en donde la imposible reforma de las estructuras del circo tradicional con que sueña la protagonista adquiere un enorme y apabullante simbolismo político, que nos deja realmente perplejos y nos obliga a meditar la proposición de Umberto Eco, cuando afirma que «el valor del mensaje poético es proporcional a la ambigüedad de su estructura».

El máximo premio de Venecia concedido al considerable film de Kluge en 1968 parece sancionar oficialmente la importancia de este renacimiento germano, que en sus mejores realizadores muestra una especial sensibilidad hacia los problemas del lenguaje, problematizando en sus films la tradición estética del cine, como hace Kluge o como hace Straub en su film sobre Bach y en una sorprendente adaptación de *Othon* (1969) del viejo Corneille. Pero junto a estos innovadores, verdaderos cineastas de ruptura, se alza

446

una nueva promoción, en la que se inscriben los nombres de Peter Fleischmann, realizador de *Escenas de caza en la Baja Baviera (Jagdszenen aus Nierderbayern,* 1969), crónica implacable de la agresividad cotidiana, de Johannes Schaaf –autor de *Tatuaje (Tatöwerung,* 1967), otra fina crítica social articulada en la historia de un muchacho que es sacado del reformatorio y adoptado por un comerciante y su esposa, y de *Trotta* (1972), relato viscontiano acerca de la decadencia de la aristocracia del Imperio austrohúngaro–, Gustav Ehmck, Edgar Reitz, Vlado Kristl, Rudolf Noelte, que adapta meticulosamente *Das Schloss* [El castillo] (1968), de Franz Kafka, y Peter Lilienthal, que en *Malatesta* (1970) recrea la biografía de este anarquista italiano. Y a pesar de la caída vertical del número de espectadores en la República Federal (de 810 millones en 1956 a 250 millones en 1967), la producción ascendió en 1967 a 93 films –cifra no alcanzada desde 1960– debido a la creciente incorporación de nuevos nombres al cine alemán. En los años venideros será posible medir cabalmente la envergadura de esta prometedora irrupción del «joven cine alemán» en el tablero del cine contemporáneo.

LOS PAÍSES ESCANDINAVOS

Ya vimos cómo el atormentado espíritu de Ingmar Bergman había convertido al cine sueco en uno de los más interesantes de la geografía europea. Resulta instructivo pormenorizar un poco su significativa evolución. Había iniciado Bergman su filmografía con un visible bagaje existencialista, a la búsqueda de una imposible felicidad humana a través del amor y de la relación erótica. Constatado definitivamente el fracaso de esta solución hedonista en su desesperada *Noche de circo* (1953) –que fue también un fracaso comercial y le obligó a derivar provisionalmente hacia la comedia–, su obra sufre una inflexión y comienza a interrogarse sobre el sentido de la existencia humana y a indagar la posibilidad de un hipotético mundo sobrenatural en *El séptimo sello* (1956). Pero la película, que es a la vez una parábola sobre el apocalipsis atómico, no llega a resolver el duelo dialéctico entre el caballero espiritualista, que regresa de las Cruzadas, y su materialista escudero. A este momento de crisis interna pertenece *Fresas salvajes* *(Smultronstället,* 1957), en donde un anciano profesor (Victor Sjöström) efectúa un balance mental de lo que ha sido su vida, cuando siente ya próximo el aleteo de la muerte. Ciertamente, no puede pedirse mayor sinceridad al torturado espíritu agnóstico de Bergman, que se aplica luego a estudiar con ojo de entomólogo si el misterio de la maternidad, trascendiendo su dimensión puramente biológica, permite abrir alguna puerta a la esperanza. Esto es lo que hace al rodar en una clínica de Estocolmo *En el umbral de la vida (Nära livet,* 1957), que a pesar de su final sigue siendo una película pesimista, y prueba de ello es que su desesperación le empuja a bucear luego en el mundo de la magia y de los poderes ocultos en *El rostro (Ansiktet,* 1958), film en parte irónico sobre el conflicto decimonónico entre la ciencia positiva y la metafísica, y en el milagro (otra forma de magia) en *El manantial de la doncella (Jungfraukällan,* 1959).

Ninguna de estas búsquedas resuelve los íntimos interrogantes de Bergman, desgarrado siempre entre el pesimismo irracionalista de la filosofía germano-escandinava y el misticismo idealista, como confesará con enorme franqueza en la trilogía formada por *Como en un espejo (Sason i en Spegel,* 1961), *Los comulgantes (Nattvardsgasterna,* 1962) y por el acongojante *Tystnaden* [El silencio] (1963), que es una visión desoladora del mundo «con el silencio de Dios». Su desesperado agnosticismo es, sin embargo, la antepuerta de la lucidez de que hará gala al estudiar la ferocidad (y la soledad) humana, con un estilo cada vez más ascético y depurado y creando unos universos cada vez más agobiantes, a pesar del poco afortunado paréntesis cómico de *¡Esas mujeres! (For att inte tala am ala dressa kvinnor,* 1964). A esta última etapa de su obra, de espesa densidad intelectual y moral, pertenecen *Persona (Persona,* 1967), *Vargtimmen* [La hora del lobo] (1969), *La vergüenza (Skammen,* 1967), *Riten* [El rito] (1968), *Pasion (En Passion,* 1969) y *The Touch (La carcoma,* 1971).

El universo de Bergman, que es muy coherente en el plano filosófico, nos enfrenta a un tipo de cine que hasta ahora jamás se había producido. A un cine de una hondura intelectual que, estemos o no de acuerdo con él, nos obliga a sentir un gran respeto. Con Bergman tenemos la impresión de que las páginas filosóficas de Kierkegaard se han hecho imagen y no nos sorprende ya la idea que abrigaba Eisenstein cuando acariciaba el proyecto de adaptar *El capital* al cine.

Bergman ha revelado también al mundo que Suecia posee un plantel de actores y de actrices de primerísima categoría, como son Anita Björk, Max von Sydow, Gunnar Björnstrand, Harriet Anderson, Eva Dahlbeck, Ingrid Thulin y Bibi Andersson.

El florecimiento de la escuela sueca, que se caracteriza por su excepcional franqueza erótica y por su atención obsesiva hacia los grandes problemas de la condición humana considerada *in vitro,* es decir, aislada por lo general de los grandes dramas colectivos de la familia humana que sufre y padece en otras latitudes menos prósperas, se materializará en las creaciones de un grupo de jóvenes, como Bo Widerberg, autor de *Barnvagnen* [El cochecito] (1962), *Kärlek 65* [Amor 65] (1965), *Elvira Madigan* (1967), *Adalen 31* (1969), crónica de la huelga que llevó al poder al partido socialista en Suecia y, en la misma línea, *Joe Hill* (1971), historia de este pionero del sindicalismo, de origen sueco, que rueda en los Estados Unidos; Vilgot Sjöman, director de *Alskarinan* [La amante] (1962), *491* (1963), *Mi hermana, mi amor (Syskonbädd 1782,* 1966) y *Yo soy curiosa (Jag är nyfiken,* 1967), testimonio sincero de la perplejidad de una joven ante un mundo demasiado complejo y que, a pesar de su modesto presupuesto y ausencia de estrellas, obtuvo un éxito mundial por su franqueza erótica; y la actriz y realizadora Mai Zetterling, que también abordó la problemática sexual en *Alskande par* [Parejas] (1964), la sensual *Juegos de noche (Nattlek,* 1966), que a pesar de su freudismo pueril provocó un considerable revuelo al ser presentada en el festival de Venecia, y *Las chicas (Flickorna,* 1968).

A pesar de que raramente ha sobrepasado los treinta films anuales, la moderna producción sueca se cuenta entre las que más interesó a la crítica, por su gran libertad expresiva (que ha levantado, naturalmente, polvaredas polémicas) y por su óptica al enfrentarse con ciertos temas que tradicionalmente se consideraban tabú, aunque por lo general sus historias de amores libres y de incestos estén impregnadas de una tristísima y pesimista *Weltanschauung.*

En el frente del cine documental hay que señalar la presencia de Ame Sücksdorff, que en sus películas plasma una imagen a la vez lírica y dramática de la naturaleza: *Indisk by* [Pueblo indio] (1951), *Vinden och floden* [El viento y el río] (1951), *Det stora äventiret* [La gran aventura] (1953), *En djungelsaga* [La flecha y el leopardo] (1957).

Del cine danés vale la pena señalar la madura aportación de Henning Carlsen, autor de la adaptación de *Hunger* [Hambre] (1966), la novela de Knut Hamsun, y de *Klabautermanden* [Todos somos demonios] (1969), y sobre todo la personalísima y marginal figura de Carl Th. Dreyer, que fallece en 1968 sin haber podido llevar a la pantalla su viejo y querido proyecto sobre la Pasión de Cristo. No obstante, en 1955 ha rodado *Ordet* [La palabra], que es también una película teológica, aunque Dreyer no es un agnóstico, como Bergman, sino un creyente atormentado por el problema de la fe. En esta ocasión plantea un problema muy polémico para el protestantismo danés, que no admite más milagros que los que se atribuyen a Jesús. Enfrentándose a esta tesis oficial de la Iglesia de Dinamarca, Dreyer expone en su película un caso de resurrección milagrosa en una aldea danesa, con la misma convicción con que expuso en su anterior *Dies Irae* un caso real de brujería. Con todas las reservas que pueda merecer un asunto de esta naturaleza, resulta indiscutible que Dreyer ha sido el único realizador de toda la historia del cine que ha abordado los temas medulares de la religión, desde una perspectiva cristiana, con auténtico atrevimiento y espíritu crítico. Su siguiente *Gertrud* (1964), que adapta una pieza teatral de H. Söderberg, es una obra de senectud, una madura reflexión sobre el tema del amor plasmada en un virtuoso y austerísimo rigor plástico, que fue recibida por la crítica con una acentuada división de opiniones, pero que la muerte de su autor ha elevado, en cierta manera, a la categoría de testamento artístico de un maestro cuya obra ha discurrido al margen de las modas y de las oscilaciones del gusto.

EL COLOSO ASIÁTICO

Unas pocas cifras bastan para exponer la sorprendente topografía cinematográfica del gigante asiático en los años sesenta. En 1961, concretamente, año en que los Estados Unidos producen

189 películas, Japón produjo 535, la pequeña colonia de Hong-Kong 302, India 297, Filipinas 105 y China Popular 35. Como se ve, la parte del león en la producción mundial corresponde al superpoblado continente, sin que tan elevada cantidad suponga un homólogo índice de calidad. Descartados por su deleznable calidad media los cines de Hong-Kong, de Filipinas y de China Popular, quedan como los dos grandes pilares asiáticos el cine japonés y el cine indio. En 1965 (año en que Hollywood produce solamente 160 películas), Japón alcanza los 483 títulos y la India 322. Estas cifras hablan por sí solas.

Del cine indio solamente vale la pena recordar la figura de Stayajit Ray, ya que un sobrevuelo por los centros productores de Bombay (en lengua hindú), de Calcuta o de Madrás, no hace sino confirmar el tremendo subdesarrollo material y cultural de un pueblo para el que, hoy por hoy, son infinitamente más urgentes los alimentos materiales que el relativo lujo de los alimentos culturales.

No puede decirse lo mismo de la potencia cinematográfica japonesa, a la que nos hemos referido ya en el capítulo anterior. Al morir Kenji Mizoguchi en 1956, con más de doscientos films a sus espaldas y poco antes de estrenarse su último film *Akasen chitai* [La calle de la vergüenza] (1956), los dos grandes maestros del cine nipón eran Akira Kurosawa y Yasujiro Ozu. Kurosawa, que es uno de los pocos directores de su país cuya obra es bien conocida en Occidente, realizó una adaptación de *Macbeth* en *Kumonsom-Djo* (1957), y de *Los bajos fondos,* de Gorki, en *Donzoko* (1957). Pero su brío expresivo y la explosiva violencia de sus imágenes parece haberse ido apagando en sus siguientes películas: *El infierno del odio (Tengoku To Jikogu,* 1963), *Barbarroja (Akahige,* 1964), que corrobora su insobornable postura humanista, en lucha contra todas las formas de dolor y de injusticia y, acusando ya un neto declive, *Dodes'kaden* (1972).

Menos conocido que Kurosawa, la figura de Yasujiro Ozu fue revalorizada con motivo de la retrospectiva de su obra que se realizó en el festival de Berlín de 1963, año de su muerte. La cincuentena de films que componen la última etapa de su carrera (iniciada en 1927), reflejan una postura melancólica y pesimista ante la vida, expuesta con gran sutileza y con una impresionante austeridad formal, hecha de larguísimos planos estáticos: *Tokyo Monogatari* [Historia de Tokio] (1954), *Soshun* [Primavera temprana] (1956), que tal vez sea su mejor película y que narra la breve infidelidad amorosa de un oficinista casado, y *Suma no aji* [Tarde de otoño] (1962), su última obra.

Pero estos nombres no agotan el plantel de excelentes realizadores nipones, en un país en el que el desarrollo de la televisión ha tardado en producir los graves trastornos que hemos constatado en otras latitudes. Entre los cineastas y películas que han recibido galardones en los últimos festivales internacionales, vale la pena retener algunos nombres: So Yamamura, autor del film revolucionario *Kanikosen* [El barco del infierno] (1953), con resonancias de *El acorazado Potemkin;* Kon Ichikawa, que realiza en Birmania el film pacifista *El arpa birmana (Biruma no tategoto,* 1956) y se sitúa en primerísima línea del cine japonés con *Kagi* [Extraña obsesión] (1959), drama sexual de gran violencia erótica, y la espeluznante crónica bélica *Nobi* [Fuegos en la llanura] (1960); Hiroshi Teshigahara, que rueda el drama kafkiano de un científico raptado por una mujer en un profundo hoyo de arena, en *Suna no Onna* [La mujer de arena] (1962); y Masaki Kobayashi, autor de *Harakiri (Seppuku,* 1963), un violento alegato antimilitarista que pone en la picota la crueldad del feudalismo nipón y la institución de los samuráis, y de la cinta fantástica *El más allá (Kwaidan,* 1965).

Pero la figura más creativa del moderno cine japonés es sin duda Nagisa Oshima, que comenzó a trabajar en 1954 para la productora Schochiku y en 1959 inició su carrera de realizador, aunque su obra no fue descubierta por la crítica occidental hasta 1968. Entre sus mejores obras, regidas siempre por una implacable lógica interna, destacan *Shinju Nippon no Natsu* [El diario de un ladrón de Shinjuku] (1968), *Koshikei* [Muerte por ahorcamiento] (1968). *El muchacho (Shonen,* 1969) y *Gishiki* [La ceremonia] (1971).

La elevada capacidad técnica de la industria del cine japonés le ha permitido desarrollar su propio procedimiento de cine en color (Fujicolor) y ha hecho posibles resultados notables en el campo de los dibujos animados (Kichiro Kanai, Zenajiro Yamamoto, Noburo Ofugi, Yasuji Murata, Iwao Achida, Wagoro Arei, Konzo Masaoka, Taiji Yashubita).

El despertar cinematográfico del Tercer Mundo se observa con particular vitalidad en las repúblicas latinoamericanas y ya hemos visto cómo México y la Argentina habían consolidado los dos focos más desarrollados del continente, a pesar de la poderosa tutela de las grandes compañías de Hollywood, que procuran mantener un colonialismo cinematográfico sobre las pantallas de Iberoamérica.

En México prosiguió su carrera de excepción el español Luis Buñuel, superando las limitaciones técnicas y artísticas de la industria mexicana con su personalísimo talento.

Una comedia surrealista como *Ensayo de un crimen* (1955), realizada con pésimos decorados y con actores deplorables, consigue cautivarnos por el toque genial de Buñuel al exponer este curioso caso patológico (réplica irónica al ciclo psicoanalítico de Hollywood) protagonizado por un Archibaldo de la Cruz cuyo deseo erótico se manifiesta en impulsos homicidas que, siempre a causa de un extraño azar, no llegan a materializarse en el asesinato deseado. Buñuel sabe, como André Breton, que «lo que hay de admirable en lo fantástico es que no existe lo fantástico, pues todo es real». Por eso su surrealismo tiene tal capacidad revulsiva y fascinadora.

Su prestigio le vale en 1955 un contrato para trabajar en Europa y, a partir de esta fecha, su carrera se realizará con un pie en México y otro en Francia, con dos incursiones en el cine español, de las que nacen *Viridiana* (1961), premiada con la Palma de Oro en el festival de Cannes, y *Tristana* (1970), sobre la novela de Benito Pérez Galdós. Sin quitar méritos a su etapa francesa, forzoso es reconocer que la carrera mexicana de Buñuel tiene superior interés, por su entronque más vivo con una cultura ibérica de la que es directo descendiente (Quevedo, Goya, Rojas, Galdós, Baroja, Valle-Inclán), si bien pasado por el filtro francés del surrealismo.

El drama del sacerdote protagonista de *Nazarín* (1958), que procede de Galdós, es el drama de un hombre que sigue al pie de la letra la voz de Cristo y se pone a recorrer los polvorientos caminos de México, para vivir en el sacrificio y en la caridad. Su fracaso final, con los impresionantes tambores de Calanda como fondo sonoro, dio lugar a equívocas interpretaciones y un buen sector de la crítica católica vio en esta obra una película ortodoxa y ejemplar, sobre la dificultad de la santidad en un mundo de miseria y corrupción. Pero el margen de ambigüedad de la moral de Buñuel es tan escaso como el que se desprende de su famosa frase «soy ateo, gracias a Dios». La función revulsiva de su obra alcanza tal vez su apogeo en *El ángel exterminador* (1962), que dinamita los soportes de la moral burguesa mediante la argucia de encerrar a un grupo de gentes de la buena sociedad en una lujosa villa, hasta que acaban por destrozarse los unos a los otros y, con los trajes rotos y físicamente depauperados, retornan a la más primitiva condición zoológica. Cine traumatizante es el de Buñuel, cine de revulsión, que al trabajar en los estudios franceses, con técnicos y actores excelentes, pierde en su refinamiento algo de aquella fuerza telúrica que exudan sus exabruptos mexicanos. Porque en Francia, además, las conexiones culturales tienen otro signo: su *Memorias de una doncella (Journal d'une femme de chambre,* 1963) procede de Octave Mirbeau y la Séverine de su *Bella de día (Belle de jour,* 1967) nace, en última instancia, de las entrañas del marqués de Sade. El siguiente film francés de Buñuel fue *La Vía Láctea (La Voie Lactée,* 1969), que prolonga la promesa de su extraordinario film truncado *Simón del desierto* (1965) en una meticulosa aunque libre historia del cristianismo, incluyendo sus herejías y sus sutiles disputas teológicas, film personalísimo que sólo un español y ex alumno de jesuitas podía realizar y cuyo único precedente cinematográfico sea tal vez el film sobre la brujería de Christensen. En *Tristana* (1970) Buñuel adaptó libremente una novela menor de Benito Pérez Galdós, rodada en España con Catherine Deneuve y Fernando Rey, y a continuación realizó en Francia *El discreto encanto de la burguesía (Le charme discret de la bourgeoisie,* 1972), que prosiguió su crítica antiburguesa con el tratamiento surreal y satírico peculiar de *El ángel exterminador,* aunque con menor originalidad que en aquel film, siendo galardonado con un Oscar.

Eclipsada la meteórica personalidad de Emilio Fernández, lo más importante del cine mexicano moderno resulta estar en manos de directores españoles. El badajocense Luis Alcoriza, que ha trabajado como guionista habitual de Buñuel, demuestra su talento al dirigir *Tlayucán* (1961) y luego *Tiburoneros* (1962), *Tarahumara* (1964), *La casa de cristal* (1965), *La puerta* (1968) y *Paradiso* (1969), mientras Carlos Velo, a quien nos hemos referido ya, prosigue su carrera con la adaptación de la novela de Juan Rulfo *Pedro Páramo* (1966). Alberto Isaac, por su parte, realiza una cuidada evocación histórica en *Los días del amor* (1971).

En Argentina, es Leopoldo Torre Nilsson –hijo del director argentino Leopoldo Torres Ríos y de madre de ascendencia sueca– quien rompe el frente conformista de melodramas porteños y comedias cursis de consumo interior. Formado profesionalmente junto a su padre, debuta como realizador en 1950 y utilizando con frecuencia guiones de su esposa, la novelista Beatriz Guido, crea unas obras muy personales y de refinada caligrafía, que preludian un cierto renacimiento de esta cinematografía: *La casa del ángel* (1957), *Fin de fiesta* (1960), *La mano en la trampa* (1961), *Setenta veces siete* (1962), *La chica del lunes* (1967), una ambiciosa versión de *Martín Fierro* (1968) y *Magia* (1971). La brecha abierta por Torre Nilsson ha dado paso a una generación de jóvenes directores, entre los que destacan Rodolfo Kuhn, David José Kohon, Lautaro Murúa y Fernando Siro, a pesar de lo cual la industria argentina no ha acertado a salir definitivamente de su crisis, traducida en un éxodo masivo de actores y realizadores de este país hacia España (Luis César Amadori, León Klimovsky, Carlos Estrada, Perla Cristal, etc.). Del repudio de los planteamientos y esquemas industriales clásicos ha nacido en Argentina, no obstante, el que probablemente sea el más importante film político realizado en América Latina, *La hora de los hornos* (1966-1967), aplastante film-manifiesto de más de cuatro horas sobre la lucha anticolonial y antiimperialista, que firman Fernando E. Solanas y Octavio Getino.

A partir de 1960 Cuba se ha convertido en un nuevo foco de producción interesante de América Latina, regido por el Instituto Cubano de Arte e Industria Cinematográfica (ICAIC), entidad estatal creada por decreto de 24 de marzo de 1959 y dirigida por Alfredo Guevara, de la que depende tanto la enseñanza como la financiación y programación cinematográfica. Sus actividades se iniciaron en el campo del cortometraje, obteniendo a veces resultados excelentes –como en *Ciclón* (1963), sobre la devastación provocada por el ciclón *Flora* en la isla–, pero desde el mismo año de su fundación comenzó a producir largometrajes, entre los que merecen retenerse *Historias de la revolución* (1960), *Las doce sillas* (1962), *Cumbite* (1964) y *Memorias del subdesarrollo* (1968), según la novela de Edmundo Desnoes, todos de Tomás Gutiérrez Alea; *El joven rebelde* (1961) y *Las aventuras de Juan Quinquin* (1967) de Julio García Espinosa, *Desarraigo* (1965) de Fausto Canel, *Manuela* (1966) y *Lucía* (1968) de Humberto Solás y *La primera carga al machete* (1969) de Manuel Octavio Gómez, films todos de superior interés y que revelan una prodigiosa madurez técnica, insólita en el área cinematográfica del Tercer Mundo. Mientras los jóvenes directores cubanos realizaban sus primeras obras, una auténtica avalancha de nombres célebres de otros países acudía a rodar en la isla, atendiendo a la llamada del ICAIC. Entre ellos han figurado Chris Marker *(Cuba sí),* Agnès Varda *(Salut les cubains),* Mijaíl Kalatozov *(Soy Cuba)* y Joris Ivens *(Carnet de viaje, Pueblo en armas).*

El fenómeno más ruidoso de Iberoamérica, no obstante, será el espectacular florecimiento del cine brasileño en los años sesenta. Ya vimos cómo *Cangaceiro* (1953), de Lima Barreto, había supuesto, con su irrupción en Cannes, un toque de atención para la crítica mundial. *Cangaceiro* era uno de los frutos surgidos de la actividad del trotamundos Alberto Cavalcanti, durante su estancia en Brasil entre 1949 y 1954. En esta etapa Cavalcanti fundó la empresa Veracruz (productora de *Cangaceiro)* y la Kino Film (1953). Pero además de actuar como productor, Cavalcanti dirigió dos películas notables: *O canto do mar* (1953) y *Mulher de verdade* (1954).

Después, abandonó su patria para proseguir su carrera de nómada impenitente en otras latitudes. Pero la semilla por él lanzada acabaría produciendo sus frutos. No obstante, hasta 1962 no resulta posible hablar de la eclosión de un *Cinema Nôvo,* si bien las fronteras de este movimiento tampoco aparecen nítidas. *Barravento* (1962) de Glauber Rocha y *Os cafajestes* (1962) de Ruy Guerra entran de lleno en la nueva tendencia que comienza a perfilarse; en cambio, *O pagador de promessas* (1962), película contemporánea que realiza Anselmo Duarte, sobre la pieza de Alfredo Dias Gomes, y que obtiene la Palma de Oro en Cannes, escapa a este espíritu por su engañoso conformismo religioso y a pesar de cier-

Bonnie y Clyde (1967) de Arthur Penn.

Cowboy de medianoche (1968) de John Schlesinger.

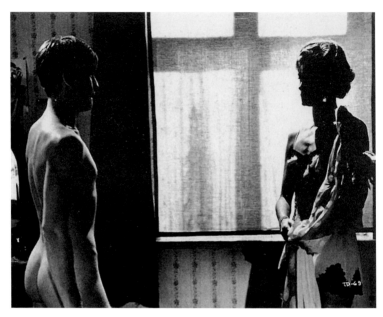

La caída de los dioses (1969) de Luchino Visconti.

El último tango en París (1972) de Bernardo Bertolucci.

Isadora (1968) de Karel Reisz.

La pasión de vivir (1970) de Ken Russell.

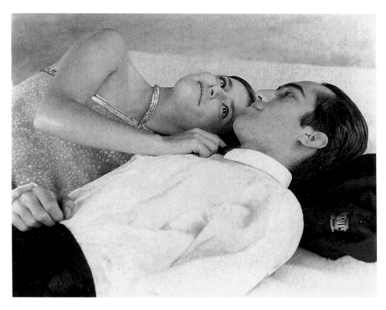

Dante no es únicamente severo (1967) de Jacinto Esteva y Joaquín Jordá.

La naranja mecánica (1972) de Stanley Kubrick.

Waterloo (1969) de Serguéi Bondarchuk.

Sweet Movie (1973) de Dušan Makavejev.

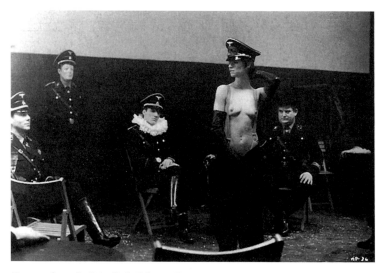

Portero de noche (1974) de Liliana Cavani.

El imperio de los sentidos (1976) de Nagisa Oshima.

Amarcord (1973) de Federico Fellini.

Saló o los 120 días de Sodoma (1975) de Pier Paolo Pasolini.

Novecento (1976) de Bernardo Bertolucci.

La noche americana (1973) de François Truffaut.

El exorcista (1973) de William Friedkin.

Cabeza borradora (1976) de David Lynch.

Apocalypse Now (1979) de Francis Ford Coppola.

Tron (1982) de Steven Lisberger.

Alien (1979) de Ridley Scott.

E. T. (1982) de Steven Spielberg.

Paulina en la playa (1982) de Eric Rohmer.

Carros de fuego (1980) de Hugh Hudson.

La mujer del teniente francés (1981) de Karel Reisz.

El huevo de la serpiente (1977) de Ingmar Bergman.

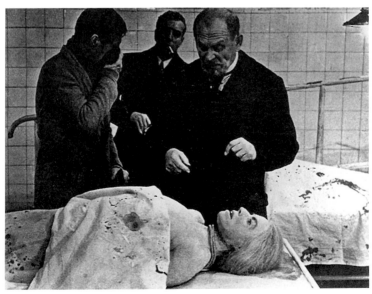

Siberiada (1979) de Andréi Mijalkov-Konchalovski.

El crimen de Cuenca (1979) de Pilar Miró.

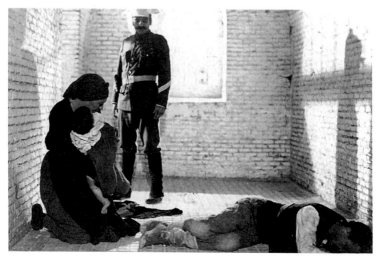

París, Texas (1984) de Wim Wenders.

La rosa púrpura de El Cairo (1985) de Woody Allen.

Memorias de África (1985) de Sidney Pollack.

La balada de Narayama (1983) de Shohei Imamura.

tos elementos creativos comunes. Pero tanto Ruy Guerra como Glauber Rocha han reconocido a Nelson Pereira Dos Santos y a su *Rio, 40 graus* (1955), como guía e inspiración del nuevo movimiento. Todos estos esfuerzos cristalizaron en la aparición de una docena de largometrajes de notable calidad entre 1963 y 1969, formando el cuerpo vivo del hoy célebre *Cinema Nôvo: Vidas secas* (1963), de Nelson Pereira Dos Santos, *Dios y el diablo en la tierra del sol (Deus e o diablo na terra do sol,* 1964), *Terra em transe* (1966) y *Antonio das Mortes* (1968), de Glauber Rocha, *Los fusiles (Os fuzis,* 1964), de Ruy Guerra, *La fallecida (A falecida,* 1965), de Leon Hirszman, *O desafío* (1965), de Paulo Cesar Saraceni, *Ganga zumba* (1963) y *Os heredeiros* (1969), de Carlos Diegues, y *Brasil ano 2.000* (1969), de Walter Lima jr.

La erupción del *Cinema Nôvo,* que azota a los espectadores con la furia desatada de sus imágenes, es la expresión trágica y plástica del subdesarrollo y del hambre en América Latina. Cine colérico, al que Glauber Rocha –que en sus mejores momentos es un cruce artístico híbrido de Eisenstein y de Buñuel– ha adscrito a lo que él llama, con expresión afortunada, «estética de la violencia». Y a pesar de que sus películas caigan a veces en una tosquedad excesiva, casi esnob, de la que no resulta fácil deslindar lo que corresponde al subdesarrollo técnico y a una autoafirmación de originalidad expresiva, el peso impresionante de sus imágenes y de sus canciones encarna con insólita vibración poética lo que ha expresado Rocha en sus declaraciones sobre la «estética de la violencia»: «El hambre del latinoamericano no es sólo un síntoma alarmante de pobreza social, sino la esencia misma de la sociedad –ha dicho–. Así, podemos definir nuestra cultura como una cultura de hambre. Ahí reside la originalidad del *Cinema Nôvo* en relación con el cine mundial. Nuestra originalidad es nuestra hambre, nuestra miseria, sentida pero no compartida.»

El hambre, la alienación religiosa –cristianismo impregnado de paganismo–, la sequedad de la tierra castigada por un sol implacable, la dominación colonial de los monopolios norteamericanos y el caciquismo latifundista son la savia que nutre a este cine de la indignación y de la cólera, en la más cabal expresión en clave poética del drama del Tercer Mundo que ha asomado hasta hoy en las pantallas.

Pero la dictadura política en Brasil dificultaría temporalmente el progreso de esta cinematografía y el exilio de Glauber Rocha ejemplificó, tal vez mejor que ninguna otra, la dificultad que supone asumir el desarraigo de la doliente tierra natal. Los últimos films de Rocha –*Der Leone Have Sept Cabeças* (1970), rodado en África, *Cabezas cortadas* (1971), realizado en España, y *Cáncer* (1968-1972), rodado ya en 16 mm, según los esquemas de producción *underground*– han acentuado su proceso de neurotización creativa, sin ganar en cambio en el plano del espectáculo ni en el de la incisividad política. El «instinto del espectáculo», capital para la comprensión de films como *Os heredeiros* o *Antonio das Mortes,* tiende a empobrecerse al faltar el contacto enriquecedor con el *humus* natal y al amputar a los creadores de las fuentes culturales indígenas, desmintiendo, de paso, el mito de la carencia cultural autóctona en el Tercer Mundo. En el umbral de 1970, el vigoroso *Cinema Nôvo* brasileño se encontraba a las puertas de una crisis de difícil superación, con algunos de sus hombres más significativos en el exilio, como (además de Rocha) Ruy Guerra, que rueda en Bretaña su poético e inquietante *Dulces cazadores (Sweet Hunters,* 1969).

EL CINE ESPAÑOL

La biografía del cine español no tiene, por desgracia, colores risueños. Descontando el gigantesco Buñuel, que ha realizado la casi totalidad de su obra en México y en Francia –sólo ha rodado en España *Tierra sin pan* (1933), *Viridiana* (1961) y *Tristana* (1970)–, la aportación peninsular a la cultura cinematográfica ha sido, penoso es admitirlo, bastante raquítica. Con escasísimas excepciones, los intelectuales españoles han contemplado con desdén el fenómeno cinematográfico que nace justamente con la generación del 98. Ruboriza oír confesar a un miembro de la Real Academia, como Francisco Rodríguez Marín, que durante treinta y tres años sólo ha puesto una vez los pies en un cine, y fue porque «había un cuadro flamenco en el que cantaba Chacón», o leer a Azorín (no al Azorín anciano, entusiasta del cine) declarar en 1940 que el cine «es dañino, por inmoral», o a Torrente referirse a

Charlot como «el repulsivo mequetrefe del hongo y el junquillo». Los ejemplos son tan abundantes (con excepciones como la de García Lorca, que en 1928 dedica un poema surrealista a Buster Keaton), que mejor es olvidarlos piadosamente.

Antes de 1936 se habían producido algunos pinitos, como los del documentalista Carlos Velo, autor del excelente *Almadrabas* (1935), en colaboración con Mantilla e influido por la escuela documentalista británica, y ciertos esfuerzos por crear un cine popular sobre el que pudiera asentarse una industria estable. Hemos citado ya las películas de Florián Rey y de Imperio Argentina y podrían añadirse *La traviesa molinera* (1934) del norteamericano Harry d'Abbadie d'Arrast, sobre la obra de Alarcón, y *La verbena de la Paloma* (1935) de Benito Perojo. Pero no mucho más.

A partir de 1939 vuelve a partirse del cero absoluto. En 1941 se decreta, por razones patrióticas, la prohibición de proyectar películas en otro idioma que el español. La obligatoriedad del doblaje, tan bien intencionada, iba a hacer un flaco servicio al cine nacional, regalando el arma del idioma a las estrellas extranjeras. En 1943 se organiza la protección económica del cine español, otorgando el Estado permisos de importación de films extranjeros a los productores españoles, en cantidad proporcional a la calidad de sus películas producidas. Se estableció una Comisión Clasificadora y el sistema entró en vigor inmediatamente. Películas como *El escándalo* (1943) de José Luis Sáenz de Heredia y *El clavo* (1943) de Rafael Gil se llevaron la palma con quince permisos de importación cada una de ellas. Este sistema era peligroso, y se corroboró enseguida, porque el productor pasaba a desinteresarse del destino comercial de su película (que en ocasiones ni llegaba a estrenarse) y hacía el gran negocio con la importación de varias películas americanas o vendiendo sus licencias en un turbio mercado negro.

Crear de la nada una cinematografía nacional vigorosa no es cosa fácil, y más cuando el pulso intelectual de España andaba tan divorciado del resto del mundo. Mientras en Italia se hace *Roma, ciudad abierta* y en París se representa *Las manos sucias* de Sartre, una encuesta revela que los títulos preferidos del público español son *Locura de amor, El pescador de coplas, Currito de la Cruz* y *Un caballero andaluz.* Es como para echarse a llorar. Sáenz de Heredia intentó consolidar la posición industrial del cine español con películas costosas y pasmó a la crítica con *El escándalo* (presupuesto: 2.750.000 pesetas de 1943), sobre la novela de Pedro Antonio de Alarcón. Los críticos se deshicieron en elogios ante un *travelling* subjetivo, olvidando que Murnau había hecho esto y mucho más veinte años antes en *El último,* y se extasiaron, dos años más tarde, ante los trucajes de *El destino se disculpa* (1945), también de Sáenz de Heredia, sin acordarse de que cosas como éstas las había hecho Méliès desde los albores del cine.

Rafael Gil, procedente del campo de la crítica, y que había rodado documentales para el gobierno republicano, como *Soldados campesinos* (1938), *Sanidad* (1938) y *Salvad la cosecha* (1938), realiza en 1939 *La corrida de la Victoria, La Copa del Generalísimo en Barcelona* y *Flechas.* En este momento en que privan las andaluzadas, las malas reconstrucciones de escayola, con profusión de barbas postizas y de jubones, el «cine de *smoking*» (o de levitas, que para el caso es lo mismo), y los «¡Viva Cartagena!», Rafael Gil se distingue por intentar un sendero más popular, con comedias que intentan aproximarse, siquiera tímidamente, a la realidad, al hombre de la calle, como *Viaje sin destino* (1942) y *Huella de luz* (1942).

El nivel de la producción es bajísimo, más en lo que atañe a la calidad que a la cantidad (24 películas en 1940; 31 en 1941; 52 en 1942; 49 en 1943; 33 en 1944; 31 en 1945). Tanto es así, que en 1944 el gobierno crea una categoría especial de películas, llamadas de «Interés nacional», tratando de remontar mediante estímulos económicos la anemia artística crónica de la producción, polarizada hacia el falso cine histórico, el falso cine religioso, el falso cine social o el falso cine folclórico. Pero las cosas no mejoran mucho y veremos recaer los beneficios del Interés nacional en títulos como *Eugenia de Montijo, Misión blanca, Dulcinea, La Lola se va a los puertos, Pequeñeces* o *Todo es posible en Granada.* El cine español vive de espaldas a la realidad, embobado por las castañuelas y los géneros de guardarropía e ignorando que han existido unos maestros que se llaman Eisenstein, Stroheim, René Clair, Chaplin, Murnau o Renoir.

La situación es tan grave que en 1955 el Cine Club Universitario de Salamanca hace un llamamiento al país para celebrar unas Conversaciones Nacionales en torno a los problemas de nuestra cinematografía. En este llamamiento se apuesta por un viraje del cine hacia la gran tradición realista de la cultura española y se citan los nombres de Ribera, de Goya, de Quevedo y de Mateo Alemán. El llamamiento concluye con un patético y esperanzador: «El cine español ha muerto. ¡Viva el cine español!»

Y es así como, con escándalo de muchos, las venerables y seculares piedras de la universidad salmantina albergan en mayo de 1955 a un grupo de hombres de variada procedencia, que discuten los males de nuestro cine y redactan unas conclusiones, hoy ya célebres, encabezadas por un diagnóstico contundente y desprovisto de todo eufemismo, formulado por Juan Antonio Bardem: «El cine español actual es: políticamente ineficaz. Socialmente falso. Intelectualmente ínfimo. Estéticamente nulo. Industrialmente raquítico.» No puede pedirse más claridad.

El año 1955 es también, no hay que olvidarlo, el año en que aparece *El Jarama,* de Rafael Sánchez Ferlosio, una de las mejores novelas españolas de la posguerra y que marca un punto de partida en la narrativa literaria realista. Una nueva cultura, veraz y antirretórica, se está poniendo en marcha. Porque en las Conversaciones de Salamanca, que han dado vida a la Carta Magna de un nuevo cine hispano, han participado activamente dos jóvenes que se han revelado ya como los puntales más firmes de la resurrección cinematográfica española: Luis G. Berlanga (1921-2010) y Juan Antonio Bardem (1922-2002). Por su edad pertenecen a la generación que no ha participado en la guerra civil y su horizonte mental, que ha recibido el impacto del neorrealismo italiano, busca caminos nuevos a través de los que expresarse. Debutaron en 1951 codirigiendo juntos *Esa pareja feliz* y en 1952 Berlanga realiza, con guión de Bardem, *¡Bienvenido, Mr. Marshall!,* que acude a Cannes y conquista por vez primera para España un premio importante en un festival internacional. El «espíritu de Salamanca» estaba ya en esta premonitoria película realizada un año antes de firmarse los convenios hispanoamericanos, sátira de las vanas esperanzas de los habitantes del pueblecito castellano de Villar del Río, que disfrazados de andaluces aguardan la visita de una comisión de la Ayuda Americana. Por vez primera el cine español se atreve a hacer la disección de una comunidad nacional, con el bisturí del humor, dando además un aldabonazo a la conciencia de los espec-

461

tadores: hemos de abordar y solucionar nuestros problemas sin soñar que vengan otros a resolverlos.

El año 1955, que es el año de las Conversaciones de Salamanca, es también el año en que triunfa en Cannes *Muerte de un ciclista,* de Bardem, que influido por Antonioni describe el egoísmo de las capas altas de la sociedad madrileña y la crisis de conciencia del protagonista (Alberto Closas), un profesor universitario, en contacto con una generación nueva, moralmente más sana que la de sus mayores y que representa el futuro de un país hendido por cicatrices demasiado profundas. Las búsquedas estilísticas de *Muerte de un ciclista* estaban ya esbozadas en su anterior *Cómicos* (1954), entrañable documento de las interioridades y miserias del mundo del teatro (Bardem era hijo de actores), a través de la difícil lucha vocacional de una joven actriz (Christian Galve). *Muerte de un ciclista* inauguró una trilogía completada por *Calle Mayor* (1956), examen de la mediocridad de la vida en una pequeña ciudad de provincias a través de la frustración sentimental de una mujer destinada a convertirse en solterona (Betsy Blair), y por *La venganza* (1958), retablo de la vida en el campo que es, a la vez, una parábola sobre los últimos años de la historia de España.

Convertido en uno de los nombres más prometedores del cine europeo por su valentía polémica y su llamada apremiante a la solidaridad entre los hombres, Bardem fue a México para rodar una adaptación libre de las *Sonatas* (1959) de don Ramón del Valle-Inclán, que tuvo presente la lección de Visconti en *Senso*. Su prestigio le permitió disponer de grandes medios materiales, pero el cine-espectáculo destinado a atraer a grandes públicos, para hacer más eficaz su mensaje, es un género lleno de trampas a las que Bardem no fue capaz de sustraerse. A partir de este momento proseguiría su carrera titubeante con *A las cinco de la tarde* (1960), *Los inocentes* (1962), *Nunca pasa nada* (1963), *Los pianos mecánicos* (1965) y *El último día de la guerra* (1970).

La obra de Berlanga avanzó por un camino muy diverso, por el del humor sainetesco, con pinceladas poéticas y toques nostálgicos: el veraneo «fin de siglo» de *Novio a la vista* (1953) y las andanzas de un sabio atómico norteamericano refugiado en un pueblecito costero español en *Calabuch* (1956), son pretextos para esbozar, como en *¡Bienvenido, Mr. Marshall!,* las caricaturas amables de unas comunidades y de sus tipos más representativos. Disgustado por las alteraciones y mutilaciones infligidas a *Los jueves, milagro* (1957), Berlanga se alejó del cine por unos años, hasta que su encuentro con Rafael Azcona, que había escrito ya el guión de *El pisito* (1958), del italiano Marco Ferreri, imprimió un viraje radical a su obra, introduciendo la crueldad del «humor negro» en sus sátiras, que abandonan sus vuelos poéticos para adquirir una mayor mordacidad e incisividad crítica, entroncada con la gran tradición satírica de la narrativa del Siglo de Oro. A esta nueva etapa de colaboración con Azcona pertenecen *Plácido* (1962), sobre la inoperancia e hipocresía de ciertas prácticas de caridad, y *El verdugo* (1963), que muestra cómo la necesidad y la presión de las circunstancias obligan a un hombre a asumir una profesión que le repugna, la de verdugo. Sus siguientes films, *La boutique* (1967) y *Vivan los novios* (1970), resultaron netamente inferiores.

Bardem y Berlanga rompieron el frente del nuevo cine español, que trata de reflejar con autenticidad –como hicieron los maestros del pasado recordados en Salamanca– la realidad social en la que están inmersos. Ambos proceden del Instituto de Investigaciones y Experiencias Cinematográficas (IIEC), creado en 1947 –y convertido en 1962 en Escuela Oficial de Cinematografía (EOC)–, que es de hecho una universidad a la que acuden los jóvenes con el ánimo de aprender seriamente una profesión, viendo en el cine el fenómeno cultural más importante de nuestra época. Verdad es que a Bardem le suspendieron en el último curso y no llegó jamás a obtener el diploma, evidenciando hasta qué punto son arbitrarias y discutibles las academias en el campo del arte. Pero ya es mucho introducir un espíritu estudioso, serio y universitario en el mundo del cine español sustentado, salvo raras excepciones, en las trapacerías, en el halago más vergonzoso para obtener prebendas y protecciones económicas, en las señoritas equívocas que se dicen aspirantes a actrices y en los señores que se dicen productores para conquistar a las aspirantes a actrices. La presión de la nueva generación –como ha ocurrido en Francia, en Italia, en Inglaterra y en los Estados Unidos– ha comenzado a sentirse cada vez con mayor fuerza y en 1959 otro joven procedente del Instituto, Carlos Saura (n. 1932), se da a conocer con *Los golfos,* que es precisamente un testimonio de la frustración vocacional de una generación por la asfixiante presión del medio que les rodea.

Al aparecer *Los golfos* no faltará quien hable de influencias extranjeras (se citan *Los olvidados* de Buñuel, *Torero* de Velo y el *Free Cinema* inglés), pero bienvenidas sean estas ráfagas de aire exterior, que son precisamente una garantía de renovación y la expresión de una voluntad colectiva de ruptura con una cultura anquilosada y retórica y con el sistema de valores que la sustenta.

Sin embargo, en estos años cruciales la industria cinematográfica española vivía regulada por la Orden del 16 de julio de 1952, que mediante una protección económica discriminatoria, otorgaba subvenciones a cada película, de acuerdo con su categoría artística estimada por una Junta de Clasificación. Y así veremos cómo este proteccionismo estatal hace recaer las más bajas clasificaciones a películas tan interesantes como *Los golfos* o *Los chicos* (1959), de Marco Ferreri, causando grave quebranto a sus productores y condenando estas películas a una vida de tristísima semiclandestinidad. Y es que estas ayudas económicas selectivas actúan como elementos de presión sobre los directores, guionistas y productores, orientando sus películas hacia senderos sonrosados y alejando los temas o enfoques que no resultan gratos a la administración.

Pero quien más sale perdiendo con todo esto es el cine español. Salvando algunos auténticos exitazos comerciales, como los de *Marcelino, pan y vino* (1954) de Ladislao Vajda y *El último cuplé* (1957) del inefable Juan de Orduña, que convirtió a la actriz Sara Montiel en la primera diva del *star-system* nacional, el cine español vivía como anómalo negocio, amamantado por un proteccionismo estatal sin parangón con el de ninguna otra actividad industrial. Prueba de ello, y del divorcio que existía entre el público y el cine nacional, es la famosa «cuota de pantalla» implantada en 1955, que obligaba a las empresas de distribución a incluir en sus lotes una película española por cada cuatro extranjeras y a las empresas de exhibición a programar un día de película española por cada cuatro días de película extranjera. Evidencia palpable de que el raquítico cine español estaba viviendo en un pulmón de acero, destinado a mantenerlo en vida artificialmente.

De esta regla han escapado muy pocas excepciones, como la

serie de comedias que se quieren desenfadadas y frívolas (a nivel español, claro) y que inició el productor José Luis Dibildos con *Viaje de novios* (1956), del argentino León Klimovsky, desencadenando todo un ciclo que pretendía inspirarse en la comedia frívola de corte internacional *(Las muchachas de azul, Ana dice sí, Luna de verano,* etc.).

Así las cosas, llegamos al relevo ministerial de junio de 1962, en el que Manuel Fraga Iribarne pasó a hacerse cargo de la cartera de Información y Turismo y colocó a José María García Escudero (que había participado en las Conversaciones de Salamanca) al frente de la Dirección General de Cinematografía y Teatro. A partir de este momento se produce un punto y aparte en la cinematografía española. Las exigencias del Primer Plan de Desarrollo por una parte y la necesidad de disponer de algunas películas de calidad capaces de concurrir dignamente a los festivales internacionales, provocan un cambio de rumbo en la política ministerial y, a partir de finales de 1962, asistimos a una incorporación masiva de jóvenes directores procedentes de la Escuela Oficial de Cinematografía, que imprimen un nuevo sello al penoso panorama fílmico.

Para poner un poco de orden y concierto en el mundo del cine se promulga, primero, un Código de Censura (9 de febrero de 1963), pues hasta ahora la censura reposaba en la más pura y simple arbitrariedad, y se establece una nueva ordenación jurídica (19 de agosto de 1964), en la que se recogen las fórmulas del crédito a plazo medio otorgado por el Estado a las empresas cinematográficas, las subvenciones a productores y exhibidores según un porcentaje de los ingresos brutos de taquilla obtenidos por las películas nacionales y un anticipo a los productores de un millón de pesetas por película, amortizable en tres anualidades. También se establecen protecciones específicas para las películas destinadas a menores («cine infantil») y para las declaradas de «interés especial», manteniendo la «cuota de pantalla» en la proporción de cuatro a uno.

Pero este trastorno radical del sistema proteccionista, que tuvo la virtud de permitir el debut de muchos jóvenes realizadores, condujo a un anómalo y vertiginoso crecimiento de nuestra producción, que en 1966 alcanzó la cifra récord de 164 largometrajes (de los cuales 97 eran coproducciones con otros países), cifra exorbitante y desproporcionada con la capacidad de absorción del mercado interior, lo que provocó que en 1967 se estableciera una mejora de la «cuota de pantalla», en la proporción de tres a uno, para dar salida a aquella congestión de celuloide.

Todo esto significa, en resumen, que ciertos problemas de fondo aún no han sido resueltos, y la desaparición de la Dirección General de Cinematografía y Teatro y de su titular a finales de 1967, con motivo de la reorganización administrativa subsiguiente a la devaluación de la peseta, marcó un compás de espera en su solución. No obstante, ahí están las películas del que se ha denominado «Nuevo Cine Español», cuya difusión fue arropada por la madrileña revista *Nuestro Cine*, y que supuso un evidente progreso en relación con lo que venía rodándose hasta ahora en estas latitudes. Entre sus figuras más significativas se hallaban: Manuel Summers, dibujante humorístico que ha trasplantado a la pantalla su inspiración cómica («humor gris marengo», según el propio autor) en *Del rosa al amarillo* (1963), *La niña de luto* (1964), *El juego de la oca* (1965), *Juguetes rotos* (1966), *No somos de piedra* (1968), *¿Por qué te engaña tu marido?* (1968), cada vez en una línea más comercial y facilona, y *Urtain, rey de la selva* (1969); Carlos Saura, primer realizador joven que aborda la superproducción internacional en *Llanto por un bandido* (1964), a la que sigue la vigorosa parábola buñuelesca de *La caza* (1965), premiada en el festival de Berlín por «la valentía e indignación con que presenta una situación humana característica de su tiempo y de su sociedad», *Peppermint frappé* (1967), que dedica a su maestro Luis Buñuel y que es premiada nuevamente en Berlín, *Stress es tres, tres* (1968), *La madriguera* (1969), *El jardín de las delicias* (1970) y *Ana y los lobos* (1972), films casi siempre claustrofóbicos y muy densos que ilustran, a veces, por vía alegórica, las grandes contradicciones históricas y morales de la burguesía española; Miguel Picazo, que realizó una eficaz adaptación libre de *La tía Tula* (1964), de Miguel de Unamuno, protagonizada por Aurora Bautista, y dirigió luego *Oscuros sueños de agosto* (1967); Francisco Regueiro, autor de *El buen amor* (1963), *Amador* (1965), *Si volvemos a vernos* (1967) y *Me enveneno de azules* (1969); Jorge Grau, director de *Noche de verano* (1962), *El espontáneo* (1964), *Acteón* (1965), *Una historia de amor* (1966), *La cena* (1968) y *Cántico* (1970); Julio Diamante, que tras su experiencia teatral realiza *Los que no fuimos a la guerra* (1961), *Tiempo de amor* (1964), *El arte de vivir* (1965) y *Neurosis* (1968); Mario Camus, en cuya irregular carrera destacan *Los farsantes* (1963), *Young Sánchez* (1964), film pugilístico premiado en el festival del Mar del Plata, y *Con el viento solano* (1965); Antonio Eceiza, que dirige *El próximo otoño* (1963), *De cuerpo presente* (1965) y *El último encuentro* (1966); Basilio M. Patino, que ha reflejado los conflictos íntimos de un universitario de Salamanca en *Nueve cartas a Berta* (1966) y ha realizado luego *Del amor y otras soledades* (1969); y Angelino Fons, adaptador de *La busca* (1966), de Pío Baroja, y de *Fortunata y Jacinta* (1970) y *Marianela* (1973), de Pérez Galdós. Entre los últimos incorporados a la realización figuran los ex críticos Víctor Erice –con *El espíritu de la colmena* (1973)–, J. L. Egea y Claudio Guerin Hill (fallecido en 1973), autores de *Los desafíos* (1968), film de *sketches* producido por Elías Querejeta, y Pedro Olea, autor de *El bosque del lobo* (1970), interesante documento sobre la superstición popular en la Galicia finisecular, y del inquietante *No es bueno que el hombre esté solo* (1973).

En Barcelona, que había sido la capital cinematográfica de España en el período mudo, el escaso desarrollo de las estructuras industriales en este terreno dificultan el florecimiento de un movimiento paralelo, a pesar de lo cual deben recordarse los nombres de José Luis Font, con *Vida de familia* (1963); Jaime Camino, autor de *Los felices sesenta* (1964), *Mañana será otro día* (1966), *España otra vez* (1968) y *Un invierno en Mallorca* (1969), sobre George Sand y Chopin en Valldemosa; Vicente Aranda, que tras *Brillante porvenir* (1964) realizó *Fata Morgana* (1966) y Pedro Balañá, autor de *El último sábado* (1966). Pero el punto de partida de la insólita *Fata Morgana,* que se desarrolla en el clima enrarecido que precede a una hecatombe nuclear, supone un viraje hacia nuevos horizontes estéticos, que acaban por cristalizar en la «Escuela de Barcelona», caracterizada por cierta vocación experimentalista y vanguardista, y que en el campo del largometraje ha producido *Dante no es únicamente severo* (1967) de Jacinto Esteva y Joaquín Jordá, que vino a convertirse en un manifiesto neodadaísta de la Escuela, seguido por *Después del diluvio* (1968) de Jacinto Esteva, *Cada vez que...* (1967) de Carlos Durán, *Ditirambo*

(1967) del novelista Gonzalo Suárez y *Noches de vino tinto* (1967) y *Biotaxia* (1968) de José María Nunes, films nacidos en actitud polémica e incidiendo en la querella, mal planteada, entre un naturalismo atribuido al joven cine madrileño y una imaginación de ruptura atribuida al grupo de Barcelona. Joaquín Jordá formulará sintéticamente una razón de ser de la Escuela al declarar: «Como no podemos hacer Victor Hugo, hacemos Mallarmé.»

A pesar de este nutrido abanico de nombres y de que, en líneas generales, se produjo en estos años una mejora sustancial en la calidad de las películas españolas, el divorcio entre el cine español y su público siguió persistiendo casi siempre y la producción se siguió planteando en base a la protección económica del Estado. Este sistema demostró su endeblez cuando, por razones de tesorería, la administración dilató anormalmente los plazos de pago, creando un grave quebranto en la industria, muy dolida ya por la severidad de una censura que hacía radicalmente inviable la competitividad del cine español en el mercado internacional y aun en el nacional. El duro bache de 1969 y 1970 deterioró la ya frágil salud del «Nuevo Cine Español» y motivó enérgicas tomas de posición públicas de las agrupaciones profesionales de realizadores y de productores españoles. Las películas renovadoras –como *El hombre oculto* (1970) de Alfonso Ungría, realizador que no consigue estrenar su segundo largometraje *Tirarse al monte* (1971)– se hacen cada vez más raras y ante el descalabro general económico y artístico los creadores o se comercializan o convierten su producción en arriesgada aventura financiera. Tal vez *Las crueles* (1969), film hitchcockiano de Vicente Aranda, *Un invierno en Mallorca* (1969) de Jaime Camino y *La respuesta* (1969) de José María Forn hayan sido las últimas muestras de un cine catalán de autor y de producción industrial «ortodoxa». La crisis industrial ha hecho que nacieran con planteamientos de producción o de explotación más o menos heterodoxos films como *Sexperiencias* (1968) de José María Nunes, los ensayos poemáticos de Pedro Portabella, *Nocturno 29* (1968) y *Vampir* (1970); *El extraño caso del doctor Fausto* (1969) y *Aoom* (1970) de Gonzalo Suárez y *Liberxina 90* (1970) de Carlos Durán, films realizados contracorriente y que únicamente tienen en común una libertad de escritura que repudia toda fórmula naturalista, herencia, quiérase o

468

no, del impulso vanguardista que supuso la efímera Escuela de Barcelona y consecuencia, en última instancia, de una tradición plástica y literaria hedonista, barroca, imaginativa y antinaturalista, sólidamente asentada en el último siglo de la cultura catalana (Gaudí, Miró, Salvat-Papasseit, etc.). Este viraje hizo nacer en el cine español la querella sobre el *underground*, fenómeno de marginación nacido históricamente en un contexto cultural y social muy diverso, pero planteado aquí como solución desesperada de supervivencia cinematográfica, querella que alcanzaría también a los medios cinematográficos de Madrid, aportando al nuevo movimiento *El desastre de Annual* (1970), revulsivo largometraje de Ricardo Franco rodado en 16 mm, como habían hecho ya otros cineastas de Barcelona.

Cualquiera que sea el juicio de valor sobre este capítulo de la historia del cine español, es inevitable constatar que es a partir del raquitismo de la industria que deben explicarse las nuevas respuestas y soluciones que con su afirmación no hacen más que corroborar la gravísima enfermedad del cine y de la cultura española.

CINE DOCUMENTAL Y DE ANIMACIÓN

En los últimos capítulos hemos ido viendo la expansión e importancia que el género documental ha ido adquiriendo desde 1940 y la cantidad de realizadores que han hecho sus primeras armas en este género (Rossellini, René Clément, Georges Franju, Alain Resnais, Agnès Varda, Lindsay Anderson, Tony Richardson). El campo de la información, de la pedagogía, del arte y de la investigación científica han sido, junto con las cadenas de televisión, plataformas para el vastísimo desarrollo del género. Tras la muerte de su fundador Robert Flaherty en 1951, algunos sólidos pioneros del cine documental permanecieron todavía en activo, como el soviético Roman Karmen, que atraviesa continentes para rodar *Vietnam* (1955) y *Cuba* (1961). También la cámara viajera de Joris Ivens sigue el hilo de las grandes convulsiones mundiales, fundiendo su aliento lírico y su espíritu combativo en obras de exigente calidad, como *Das Lied der Strome* (1954), rodada en la República Democrática Alemana, *La Seine a rencontré Paris*

(1957), *Lettres de Chine* (1958), *L'Italia non é un paese povero* (1959), *Carnet de viaje* (1961), en Cuba, *A Valparaíso* (1962), en Chile, y *Le ciel, la terre* (1965), en Vietnam. Como lamentable contrapartida, registremos que el motor de la clásica y antaño floreciente escuela documental británica, fundada por Grierson, fue liquidado en 1952 por el gobierno conservador, alegando razones económicas.

Nos hemos referido antes también a las aportaciones documentales del joven *Free Cinema* inglés –que toma el relevo del grupo de Grierson– y del movimiento *New American Cinema Group,* así como la obra del sueco Arne Sücksdorff y al nacimiento del documental de arte, por obra de Luciano Emmer y Enrico Gras. Este género, que recibió un gran impulso por obra de Alain Resnais, adquiere una nueva dimensión con *El misterio Picasso (Le mystère Picasso,* 1956), en donde H. G. Clouzot nos hace asistir en calidad de testigos privilegiados al proceso creador de este gran artista ante su tela, con la aventura de su portentosa invención plástica captada en la fragancia de su materialización.

La cámara tomavistas ha aprendido a sorprender y a descomponer los procesos espacio-temporales con una fidelidad y penetración que Jean Epstein, en sus elucubraciones, había intuido brumosamente. Este progreso es muy evidente en el amplio campo de la cinematografía científica, que puede valerse de las radiaciones luminosas invisibles (ultravioletas o infrarrojas) para registrar fenómenos biológicos o químico-físicos que se verían perturbados por la presencia de radiaciones visibles, o emplear el movimiento acelerado para estudiar procesos muy lentos (crecimiento de plantas, formación de cristales) y el ralentí para analizar los muy veloces (explosiones, trayectorias balísticas, aleteo de insectos), o recurrir al microscopio o al telescopio (o al teleobjetivo de larga distancia focal), que han hecho posible el nacimiento de la *microcinematografía* y de la *macrocinematografía.* Estos recursos técnicos permiten un mejor conocimiento de la naturaleza y tienen una valiosísima aplicación tanto en el campo de la investigación como en el de la enseñanza. Ejemplos bien diversos nos los ofrecen el documental cosmológico *El mundo del silencio (Le Monde du silence,* 1956), exploración subacuática del comandante Jacques-Yves Cousteau, y *Corps profond* (1963), de Igor Barrère y

Étienne Lalou, que han captado imágenes de los órganos y vísceras del cuerpo humano vivo, en su normal funcionamiento biológico, valiéndose de un eficaz endoscopio.

Por otra parte, el espectacular desarrollo de la televisión y el renovado interés por resucitar los grandes acontecimientos históricos del pasado han dado lugar al florecimiento de los llamados «films de montaje» o «films de archivo», entre los que merecen recordarse *Le Temps du ghetto* (1961), *Mourir à Madrid* (1962) y *La révolution d'Octobre* (1967) del francés Frédéric Rossif, *Mein Kampf* (1961), del sueco Erwin Leiser, *All'armi, siam fascisti!* (1962), de Lino del Fra, Cecilia Mangini y Lino Miccichè, y *Oby knovenny fachizm* [El fascismo ordinario] (1964) de Mijaíl Romm.

Un examen más pormenorizado merece el llamado «cine-directo», que es un eslabón más en la vieja aspiración de objetividad integral que arranca históricamente del mito del «cine-ojo», de Dziga Vértov. Una de las dificultades con que tropezó Vértov para hacer realidad su aspiración fue la tosquedad de la tecnología cinematográfica de su época. Pero importantes avances técnicos, como la fabricación de emulsiones hipersensibles, de cámaras ligeras y compactas y la grabación magnética de sonido, en sincronía con la cámara, han derribado algunas de las barreras materiales que impedían su realización. Concretamente, la aparición del magnetófono portátil suizo Nagra en 1958 y de la cámara compacta KMT, de tres kilos de peso, lanzada en 1960 gracias a los trabajos de André Coutant, M. Mathot y la casa Eclair, suministraron el utillaje adecuado para que el «cine-directo» fuera una realidad. El etnógrafo francés Jean Rouch, que había rodado en África varios interesantes documentales, como *Les fils de l'eau* (1955), *Les maîtres fous* (1955) y *Moi, un noir* (1958), realizó la primera experiencia de *cinéma-vérité* con *Chronique d'un été* (1961), en colaboración con el sociólogo Edgar Morin.

Chronique d'un été es una experiencia límite que tiene su antecedente en las técnicas de entrevista y encuesta que había desarrollado ya la televisión. Su autenticidad puede ser discutida, desde el momento en que de las veinticinco horas de película impresionada hubo que operar una reducción selectiva mediante el montaje. Y ya, durante el rodaje, era ontológicamente inevitable que ciertos subjetivismos (elección del encuadre, inhibiciones o simulaciones de los personajes entrevistados) vinieran a perturbar la «objetivi-dad integral» que era la meta del *cinéma-vérité*. Pero al margen de todas estas reservas, la experiencia pura o impura del *cinéma-vérité*, que intenta una aproximación maximalista al hombre real y a su intimidad, eliminando en lo posible todo condicionamiento, vale como exploración antropológica más que sociológica. El *cinéma-vérité* cambió su nombre por el más correcto y modesto de «cine-directo» (cambio extraordinariamente significativo) y a este movimiento se adscribieron películas de gran interés, como *Regards sur la folie* (1962), rodada en el interior de un manicomio por Mario Ruspoli, y ciertas producciones canadienses, como *Pour la suite du monde* (1962) de Michel Brault y Pierre Perrault. De las nuevas técnicas del cine documental (y en especial del rodaje en 16 mm) se beneficiaron también algunos cineastas relativamente tradicionales, como Louis Malle, que con este procedimiento rodó su *Calcuta (Calcutta, 1969).*

Simultáneamente, e incluso con alguna antelación, algunos *cameramen* norteamericanos, especialmente vinculados a las cadenas de televisión, estaban realizando experiencias similares, con muchas menos pretensiones teoréticas e intelectuales y, también hay que decirlo, con una eficacia casi siempre superior. En este frente del «cine-directo» norteamericano, extraordinariamente funcional en su cometido de prolongar el ojo y el oído del hombre inmerso en la realidad, han destacado Don Alan Pennebaker, los hermanos Albert y David Maysles, autores de *Beatles in U.S.A.*, y sobre todo Richard Leacock, que había trabajado como operador de Flaherty en *Louisiana Story* y que asociado con Robert Drew produjeron y realizaron *Primary* (1960), sobre la campaña electoral del presidente Kennedy, *Yanki no!* (1960), rodada en América Latina, *Eddie* (1961), sobre el piloto automovilista Eddie Sachs, *Kenya* (1961), *The Chair* (1963), sobre un negro condenado a la silla eléctrica, *Jane* (1963), sobre la actriz Jane Fonda, etc.

En el campo de la animación ya no es correcto referirse únicamente a los *dibujos animados*, pues el frente se ha ensanchado considerablemente, ha creado sus festivales propios (como el anual de Annecy) y ha diversificado considerablemente sus técnicas: marionetas articuladas y objetos (Jiri Trnka, McLaren), *collages* (Henri Gruel, Borowczyk, Lenica), animación de figuras bidimensionales

(Lotte Reiniger, Carl Koch), dibujo directo sobre película (McLaren), y la animación de una pantalla de alfileres (sistema iniciado en 1931), cuyas cabezas componen las figuras en un estilo puntillista, como hicieron Alexander Alexeieff y Claire Parker para rodar el prólogo de *El proceso* de Orson Welles.

En el campo estricto de los dibujos animados la novedad más espectacular nos la ofrece el desplome del imperio de Walt Disney, cuyo negocio alcanza en 1960 un déficit de 1.300.000 dólares. Disney no ha podido hacer frente al embate de *Tom y Jerry,* ni a los *Terrytoons* que Paul Terry realiza para la 20th Century Fox (cuyo personaje más afortunado fue el ratón *superman* llamado *Mighty Mouse),* ni a los excelentes dibujantes de la United Productions of America (Stephen Bosustow, Pete Burness, Robert Cannon, John Hubley, Art Babbit, Ted Parmelee, etc.), que han impuesto la técnica de la *animación limitada,* otorgando únicamente movimiento a ciertas partes del muñeco (por ejemplo, las piernas y la boca).

Pero la elevación de costos y la expansión de la publicidad filmada en todo el mundo occidental (en 1958, el 25 % de la publicidad televisada en Inglaterra estaba compuesta por dibujos animados) contribuyó a la paulatina descomposición del grupo, que hacia 1960 ya se había desintegrado completamente. Captados unos dibujantes por la publicidad y especializados otros en el diseño de portadas cinematográficas (como el excelente Saul Bass), la profesión retornó a sus orígenes artesanales, lo que explica que mientras los dibujos animados norteamericanos entraban en un período de aguda crisis, algunos creadores europeos –que se han beneficiado, incuestionablemente, de las técnicas americanas, y particularmente de las de la UPA– conocían un momento de auge, como los ingleses Richard Williams, Bob Godfrey y George Dunning –que alcanzó celebridad mundial con *El submarino amarillo (Yellow Submarine,* 1969), de prodigiosa imaginación poética–, los polacos Walerian Borowczyk y Jan Lenica (que han combinado dibujos, trucajes, *collages* y animación de objetos reales) y el francés Henri Gruel, que causó sensación con su insolente *La Joconde* (1957), con texto de Boris Vian. Caso aparte es el del incansable experimentador Norman McLaren, que prosigue su carrera en el National Film Board de Canadá pintando sus imágenes y sonidos directamente sobre película, o jugando con guarismos recortados

(Rythmetic, 1956) o utilizando actores y objetos reales, como, por ejemplo, en la estupenda *A Chairy Tale* (1957), combate entre un hombre y una silla, que no permite que se le sienten encima.

En este contexto de elevación meteórica de costos (que obliga a una radical simplificación técnica), de comercialización progresiva del género por absorción de las empresas publicitarias y de la decadencia del largometraje de dibujos animados, sorprende la aparición de *Rebelión en la granja (Animal Farm,* 1956), de los excelentes animadores británicos John Halas y Joy Batchelor, que inmersos en el clima de Guerra Fría realizan este largometraje de propaganda anticomunista, en un estilo muy tradicional, adaptando la novela de George Orwell. Después de esta experiencia, tan sólo la maquinaria industrial de Walt Disney –que se sostiene con la explotación de su parque de atracciones Disneylandia y con la producción de la serie documental *True Life Adventures* y de películas de imagen real– sigue ofreciendo esporádicamente algunos largometrajes, como *La dama y el vagabundo (Lady and the Tramp,* 1955), *Los 101 dálmatas (101 Dalmatians,* 1960), pálida sombra de su antiguo esplendor, y *El libro de la selva (Jungle Book,* 1966), que fue su última producción animada. Al producirse su fallecimiento en 1966, el universo de los dibujos animados había conocido una evolución tan profunda en su función expresiva (antaño estaban asimilados al «cine infantil») y en su técnica, que podía establecerse un parangón con el destino general del cine contemporáneo: absorción por el campo comercial (dibujos publicitarios) o «cine de autor», concebido como creación artesanal y realizado con gran libertad expresiva.

Las dificultades de producción inherente al género estimularon la incorporación al cine de animación de personajes que habían alcanzado ya gran popularidad en los cómics impresos –fenómeno que no era nuevo–, naciendo así los largometrajes *Carlitos* y *Snoopy (A Boy Named Charlie Brown,* 1970), de Bill Melendez sobre los popularísimos *Peanuts* de Charles M. Schulz, y *Fritz the Cat* (1972), de Ralph Bakshi, con el destructivo e irreverente gato dibujado por Robert Crumb.

474

«Post scriptum» de 1987

AÑOS DE CRISIS Y TRANSFORMACIÓN

HACIA UNA REVOLUCIÓN DEMOCRÁTICA DE LA IMAGEN

A mediados de los años sesenta era ya una evidencia difícilmente rebatible que el cine, entendido como espectáculo comunitario en grandes salas, vivía un período de grave crisis producida por la implacable competencia del televisor doméstico. Pero si esta variedad concreta de exhibición cinematográfica aparecía declinante, la industria de la imagen en movimiento vivía en su conjunto un período de excepcional expansión y prosperidad. En los años sesenta el cine se convirtió, definitivamente, en un medio de comunicación audiovisual que se expandía hacia diferentes sectores de la vida social. En colegios y universidades, en laboratorios de investigación, en el seno de astronaves, en el esparcimiento privado, como álbum de recuerdos o como instrumento de experimentación audiovisual, la cinta cinematográfica tendía a reemplazar, en muchos aspectos, al papel como soporte de fijación de la información. El mundo entraba en la revolucionaria «era de la imagen», al mismo tiempo que los industriales del cine se quejaban del descenso de la frecuentación en las salas.

Este fenómeno se resumía, de un modo sintético, como una modificación y reestructuración profunda de la industria y del mercado de la imagen en movimiento en una era dominada por la presencia de la televisión en color. Las formas arcaicas de comunicación cinematográfica (la exhibición comunitaria en grandes salas) tendían a declinar, a la vez que otras formas nuevas de cine (como el cine exhibido en la pantalla del televisor) conocían un auge creciente e irreversible. No debía hablarse, por lo tanto, de una crisis, sino más bien de una transformación que afectaba al cine como medio de información y como entretenimiento.

Entre los factores que incidían en las transformaciones apuntadas figuró de modo revelarte la implantación del magnetoscopio (o *videotape)* como utillaje para el registro de imágenes en movimiento. Lanzado al mercado en 1956 por la empresa californiana Ampex, el magnetoscopio paulatinamente perfeccionado opuso sus numerosas ventajas técnicas a la ya arcaica imagen fotoquímica de la película cinematográfica. La posibilidad de verificar el resultado de la grabación durante e inmediatamente después de su registro y sin necesidad de la mediación de un laboratorio para revelado y positivado de la imagen, así como la posibilidad de borrado y de nuevo registro sobre la cinta eran las dos ventajas primordiales que la nueva tecnología ofrecía a la industria de la imagen, a la espera de la implantación comercial de la alta definición. Desde 1971, la utilización del magnetoscopio para la producción de películas comerciales fue ya una realidad, abaratando su coste y reduciendo su tiempo de rodaje. Por la facilidad de su manejo, el magnetoscopio convergía además con las preocupaciones democráticas de los cineastas *underground* en su actitud de convertir el instrumental cinematográfico en algo tan común y universal como el bolígrafo y la cuartilla de papel, al alcance de todos los ciudadanos. Era una meta ambiciosa, pero coherente con las propuestas de democratización de la cultura de masas.

A través de las premisas señaladas se dibujó la utopía de la comunicación pandemocrática en un futuro más o menos lejano, si bien para que ello ocurriera era menester que no solamente los medios de producción de imágenes fueran asequibles a todos los ciudadanos –y no únicamente a unos especialistas–, sino también que los canales de distribución-exhibición, que permiten el acceso de los mensajes a las masas espectadoras, quebraran sus rígidas estructuras oligopolísticas y pusieran fin a su severa selectividad, motivada por intereses mercantiles o por razones ideológicas. Sólo entonces la producción y el consumo de imágenes animadas serían verdaderamente democráticos.

478

El negocio del cine norteamericano, el más altamente industrializado del mundo y más ejemplarmente capitalista, fue el que en virtud de tal desarrollo sufrió las primeras consecuencias de las mutaciones en el mercado de la imagen que acabamos de reseñar. Fue altamente significativo que precisamente en 1966 se decidiese abolir el famoso Código Hays de autocensura de la industria, para permitir planteamientos más desinhibidos y sensacionalistas, especialmente en el campo del sexo y de la violencia, con la finalidad de atraer a los espectadores. Es cierto que los reductos del cine romántico más tradicional siguieron persistiendo –*John y Mary (John and Mary,* 1969) de Peter Yates o *Love Story (Love Story,* 1971) de Arthur Hiller resultaron ejemplares en este aspecto–, pero el grueso de la producción se orientó hacia novedades más estimulantes, que tenían muy presentes la edad y procedencia sociocultural de sus espectadores: sectores jóvenes y con frecuencia estudiantes, muy desinhibidos moralmente en relación con generaciones anteriores.

De este modo, al tiempo que gracias a las tolerantes sentencias del Tribunal Supremo acerca de la libertad de expresión florecía en el país el cine explícitamente pornográfico, con sus centros de producción en San Francisco, Los Ángeles y Nueva York, los directores más exigentes ampliaban el área de permisividad en el terreno de la violencia, que en definitiva no hacía más que reflejar la violencia que estaba dominando la vida social en los años trágicos de la guerra vietnamita. Ya en 1967 Richard Brooks había adaptado la implacable crónica criminal de Truman Capote *A sangre fría (In Cold Blood),* pero su honesto documento resultó menos significativo que la exaltación romántica de los gángsters *Bonnie y Clyde (Bonnie and Clyde,* 1967), de Arthur Penn, sublevados contra su entorno social en los días de la Depresión y en puntual sintonía con las propuestas libertarias de la moral *hippy,* cuya moda contracultural atravesaba el país de costa a costa. Consecuente con esta óptica resultó la autocrítica nacional de *El restaurante de Alice (Alice's Restaurant,* 1969) y sobre todo la reivindicación del indio frente al devastador e infame general Custer, que Penn, con acendrada ironía, llevó a cabo en *Pequeño gran hombre (Little Big Man,*

1970), con Dustin Hoffman. En el terreno estricto de la violencia, Sam Peckinpah se confirmó como su primer especialista, principalmente con el *western Grupo salvaje (The Wild Bunch*, 1969), en donde se complació en rodar las muertes de los personajes al ralentí, y sobre todo en *Perros de paja (Straw Dogs*, 1971), en donde se asistió a la toma de conciencia sexual y viril de su frío protagonista (Dustin Hoffman) en virtud de la agresión y competencia sexual planteada por un grupo de hombres en torno a su esposa. Este «cine de instintos» condujo a Peckinpah a la exaltación de la pareja de gángsters de *La huida (The Getaway*, 1972), sin recurrir a una muerte romántica al final, como ocurría en *Bonnie y Clyde*, y en línea coherente con otras exaltaciones contemporáneas de pistoleros y delincuentes heroicamente sublevados contra el Estado-padre o contra la sociedad represora: *A quemarropa (Point Blanck*, 1967) de John Boorman, *Dos hombres y un destino (Butch Cassidy and the Sundance Kid*, 1969) de George Roy Hill, o *Dólares (Dollars*, 1971) de Richard Brooks.

Esta reveladora evolución cultural del cine norteamericano, como signo elocuente de los nuevos tiempos, se manifestó con su oscilación pendular entre el cinismo y la amargura, expresando el desencanto y la crisis moral tras el derrumbe de la arraigada y optimista mitología del *American dream*. Películas muy características de esta evolución adulta del cine poskennedista fueron *Cowboy de medianoche (Midnight Cowboy*, 1969), del inglés John Schlesinger, ilustrando la desesperanzada relación entre un gigoló y un pícaro, y la balada *hippy Buscando mi destino (Easy Rider*, 1969), de Dennis Hopper.

En esta amarga autocrítica nacional surgió una corriente de películas que quiso mirar al pasado para explicar las raíces del malestar presente, con unas evocaciones que no siempre escaparon a la referencia autobiográfica de sus directores o guionistas. En este apartado se incluyeron películas tan interesantes como *Conocimiento carnal (Carnal Knowledge*, 1971), de Mike Nichols, sobre guión del ácido dibujante de cómics Jules Feiffer, y *La última película (The Last Picture Show*, 1971), de Peter Bogdanovich. Pero fue inevitable que la industria comenzase a estereotipar estas miradas al pasado en función del estímulo mercantil de la nostalgia, creando una moda cultural «retro» de fuerte impregnación romántica –la imposible recuperación del pasado–, en la que se alinearon títulos de muy diversa calidad y alcance. Recordemos entre ellos la excelente cinta musical *Cabaret (Cabaret,* 1972), que Bob Fosse situó en el conflictivo Berlín de 1931, el documento sobre la mafia *El padrino (The Godfather,* 1972), de Francis Ford Coppola y con Marlon Brando en el papel de gángster-ejecutivo protagonista, *Luna de papel (Paper Moon,* 1973), que Peter Bogdanovich ambientó en la Depresión, la adaptación de Francis Scott Fitzgerald *El gran Gatsby (The Great Gatsby,* 1973) de Jack Clayton, el homenaje a la vieja «serie negra» efectuado por Roman Polanski con *Chinatown (Chinatown,* 1974), y la reflexión generacional de Sidney Pollack en *Tal como éramos (The Way We Were,* 1973). Durante la depresión económica de los años setenta, este apretado ciclo de nostalgias trivializadas por Hollywood pretendió bucear en el fondo de las memorias colectivas para rescatar un bálsamo que ayudara a sobrellevar los males del presente.

Las banalizadoras modas culturales, cual rodillos homogeneizadores de la producción, alcanzaron a veces incluso a los cineastas supuestamente «independientes» y de procedencia *underground* (el pujante clan de Andy Warhol ofreció un ejemplo de tal servidumbre) y sólo los directores de muy acusada personalidad fueron capaces de escapar al cine-cliché. Entre los grandes realizadores norteamericanos figuró el errabundo Orson Welles, definitivamente desenraizado ya de Hollywood, quien recreó magistralmente en España la figura shakespeariana de Falstaff en *Campanadas a medianoche (Chimes at Midnight,* 1966) y rodó luego en el mismo país, para la televisión francesa, *Una historia inmortal (Une histoire immortelle,* 1967), situando en un Macao imaginario una nueva reflexión acerca del fracaso del poder, de la incapacidad del plutócrata para hacer la historia a su medida y según sus deseos, cual prolongación de su meditación acerca del poder iniciada en *Ciudadano Kane.* Tras esta breve joya cinematográfica, el siempre inventivo y perennemente juvenil Orson Welles rodó en 16 mm y con técnicas documentales el testimonio-ficción *Fraude (Fake/ Question Mark,* 1973), film-retrato del genial falsificador de pinturas Elmyr d'Hory, que fue a la vez un interrogante acerca de la naturaleza del arte, de su condición genuina que hace posible la existencia del original «auténtico» y del «falso», pese a su indiscriminada aceptación por parte del mercado artístico y los expertos. Con *Fraude* el prestidigitador Orson Welles demostraba que su capacidad de provocación permanecía intacta, dando una lección a muchos cineastas jóvenes de todo el mundo.

En otra órbita distinta se movió la muy considerable contribución de Stanley Kubrick al cine moderno. Su epopeya cósmica *2001: una odisea del espacio (2001: A Space Odyssey,* 1967), escrita con Arthur C. Clarke, llevó a su cúspide adulta el género de la ciencia ficción, mediante una historia que abarcó la evolución completa de la humanidad, desde el proceso de hominización de los primates en algún lugar de África hasta el estadio poshumano que alcanza el protagonista al cruzar la Puerta de las Estrellas y que le conduce, por mutación biológica, a un estadio superior de la evolución de la especie. Tras esta apabullante aventura intergaláctica, Stanley Kubrick regresó a la Tierra para examinar el próximo futuro bajo una luz distinta y movido por el estímulo de la novela de Anthony Burgess *La naranja mecánica (A Clockwork Orange,* 1972). En esta ocasión su espléndida fábula moral acerca de la violencia en el mundo moderno reiteró su excepcional capacidad para la inventiva visual y la creación figurativa, a la vez que, con *Perros de paja,* de Peckinpah, contribuía a implantar la ultraviolencia en la producción norteamericana.

Directores como Welles o Kubrick serían las grandes excepciones marginales en una industria del entretenimiento que persigue principalmente el bombardeo del sistema nervioso del espectador con estímulos gratificadores (aunque en ocasiones sadomasoquistas) que le hagan volar lejos de la realidad cotidiana, una realidad emponzoñada por crisis económicas y corrupciones políticas, de las que el espionaje electrónico en el Hotel Watergate de Washington fue uno de sus ejemplos más escandalosos y relevantes y anticipo de la crisis del Irangate durante la presidencia de Ronald Reagan. Que el cine puede ser espejo y testimonio de estos avatares aun en el seno de la ciudadela capitalista lo demostró Francis Ford Coppola al rodar *La conversación (The Conversation,* 1974), que aunque no aludió al Watergate puso al desnudo la indefensión de nuestra intimidad en una era en la que la tecnología electrónica al servicio del espionaje industrial o militar ha abolido paredes, puertas y ventanas, situando al ciudadano en el umbral de una nueva pesadilla social. *La conversación* se inscribió, por lo tanto, en un cine de empeño cívico que nos obligaba a reconsiderar críticamente nuestro presente, aunque esta actitud ha sido bastante excepcional en Hollywood y en los grandes centros de decisión cinematográfica del mundo.

Lo normal y habitual, como acabamos de señalar, ha consistido en gratificar al espectador con agresiones sensoriales y emocionales en el campo de la descarga erótica, del escalofrío terrorífico o del impacto de la ultraviolencia física y psicológica. Amalgamando precisamente el terror a los arcanos temibles de lo sobrenatural y la incitación erótica, Roman Polanski hizo en *La semilla del diablo* (*Rosemary's Baby*, 1968) que Lucifer se acostase con Mia Farrow para engendrar a un monstruo satánico, cuyo ingreso en el mundo del espectáculo resultaría triunfal. Partiendo del *best-seller* de William Peter Blatty, William Friedkin profundizaría en *El exorcista* (*The Exorcist*, 1973) la senda abierta por Polanski, haciendo que la ternura infantil padeciese la posesión diabólica. La acogida triunfal a esta película corroboró a los mercaderes del cine que la huida hacia lo sobrenatural era una operación decididamente rentable en una era de tribulación, con propuestas de fuga generalizada hacia otros frentes espiritualistas. La aparición de un melódico *Jesucristo Superstar* (*Jesus-Christ Superstar*, 1973), vestido al gusto *pop* por Norman Jewison, sirvió de contrapeso moral a *El exorcista* en el universo emocional del espectador de cine –aunque al malvado Judas se le dio un rostro de negro–, demostrando cuáles eran los derroteros del sector más opulento del cine norteamericano, en una era presidida por la angustia y la incertidumbre ante el futuro.

RELEVOS EN EL CINE EUROPEO

Los cines europeos, al igual que ocurrió con los norteamericanos, vivieron años de zozobra a raíz de la consolidación de la televisión como protagonista del esparcimiento popular. La evolución de la crisis no fue idéntica en cada uno de los países europeos, pues algunos factores locales o autóctonos contribuyeron a otorgarle dimensiones y rasgos algo diversos. Francia ofreció un ejemplo transparente de lo dicho, pues cuando el impulso renovador inicial de la *nouvelle vague* estaba perdiendo fuerza y una parte de sus miembros caía en la rutina comercial, mientras otros exasperaban su radicalismo de ruptura –como Godard con *La Chinoise* (1967) o *Week-end (Week-end,* 1968)–, la violenta crisis política de mayo de 1968 conmocionó muchos planteamientos cinematográficos. Es cierto que muchas de las propuestas revolucionarias que los profesionales del cine francés acordaron en unos célebres *états généraux* caerían luego en el vacío o en la imposibilidad de su realización práctica. Pero para algunos cineastas el trauma de 1968 supuso un punto y aparte en su carrera.

Jean-Luc Godard ofreció la alternativa más radical y llamativa al abandonar las estructuras tradicionales de la industria del cine burgués para automarginarse en el área del cine-guerrilla, de militancia marxista-leninista, en un recorrido nómada por diversos países y zonas de conflictividad política. En esta etapa muy activa aparecieron *One Plus One* (1969), rodada en Inglaterra con la participación del grupo musical The Rolling Stones, y el *antiwestern* rodado en Italia *Vento dell'Este* (1969), en el curso de cuya realización se creó el Colectivo Dziga Vértov, que sería responsable de las siguientes películas militantes de Godard y de sus camaradas: *Lotte in Italia* (1969), de intención autocrítica, *Pravda* (1969), rodada en Checoslovaquia, y *Vladimir et Rosa* (1970), rodada para la televisión alemana. Pero los límites de este cine marginado de los canales de distribución-exhibición comerciales se revelaron en su escasísima capacidad de influencia social, seguido únicamente por los amigos de Godard o los simpatizantes de su causa política, de modo que, en palabras del propio realizador, su cine «predicaba únicamente a los ya convencidos». Fruto de una reflexión autocrítica, Godard adoptó la decisión de un retorno ortodoxo a la industria con *Todo va bien (Tout va bien,* 1972), incluyendo la servidumbre a la mitología del *star-system* con la presencia de Jane Fonda y de Yves Montad, pareja protagonista que vive su crisis con motivo de la ocupación de una fábrica por sus obreros.

Otro cineasta que vivió intensamente las consecuencias de la crisis de mayo de 1968 fue Alain Resnais. Precisamente en 1968 Resnais había optado por abordar en registro de ciencia ficción sus obsesivas preocupaciones acerca de la persistencia del pasado en el hombre, con la tragedia fantacientífica *Te amo, te amo (Je t'aime, je t'aime).* Pero el impacto de mayo de 1968 y las dudas de Resnais acerca de la función y operatividad social del cine le alejaron de la producción hasta 1974, fecha en que llevó a la pantalla una crónica del *affaire* Stavisky que conmovió a Francia en 1934, contrapunteando con la presencia de un Trotski exiliado en el país. *Stavisky (Stavisky)* reiteró el glacial virtuosismo de Resnais en el manejo de asuntos preñados de problematicidad ideológica. También el ecléctico Louis Malle acusó una inflexión política desde 1968, con el rodaje en 16 mm del implacable documental *Calcuta (Calcutta,* 1969) y ofreció una provocadora desmitificación de la conducta en la Francia rural durante la ocupación alemana con el caso poco ejemplar de *Lacombe Lucien (Lacombe Lucien,* 1973).

Contrastando con estas actitudes impregnadas de problematicidad, las carreras de François Truffaut y de Claude Chabrol avanzaron con una producción sin sorpresas. En su heterogénea y casi siempre atractiva filmografía, Truffaut adaptó la novela fantacientífica de Ray Bradbury *Fahrenheit 451 (Fahrenheit 451,* 1966), rodada en Inglaterra; recurrió a novelas policíacas de William Irish en *La novia vestía de negro (La Mariée était en noir,* 1967) y *La Sirena del Mississippi (La sirène du Mississippi,* 1969), y volvió de nuevo al tema de la adolescencia perdida con la crónica austera de la reeducación de un niño selvícola en *El niño salvaje (L'Enfant sauvage,* 1969). Otra recurrencia de Truffaut fue la de adaptar nuevamente al novelista Henri-Pierre Roché en *Las dos inglesas y el amor (Les Deux Anglaises et le Continent,* 1971), que invertía el trío antes propuesto en *Jules et Jim* con un joven francés entre dos hermanas inglesas, en nueva reflexión acerca de la dificultad de amar. La cinefilia de Truffaut, más allá de toda meditación ideológica, estuvo en la base de su exaltación del mundo del cine en *La noche americana (La Nuit américaine,* 1973), en donde protagonizó la película interpretando a un director de cine durante un rodaje. Claude Chabrol, por su parte, obtuvo sus mejores resultados en algunas cintas policíacas, como *La mujer infiel (La Femme infidèle,* 1968) y *El carnicero (Le boucher,* 1969), género que tuvo su gran maestro en Jean-Pierre Melville, quien realizó antes de su muerte *El silencio de un hombre (Le Samouraï,* 1967), *Círculo rojo (Le Cercle rouge,* 1970) y *Crónica negra (Un flic,* 1972).

Una novedad significativa la constituyó en cambio la gran moda, posterior a 1968, de cierto cine político que novelaba episodios históricos recientes con unas reconstrucciones que eran, en el fondo, una puesta al día de los procedimientos utilizados por Méliès, cuando rodaba en su estudio *El proceso Dreyfus.* Iniciadores de esta exitosa corriente fueron el realizador de origen griego Constantin Costa-Gavras y el escritor español Jorge Semprún, quienes la inauguraron con la clamorosa *Z (Z ou l'anatomie d'un assassinat politique,* 1968), inspirada en la situación de dictadura militar padecida por Grecia, y la prosiguieron en *La confesión (L'Aveu,* 1970), inspirada en la crisis checoslovaca de 1968, y *Estado de sitio (État de siège,* 1972), sobre la guerrilla urbana de Montevideo y con guión de Franco Solinas. Al mismo ciclo adscribió Yves Boisset *El atentado (L'Attentat,* 1972), sobre el secuestro y asesinato del líder izquierdista marroquí Ben Barka en París, de nuevo sobre un guión de Semprún.

El pujante cine italiano sufrió una evolución diversa, a partir de las crisis creativas de algunos directores veteranos de gran prestigio. Así, mientras la obra de Antonioni comenzaba a ser discutida con su londinense *Blow-Up (Blow-Up,* 1966), acerca de los equívocos de las apariencias en el conocimiento del mundo real y, sobre todo, con su exaltación de la moral *hippy* en su norteamericano *Zabriskie Point (Zabriskie Point,* 1969), Federico Fellini era tachado de manierista y repetitivo a partir de su versión del *Satyricon* de Petronio (1969) y de su ciclo de memorias íntimas iniciado con *Fellini-Roma (Roma,* 1972) y proseguido con *Amarcord (Amarcord,* 1973), que buceó en los días de su propia infancia. La obra del gran Visconti también tendió hacia el amaneramiento tras su brillante *La caída de los dioses (La caduta degli dei/Götterdämmerung,* 1969), sobre una poderosa familia de industriales en el Tercer Reich, ciclo que inició un vasto y suntuoso retablo sobre la decadencia a través de temas extraídos de la cultura y la historia germanas: *Muerte en Venecia (Morte a Venecia,* 1971), inspirada en la novela de Thomas Mann, pero que adquirió el valor de unas confesiones estéticas y sentimentales, y *Luis II de Baviera (Ludwig,* 1972), sobre aquel monarca alemán «enfermo de belleza».

Mientras Francesco Rosi trataba de prolongar los planteamientos histórico-periodísticos de *Salvatore Giuliano* con sus crónicas acerca de *El caso Mattei (Il caso Mattei,* 1972) y del gángster italoamericano *Lucky Luciano (Lucky Luciano,* 1973), Pasolini, en cambio, demostraba mayor ambición al profundizar su fabulación mitosimbólica con *Pajaritos y pajarracos (Uccellacci e uccellini,* 1966), corriente que, apoyada a veces en textos y mitos clásicos, desarrolló en *Edipo, el hijo de la fortuna (Edipo re,* 1967), *Teorema (Teorema,* 1969), *La pocilga (Porcile,* 1969) y *Medea (Medea,* 1970). A la búsqueda de una poética popular, cuya crudeza estuviese redimida por un singular sentido lírico, Pasolini abordó la adaptación de colecciones de cuentos escabrosos con sus celebradísimos *El Decamerón (Il Decamerone,* 1971), de Boccaccio, *Los cuentos de Canterbury (I racconti di Canterbury,* 1972), de Chaucer, y *Las 1001 noches (Le fiori delle mille e una notte,* 1973), según los célebres relatos orientales.

La exploración de nuevas fórmulas narrativas y la opción hacia nuevos planteamientos polémicos fue especialmente visible en la producción de los realizadores más jóvenes. Mientras Marco Bellocchio avanzaba su discurso ideológico con *China está cerca (La Cina è vicina,* 1967), *En el nombre del padre (Nel nome del padre,* 1971) y *Noticia de una violación en primera página (Sbatti il mostro in prima pagina,* 1972), Bernardo Bertolucci colaboraba con intérpretes del Living Theatre en su *Partner (Partner,* 1968), adaptaba a Moravia en un registro heterodoxo, con ribetes surreales, en *El conformista (Il conformista,* 1970), y a Jorge Luis Borges en *La estrategia de la araña (La strategia del ragno,* 1970), antes de triunfar en toda regla en el frente comercial con el dúo erótico entre Marlon Brando y Maria Schneider en *El último tango en París (The Last Tango in Paris,* 1972), que fue prohibida en Italia, pero conquistó un éxito universal.

En el frente de la ruptura vanguardística, destruyendo todas las convenciones tradicionales del discurso cinematográfico, destacó la brillante personalidad de Carmelo Bene, autor de *Nostra Signora dei Turchi* (1968), *Capricci* (1969), *Don Giovanni* (1970) y la cine-ópera *Salomé* (1972). El veterano Marco Ferreri, tras acoplar *El castillo* de Kafka al laberinto vaticano en *La audiencia (L'udienza,* 1971), causó escándalo con su provocadora *La gran comilona (La Grande bouffe,* 1972), que amplió el hedonismo del Eros genital al nutritivo hasta niveles paroxísticos. Y adscritos al marxismo militante, los hermanos Paolo y Vittorio Taviani profundizaron una investigación formal del discurso fílmico a través de una obra ideológicamente muy productiva: *Hay que quemar a un hombre (Un uomo da brucciare,* 1962), *I sovversivi* (1967), *Bajo el signo del Escorpión (Sotto il segno dello Scorpione,* 1969), *¡No estoy solo! (San Michele aveva un gallo,* 1971) y *Allonsanfan (Allosanfan,* 1974).

El cine británico, en cambio, demostró cierto academicismo incluso en sus supuestos «airados», como resultó visible en los conflictos en un internado para estudiantes expuestos por Lindsay Anderson en *If... (If....,* 1968) y, todavía en mayor medida, con películas espectaculares como *La última carga (The Charge of the Light Brigade,* 1968), una desmitificación bélico-heroica de Tony Richardson, o *Isadora (Isadora,* 1968), en donde Karel Reisz biografió a la contestataria bailarina Isadora Duncan. John Schlesinger, por su parte, aportó el análisis de una amistad homosexual en *Domingo, maldito domingo (Sunday, Bloody Sunday,* 1971).

La tentación espectacular fue también muy visible en la nueva revelación británica de esos años, que fue Ken Russell, quien adaptó con sensibilidad a D. H. Lawrence en *Mujeres enamoradas (Women in Love,* 1969), pero acentuó su desmelenamiento y aparatosidad formal en su biografía de Chaikovski *La pasión de vivir (The Music Lovers,* 1970), tendencia presente incluso en su muy pertinente análisis político del proceso de Loudun en *Los demonios (The Devils,* 1971). Este imperativo espectacular, que le condujo a veces al más flagrante *kitsch,* fue responsable de la trivialidad de sus últimas producciones, como la cinta musical *El novio (The Boy Friend,* 1972) y la biografía de *Una sombra en el pasado (Mahler,* 1973). En un frente intimista, como retornando a los orígenes del *Free Cinema,* se halló en cambio la obra del joven Kenneth Loach, autor de un ácido *Kes* (1969), de resonancias autobiográficas, y de *Vida de familia (Family Life,* 1972), que mostró la aniquilación psíquica de una joven, víctima de su medio familiar.

Contrastando con cierta incertidumbre y estancamiento cinematográficos en Inglaterra y en Francia, en Europa central se afianzó, en cambio, un joven cine alemán, hecho realidad gracias a las ayudas económicas oficiales arbitradas desde 1966. Pionero de este renacimiento, el francés Jean-Marie Straub realizó una austerísima *Chronik der Anna Magdalena Bach* (1967), según el relato biográfico de la segunda esposa de Bach, y una adaptación muy libre y heterodoxa de *Othon* (1969), de Corneille. Volker Schlöndorff, formado como ayudante de Malle, Resnais y Melville, adaptó a Robert Musil en *El joven Törless (Der junge Törless,* 1966), testimonio de la crueldad prusiana en un internado estudiantil que prefiguraba el drama del nazismo. Tras retratar a la juventud alemana inadaptada en *Mord und Totschlag* [Asesinato y homicidio] (1967), Schlöndorff exaltó la revuelta campesina encabezada por *El rebelde (Michael Kohlhaas-Der Rebell,* 1968), y rodó la implacable crónica histórica *La repentina riqueza de los pobres de Kombach (Der plötzliche Reichtum der armen Leute von Kombach,* 1970). Un original subjetivismo expositivo fue introducido por el novelista Alexander Kluge en sus films, que se cuentan entre los más valiosos de aquella vanguardia germana, como *Una muchacha sin historia (Abschied von Gestern,* 1966) y *Los artistas bajo la carpa del circo: perplejos (Die Artisten in der Zirkuskuppel: ratlos,* 1968). Junto a estos nombres se situaron Peter Fleischmann, autor de *Escenas de caza en la Baja Baviera (Jagdszenen aus Nierderbayern,* 1969), y Johannes Schaaf, realizador de *Tatuaje (Tatöwerung,* 1967) y de *Trotta* (1972).

El panorama del cine en Suecia siguió dominado por la acusadísima personalidad de Ingmar Bergman, quien acentuó su rigor ético y su depuración formal al estudiar las servidumbres de la condición humana, desde su ferocidad hasta su cobardía y soledad, en películas de una intensidad estremecedora: *Vargtimmen* [La hora del lobo] (1969), *La vergüenza (Skammen,* 1967), *Riten* [El rito] (1968), *Pasión (En Passion,* 1969), *Gritos y susurros (Viskningar och rop,* 1972) y *Secretos de un matrimonio (Scener ur elt äktenskap,* 1973). Bo Widerberg, por su parte, realizó en *Adalen 31* (1968-1969) una crónica de la huelga que llevó al poder al partido socialista en Suecia, mientras dedicó su siguiente *Joe Hill (Joe Hill,* 1971) a este pionero del sindicalismo norteamericano, de origen sueco y que fue ejecutado en Utah. Vilgot Sjöman, tras el incestuoso *Mi hermana, mi amor (Syskonbädd 1782,* 1966), triunfó con el escándalo internacional suscitado por *Yo soy curiosa (Jag är nyfiken,* 1967), sobre la perplejidad de una joven ante el caótico mundo contemporáneo, expuesta con desenvuelta franqueza sexual y en cuyo desenlace la protagonista clava dos cuchillos en los ojos de un retrato del general Franco. Mai Zetterling levantó también cierto escándalo en el festival de Venecia con su freudiano *Juegos de noche (Nattlek,* 1966) y realizó luego *Las chicas (Flickorna,* 1968). Jan Troell, por su parte, se reveló con su díptico *Los emigrantes (Utvandrarna,* 1969-1971), formado por *Los emigrantes (Utvandrarna)* y *El Nuevo Mundo (Nybyggarna),* y rodó luego en Estados Unidos su anti-*western La esposa comprada (Zandy's Bride,* 1973).

En el mosaico del cine europeo, dominado por unas grandes potencias con sólida tradición cinematográfica, brotaron en esa década dos focos cinematográficos de alto interés en Bélgica y en Suiza. En la Bélgica de habla flamenca fue André Delvaux, nacido en Lovaina, quien atrajo la atención de la crítica por sus virtuosas exploraciones del subjetivismo humano, en sus recorridos de doble dirección desde el universo mental hasta la realidad objetiva. Esta preocupación apareció con persistencia en su filmografía, con *El hombre del cráneo rasurado (L'Homme au crâne rasé/Die man die zijn haar kort liet knippen,* 1965) y proseguida con *Una noche... un tren (Un soir... un train,* 1968), *Cita en Bray (Rendez-vous à Bray,* 1971) y *Bella (Belle,* 1973), películas a través de las cuales se fue acentuando cierta dominante mágica.

En la burguesa Suiza, encrucijada de todos los conformismos europeos, apareció desde finales de los años sesenta un movimiento cinematográfico que tendía hacia un examen crítico de la conducta social en aquel singular país. El ginebrino Alain Tanner fue uno de sus impulsores, con *Charles, muerto o vivo (Charles mort ou vif,* 1969), *La salamandra (La Salamandre,* 1971), *El regreso de África (Le Retour d'Afrique,* 1973) y *El centro del mundo (Le milieu du monde,* 1974), mientras Claude Goretta aplicó su ironía al ritual social de *La invitación (L'invitation,* 1973).

LAS ESPERANZAS PERPETUAS DEL CINE ESPAÑOL

Mientras en otros países occidentales la industria cinematográfica hacía frente a la competencia planteada por la televisión con una neta ampliación de su permisividad moral y un tratamiento más adulto y sensacionalista de los asuntos, el cine español padeció en cambio simultáneamente el reto de la expansión de la televisión y la rigidez de los criterios censores, que abrían una fosa cada día más honda entre la producción nacional y los niveles de expresión europeos. Representativo de esta situación fue el caso de Luis Buñuel, alejado de los estudios españoles tras el escándalo de *Viridiana* y que prosiguió su carrera triunfal en Francia con *Bella de día (Belle de jour,* 1966), y *La Vía Láctea (La Voie Lactée,* 1969), antes de conseguir, venciendo serias dificultades administrativas, rodar en España la adaptación de Pérez Galdós *Tristana* (1970), que con una pareja compuesta por Catherine Deneuve y Fernando Rey evocaba una relación similar a la de don Jaime y Viridiana en su anterior película española. Pero los cortes operados en España para la exhibición de *El discreto encanto de la burguesía (Le charme discret de la bourgeoisie,* 1972) le irritaron al punto de declarar públicamente que no volvería a rodar ningún film en España y, en efecto, su siguiente *El fantasma de la libertad (Le Fantôme de la liberté,* 1974) volvió a aparecer bajo pabellón francés. La misma nacionalidad que acogió a Berlanga cuando, harto de cortapisas y mutilaciones a sus proyectos, rodó su *Tamaño natural (Grandeur nature/Life Size,* 1973), que no pudo exhibirse en España hasta el año 1977.

En la lucha por ofrecer un testimonio crítico de la realidad social española a través de la pantalla despuntaron algunas películas muy meritorias, como *Nueve cartas a Berta* (1965), en donde Basilio Martín Patino reflejó los conflictos íntimos de un universitario de Salamanca, o la adaptación de *La busca* (1966) de Pío Baroja a cargo de Angelino Fons, o el retablo de la superstición gallega ofrecido por Pedro Olea en *El bosque del lobo* (1970). El realizador que consiguió articular una carrera más productiva y coherente fue el aragonés Carlos Saura, quien abordó con *La caza* (1965) una vigorosa parábola sobre las consecuencias de la guerra civil española para el bando vencedor, a través de una partida cinegética en un coto yermo y calcinado, film que sería premiado en el festival de Berlín por «la valentía e indignación con que presenta una situación humana característica de su tiempo y de su sociedad». A partir de ese éxito internacional, Saura abordó, en registro buñuelesco, el conflicto esquizoide de *Peppermint frappé* (1967), testimonio de la represión sexual en España expuesto con un tratamiento muy sofisticado. Estudios críticos de la conducta de la

491

burguesía española en la expansión neocapitalista fueron *Stress es tres... tres* (1968) y *La madriguera* (1969), problemática que adquirió un carácter más metafórico en las alusiones políticas de *El jardín de las delicias* (1970), *Ana y los lobos* (1972) y *La prima Angélica* (1973), ciclo a través del que se afirmó la personalidad del actor José Luis López Vázquez.

Lastrada por el deterioro de su industria cinematográfica, Barcelona había perdido a causa del centralismo político-administrativo su capitalidad cinematográfica detentada en la anteguerra. Al margen de la producción regular de Jaime Camino en esta ciudad —*Los felices sesenta* (1963), *Mañana será otro día* (1966), *España otra vez* (1968), *Un invierno en Mallorca* (1969), sobre el libro de George Sand, y *Mi profesora particular* (1972)—, coincidiendo con los primeros signos de agotamiento del «Nuevo Cine Español», desde 1966 habían surgido en Barcelona nuevas propuestas cinematográficas como alternativa estética. El hermético film de ciencia ficción *Fata Morgana* (1966), de Vicente Aranda, abrió esta senda alternativa que, con profuso arropamiento publicitario, fue lanzado con la etiqueta Escuela de Barcelona. Sus promotores y realizadores partían de la evidente dificultad de un cine de carácter testimonial y crítico en España, a causa de las cortapisas censoras, a la vez que repudiaban la pobreza naturalista y la falta de inventiva formal de los productos característicos del «Nuevo Cine Español». Pese a trabajar sobre planteamientos y con actitudes bastante heterogéneas, los directores de la Escuela de Barcelona pretendieron articular la alternativa de una neovanguardia para el provinciano cine español. Sus títulos más significativos fueron: *Dante no es únicamente severo* (1967), cinta paradadaísta de Jacinto Esteva y Joaquín Jordá que adquirió el carácter de film-manifiesto de la Escuela; *Cada vez que...* (1967), de Carlos Durán; *Ditirambo* (1967), del novelista Gonzalo Suárez, y *Noches de vino tinto* (1966) y *Biotaxia* (1967), ambos films del portugués José María Nunes. Pero esta alternativa desesperada para el cine español se revelaría sumamente elitista y sin base en el mercado, de carácter verdaderamente suicida, por lo que la experiencia se extinguió en 1969, teniendo como canto del cisne al accidentado film de política ficción *Liberxina 90* (1970), de Carlos Durán, que no consiguió llegar a las pantallas públicas hasta finales de 1978.

Los primeros años setenta del cine español fueron años de dura lucha por la supervivencia artística, mientras el grueso de la producción se orientaba hacia subgéneros tales como el *spaghetti-western*, cultivado en agrestes escenarios de Almería, el cine de terror o la comedia *sexy*, ciclo autárquico e inexportable que a partir del éxito de *No desearás al vecino del quinto* (1970), de Ramón Fernández, lanzó al actor Alfredo Landa como protagonista perpetuo, en un puntual reflejo sociológico de las frustraciones y represiones sexuales colectivas en la católica España. En este difícil panorama, películas como *El espíritu de la colmena* (1973), de Víctor Erice, constituyeron una verdadera rareza, una excepción para confirmar la regla de la mediocridad. *El espíritu de la colmena* retrató con originalidad la España rural recién acabada la guerra civil, a través de las experiencias de dos niñas en cuyo universo irrumpe un alegórico monstruo de Frankenstein, que encontrará su álter ego en la vida real en un ex combatiente republicano herido. Una aguda reflexión política y una de las cimas poéticas de la historia del cine español.

POCAS NOVEDADES EN EL ESTE

Tras el efímero renacimiento del «deshielo» posestalinista, el cine soviético brejneviano retornó al refugio poco conflictivo del academicismo en sus adaptaciones espectaculares de novelistas o dramaturgos del siglo anterior o en sus biografías de artistas. Ejemplar de esta actitud resultó, por ejemplo, la conformista biografía de *Chaikowski* (1970), que Igor V. Talankin rodó como polémica réplica y «rehabilitación» del atormentado compositor ruso que Ken Russell había presentado en *La pasión de vivir*. En el frente espectacular, las coproducciones con el extranjero fueron menudeando, para ampliar el área de sus operaciones comerciales, con títulos como *Waterloo (Waterloo*, 1969), de Serguéi Bondarchuk, y *La tienda roja (La tenda rossa/Krasnaia Palatka*, 1969), peripecia polar rodada por Mijaíl Kalatozov. Entre los nuevos realizadores soviéticos destacó en esos años Andréi Mijalkov-Konchalovski, autor sensible de *Dvorianskoie gniesdo* [Nido de nobles] (1969), según Turguéniev, y de *Tío Vania (Djadia Vania*, 1971), de Chéjov. Pero el año 1971 señaló uno de los puntos más críticos de la producción soviética moderna, al punto que en el Congreso del Sindicato de Cinematografistas se alzaron numerosas voces reclamando un retorno hacia los temas cotidianos, para hacer del cine soviético un testimonio de los problemas de cada día y capaz de interesar a un público que en sus tres cuartas partes era público joven. Se admitía así el carácter evasivo y retórico de las corrientes dominantes en la producción soviética.

En Polonia, definitivamente perdida la cooperación del dotado Roman Polanski, Andrzej Wajda se convirtió en la figura prominente de aquella cinematografía, aportando *Wszystko na Sprzedaz* [Todo está en venta] (1968), que fue una evocación trágica del malogrado actor Zbigniew Cybulski (fallecido al caer bajo las ruedas de un tren), *Caza de moscas (Polowanie na muchy,* 1969), *Paisaje después de la batalla (Krajobraz po bitwie,* 1970) y *El bosque de abedules (Brzezina,* 1970). Una estimulante revelación de la vitalidad cinematográfica polaca la constituyó Krzysztof Zanussi, quien analizó con originalidad los conflictos y problemas de la nueva clase técnica surgida a raíz del desarrollo industrial del país. Zanussi atrajo el interés de la crítica desde la aparición de sus primeros films: *La estructura del cristal (Struktura kryształu,* 1969), *Zycie rodzinne* [Vida de familia] (1971) e *Iluminación (Illuminacja,* 1972).

En Checoslovaquia, la crisis política subsiguiente a la intervención en 1968 de las tropas del Pacto de Varsovia en el país afectó severamente al pujante desarrollo de aquella cinematografía y determinó el exilio a Estados Unidos de Milos Forman y de Ivan Passer. Forman rodó allí *Juventud sin esperanza (Taking Off,* 1971), divertida exposición de las conductas de los padres ante las actitudes iconoclastas de las nuevas generaciones, mientras Passer rodó, en Nueva York, *Born to Win* (1971).

En Hungría, Miklós Jancsó hizo avanzar su obra a través de una austera y depurada concepción del plano-secuencia, manejado en vastos escenarios de dominante horizontal: *Csillagosok Katonnák* [Estrellas, soldados] (1967), crónica de los horrores de la guerra civil, *Csend és kiáltás* [Silencio y grito] (1968) y *Fényes szelek/ Ah! Ça ira!* [Vientos brillantes] (1968). La evolución de su estilo fue evidente en *Téli Sirokkó* [Siroco de invierno] (1969), que constó de únicamente trece planos. A partir de este punto, Jancsó

494

acentuó el carácter experimental de su producción con *Egi bárány* [Agnus Dei] (1970) y *La tecnica e il rito* (1971), coproducción con Italia rodada para la televisión.

El yugoslavo Dušan Makavejev investigó la estructura del relato fílmico con gran desenfado e inventiva en *Una historia sentimental o la tragedia de una empleada de teléfonos (Ljubavni slucaj, ili tragedija sluzbenice PTT,* 1967), *Nevinost bez zastile* [Inocencia sin defensa] (1968) y *Wilhelm Reich-Los misterios del organismo (WR-Misterije organizma,* 1971), sobre las enseñanzas sexuales de Wilhelm Reich. Los rasgos anarquistas y hedonistas de su producción se acentuaron todavía más en su siguiente *Sweet Movie (Sweet Movie,* 1973), con la fragancia libertaria de un retoño de la convulsión de 1968.

LA BATALLA CINEMATOGRÁFICA DEL TERCER MUNDO

Como en otro lugar se señaló, el desarrollo de la industria cinematográfica exige como condición económica previa cierto grado de desarrollo industrial. Producir una película significa disponer de laboratorios cinematográficos, de tecnología adecuada para su rodaje y de competentes técnicos especialistas. No ha de extrañar, por lo tanto, que los países que van en vanguardia de la producción mundial sean precisamente los países industrialmente desarrollados. A las condiciones expuestas se añade que tales países ejercen un monopolio de hecho sobre los circuitos de distribución internacional de sus películas y que sus productos, de buena factura y por lo general comercialmente atractivos, yugulan la posibilidad de una competencia por parte de aquéllos, condicionados por su escaso desarrollo cinematográfico. Este colonialismo ejercido por las grandes potencias en el plano cinematográfico –como en tantos otros– amplía el drama social del Tercer Mundo al drama de su expresión cultural en el campo de la comunicación de masas a través de la imagen.

Sólo en fecha muy reciente, cinematografías africanas modestas, como las de Túnez, Argelia o Senegal, han hecho llegar a los países industriales algunos pocos testimonios cinematográficos del drama histórico del subdesarrollo, aunque en ocasiones, como en la notable coproducción francoargelina *Murallas de arcilla (Remparts d'argile,* 1970), su director no fuese un africano, sino el francés Jean-Louis Bertucelli. Pero las novedades más abundantes y estimulantes del cine tercermundista llegaron en los años setenta de algunos países latinoamericanos, como Cuba o Brasil. En la Cuba socialista fue el Estado el que asumió la tarea de producción, con títulos tan afortunados como *La muerte de un burócrata* (1966), *Memorias del subdesarrollo* (1968) y *Una pelea cubana contra los demonios* (1971), los tres de Tomás Gutiérrez Alea, o *La primera carga al machete* (1969) y *Los días del agua* (1971), de Manuel Octavio Gómez, o las cintas dirigidas por Humberto Solás, como *Manuela* (1966), *Lucía* (1968) y *Un día de noviembre* (1972). En el gigante brasileño, en cambio, ha sido el capital y la banca privada quienes financiaron al *Cinema Nôvo,* pues pese a su furia anticapitalista y antiimperialista se reveló como una buena mercancía en los circuitos cultos del Arte y Ensayo, capaz de devengar buenos dividendos. Glauber Rocha, apóstol de la «estética de la violencia», ofreció el ejemplo más llamativo y celebrado de subversión artística financiada por la plutocracia brasileña. La carrera de Rocha brilló a través de los festivales de cine con *Terra em transe* (1966), *Antonio das Mortes (O Dragâo da Maldade contra o Santo Guerreiro,* 1968), *Der Leone Have Sept Cabezas* (1970), rodada en África, *Cabezas cortadas* (1971), rodada en España a partir del mito de Macbeth, *ABC del Brasil* (1972), rodada en Cuba, y *Cáncer* (1968-1972), realizada ya en 16 mm y afín a los esquemas de la producción *underground.* Su muerte en 1981 plasmó trágicamente un definitivo cambio de rumbo estético en la producción de su país.

Como observación general, el eje de las preocupaciones de estos cineastas fue la servidumbre de sus países –y en general de sus clases más desheredadas– al fenómeno neocolonial de dependencia de los grandes monopolios extranjeros, con la alianza de las grandes clases burguesas y de los caciques latifundistas en las regiones agrarias. Cine de protesta, en el más riguroso sentido de la palabra y cuando el término «protesta» se había trivializado en la sociedad de consumo, fue el ofrecido en las mejores y más significativas producciones del Tercer Mundo latinoamericano, aspirando a la liberación nacional y a la radical transformación de sus arcaicas estructuras sociales. Un buen ejemplo de esta protesta política lo ofreció el manifiesto en imágenes *La hora de los hornos* (1966-1968), producido clandestinamente en Argentina por Fernando Solanas y Octavio Getino, cine-documento de agitación cuyo interés rebasa el del marco de la lucha de liberación en su país.

En el terreno del lenguaje se constató que, nacidas estas cinematografías de modelos expresivos derivados del neorrealismo italiano –como fue visible en las primeras obras del brasileño Nelson Pereira Dos Santos–, evolucionaron en muchos casos hacia formas muy originales, en las que pueden hallarse vestigios del famoso «montaje de atracciones» de Eisenstein (montaje-choque como estimulante fisiológico de la percepción y de la atención); y, fenómeno no menos notable, tendieron sobre todo a la incorporación masiva de elementos plásticos y musicales de las culturas locales, desde danzas y canciones hasta elementos mitológicos y religiosos (cristianismo amalgamado con paganismo), como orgullosa afirmación de singularidad nacional de unos países a los que los colonizadores habían negado toda tradición cultural. Estas características fueron visibles en las mejores obras de Glauber Rocha, que para un espectador occidental adquieren la apariencia de fascinantes «óperas bárbaras», en las que *cangaçeiros* y santones dirimen sus querellas a ritmo de danzas primitivas, nacidas del trasplante a otro continente del antiquísimo folclore africano. Podría decirse que la lucha contra el colonialismo cultural impuesto por los grandes modelos del cine yanqui y europeo era ampliada también con una nueva afirmación estética, que no hacía sino enriquecer el panorama del cine mundial.

«CINÉMA-VÉRITÉ», CINE-DIRECTO

Contra la tiranía, o hegemonía divística de los directores, se alzaron las posturas contraculturales del *underground* y los apóstoles de la democratización de la comunicación cinematográfica. Si el cine es un arte de masas, las masas son –y no unos privilegiados especialistas– quienes tienen derecho a manifestarse y a expresarse en película. En la utopía pandemocrática de la comunicación social el cine pasó a ocupar, sea con imagen fotoquímica o con imagen electrónica, un lugar de privilegio como centro de proyectos, propuestas y debates. Hace ya años, Alberto Lattuada evocaba un futuro en el que «la película cueste el precio del papel y la cámara el de una afeitadora eléctrica», como condición necesaria para la democratización de la industria de la imagen. Por este camino seguimos avanzando hoy, hacia esta utopía social, y las respuestas más radicales de las avanzadillas democráticas las proporcionaron en los años setenta los colectivos de producción, grupos animados por lo general por idearios izquierdistas que producían sus cintas anónimamente y eliminando el principio de la división del trabajo y de la jerarquización en el equipo. Colectivos como el Grupo Dziga Vértov, el Grupo Medvedkine, el Grupo Dynadia o el autodenominado Les Cinéastes Révolutionnaires Prolétariens ofrecieron buenos ejemplos de esta actitud ultrademocrática, si bien fue inevitable que el miembro más dotado o con mejores ideas en el seno del grupo fuera el que se convirtiera en su líder... El principio de la selección natural penetra tozudamente en la vida social, pese a la voluntad igualitaria de sus enemigos.

Dijimos antes que las nuevas técnicas y los nuevos utillajes han resultado agentes fundamentales en esta evolución del cine hacia formas más democráticas de comunicación social. Desde la cinta magnética del *videotape* hasta la cámara ultraligera y de miniatura, un arsenal de nuevos útiles tienden a aproximar la cámara a aquella «afeitadora eléctrica» de que hablaba Lattuada. Responsabilidad importante en este progreso la ha tenido la televisión, contemplada tradicionalmente como feroz enemiga del cine. El documental y el cine de reportaje, desplazado de las pantallas de cine a las de televisión en las últimas décadas, han estimulado esta evolución técnica. El etnógrafo francés Jean Rouch —autor de valiosos documentales africanos: *Les Fils de l'eau* (1953-1955), *Les maîtres fous* (1955), *Moi, un noir* (1958)— hizo avanzar este género en colaboración con el sociólogo Edgar Morin al rodar la experiencia maximalista *Chronique d'un été* (1961), utilizando la cámara compacta KMT, de tres kilos de peso, y el magnetófono portátil suizo Nagra. Esta experiencia fue bautizada *cinéma-vérité*, pues pretendía registrar en su genuina autenticidad la personalidad y los conflictos íntimos de los individuos estudiados en la película, a partir de la pregunta inicial «¿Es usted feliz?». Desde este punto de partida, y estimulado por la demanda de las cadenas de televisión, se ha desarrollado y perfeccionado hasta límites increíbles el luego denominado «cine-directo», que ha contado con varios norteamericanos entre sus mejores operadores-realizadores: Richard Leacock, ex operador de Flaherty, Robert L. Drew, los hermanos David y Albert Maysles, Donn Alan Pennebaker, el canadiense Claude Jutra, etc. La cámara ubicua y versátil del cine-directo ha penetrado con ojo fisgón en todos los ambientes e intimidades y hasta el cine pornográfico, rodado en una alcoba con cámara llevada a mano, se ha beneficiado de sus progresos técnicos (la industria del cine pornográfico en Estados Unidos creció en un 500 % en menos de tres años: otro signo elocuente de los nuevos tiempos).

Con el nuevo utillaje audiovisual —que ha hecho posible la meta del Cine-ojo soñada por Vértov— los grandes problemas sociopolíticos de nuestro siglo han podido ser documentados sobre película, como hizo en Francia Claude Lanzmann al rodar en *Shoah* (1985) más de nueve horas de apabullantes testimonios orales sobre el exterminio judío por parte de los nazis.

Es sabido que los utillajes, por sí mismos, no pueden hacer una revolución, pero pueden ayudar a adquirir nuevas percepciones, a difundir conocimientos, determinar estilos y modificar conciencias. Es desde esta perspectiva que deben juzgarse las mutaciones y progresos de la toma de vistas y del registro de sonido, inscribiéndolos en la dicotomía entre cine de dominación frente a cine de liberación o, si se quiere, entre cine de reflexión y cine de evasión. El cine no ha podido permanecer ajeno a los grandes conflictos que hoy conmueven al planeta y si en los días de Lumière se limitó a ser un mero reflejo y espejo de la realidad que bullía en torno suyo, hoy tiende, en cambio, a ser partícipe y agente activo en los cambios históricos que protagoniza la humanidad.

EL CINE EN LA ERA ELECTRÓNICA

LA REVOLUCIÓN AUDIOVISUAL Y SUS CONSECUENCIAS

El desarrollo creciente de la televisión y de sus extensiones tecnológicas (como la videocasete, el videodisco, la televisión por cable y los satélites de comunicaciones) se ha unido a otras formas prósperas y expansivas de la industria del ocio –tales como la discomanía o el *week-end* motorizado– en el proceso de restar espectadores a las salas de cine, acelerando así el proceso de su declive comercial. Este complejo desafío ha conducido a una transformación de las estructuras de la industria del cine y de sus estilos y estrategias comerciales. Muchas grandes productoras de antaño han sido adquiridas por empresas gigantes que procuran reducir los riesgos diversificando sus actividades en diferentes sectores de la industria y el comercio. Sin embargo, la producción de «cine de autor» relativamente artesanal –comprometida por el alza de los costos creada por la inflación galopante– todavía es posible en algunos países occidentales gracias a las subvenciones económicas del Estado o a la iniciativa de las cadenas de televisión estatales.

En esta transformación del mapa cinematográfico mundial, la producción ha tendido a especializarse para cubrir los espacios de oferta que no podía abastecer su más directo rival: el televisor casero. El más tradicional ha sido el superespectáculo para macropantalla, que con la ayuda de aparatosos efectos especiales devuelve al cine algo de su antiguo carácter de atracción de feria. Como los films de esta clase son muy caros, hace falta un público muy amplio para amortizarlos. Por tal razón, las empresas transnacionales norteamericanas, únicas capaces de abordar tan costosos proyectos, se dirigen con ellos a un público muy heterogéneo, seme-

501

jante al de la televisión, público de todas las edades, de todas las clases y de todos los grupos sociales, al que se le habla con el lenguaje estético elemental y estandarizado de los telefilms, aunque en formato mayor y con mayores costos y duración de las cintas.

Otro territorio que el cine ha cultivado como espacio no ocupado por la oferta de la televisión es el de la transgresión moral, sobre todo en los campos de la violencia y del sexo. La popularidad de las cintas de terror –extremadamente crueles a partir de *El exorcista*–, de las de artes marciales oriundas del Extremo Oriente, o el florecimiento del cine pornográfico *duro* (con actos sexuales consumados y explícitos), fueron consecuencia directa del desafío comercial lanzado por el televisor casero, instrumento de comunicación familiar fundamentalmente conservador, no obstante el clima de creciente permisividad moral en la sociedad. Bien es verdad que alguno de estos géneros, como el pornográfico, por ejemplo, ofreció pronto claros síntomas de desplazamiento hacia el ámbito hogareño, gracias a la popularidad del cine en Super 8 y de las videocasetes.

Y queda, por fin, la provincia internacional del «cine de autor», que en cierto modo es un nuevo género comercial, un género culturalista orientado especialmente hacia los espectadores jóvenes y miembros de la burguesía ilustrada, exhibido con frecuencia en las salas de Arte y Ensayo y otros guetos minoritarios. El impulso renovador y neovanguardista de los años sesenta, años en que se fraguó la alternativa de la autoría como *modernidad* cinematográfica, ha producido segundas y terceras olas de autores en algunos países. Acosados por el aumento de los costos de producción y por la deserción de los espectadores, algunos directores han negociado o pactado con la gran industria determinadas fórmulas de compromiso o de supervivencia. Algunos se han instalado definitivamente en el Panteón de los valores seguros y admirados por amplios públicos, como Fellini o Bergman. Otros han sobrevivido gracias al mecenazgo institucional; no pocos han sido absorbidos por la televisión o por las restantes industrias audiovisuales (publicidad, cine industrial o pedagógico, etc.). Todavía otros, para cerrar la lista, han perecido en una inactividad elocuente. Entre los restos del naufragio, escasos han sido los autores que han podido mantenerse en una actitud de creatividad permanente y militante.

502

Aun así, e incluso menospreciado a veces –hay quienes lo conside-ran una forma decadente de individualismo narcisista–, el «cine de autor» sigue siendo una referencia obligada para delimitar la fron-tera entre el cine entendido como trivial entretenimiento de eva-sión y el cine entendido como forma de cultura y de creación esté-tica, entre el cine como macroespectáculo y el cine como escritura.

Los progresos de la electrónica en la segunda mitad del siglo XX han producido ya y seguirán produciendo, como ya se señaló, una profunda reestructuración de las industrias de la imagen y del mercado audiovisual. La televisión dispondrá muy pronto de los medios adecuados para transmitir imágenes de alta definición, cosa que hará posible la pantalla de gran formato (muralvisión). El televisor va poco a poco convirtiéndose en un terminal audiovi-sual doméstico que amplía el campo de sus posibilidades y diversi-fica el origen de sus mensajes. Las videocasetes, los videodiscos con lectura por rayo láser, la televisión por cable y la mundivisión por satélite amplían desmesuradamente la gama de ofertas audio-visuales, desde el programa pornográfico a domicilio hasta la for-mación pedagógica a través de la telescuela en el hogar, pasando por los títulos clásicos de la historia del cine conservados en una videoteca privada.

Esta expansión de los usos y opciones del televisor radicaliza y ahonda la brecha entre las imágenes de consumo privado y las imágenes comunitarias exhibidas en las salas de cine. Las tecnolo-gías arriba enumeradas vienen a favorecer a las primeras en detri-mento de las segundas. El desequilibrio aumentará cuando las imágenes electrónicas mejoren su calidad y alcancen la meta de la «alta definición», que es la propia de las imágenes fotoquímicas del cine. La imperfección de *El misterio de Oberwald (Il misterio di Oberwald,* 1980) –experiencia electrónica anticipatoria grabada en vídeo por Antonioni para ser exhibida en salas de cine– corrobora, en vez de negarlos, estos pronósticos. Pero desde que a finales de 1981 la industria japonesa anunció la puesta a punto de un siste-ma de vídeo de 1.125 líneas (HDVS: High Definition Video Sys-tem), el último bastión cualitativo del cine fotográfico ha comen-zado a tambalearse. Porque la imagen electrónica de «alta definición» permitirá ampliar el tamaño de las pantallas hasta el que hoy exhiben las salas de cine. Hay ya en proyecto circuitos de salas que exhibirán imágenes electrónicas transmitidas vía cable desde un centro emisor único. Pues el aumento de tamaño de la pantalla casera tropieza con obvios inconvenientes debido a las dimensiones y al diseño de los hogares actuales, aunque siempre sea posible hallar soluciones de compromiso con «pantallas medianas».

En la polémica entre los defensores de la imagen pública y los de la imagen privada, se acusa a ésta de tres pecados capitales: de fomentar el insalubre sedentarismo físico; de acrecentar el aislamiento psicológico y social; y, por último, de ofrecer una imagen de calidad y tamaño que no admiten comparación con la imagen fotoquímica. Este último argumento está a punto de derrumbarse en el umbral de las videotécnicas digitales y de «alta definición», pero quedan en pie las otras dos razones –psicológicas y sociales– que esgrimen aquellos para quienes el cine es, junto con el teatro y el estadio deportivo, una fiesta coparticipativa y un rito de socialización activa insustituible. La amenaza de la ley del mínimo esfuerzo se cierne sobre el futuro de las salas oscuras.

No es previsible, desde luego, la extinción absoluta de las salas públicas, pero su número se reducirá muchísimo, y tenderán seguramente a especializarse en una doble dirección. Por su parte, persistirán las grandes salas, tipo «Palace», destinadas a los superespectáculos sobre macropantallas (fórmulas como el *cine esférico o la pantalla total),* que ofrecerán un tipo de espectáculo aparatoso que la tecnología no podrá suministrar a domicilio, y preservarán el carácter de rito coral y festivo que tiene la asistencia a una sala de cine. Por otro lado, habrá salas museísticas para la exhibición de cine minoritario, experimental y de títulos clásicos (mudos y sonoros), verdaderas galerías de arte o museos de cine, destinadas al público juvenil y al procedente de estratos sociales ilustrados, sectores que están demostrando ya una mayor resistencia a la sumisión al televisor y al sedentarismo físico y social que éste trae consigo. Serán los *resistentes* al modelo audiovisual dominante, pero su número, relativamente limitado, hará que tal tipo de salas sólo sean viables en las grandes ciudades y acaso protegidas por subvenciones municipales o estatales, como ya está ocurriendo con las salas de teatro, acosadas por la competencia de la televisión y del cine.

El cine norteamericano acusó, desde mediados de los años setenta, el impacto de los factores antes reseñados. A la competencia comercial de las industrias del ocio (televisión, discomanía, automóvil, etc.) se añadió, desde 1973, el proceso de crisis y de erosión económica desencadenado por el primer «choque petrolero» generado en el Oriente Medio, si bien sus efectos tardaron algún tiempo en afectar a la economía norteamericana. Luego, el escándalo del Watergate y la derrota de la prolongada guerra de Vietnam (1975) generaron un desengaño y una frustración colectivas. La industria del cine quiso hacerles frente con un relanzamiento vigoroso de las superproducciones espectaculares, euforizantes y escapistas, tras unos años de auge del cine de autor y de crisis de los géneros clásicos, cuyo fruto fue alguna asimilación de ciertos contenidos críticos o desmitificadores, aceptados por la industria de Hollywood. El nuevo «despegue» del colosalismo espectacular tuvo su más explícita manifestación en el cine de catástrofes (desde terremotos a incendios y naufragios), y en aparatosos films de ciencia ficción espacial. Cargar las tintas al describir las perversidades de la naturaleza y glorificar a la tecnología fueron, en estos dos géneros, la respuesta a la resistencia ecologista: el cine subrayaba así las virtudes tecnocientíficas de la sociedad industrial avanzada, en el momento de su más profunda crisis económica, energética y ecológica. El relanzamiento de la espectacularidad y del sensacionalismo era funcional, por otra parte, y concordante con la nueva composición del mercado cinematográfico norteamericano, cuya edad fue descendiendo hasta que en 1980 se promediaba mayoritariamente entre los trece y los veinte años. Este mercado, muy receptivo a los géneros sensacionalistas (o «géneros adolescentes»), explicó la continuada moda del cine de terror, que no dudó en presentar a la naturaleza como un nuevo monstruo, tras el éxito económico de *Tiburón (Jaws,* 1975), de Steven Spielberg. En este género truculento descollaron las hábiles fantasías parapsicológicas y los *psico-thrillers* de Brian De Palma, tales como *Carrie (Carrie,* 1976), *La furia (The Fury,* 1978), la evocación de *Psicosis (Psicho,* 1960) de Hitchcock en *Vestida para matar (Dressed to Kill,* 1980), en la referencia al Antonioni de *Blow-Up* en *Impacto (Blow-Out,*

1981) y en la cita al Hitchcock de *Vértigo* en *Doble cuerpo (Body Double*, 1984).

Incluso un realizador tan exigente como Stanley Kubrick, después de su minuciosa adaptación de *Barry Lyndon (Barry Lyndon*, 1975) de Thackeray, rodada íntegramente con luz natural para recrear el ambiente del siglo XVIII, efectuó una incursión en el cine de terror parapsicológico con la adaptación de Stephen King *El resplandor (The Shining*, 1979), film en el que, replicando al optimismo robinsónico de Daniel Defoe, exponía cómo la soledad prolongada conduce irremisiblemente a la locura paranoica y a la autodestrucción. Entre los mejores títulos de este género renacido en plena crisis económica, que dio vida a los fantasmas colectivos de la sociedad enferma, figuró *La noche de Halloween (Halloween*, 1978), de John Carpenter. Este auge de los géneros *duros* (o sensacionalistas) se detectó también en el despliegue aparatoso y ultraviolento de los viejos temarios del gangsterismo, bien fuese revisitando títulos y personajes clásicos, como hizo De Palma en *El precio del poder (Scarface*, 1983), con Al Pacino, bien fuese en registro de comedia negra, como John Huston en *El honor de los Prizzi (Prizzi's Honor*, 1985), o destapando los manejos de la mafia china en Nueva York, como haría Michael Cimino en su colorista *Manhattan Sur (The Year of the Dragon*, 1985).

El mismo contexto de explotación de los géneros sensacionalistas para públicos muy amplios explicó la persistente moda de la ciencia ficción, sobre todo a partir del lanzamiento de la vistosa saga intergaláctica *La guerra de las galaxias (Star Wars*, 1977), en donde George Lucas recreó un arcaico-futurismo inspirado en el *Flash Gordon* de Alex Raymond, género puntero que convirtió los efectos especiales y las máquinas (astronaves, robots, computadoras, espadas-láseres, etc.) en las nuevas estrellas inhumanas de Hollywood, desplazando a los rostros humanos, plasmadas en la pantalla como euforizantes signos de poder presentados al público juvenil con atributos de estética de discoteca. A este género escapista y consolador se adscribió también el mensaje de revelación mística y divina de los extraterrestres en *Encuentros en la tercera fase (Close Encounters of the Third Kind*, 1977), de Steven Spielberg, al que el inglés Ridley Scott replicó con el invasor extraterrestre demoníaco de *Alien (Alien*, 1979).

No obstante lo dicho, es preciso matizar que junto a la ciencia ficción celebrativa y circense coexistió un pequeño segmento de ciencia ficción especulativa y crítica, que obtuvo una de sus mejores formulaciones en *Blade Runner (Blade Runner,* 1982), en donde Ridley Scott adaptó una novela de Philip K. Dick para presentar una opresiva ciudad de Los Ángeles, futurista e hipercontaminada. Similar, en algunos aspectos, al Nueva York convertido en gigantesca jungla y prisión que John Carpenter exhibió en *Rescate en Nueva York (Escape from New York,* 1981). Pero este segmento de futurismo especulativo y coloreado de pesimismo no consiguió hacer sombra a las espectaculares versiones balsámicas, como *E. T. (E. T.,* 1982), en donde Steven Spielberg, convertido en nuevo Walt Disney de los años ochenta, narró un deslumbrante cuento de hadas acerca de emisarios del más allá, con ribetes teológicos, y ofreció una parábola acerca del rol paterno y de la amistad interracial, con un niño terráqueo y un extraterrestre asexuado y náufrago del cosmos. La ciencia ficción se convirtió, en definitiva, en la más directa beneficiaria del arsenal de nuevos efectos especiales que surgían en cascada de factorías de ensueños, como la famosa Industrial Light and Magic, inaugurada por George Lucas en 1975. Una muestra de los nuevos avances en la tecnología de la imagen fue *Tron (Tron,* 1982), una película de Steven Lisberger producida por la empresa Walt Disney que inauguró el uso de la imagen electrónica digital en el cine comercial.

Estos films, generalmente muy costosos y sólo asequibles a las grandes multinacionales yanquis, requirieron una enérgica reestructuración de la industria, con la fusión o absorción de las viejas productoras, incorporadas a enormes conglomerados industriales y comerciales dedicados a actividades muy diversas. Ante esta pérdida de identidad de las casas productoras, comparada con su anterior autonomía y especificidad, Francis Ford Coppola reaccionó con la fundación en San Francisco –lejos de las trabas sindicales y burocráticas de Hollywood– de su ambiciosa empresa American Zoetrope. Convertido en puntal de una nueva ola de profesionales del cine de ascendencia italiana (junto con Martin Scorsese, Michael Cimino, Brian De Palma, Robert De Niro, Al Pacino, Sylvester Stallone, John Travolta, etc.), el productor, director y mecenas Francis Ford Coppola se empeñó en crear «otro Hollywood», alternativa en la que se mezclaban las reivindicaciones estéticas y las rivalidades comerciales. Su empresa configuró, junto con la productora Lucasfilm de George Lucas, responsable del exitoso tebeo de aventuras parateológicas *En busca del arca perdida (Raiders of the Lost Ark,* 1981) de Spielberg, el armazón empresarial de lo que se calificó como neo-Hollywood. De tal modo, que a la tradición de gran espectáculo familiar, muy bien representado por la sabiduría técnica de Spielberg, tanto en su *Indiana Jones y el templo maldito (Indiana Jones and the Temple of Death,* 1984), como en el lacrimoso melodrama sobre el universo de los negros norteamericanos *El color púrpura (The Color Purple,* 1985), según la novela de Alice Walker, se opuso en el neo-Hollywood una vocación explicitada de cine de autor, sin renunciar por ello a ciertas premisas espectaculares de la exitosa tradición norteamericana.

Sin embargo, las dificultades de Coppola para armonizar las tareas de productor y de realizador se hicieron visibles en la accidentada producción de *Apocalypse Now (Apocalypse Now,* 1976-1979), brillante versión espectacularizada y ambientada en la guerra vietnamita de la novela de Joseph Conrad *El corazón de las tinieblas. Apocalypse now* vino a culminar con grandilocuencia un filón de títulos acerca de la guerra vietnamita que sólo pudo iniciarse en 1976, tras el final de aquella tragedia y tras la cautelosa cancelación del tabú de abordarla en el cine. Adoptando generalmente una perspectiva más humanitaria o psiquiátrica que verdaderamente política, este filón se desarrolló con *Taxi Driver (Taxi Driver,* 1975), de Martin Scorsese, con un excelente Robert De Niro en el papel de un ex combatiente psicópata; *El cazador (The Deer Hunter,* 1978), film de Michael Cimino que provocó un incidente diplomático en el festival de Berlín, y *El regreso (Coming Home,* 1978), de Hal Ashby, films que significativamente recibieron una lluvia de Oscars.

La dominante personalidad de Francis Ford Coppola, no exenta de cierta megalomanía, abarcó desde el mecenazgo cultural (relanzamiento de la versión restaurada del *Napoleón* de Abel Grance) a la contratación de talentos europeos (Wim Wenders, autor de un laborioso *Hammett,* Michael Powell, etc.). Pero la reconstrucción de un nuevo Hollywood triunfalista en las circunstancias de fuerte competitividad de otras industrias del ocio se reveló difícil y peligrosa, con la elocuente advertencia del fracaso del ambicioso y millonario *western La puerta del cielo (Heaven's Gate,* 1981), episodio de la lucha de clases entre terratenientes ganaderos y granjeros emigrados en Wyoming reconstruido por Cimino y que supuso, tras varios remontajes y mutilaciones en la cinta, una catástrofe financiera para United Artists. Las dificultades que el propio Coppola volvió a sufrir en su *Corazonada (One from the Heart,* 1981) corroboraron la dureza de los nuevos tiempos para la industria del cine y le obligaron a renunciar a su vocación empresarial y a desprenderse de sus estudios. *Corazonada* había representado el punto más elevado de la experimentación de Coppola con la imagen electrónica, utilizada para recrear en sus talleres la peculiar escenografía de Las Vegas. Tras este fracaso económico, se refugió en un presupuesto reducido, en el blanco y negro y en el temario del «film de adolescentes» para realizar su excepcional *La ley de la calle (Rumble Fish,* 1983), una de las mejores películas norteamericanas de la década. Pero en su carrera desigual, aunque siempre interesante, Coppola nunca renunció a su sentido del espectáculo vistoso, volviendo a lucir sus excelencias en *Cotton Club (Cotton Club,* 1984).

En esta nueva hornada de cineastas formados, como Coppola, con bastante frecuencia en las universidades más que en los estudios de rodaje, la ruptura con los viejos géneros y tratamientos de Hollywood fue por lo tanto cautelosa y limitada. Así, tras el éxito del film de boxeo *Rocky (Rocky,* 1976), en donde John G. Avildsen lanzó al actor Sylvester Stallone, Martin Scorsese volvió al género con su enérgico *Toro salvaje (Raging Bull,* 1980), que no sólo reivindicó el uso del blanco y negro (en su campaña contra el deterioro químico de las copias en color), sino que recuperó el esquema clásico del «ascenso y caída» al reconstruir la biografía del ex campeón Jake La Motta (Robert De Niro). Scorsese corroboró tal inercia temática con su excelente *El color del dinero (The Color of Money,* 1986), en la que reutilizó al veterano Paul Newman para revisitar *El buscavidas (The Hustler,* 1961), un clásico film *duro* de Robert Rossen, nuevo retrato del lado turbio del deporte, en este caso del billar. Narrador eficacísimo, Martin Scorsese supo convertir el espacio nocturno de Nueva York, en *¡Jo, qué noche! (After Hours,* 1985), en un denso tejido de anécdotas y aventuras urbanas, mientras Paul Schrader osciló entre una renovada lectura moral del cine de terror, en *El beso de la mujer pantera (Cat People,* 1982), y una biografía personal del iconoclasta *Mishima (Mishima,* 1985), rodada en Japón. Se trataba de géneros viejos, pero contemplados con mirada muchas veces nueva. Una mirada que cineastas veteranos, como Sidney Pollack, supieron proponer también en films como *Memorias de África (Out of Africa,* 1985), basada en la escritora Isak Dinesen y con una espléndida Meryl Streep.

Algo parecido podría decirse de la obra de Robert Altman, reinventor del film coral a lo Griffith o DeMille, en el que pululaba un mosaico de personajes variopintos, como ocurría en el universo de música *pop* de *Nashville (Nashville,* 1975), capital del comercio discográfico yanqui, o en el abigarrado acontecimiento social de *Un día de boda (A Wedding,* 1977). Esta vocación de coralidad no le impidió realizar algún interesante estudio intimista, como el de *Tres mujeres (Three Women,* 1977), con resonancias de *Persona* de Bergman.

En el campo de la comedia el director y actor Woody Allen fue el más conspicuo representante en una época de crisis del género, creando un popular arquetipo de intelectual judío, neurótico, tímido, inseguro, vulnerable, producto típico de la vida urbana neoyorquina, obsesionado por el sexo, con dificultades para establecer relaciones con las mujeres, hipocondríaco, obsesionado también por la muerte, adicto a la cultura del asfalto y amante del jazz, predestinado por todo ello a las frustraciones sentimentales y desmitificador, con su angustia existencial, del sonrosado *American Dream*. Entre sus films más característicos figuraron: *Annie Hall (Annie Hall,* 1977), *Interiores (Interiors,* 1978), en tratamiento dramático y en donde no actuó como intérprete, *Manhattan (Manhattan,* 1979), que redescubrió la plástica en blanco y negro de la ciudad de los rascacielos, y sus fellinianos *Recuerdos (Stardust Memories,* 1980). La obra de Allen fue creciendo con su sensacional «falso documental» acerca del hombre-camaleón *Zelig (Zelig,* 1983), con *Broadway Danny Rose* (1984), con *La rosa púrpura de El Cairo (The Purple Rose of Cairo,* 1985), originalísima fantasía acerca del poder de fascinación del cine, y *Hannah y sus hermanas (Hannah and Her Sisters,* 1986). Uno de los ejes de la comicidad de Allen fue la dificultad de las relaciones entre los dos sexos, especialmente agudizada en una época de acelerado cambio de roles sociales y domésticos. Esta mutación de roles, y sus correspondientes crisis de identidad, estuvo expresada de modo festivo en los frecuentes travestis del cine americano de la época, como el de Julie Andrews en *Víctor y Victoria (Victor Victoria,* 1982), de Blake Edwards, y de Dustin Hoffman en *Tootsie (Tootsie,* 1982), de Sidney Pollack. Aunque Allen fue la figura cómica dominante del cine americano, es de justicia señalar la tardía resurrección artística que operó Jerry Lewis en *El rey de la comedia (The King of the Comedy,* 1982), de Martin Scorsese, y en *El mundo loco de Jerry Lewis (Smorgasbord,* 1983), del propio Lewis.

El tránsito de la América de Jimmy Carter a la América de Ronald Reagan tuvo su reflejo político en las pantallas, con un deslizamiento ideológico bastante pronunciado. La memoria de Vietnam había sido traspuesta al sur de Estados Unidos por Walter Hill en *La presa (Southern Comfort,* 1981), el despotismo criminal de la dictadura chilena de Pinochet había sido plasmado en *Desaparecido (Missing,* 1982), realizada por el franco-griego Costa-Gavras, mientras Warren Beatty había ofrecido un homenaje al escritor comunista John Reed en *Reds (Reds,* 1982) y John Badham nos había advertido acerca del riesgo de guerra nuclear en *Juegos de guerra (War Games,* 1983). Pero la consolidación de los valores del reaganismo en la sociedad americana tuvieron su puntual reflejo en la resurrección del ciclo de Guerra Fría y de rearme moral, que se había interrumpido en el cine durante la presidencia de Kennedy. Así nacieron *Amanecer rojo (Red Dawn,* 1984), en donde John Milius narró una invasión soviética a los Estados Unidos; los films racistas, militaristas y chovinistas erigidos a la mayor gloria de los músculos de Sylvester Stallone –*Rambo (Rambo: First Blood Part II,* 1985) y *Cobra (Cobra,* 1986), de George Pan Cosmatos, y *Rocky IV (Rocky IV,* 1985), del propio Stallone– y *Noches de sol (White Nights,* 1985), de Taylor Hackford. Es cierto que títulos como *Platoon* (1986), de Oliver Stone, emergieron como estridente contrapunto ideológico, aunque es de justicia recordar que este film tuvo financiación británica. Pero la tendencia a simplificar y a trivializar la historia y las relaciones humanas y sociales fue dominante en el cine hollywoodense, incluso cuando se presentó con apariencia distinta, como la galardonada *La misión (The Mission,* 1986), de Ronald Joffé, o cuando simuló bucear en los nuevos comportamientos sexuales, como ocurrió en *Nueve semanas y media (9½ Weeks,* 1986), un film satinado de sadomasoquismo *light* de Adrian Lyne.

Por otra parte, y pese a sus crisis, Hollywood continuó atrayendo a profesionales extranjeros de valía, como el francés Louis Malle, quien ambientó en un burdel de Nueva Orleans en 1917 *La pequeña (Pretty Baby,* 1978), y rodó bajo pabellón canadiense *Atlantic City (Atlantic City,* 1980), en la fantasmal ciudad renacida de Nueva Jersey. Mientras, en el reducto de resistentes al cine dominante algunos francotiradores siguieron trabajando de espaldas y contra el espíritu de Hollywood. Entre tales resistentes descolló Barbara Kopple, autora del documental de largo metraje *Harlan County U.S.A. Una América diferente (Harlan County U.S.A.,* 1976), crónica áspera de una huelga en el pueblecito minero de Brookside, concluida con una victoria efímera de los trabajadores. La misma óptica tuvo su equivalente en el cine de ficción con *Blue Collar (Blue Collar,* 1978), de Paul Schrader, cineasta cuya rigorista formación calvinista se transparentó en su aguda inclusión en el inframundo del negocio pornográfico mostrada en *Hardcore. Un mundo oculto (Hardcore,* 1979). Por estas fechas, más de la mitad de la producción pornográfica de Estados Unidos estaba ya destinada a la exhibición privada y domiciliaria, reflejando la revolución audiovisual del último tercio de siglo.

En el campo marginal del cine *off-off* y vanguardista se reveló clamorosamente, en este período, el joven David Lynch, cuya pesadilla *Cabeza borradora (Eraserhead,* 1976) bebió en fuentes expresionistas y surrealistas. Atraído por la estética de lo sórdido, la peculiar sensibilidad de Lynch no fue capaz de controlar un superespectáculo de ciencia ficción tan ambicioso como *Dune (Dune,* 1984), que intentaba condensar la copiosa novela de Frank Herbert. Lynch se movería con más soltura, en cambio, en el marco de una intriga criminal propia de serie B, como lo demostró en su insólito *Terciopelo azul (Blue Velvet,* 1985). En la nueva hornada de jóvenes realizadores también se reveló la propuesta *posundergrond* de Jim Jarmusch, un discípulo de Nicholas Ray descubierto clamorosamente con *Extraños en el paraíso (Stranger Than Paradise,* 1984), mientras Joel Coen ofrecía una muy original revisitación del *thriller* en *Sangre fácil (Blood Simple,* 1984).

La muerte de Orson Welles en 1985 significó un hito fúnebre, pues con él desaparecía el fundador del cine moderno. Es cierto que algunos cineastas veteranos y de valía continuaban todavía en activo, como Samuel Fuller, a quien la Paramount denegó la distribución de su antirracista *Perro blanco (White Dog,* 1982) en el mercado de Estados Unidos. O John Huston, a quien su quebrantada salud no le impidió llevar a la pantalla la novela de Malcolm Lowry *Bajo el volcán (Under the Volcano,* 1984). Pero el Hollywood de los años ochenta fue el Hollywood de la extinción de un pasado glorioso y del alba de un incierto futuro.

CRISIS Y SUPERVIVENCIA DE LOS CINES EUROPEOS

Con el mercado interior mermado por la competencia de la televisión y otras modalidades de empleo del ocio, y sin capacidad para competir con el atractivo comercial de las superproducciones de las multinacionales yanquis, los cines europeos vivieron un proceso de crisis atenuado en parte por las políticas proteccionistas de subvenciones estatales, o por las producciones o coproducciones para las televisiones oficiales, que de este modo compensaban a los profesionales y a la industria del cine del daño que causa la hegemonía de la televisión en el mercado audiovisual. En esta época, los expertos de la Comunidad Económica Europea estimaban que un tercio de los ingresos de un film europeo deberían proceder de la subvención estatal, otro tercio de los ingresos del mercado interior y el restante tercio de la exportación.

En Francia, el prolongado silencio de un cineasta tan riguroso como Robert Bresson, inactivo durante cinco años, entre *El diablo, probablemente (Le Diable, probablement,* 1976), y *El dinero (L'Argent,* 1982), dio una justa medida de la crisis. En el otro extremo del espectro generacional, el suicidio de Jean Eustache en 1981, único cineasta que prolongó intacto el aliento renovador de la *nueva ola* en la década siguiente, con sus casi cuatro horas de creatividad en *La maman et la putain* (1972), confirmaba el callejón sin salida del mortecino cine galo. Es cierto que algunas personalidades brillantes, con nombres bien implantados en el mercado, escaparon al desastre. Tal fue el caso del romántico y elegante Truffaut, autor de *La historia de Adèle H. (L'Histoire d'Adèle H.,* 1974), sobre la trágica pasión amorosa de esta hija de Victor Hugo (Isabelle Adjani), de la sensible reflexión sobre la muerte de *La chambre verte* (1978), de la recreación del París ocupado por los alemanes y visto desde el mundo del teatro en *El último metro (Le Dernier Métro,* 1980) y de *La mujer de al lado (La femme d'à côté,* 1981). Pero la muerte de Truffaut en 1984, tras la realización del *thriller Vivamente el domingo (Vivement le dimanche,* 1983), privó a Francia de uno de los realizadores que había mantenido con más regularidad y continuidad una carrera artísticamente digna.

Mucho menos activo y más reflexivo que Truffaut, Alain Resnais prosiguió explorando los mecanismos del psiquismo humano a través de virtuosas experiencias de montaje, ya utilizando como vehículo la imaginación de un escritor enfermo (John Gielgud) en *Providencia (Providence,* 1976), ya estudiando los conflictos de unos personajes de clases sociales diferentes y orígenes diversos analizados como cobayas en un laboratorio conductista, ejercicio que de la mano del profesor Henri Laborit dirigió en *Mi tío de América (Mon oncle d'Amérique,* 1980). La obra personalísima de Resnais avanzó con *La vie est un roman* (1983), situada en un castillo de la felicidad convertido en fundación pedagógica y en la que se discute la futura formación de los niños. El conocimiento del ser humano, más allá de las apariencias, ha sido un eje central en las indagaciones de Resnais y siguió guiándole en *L'Amour à mort* (1984) e incluso cuando adaptó una vetusta pieza teatral de Bernstein en *Mélo* (1986).

Godard, por su parte, demostró la permanencia de su vocación experimental con la producción francosuiza *Sálvese quien pueda (Sauve qui peut la vie,* 1980), film pesimista que señaló su retorno a la producción no marginal. La siempre sorprendente carrera de Godard produjo *Passion* (1982), como diálogo entre el cine y la pintura; *Nombre: Carmen (Prénom: Carmen,* 1983); la libérrima y polémica interpretación de la maternidad de la Virgen María de *Yo te saludo, María (Je vous salue, Marie,* 1984) y *El detective (Détective,* 1985). También en el campo de los iconoclastas y heterodoxos militó la obra, menos publicitada y difundida, de Jacques Rivette, en cuyo *Le Pont du Nord* (1981) se reunieron muchos motivos de su filmografía anterior: un París extraño amenazado por la conspiración de una misteriosa organización...

Un caso de raro y elegante equilibrio entre modernidad y clasicismo literario lo proporcionó Éric Rohmer, quien después de la inteligente aportación de su ciclo *Seis cuentos morales* (1962-1972), abrió un paréntesis con la singular adaptación de *La marquesa de O (La marquise d'O,* 1975), de Heinrich von Kleist, y con su incursión medieval de *Perceval le Gallois* (1978). Tras esta excursión intelectual y culterana de ex pofesor de Literatura, Rohmer inició con *La mujer del aviador (La Femme de l'aviateur ou On ne saurait penser à rien,* 1980), rodada con escasísimos medios, un nuevo ciclo titulado *Comedias y Proverbios* y de prometedora obertura. Le siguieron, como pedazos de vidas íntimas atisbadas por un antropólogo indiscreto, *La buena boda (Le Beau mariage,* 1981), *Paulina en la playa (Pauline à la plage,* 1982), *Las noches de la luna llena (Les Nuits de la pleine lune,* 1984) y *El rayo verde (Le Rayon vert,* 1986), premiada en Venecia.

En el resto de la producción francesa, junto a la parca, irregular o difícil producción de algunos autores veteranos, como Claude Chabrol, Maurice Pialat o la novelista Marguerite Duras, se abrió paso desde 1974 la personalidad del ex crítico Bertrand Tavernier, quien obtuvo el Premio Louis Delluc con su primer film *El relojero de Saint Paul (L'Horloger de Saint-Paul,* 1973), al que siguieron ¡*Qué empiece la fiesta! (Que la fête commence,* 1974), *El juez y el asesino (Le Juge et l'assassin,* 1975), *La muerte en directo (Death Watch/La Mort en direct,* 1979) y *Une semaine de vacances* (1980). Pero con su aplaudido *Alrededor de la medianoche (Around Midnight,* 1986), protagonizado por el saxofonista Dexter Gordon, se evidenció que el cine francés también podía perecer como cine nacional, vampirizado por los modelos culturales norteamericanos. En un momento de gran incertidumbre y debilidad de la industria francesa del cine, se produjo la victoria electoral socialista de 1981, cuyo gobierno manifestó la voluntad de una reforma profunda del sector audiovisual, de carácter proteccionista ante el desafío comercial planteado por la televisión y las multinacionales yanquis. Al frente del Ministerio de Cultura, Jack Lang articuló un sistema de subvenciones anticipadas para el cine francés y en un clima de regeneracionismo cinematográfico retornaron a la industria realizadores valiosos que permanecían inactivos, como Jacques Demy, que resucitó su peculiar versión del cine musical cantado en *Una habitación en la ciudad (Une chambre en ville*, 1982), y Agnès Varda, que estudió con sensibilidad un caso de marginación femenina, interpretado por Sandrine Bonnaire, en *Sin techo ni ley (Sans toit i loi*, 1985), galardonada en Venecia. Pero la victoria conservadora de las elecciones de 1986 abrió una etapa de incertidumbre tras el enérgico impulso proteccionista de Jack Lang.

En Italia, tras el asesinato de Pasolini en 1975, después de rodar la atroz fabulación sadiana de *Saló o los 120 días de Sodoma (Saló o le 120 giornate di Sodoma*, 1975), y de las muertes consecutivas de Luchino Visconti (1976) y de Roberto Rossellini (1977), consagrado en sus últimos años a la televisión pedagógica, la orfandad cinematográfica se hizo notar. Fue palpable, además, en un momento de agudísima crisis producida por la competencia de la televisión. En efecto, en 1975, cuando el monopolio estatal Radiotelevisione Italiana emitía dos films por semana, las salas de cine registraron 513 millones de espectadores; en 1980, cuando el conjunto de las nuevas televisiones privadas y la pública emitían 2.000 largometrajes diarios sobre el territorio italiano, el número de espectadores de cine decayó a 241 millones.

En este contexto, la crisis afectó diversamente a los autores veteranos. El prestigio espectacular de Fellini en los mercados internacionales le permitió reunir los capitales necesarios para producir sus desmelenadas fantasías, que subrayaron la hipertrofia de la sexualidad en las costumbres contemporáneas, con la biografía del libertino veneciano *Casanova (Casanova*, 1976) y con *La ciudad de las mujeres (La città delle donne*, 1980), films que denunciaron cierto agotamiento de su inspiración, mientras que la austera alegoría sociopolítica expuesta con la dialéctica orquesta-director en *Ensayo de orquesta (Prova d'orchestra*, 1978) puso en evidencia que la parquedad de recursos puede resultar más estimulante que su derroche. Pero tras el manifiesto de *La ciudad de las mujeres*, acerca de la atracción-pánico que la mujer ejerce sobre el macho latino formado en la matriz cultural católica, Fellini abordó su bellísimo viaje a la *Belle Époque* de *Y la nave va (E la nave va*, 1983), periplo barroco y nostálgico en transatlántico de lujo para dispersar en el mar las cenizas de una diva operística y que topa con el estallido de la Primera Guerra Mundial. Fellini cerró su hermoso carnaval haciéndonos ver que el transatlántico es un decorado de Cinecittà sobre un mar de plástico... Esta desmitificación desencantada del espectáculo enlazaría coherentemente con su posterior exploración del *show business* en *Ginger y Fred (Ginger e Fred,* 1985), con Giulietta Masina y Marcello Mastroianni, que fue a la vez un tributo sentimental a los mitos del cine norteamericano y una sátira feroz de las servidumbres de la televisión privada.

También la obra de Michelangelo Antonioni sufrió una notoria desaceleración en este período escasamente productivo, con *De profesión, reportero (Professione: Reporter,* 1974), aunque reveló la permanencia de su voluntad experimentalista con el videocine electrónico, transcrito a imagen fotoquímica, titulado *El misterio de Oberwald (Il misterio di Oberwald,* 1980), en donde la adaptación de una pieza de Cocteau fue el pretexto para experimentar con la generación electrónica de colores artificiales y con intención simbólica. Su *Identificación de una mujer (Identificazione di una donna,* 1982) corroboró su insobornable vocación de modernidad. Francesco Rosi, por su parte, retomó su persistente reflexión sobre el poder en la adaptación de *El contexto* de Leonardo Sciascia, titulada *Excelentísimos cadáveres (Cadaveri eccelenti,* 1975), evocó la Italia rural del fascismo vista durante su destierro por Carlo Levi en *Cristo se paró en Eboli (Cristo si è fermato a Eboli,* 1979), y estudió los contrastes de la Italia moderna a través de la reunión de tres hermanos –un profesor, un juez y un obrero– ante el lecho de su padre, un campesino del sur moribundo, en *Tres hermanos (Tre fratelli,* 1981). A este cine de vocación e indagación sociológica y de compromiso civil opuso Marco Ferreri un examen de los instintos del peculiar animal humano, especialmente en sus conflictivas relaciones intersexuales: *La última mujer (L'ultima donna,* 1975), *Adiós al macho (Ciao, maschio,* 1978) y *Ordinaria locura (Storie di ordinaria follia,* 1981), adaptando a Bukowski. En *Historia de Piera (Storia di Piera,* 1982) Ferreri relató las relaciones bastante insólitas entre una madre sexualmente liberada (Hanna Schygulla) y su hija (Isabelle Huppert), dúo extraordinario en el que reaparecieron todos los conflictos de sexualidad y de poder característicos del cineasta. Y en *El futuro es mujer (Il futuro è donna,* 1984) Ferreri llegó a la conclusión, más allá del discurso feminista, de que una mujer no puede existir sin maternidad.

Los estudios del mundo rural, tan frecuentes en el cine italiano desde los grandes films de De Santis, siguieron vigentes, como demostraron *El árbol de los zuecos (L'albero degli zoccoli,* 1977), un film de aliento democristiano de Ermanno Olmi, y *Padre, patrón (Padre, padrone,* 1977), de los hermanos Taviani, premiados ambos en el festival de Cannes. Producido por la televisión, el segundo film fue una notable adaptación de Gavino Ledda, que mostró la lucha tenaz de un pastor analfabeto contra las imposiciones de su padre, identificado como, y con, el poder opresor. Su siguiente *El prado (Il prato,* 1979) no rayó a la misma altura, pero ofrecieron un hermoso cuento lírico en *La noche de San Lorenzo (La notte di San Lorenzo,* 1981), inspirado en la historia de una matanza nazi en 1944 que marcó su propia infancia y que fue evocada desde una perspectiva infantil. A continuación pusieron en escena, en *Kaos (Kaos,* 1984), varios cuentos de Luigi Pirandello sobre la Sicilia rural. Pero la obra cumbre del cine rural fue el gran fresco sociohistórico en dos partes *1900 (Novecento,* 1974-1976), ambicioso retablo coral de Bertolucci articulado a través de dos familias de clases antagonistas –campesinos y propietarios rurales– en el período comprendido entre la muerte de Giuseppe Verdi (1901) y la de Mussolini (1945), empresa pagada por las multinacionales yanquis y que por sus peculiaridades fue bautizada como un «Lo que el viento se llevó» comunista. A pesar de su amplia coralidad, *1900* fue un film rico en anotaciones psicoanalíticas, característica que se expandió en su operístico o incestuoso film *La luna (La luna,* 1978), acogido con general decepción, no borrada por su siguiente *La historia de un hombre ridículo (La tragedia di un uomo ridicolo,* 1981), historia del secuestro del hijo de un fabricante de quesos de Parma perpetrado por una organización terrorista.

Más frágil, pero no menos polémica, fue la obra de la directora Liliana Cavani, quien impuso su nombre con la escandalosa *Portero de noche (Il portiere di notte,* 1974), estudio de una relación sentimental sadomasoquista nacida en un campo de concentración nazi, y siguió alimentando vivos debates cinematográficos y culturales con su biografía de Nietzsche en *Más allá del bien y del mal (Al di là del bene e del male,* 1977) y con su tremendista adaptación de Curzio Malaparte en *La piel (La pelle,* 1981), en el marco de la liberación de Nápoles. Luego insistió en las perversiones de recetario freudiano en *Tras la puerta (Oltre la porta,* 1982) y adaptó la novela *La cruz budista,* del japonés Junichiro Tanizaki, en *Berlín interior (Interno berlinese,* 1986). Con *Portero de noche* la Cavani había descubierto que el nazismo alemán ofrecía un marco escenográfico y psicológico ideal para legitimar todas las perversiones sexuales. Recuperó este procedimiento en *Berlín interior,* que ofreció además la ventaja exótica de convertir a una hermosa muchacha japonesa, hija del embajador nipón en Berlín, en oficiante de los ritos homosexuales y heterosexuales, dueña y señora de las voluntades de la pareja protagonista, sometida a sus deseos.

Uno de los más exitosos realizadores de la generación posneorrealista resultó ser el ecléctico Ettore Scola. En *La terraza* (1980) propuso una reflexión sobre la responsabilidad de los intelectuales italianos en la crisis política, social y cultural de su propio país. En *Passione d'amore* (1980) adaptó *Fosca,* de Igino Ugo Tarchetti, mientras que *La noche de Varennes (La nuit de Varennes,* 1981) fue una excelente recreación ambiental, social y psicológica de los hechos históricos producidos en torno a la fuga del rey Luis XVI (Michel Piccoli) y de su esposa, con la aparición de personajes del fuste de Restif de la Bretonne (Jean-Louis Barrault) y de Casanova (Marcello Mastroianni). En la cúspide de su prestigio profesional, Scola llevó a la pantalla el espectáculo sin palabras *El baile (Le bal,* 1983), creado por Jean-Paul Penchenat para la Compañía Théâtre du Campagnol, que en una sala de baile recrea con brillantez etapas decisivas de la historia contemporánea, con episodios situados en 1936, 1940-1942, 1944-1945, 1956, 1968 y 1983, y que ilustran con eficacia la inserción de los individuos y de las costumbres cotidianas en el flujo de la historia política. Y entre las promociones más jóvenes de la década destacó Marco Tulio Giordana, cuyo *Maledetti, vi amerò* (1980) fue uno de los más reveladores testimonios del naufragio juvenil de la extrema izquierda en el pos-68.

El cine británico figuró entre los más gravemente afectados por la crisis comercial y por la colonización cultural norteamericana, que convirtió sus instalaciones industriales en un gigantesco plató del cine estadounidense, beneficiándose de la comunidad idiomática y de sus competentes expertos en efectos especiales. Films norteamericanos tan aparatosos o efectistas como *Superman, Alien, Flash Gordon, Nijinsky, El resplandor* o *En busca del arca perdida* se rodaron en estudios ingleses. Ante tamaña pérdida de identidad (u ósmosis de dos cinematografías de idioma común), el deslinde de lo genuinamente británico se haría muchas veces difícil. Así, mientras Ken Russell rodaba con un pie puesto en la industria británica y otro en la yanqui la ópera rock *Tommy (Tommy,* 1974), su biografía *Valentino (Valentino,* 1976), con Rudolf Nuréyev, y su cinta fantacientífica *Un viaje alucinante al fondo de la mente (Altered States,* 1980), que actualizaba el mito del doctor Jekyll y mister Hyde, John Schlesinger regresaba de su largo éxodo hollywoodiano para realizar la cinta angloamericana *Yanquis (Yanks,* 1978), con los soldados del Tío Sam establecidos en tierras británicas durante la Segunda Guerra Mundial. Y mientras el vanguardista americano David Lynch rodaba para Mel Brooks en registro expresionista y en escenarios londinenses su notable desmitificación del cine terrorífico de monstruos *El hombre elefante (The Elephant Man,* 1980), el inglés Karel Reisz realizaba para capitales norteamericanos el elegante y exitoso melodrama *La mujer del teniente francés (The French Lieutenant's Woman,* 1981), basado en la novela de John Fowles. El californiano James Ivory, por su parte, trabajando para la industria inglesa, adaptó la novela de Henry James, ambientada en Nueva Inglaterra, *Los europeos (The Europeans,* 1979), la de Jean Rhys, *Quartet (Quartet,* 1980), situada en el París de los años veinte, la de Henry James, *Las bostonianas (The Bostonians,* 1984), y la de E. M. Forster *Habitación con vistas (A Room wit a View,* 1986), con meticulosa competencia.

En este contexto de confusión o mezcla de nacionalidades, no pudo sorprender que el mayor éxito comercial del cine británico fuese *El expreso de medianoche (Midnight Express,* 1978), que el joven Alan Parker situó en Turquía (con rodaje en la isla de Malta), para relatar hábilmente el caso verídico de un estudiante norteamericano condenado en una durísima prisión otomana por contrabando de drogas, film que, además de recaudar una fortuna, tuvo repercusiones diplomáticas. Una de las más exitosas muestras de vitalidad del desdibujado y apátrida cine británico procedió de *Carros de fuego (Chariots of Fire,* 1980), film de Hugh Hudson que hizo del atletismo olímpico un drama existencial y una épica. Tras esta cinta galardonada por la Academia de Hollywood, Hudson llevó a la pantalla la más fiel versión del hombre-mono literario en *Greystoke, la leyenda de Tarzán (Greystoke, the Legend of Tarzan, Lord of the Apes,* 1984).

La persistencia del tradicionalismo y de la nostalgia imperial en el cine británico de final de siglo se manifestó en un aplaudido ciclo de películas que redescubrían la India como escenario dramático y en el que destacaron *Oriente y Occidente (Dust and Heat,* 1982), de James Ivory, *Gandhi (Gandhi,* 1982), de Richard Attenborough, y *Pasaje a la India (A Passage to India,* 1984), de David Lean y según la novela de E. M. Forster. Pero junto a estas hermosas estampas del pasado, la modernidad cinematográfica británica estuvo representada por títulos como *El contrato del dibujante (The Draughtman's Contract,* 1982), realizado por el pintor y cineasta Peter Greenaway, la lectura perversa del mito de Caperucita Roja de *En compañía de lobos (The Company of Wolves,* 1984) de Neil Jordan y *Mi hermosa lavandería (My Beautiful Laundrette,* 1985), una mirada de Stephen Frears a la comunidad pakistaní en Londres.

De todas las cinematografías de Europa Occidental, la que demostró durante algunos años mayor inventiva y creatividad fue la de la República Federal de Alemania, la mayor parte de cuyos nuevos cineastas fueron amamantados o protegidos por la televisión estatal, abocada a una decidida política proteccionista del «cine de autor». El director-punta y símbolo del renacer cinematográfico alemán fue Rainer Werner Fassbinder, prolífico activista en la televisión, la radio, el teatro y el cine. Debutante en el campo del cortometraje en 1965, la fundación de su propia productora Tango Film en 1971 facilitó su independencia creativa y el control de sus obras, rodadas con extrema rapidez y con colaboradores relativamente estables. Renovando la tradición del melodrama cinematográfico de Douglas Sirk, Fassbinder propuso un universo saturado de pasiones en conflicto –a menudo en espacios rarefactos o claustrofóbicos– teñido por su sensibilidad homosexual. Entre sus films más significativos pueden recordarse: *Las amargas lágrimas de Petra von Kant (Die bitteren Tränen der Petra von Kant,* 1972), basada en una obra de teatro suya; *La ley del más fuerte (Faustrecht der Freiheit,* 1975), *Viaje a la felicidad de mamá Kusters (Mutter Küsters Fahrt zum Himmel,* 1975), *El asado de Satán (Satansbraten,* 1976) y *Desesperación (Despair/Eine Reise ins Licht,* 1977), según la novela de Nabokov. A partir de *El matrimonio de María Braun (Die Ehe der Maria Braun,* 1978) emprendió la producción de un retablo acerca de la historia de la Alemania moderna, que completó con *Lili Marleen, una canción (Lili Marleen,* 1980), ambientada en la guerra, *Lola (Lola,* 1981) y *La ansiedad de Veronika Voss (Die Sehsucht der Veronika Voss,* 1982), situada en los años del llamado «milagro económico». Su fulgurante carrera quedó truncada en 1982, en unas circunstancias que alentaron la hipótesis del suicidio.

Junto a Fassbinder, y en registro muy diverso, se reveló en estos años la obra del muniqués Werner Herzog, interesado en el estudio de personajes singulares, marginados o excepcionales, poseídos por sus instintos. En su galería de grandes antihéroes trágicos destacaron el megalómano conquistador español *Aguirre, la cólera de Dios (Aguirre, der Zorn des Gottes,* 1972), la víctima de una soledad impuesta que protagonizó *El enigma de Kaspar Hauser (Jeder fuer sich und Gott gegen Alle,* 1974), el fracasado emigrante a Estados Unidos de *Stroszek. La balada de Bruno (Stroszek,* 1977) y el célebre vampiro de Murnau cuya soledad eterna inspiró a Herzog la relectura del mito en *Nosferatu, el vampiro de la noche (Nosferatu, Phantom der Nacht,* 1978). En su universo poético desmesurado cupo el proyecto de transportar un barco sobre una montaña amazónica, como hizo en *Fitzcarraldo (Fitzcarraldo,* 1982), y el aldabonazo ecologista desde el centro de Australia, lanzado en *Donde sueñan las hormigas verdes (Wo die grünen ameisen traümen,* 1984). Junto a Herzog se reveló en estos años dorados del cine germano la interesante personalidad del ex crítico Wim Wenders, quien muy influido por el cine norteamericano desarrolló una narrativa itinerante –el tema del viaje iniciático y el gusto por los *travellings* serían sus estilemas característicos– en obras de indudable interés: *Alicia en las ciudades (Alice in den Stcädten,* 1973), *En el curso del tiempo (Im Lauf der Zeit,* 1975), el *neothriller* titulado *El amigo americano (Der Amerikanische Freund,* 1976) y el rodaje de la agonía de su amigo Nicholas Ray en *Relámpago sobre el agua*

(Lightning Over Water, 1980). De su experiencia en Estados Unidos, tutelada por Coppola, surgiría el curioso *thriller El hombre de Chinatown (Hammett,* 1982). Pero también surgiría el amargo desencanto cinematográfico expresado en *El estado de las cosas (Der Stand der dinge,* 1982) y la más norteamericana de sus cintas, *París, Texas (Paris, Texas,* 1984), film de encuentros y de desencuentros familiares y sentimentales sobre un guión de Sam Shepard y que ganó la Palma de Oro en Cannes.

El renovado interés hacia el cine alemán se puso de relieve no sólo con los títulos de nuevos realizadores, como el notable *El cuchillo en la cabeza (Messer im Kopf,* 1979), de Reinhard Hauff, sino también con los éxitos de los veteranos, como el film premiado en Cannes *El tambor de hojalata (Die Blechtrommel,* 1979), en donde Volker Schlöndorff adaptó la difícil novela de Günter Grass, o el premiado en Venecia, *Las hermanas alemanas (Die Bleierne Zeit,* 1981), en donde Margarethe von Trotta propuso una reflexión sobre el fenómeno del terrorismo político, antes de aportar al discurso feminista en la pantalla *Locura de mujer (Heller Wahn,* 1982). La difícil relación entre los sexos en una sociedad permisiva y de comercialización del erotismo inspiraría precisamente a Robert Van Ackeren su interesante *La mujer flambeada (Die Flambierte Frau,* 1983). En una vertiente mucho más experimental se situaron las producciones del suizo Daniel Schmid, quien reelaboró la tradición del melodrama en films como *La paloma (La paloma,* 1974), las de Werner Schroeter, autor del retablo *El reino de Nápoles (Neapolitanische Geschwister,* 1978), y sobre todo las de Hans-Jürgen Syberberg, quien culminó su ciclo de grandes testimonios biográficos e históricos con *Winifred Wagner* (1975), totalizando cinco horas de trabajo en colaboración con la nuera del gran músico y amiga de Hitler, trabajo que preludió las siete horas dedicadas a *Hitler, eine Film aus Deutschland* [Hitler, un film de Alemania] (1977). El interés wagneriano de Syberberg dio como fruto su muy heterodoxa versión operística de *Parsifal* (1981), que ensanchó el campo de experimentación del cine moderno. Como lo ensanchó, en otra dimensión, Edgar Reitz al realizar su apabullante *Heimat* (1980-1984), una epopeya antropológica sobre la historia reciente de Alemania que duró más de quince horas.

En Suecia, el exilio de Ingmar Bergman por razones fiscales después del rodaje de *Cara a cara... al desnudo (Ansikte mot ansikte/Face to Face*, 1975) dejó huérfano al cine de aquel país, a pesar de contribuciones interesantes y de filiación bergmaniana como *Uno y uno (En och en*, 1979), de Erland Josephson, Sven Nykvist e Ingrid Thulin. Afincado en Alemania, Bergman se acordó del fantasma del doctor Mabuse al realizar una estremecedora disección del nacimiento del nazismo en *El huevo de la serpiente (The Serpent's Egg*, 1977) y retornó al intimismo del *Kammerspiel* en el drama familiar de *Sonata de otoño (Höstsonaten*, 1978). Su sensibilidad volvió a rayar a gran altura en la observación de las vivencias de dos hermanos, los niños *Fanny y Alexander (Fanny och Alexander*, 1983), en el Uppsala de principios de siglo, relatada en una obra de cinco horas y veinte minutos. El marasmo general de los cines escandinavos no pudo ser compensado con algunas incursiones brillantes, como la del nómada yugoslavo Dušan Makavejev, quien rodó como producción sueca su desenfadado *Montenegro (Montenegro or Pigs and Pearls*, 1981).

Otros países europeos, de tamaño pequeño y con estructuras cinematográficas muy modestas, aportaron algunas obras de interés, como ocurrió con Bélgica, Suiza, Portugal y Grecia. En Bélgica, André Delvaux confirmó su valía con el estudio de una personalidad femenina (Marie-Christine Barrault) en el retablo histórico flamenco que va desde 1939 a 1952 expuesto en *Mujer entre perro y lobo (Femme entre chien et loup*, 1979). Pero la nueva revelación de esta cinematografía fue Chantal Akerman, nacida en Bruselas, quien afirmó su personalidad en *Je, tu, il, elle* (1974), *Jeanne Dielman, 23 Quai du Commerce, 1080 Bruxelles* (1975) y *Los encuentros de Anna (Les rendez-vous d'Anna*, 1978). No obstante, Chantal Akerman no tardaría en ser absorbida, tras *Golden Eighties* (1985), por la industria del vecino cine francés.

En Suiza, Claude Goretta impuso internacionalmente el nombre de la actriz Isabelle Huppert en la historia de un amor incumplido y de una incomunicación trágica expuestos en *La encajera (La dentellière*, 1976), mientras Yves Yersin se revelaba internacionalmente con su exitosa *Las pequeñas fugas (Les petites fugues*, 1979). Pero la carrera más sólida y estable en esta cinematografía la ofreció Alain Tanner, el cineasta de la contestación y de la marginación, hijo de la revuelta de 1968, con *Jonas, que cumplirá los 25 en el año 2000 (Jonas qui aura 25 ans en l'an 2000,* 1976), *Messidor (Messidor,* 1978) y con la inflexión mística e iniciática de *A años luz (Light Years Away,* 1981), rodada en Irlanda con aquel Jonas ya adulto, de su film anterior. Cineasta de singular personalidad y ajeno a las modas culturales, Tanner situó al actor alemán Bruno Ganz en Lisboa y con una cámara de cine de Super 8 para rodar *En la ciudad blanca (Dans la ville blanche,* 1983).

El restablecimiento de la democracia en Portugal en 1974 desbloqueó a aquella modesta cinematografía y dio a conocer mundialmente la obra sólida del veterano Manoel de Oliveira, iniciada en 1929, pero que no alcanzó los mercados internacionales hasta fechas recientes. Con un sabio y elaborado antinaturalismo, que implicaba una reflexión acerca del espectáculo y del arte, Oliveira realizó en este período los dramas crispados de *Benilde, ou a virgem mae* (1974), *Amor de perdiçao* (1978) y *Francisca* (1981), antes de adaptar escrupulosamente a la pantalla *Le soulier de satin* (1985), de Paul Claudel. La misma singularidad excepcional que Oliveira supuso para el cine portugués la significó para la cinematografía griega el virtuoso Theo Angelopoulos, maestro en la construcción de elaboradísimos planos-secuencia y autor de *O Thiassos* [El viaje de los comediantes] (1975), *I Kynighi* [Los cazadores] (1977) y *Megalexandros* [Alejandro Magno] (1981). Con *Taxidi sta Kithira* [Viaje a Cytera] (1984), la obra de Angelopoulos efectuó una inflexión hacia el intimismo, hacia los problemas de la identidad existencial, aunque su estilo siguió militando como resistencia a los modelos cinematográficos dominantes.

EL DESBLOQUEO DEL CINE ESPAÑOL

La muerte de Franco en noviembre de 1975 y el proceso de transición democrática afectaron sustancialmente a la evolución del cine español, sobre todo a partir de la derogación de la censura administrativa en noviembre de 1977, que no obstante provocó en el mercado, junto con la liberalización de las importaciones, un alud fuertemente competitivo de films extranjeros muy atractivos y prohibidos durante décadas. La consecuencia más visible de esta derogación fue la ampliación y diversificación de los géneros del cine español, lo que le permitió alcanzar áreas temáticas antes proscritas y técnicas antes impracticables, como el espontaneísmo del *cinéma-vérité*. Así, junto con el despegue del cine erótico en multitud de comedias libertinas, se produjo una recuperación de la memoria histórica y de la identidad política democrática en un interesante ciclo de obras que versaron sobre la guerra civil y la historia del franquismo: *Caudillo* (1974-1977), de Basilio Martín Patino; *Las largas vacaciones del 36* (1976) y el gran fresco documental *La vieja memoria* (1977), ambas de Jaime Camino; la comedia esperpéntica *La escopeta nacional* (1978), de Luis G. Berlanga; *Sonámbulos* (1978) y *El corazón del bosque* (1979), de Manuel Gutiérrez Aragón; *La muchacha de las bragas de oro* (1980), de Vicente Aranda, sobre la novela de Juan Marsé; *El proceso de Burgos* (1980), del vasco Imanol Uribe; *La Plaça del Diamant* (1981), versión de la novela de Mercè Rodoreda a cargo de Francesc Betriu; *Demonios en el jardín* (1982), de Manuel Gutiérrez Aragón; *Las bicicletas son para el verano* (1983), adaptación de la obra teatral de Fernando Fernán Gómez a cargo de Jaime Chávarri; *La vaquilla* (1984), primera visión satírica de la guerra civil y a cargo de Berlanga; *Réquiem por un campesino español* (1985), versión de Betriu de la novela de Ramón J. Sender; *Dragon Rapide* (1986), de Jaime Camino y en donde Juan Diego encarnó al general Franco en vísperas de la sublevación militar; *El año de las luces* (1986), de Fernando Trueba, etc.

Los avatares y el clima político de la transición de la dictadura a la democracia inspiraron también varios films interesantes: el balance histórico-documental en dos partes *Después de...* (1977-1981), de los hermanos Cecilia y José Juan Bartolomé; el estudio de una familia fascista que practica el terrorismo en *Camada negra* (1977), de Manuel Gutiérrez Aragón; *Siete días de enero* (1977), de Juan Antonio Bardem, y la sátira de la aristocracia parásita de Madrid en *Patrimonio nacional* (1981), de Berlanga.

En el proceso de recuperación de la memoria histórica y de las identidades culturales destacó el film hablado en catalán *La ciutat cremada* (1976) de Antoni Ribas, que cubría el agitado período 1899-1907; el estudio antropológico de la subdesarrollada España rural en la anteguerra *Pascual Duarte* (1976), de Ricardo Franco y sobre la novela de Cela, la crónica de las luchas sindicales en Barcelona a principios de siglo en *La verdad sobre el caso Savolta* (1979), de Antonio Drove, y la trágica historia de un error judicial en *El crimen de Cuenca* (1979), film de Pilar Miró que fue secuestrado por las autoridades militares y no estrenado hasta 1981.

El clima de libertad que se consolidó paulatinamente tras la muerte de Franco permitió el resurgimiento en el cine de la vena libertaria que tan importante había resultado en la cultura popular española de la anteguerra. Este renacimiento se plasmó especialmente en un nuevo tratamiento de la sexualidad en la pantalla, con las insólitas películas de J. J. Bigas Luna *Bilbao* (1978), *Caniche* (1979) y *Lola* (1985), con varias películas que reivindicaron la condición homosexual masculina y el travestismo: *Cambio de sexo* (1976), de Vicente Aranda; *Los placeres ocultos* (1976) y *El diputado* (1978), ambas de Eloy de la Iglesia; *A un dios desconocido* (1977), de Jaime Chávarri; *Un hombre llamado «Flor de Otoño»* (1978), de Pedro Olea, y *Ocaña, retrato intermitente* (1978), de Ventura Pons. La subversión moral y la desmitificación de tabúes tradicionales presidió también dos excelentes documentos de *cinéma-vérité: El desencanto* (1976), que Jaime Chávarri rodó con los componentes de la familia del celebrado poeta franquista Leopoldo Panero, y *El asesino de Pedralbes* (1978), en donde Gonzalo Herralde estudió la personalidad de un asesino y pederasta condenado a muerte. Una visión esperpéntica de la historia de España fue ofrecida por el valenciano Carles Mira en *Jalea real* (1981) y *¡Que nos quiten lo bailao!* (1983), mientras Francisco Regueiro ofreció un tratamiento inédito del poder eclesiástico en *Padre Nuestro* (1985). Pero las cotas más altas de desenfado esperpéntico e irreverencia moral y sexual procedieron de Pedro Almodóvar, quien procedente de la contracultura urbana realizo obras estridentes y con frecuencia brillantes: *Entre tinieblas* (1983), *¿Qué he hecho yo para merecer esto?* (1984), *Matador* (1985) y *La ley del deseo* (1986).

En la política de producción de «cine de autor» desempeñó un papel importante Elías Querejeta, responsable de bastantes films dirigidos por Carlos Saura, el realizador más prestigioso y mejor conocido fuera de España, sobre todo a raíz del estudio de una infancia atormentada en *Cría cuervos* (1975). A este film siguieron *Elisa, vida mía* (1976), *Los ojos vendados* (1978), la comedia *Mamá cumple cien años* (1979), la incursión en el mundo de la delincuencia juvenil *Deprisa, deprisa* (1981), *Dulces horas* (1981), *Bodas de sangre* (1981), inspirada en García Lorca, *Antonieta* (1982), rodada en México, *Carmen* (1983) y *El amor brujo* (1985). Además de productor de muchos films de Saura, Elías Querejeta intervino como guionista en *Las palabras de Max* (1978), de Emilio Martínez-Lázaro, acerca de la inadaptación social y la soledad de un escritor, que fue premiado con el Oso de Oro en el festival de Berlín junto con *Las truchas* (1978), de José Luis García Sánchez, y *Shirley Temple Story* (1977), film *underground* de Antoni Padrós, en un premio colectivo que quiso ser un reconocimiento público de la renovación operada en el cine español posfranquista.

El renacimiento artístico del cine español durante la democracia recuperada se produjo en el marco de una crisis económica muy severa, agravada por el aumento de los costos de producción (triplicados entre 1970 y 1978) y por el descenso de frecuentación a las salas, común a los restantes países europeos. Esta crisis determinó que Televisión Española iniciara una política de colaboración con la industria del cine, de la que surgirían películas como *La colmena* (1982), adaptación de la novela de Cela por Mario Camus y que fue premiada en Berlín, *Bearn* (1983), versión de la novela de Llorenç Villalonga por Jaime Chávarri, *Epílogo* (1983), de Gonzalo Suárez, etc. Esta política de apoyo económico institucional a la industria del cine en crisis se consolidó a raíz de la victoria socialista en octubre de 1982 y de las medidas económicas proteccionistas, inspiradas en el modelo francés, que adoptó Pilar Miró, al frente de la Dirección General de Cinematografía, plasmadas en el Real Decreto de 12 de enero de 1984. En esta etapa aparecieron películas tan significativas como *Volver a empezar* (1984), con la que José Luis Garci ganó el primer Oscar de Hollywood para el cine español, *El sur* (1983), de Víctor Erice, sobre un relato de Adelaida García Morales, *Los santos inocentes* (1984), de Mario Camus y adaptando a Miguel Delibes, *Fanny Pelopaja* (1984) y *Tiempo de silencio* (1986), ambas de Vicente Aranda, *Río abajo* (1984), rodada por José Luis Borau en Estados Unidos, *Los motivos de Berta* (1984), de José Luis Guerín, *Mambrú se fue a la guerra* (1985) y *El viaje a ninguna parte* (1986), del director y actor Fernando Fernán Gómez, y las películas de Manuel Gutiérrez

Aragón *Feroz* (1984), *La noche más hermosa* (1984) y *La mitad del cielo* (1986).

Una de las tendencias más características del cine después de Franco apareció con la reformulación de la comedia costumbrista, orientada hacia la descripción del comportamiento de las generaciones jóvenes, con un tratamiento muy espontaneísta y desenfadado. Esta tendencia madrileñista fue iniciada por Fernando Colomo con *Tigres de papel* (1977) y culminó con *Opera prima* (1981), primer film del crítico Fernando Trueba. Un equivalente en el cine catalán fue *L'orgia* (1978), de Francesc Bellmunt. Al lado de estos films fáciles y exitosos, otros de mayor empeño intentaron una renovación de temas o de tratamientos clásicos, como *Furtivos* (1975), reelaboración de la fórmula del drama rural de José Luis Borau; como *Arrebato* (1980), sutil indagación psíquica y experimental de Iván Zulueta, o como *Maravillas* (1981), sensible ensayo de Manuel Gutiérrez Aragón sobre la marginación social. Pero la originalidad de este cine tuvo que hacer frente muchas veces a adversas condiciones industriales y a la fuerte competencia del cine de las multinacionales en el mercado.

Las subvenciones estatales a la producción eran por lo tanto una necesidad para la supervivencia industrial, en unas fechas en que menos del 20 % de la población española iba regularmente a las salas de cine y cuando el coste de las películas se había en cambio disparado, hasta alcanzar habitualmente presupuestos de 150 millones de pesetas en 1987. Este modelo proteccionista fue también adoptado por las autoridades del País Vasco para estimular una producción autónoma, en la que descollaron *La fuga de Segovia* (1981) y *La muerte de Mikel* (1983), de Imanol Uribe, *La conquista de Albania* (1983), de Alfonso Ungría, *Akelarre* (1983), de Pedro Olea, y *Tasio* (1984) y *27 horas* (1986), ambas de Montxo Armendáriz.

LAS CINEMATOGRAFÍAS DEL «SOCIALISMO REAL»

Si el mundo occidental vivió desde el primer «choque petrolero» de 1973 sacudido por crisis y regresiones socioeconómicas generalizadas, también los países del llamado «socialismo real», desde

China a Polonia, vivieron tiempos difíciles y pródigos en conflictos. En la Unión Soviética, la lucha de los disidentes en favor del reconocimiento de derechos civiles se recrudeció, como se recrudeció la represión estatal, de la que fue muestra el encarcelamiento durante cuatro años del prestigioso director de cine armenio Serguéi Paradjanov (liberado en 1977), acusado de homosexualidad, o la retención de películas por la censura, como *Agonija* de Elem Klimov, sobre la vida del monje Rasputín, no autorizada ni exhibida hasta 1982.

Dando claras muestras de estancamiento creativo, el cine soviético quiso emular a las superproducciones occidentales con la película-saga, en dos partes, *Siberiada (Siberiade,* 1977-1979), realizada con brío por Andréi Mijalkov-Konchalovski. Pero resultó significativo que esta especie de ambicioso 1900 soviético, que abarcaba desde los días de la Revolución hasta los años sesenta, omitiera en su reconstrucción histórica las sombras del estalinismo. La asimilación de las fórmulas occidentales fue también visible en *Moscú no cree en las lágrimas (Moskva sliezman ne verit,* 1979), historia que se inicia en los años cincuenta y narra los diversos destinos sociales y familiares de tres amigas. Obra de Vladímir Menshov que, al margen del interés ambiental por su descripción de la vida cotidiana soviética, resultó tan fiel ideológicamente a los supuestos y tesis hollywoodianas que recibió el Oscar al mejor film extranjero. El más interesante cineasta soviético de este período siguió siendo Andréi Tarkovski, autor del excelente *Zerkalo* [El espejo] (1975), construido en gran medida con recuerdos autobiográficos de una infancia y de una adolescencia difícil, y los films muy personales de ciencia ficción *Solaris (Solaris,* 1972), basado en la novela del polaco Stanislav Lem ubicada en un planeta rodeado de un «océano pensante», y *Stalker* (1979), de lectura compleja y ambigua. El exilio de Tarkovski a Europa Occidental privó a la Unión Soviética de su mayor poeta cinematográfico. Nómada y atormentado, este singular místico eslavo rodó en Italia *Nostalghia* (1983), y legó su testamento poético en Suecia con *El sacrificio (Offret,* 1986), rodado en vísperas de su muerte.

A partir de la política reformista de Mijaíl Gorbachov, y de la consiguiente apertura administrativa en el cine que llevó en 1985 al represaliado Elem Klimov a la presidencia de la Asociación de Cineastas Soviéticos, se asistió a un segundo *deshielo,* reedición del operado en los albores del reformismo de Kruschev y definitivamente yugulado por el brejnevismo. Elem Klimov se confirmó en esta época como un cineasta de talento con *Masacre (Idi i smotri,* 1985), cuya acción se situó en la debacle bélica de Bielorrusia en 1943. En esta etapa de reformismo liberalizador y de rehabilitaciones (se autorizó la edición de *El doctor Zivago* de Pasternak, por ejemplo), reformismo que fue respaldado en el festival de Berlín de 1987 con el premio a Glev Panfilov por *Tema* (retenida por la censura desde 1980), se rindieron cálidos homenajes a Tarkovski fallecido en el exilio y se intentó el rescate de otros cineastas soviéticos residentes en el extranjero, como Andréi Mijalkov-Konchalovski, quien estaba triunfando en Estados Unidos con *Los amantes de María (Maria's Lovers,* 1984) y *El tren del infierno (Runaway Train,* 1985), film de acción que llevó a la pantalla un proyecto de Akira Kurosawa.

La gran figura del cine húngaro siguió siendo Miklós Jancsó, quien triunfó internacionalmente con la coproducción ítalo-yugoslava *Vicios privados, virtudes públicas (Vize privati, pubbliche virtù,* 1975), elegante recreación libertina de la decadencia del Imperio austrohúngaro, pero retornó luego a su austero estilo tradicional al filmar un ambicioso fresco en dos partes de la historia húngara: las luchas campesinas entre 1911 y el final de la Segunda Guerra Mundial, en *Magyar rapszódia* y *Allegro barbaro* (1978), que siguió el modelo de fresco coral de 1900 y de *Siberiada.* Fiel a las causas políticas épicas, Jancsó rodó luego la coproducción franco-israelí *L'aube* (1985), cantando la lucha contra los ocupantes británicos de Palestina. Márta Mészáros, esposa de Jancsó durante unos años, aportó en cambio en sus cintas un interesante punto de vista femenino sobre la realidad húngara. Y mientras se afirmaban directores de nuevas generaciones, como Peter Gothár, quien revisitó las consecuencias de la crisis política de 1956 en *Megall az ido* [El tiempo suspendido] (1982), el veterano István Szabó obtuvo premios y prestigio internacionales con dos suntuosas coproducciones: *Mephisto (Mephisto,* 1981), retrato fascinante del influyente actor y director teatral de la Alemania nazi Gustav Gründgens (interpretado soberbiamente por Klaus Maria Brandauer), y *Coronel Redl (Oberst Redl/Redl ezredes,* 1984), ambientada en la decadencia del Imperio austrohúngaro y con el mismo actor protagonista.

La cinematografía polaca fue la más convulsiva de este período, en el que perdió (tras las huellas de Polanski y de Skolimowski) al joven director Andrzej Zulawski, quien tras el gran éxito de *Diabel* [El diablo] (1973) se instaló en la producción occidental con *Lo importante es amar (L'important c'est d'aimer,* 1974), con un inquietante film de terror rodado en Berlín, *La posesión (Possession,* 1981), película que renovó con perversa originalidad las fórmulas gastadas de un género de moda, y con su exasperada *La mujer pública (La femme publique,* 1983) en la que lució a la hermosa Valérie Kapriski. Mientras la carrera de Krystof Zanussi titubeaba, replanteándose en *Imperative* (1982) el tema del «silencio de Dios», Andrzej Wajda se afirmó como el más importante director del cine polaco. Wajda realizó uno de sus más potentes retablos sociales en *La tierra de la gran promesa (Ziemia obiecana,* 1974), fresco sobre la burguesía industrial de finales de siglo adaptado de una novela de Wladyslaw Reymont, que tuvo su contrapunto en el sensible estudio intimista de personajes femeninos en *Las señoritas de Wilko (Panny z Wilka,* 1978). Pero el gran aldabonazo de su filmografía procedió de *El hombre de mármol (Czlowiek z marmuru,* 1977), en donde con su protagonista femenina vertebró una encuesta periodística casi wellesiana para encontrar el paradero de un antiguo héroe estajanovista del trabajo socialista. Después de este revelador desvelamiento de las llagas de la historia de la Polonia comunista, Wajda anunció la disidencia política que se estaba incubando masivamente en el país con *El director de orquesta (Dyrygent,* 1980). Y en plena crisis política reconstruyó las jornadas revolucionarias en los astilleros de Gdansk, protagonizadas por los obreros militantes del sindicato Solidaridad, en *El hombre de hierro (Czlowiek z zelaza,* 1981). Aunque premiada en Cannes y valiosa como testimonio histórico en caliente, sus límites artísticos vinieron impuestos por la urgencia de la situación y por el consiguiente oportunismo en su articulación: en efecto, el valeroso «hombre de hierro» sindicalista (nueva versión acaso del denostado *héroe positivo* de antaño) no era otro que el hijo de aquel «hombre de mármol» estalinista de su film anterior y casado ahora con la estudiante que allí buscaba su pista, matrimonio apadrinado por el líder sindical Lech Walesa... Por eso, en la convulsa situación polaca que precedió al golpe militar de 1981, tal vez tuvo más valor testimonial que el multipremiado film de Wajda el documental semiclandestino *Robotnicy 80* [Obreros 80] (1980), que circuló profusamente en los circuitos alternativos y resistentes de la clase obrera polaca, obra de un colectivo formado por Andrzej Chodakowski, Andrzej Zajaczkowski y otros. La crisis polaca motivó un exilio transitorio de Wajda, en el que rodó en Francia el drama histórico *Danton* (1982), que aludió a la realidad polaca contemporánea, y luego la coproducción francoalemana *Un amor en Alemania (Ein Liebe in Deutschland,* 1983).

En la emergente cinematografía yugoslava, Emir Kusturica se consagró con *Papá está en viaje de negocios (Otac na sluzbenom puto,* 1985), que recibió la Palma de Oro en Cannes.

AMÉRICA LATINA A LA BÚSQUEDA CINEMATOGRÁFICA DE SU IDENTIDAD

Si a lo largo de más de una década América Latina había sido un foco de esperanzas políticas y culturales, con las expectativas abiertas por la Revolución cubana y luego por la victoria electoral popular en Chile, en un contexto de *boom* internacional de su literatura (García Márquez, Vargas Llosa, Cortázar, Lezama Lima, Carpentier, Onetti, Donoso, etc.) y de su cine *(Cinema Nôvo* de Brasil, aportaciones cubanas, etc.), a partir de 1973, fecha del golpe militar que derribó al breve gobierno de Salvador Allende en Chile, se produjo una clara desaceleración de las expectativas, al tiempo que se consolidaban o implantaban dictaduras militares en los países del Cono Sur (Argentina, Brasil, Uruguay, Paraguay, Bolivia, Perú). La involución sociopolítica, el endurecimiento de las censuras y el exilio en masa de intelectuales y de artistas se dejaron sentir con fuerza sobre la producción cinematográfica de los países afectados. Así, desmanteladas las estructuras cinematográficas creadas por la Unidad Popular en Chile, la diáspora condujo a Miguel Littin a México y a Raúl Ruiz a París. Serían, ambos, los realizadores más activos del cine chileno expatriado. Littin optó por la gran reconstrucción espectacular al describir el histórico conflicto minero de *Actas de Marusia* (1974), que fue elegida como candidata al Oscar de Hollywood, mientras Raúl Ruiz desarrolló una obra mucho más personal en Francia, con *L'Hypothèse du tableau volé,* premiada en el festival de París, *Le Toit de la baleine* (1981) y otras cintas netamente situadas al margen de los estereotipos y modas culturales al uso. Y mientras Helvio Soto seguía las trazas del cine de reconstrucción política de Costa-Gavras en la coproducción franco-búlgara *Llueve sobre Santiago (Il pleut sur Santiago,* 1975), en el ámbito documental las tres partes de *La batalla de Chile* (1973-1979), de Patricio Guzmán, se convirtieron en el mejor testimonio histórico de aquel proceso político, junto con el también documental de largo metraje *La spirale* (1975), de Armand Mattelart, Jacqueline Meppiel y Valérie Mayoux.

El dificultoso camino de Argentina hacia la democracia estuvo jalonado por algunas obras significativas, como *Volver* (1982), en donde David Lipszyk relató el regreso a Buenos Aires de un argentino residente en Nueva York para clausurar una fábrica de una multinacional para la que trabaja; *No habrá más penas ni olvido* (1983), de Héctor Olivera; *Tiempo de revancha* (1983), de Adolfo Aristaráin; *Tangos. El exilio de Gardel* (1985), de Fernando Solanas y premiada en Venecia; *La historia oficial* (1985), de Luis Puezo y galardonada con un Oscar; y la historia del rodaje frustrado de un extravagante episodio del pasado argentino –la coronación de un rey francés en la Patagonia– expuesta con brillantez por Carlos Sorín en *La película del Rey* (1986), premiada también en Venecia. En Perú, Jorge Reyes relató en *La familia Orozco* (1982) los orígenes del movimiento obrero en su país.

En Bolivia, en condiciones adversas y con grandes dificultades materiales se desarrolló la obra militante de Jorge Sanjinés, autor de *El enemigo principal* (1973) y de *Fuera de aquí* (1977). La compleja situación del Brasil, que tras un período de régimen militar autoritario entró en un proceso sinuoso de liberalización desde 1979, tuvo su reflejo en la producción. La extinción de Glauber Rocha, tras la fría acogida en Venecia de su último film, *A Idade da Terra* (1980), fue un signo visible de la reorientación del cine brasileño hacia formas más populistas después de la estridente neovanguardia autóctona que había supuesto el *Cinema Nôvo.* Entre las producciones del floreciente período de liberalización destacaron *Bye, Bye Brasil* (1979), de Carlos Diegues; *Na estrada da vida* (1980), del veterano Nelson Pereira Dos Santos; *Pixote, la ley del más fuerte (Pixote, a lei do mais fraco,* 1980), film sobre la delincuencia adolescente que reveló a Héctor Babenco en Cannes; *Eles nâo usam black-tie* (1981), de Leo Hirszman y premiado en Venecia; *Das tripas coraçao* (1982), en el que Ana Carolina Teixeira Soares convocó a los fantasmas sexuales de un colegio femenino; *India, a filha do sol* (1982), que permitió a Fabio Barreto describir el choque entre las civilizaciones blanca e indígena, y la premiada coproducción *El beso de la mujer araña (Kiss of the Spider Woman,* 1984), en la que Héctor Babenco adaptó la novela homónima de Manuel Puig, en una operación de prestigio en la que brilló la personalidad del actor William Hurt.

El cine cubano tampoco fue insensible al endurecimiento de la situación política en todo el continente, y al margen de los siempre eficaces documentales de Santiago Álvarez, produjo contadas obras de real interés, entre las que figuraron *La última cena* (1976), de Tomás Gutiérrez Alea, *Retrato de Teresa* (1979), de Pastor Vega, y *Cecilia* (1982), de Humberto Solás y adaptando la novela de Cirilio Villaverde, cumbre de la ficción independentista del siglo XIX. También en México el sexenio presidido por José López Portillo supuso una involución en la política estatal proteccionista al cine de calidad, que se había iniciado bajo la presidencia de Echeverría. Entre los títulos dignos de recuerdo en este período figuraron *Canoa* (1975) y *El Apando* (1975), de Felipe Cazals; *Las fuerzas vivas* (1975) y *A paso de cojo* (1979), del español exiliado Luis Alcoriza; *Etnocidio, notas sobre el Mezquital* (1978), de Paul Leduc, y *El lugar sin límites* (1977), de Arturo Ripstein jr. Mención especial merece el cine documental y militante que floreció en Nicaragua durante la lucha contra la dictadura de Somoza y tras la victoria democrática de los rebeldes. El primer film oficial de la Nicaragua sandinista sería *Alsino y el cóndor* (1982), de Miguel Littin.

OTRAS VOCES, OTROS ÁMBITOS

A pesar de la hegemonía comercial de Hollywood, a lo largo de las dos últimas décadas el cine se había convertido en un arte planetario y policéntrico, con focos importantes de irradiación ci-

535

nematográfica incluso en el Tercer Mundo, como lo era El Cairo
y en segundo lugar Argel para los países de lengua árabe. Incluso
en el África negra, la figura casi solitaria del senegalés Ousmane
Sembene, con su carrera regular y su reconocimiento en festivales
internacionales, daba testimonio del despertar cinematográfico de
aquel continente. En Turquía, por ejemplo, pese al subdesarrollo
industrial, surgió un cineasta tan notable como Ylmaz Güney,
encarcelado tras el golpe de Estado por las autoridades militares
turcas en 1980, lo que no le impidió dirigir desde la cárcel (y con
la eficaz colaboración de su ayudante Serif Goren) *El camino (Yol,*
1982), aunque falleció tras realizar la producción francesa *El*
muro (Le Mur, 1983). Y hasta Australia, tradicionalmente coloni-
zada por las potencias anglosajonas, dio llamativas señales de un
despertar cinematográfico, que obtuvo sus más originales resultados al cultivar el género fantástico, con títulos inquietantes como
Picnic en Hanging Rock (Picnic at Hanging Rock, 1975), de Peter
Weir, y el ensayo de ecología-ficción *Long Week-End* (1978), de
Colin Eggelton, en donde se asiste a la sublevación del entorno
natural contra la pareja que va de camping y que acaba de come-
ter un aborto. En un registro muy distinto, la serie iniciada por
Mad Max (1980), del australiano George Miller, creó una exitosa
moda internacional y un estilo estético popular (no alejado de
ciertos cómics neoexpresionistas) en su despliegue de un futuro
ultraviolento, pavoroso y degradado, entre los detritus y chatarra
de una civilización extinguida. Pero los éxitos internacionales ace-
chaban al cine australiano y, en efecto, tras la realización de *Ga-*
llipoli (Gallipoli, 1981) y *La última ola (The Last Wave,* 1982),
Peter Weir se insertó en la industria de Hollywood con *Único tes-*
tigo (Witness, 1985) y *La costa de los mosquitos (The Mosquito*
Coast, 1986).

La abundantísima producción de la India (742 films en 1981)
siguió dominada por la potente personalidad de Stayajit Ray, entre
cuyos títulos destacaron *Sonar Kella* [La fortaleza dorada] (1974),
Shatranj Ke Khilari [Los jugadores de ajedrez] (1977), *Joi baba fe-*
lunath [El dios elefante] (1979), *Hirok rajar deshe* [El reino de dia-
mantes] (1980) y *Ghare Baire* [El hogar, el mundo] (1984). Junto
a Ray, la figura más significativa del cine indio fue el director ben-
galés Mrinal Sen, que había debutado en 1956. En los últimos

536

años la crítica occidental ha prestado atención al cine filipino, valorando especialmente la contribución del fecundo Lino Brocka.

El mercado cinematográfico de Japón, país altamente tecnificado, acusó como los países occidentales el impacto competitivo de la televisión. A pesar de la actividad de nuevas promociones de realizadores dotados, como Shuji Terayama, algunos maestros veteranos se vieron reducidos a un silencio injusto. Las dificultades en la carrera de Kurosawa, que le habían provocado una depresión y un intento de suicidio en 1971, fueron una buena muestra de ello. En coproducción con la Unión Soviética, Kurosawa rodó en la estepa de Siberia, tras una larga inactividad, su bello film *El cazador (Dersu Uzala,* 1974), cuya copia sufrió cortes y manipulaciones en la Unión Soviética, no obstante lo cual alcanzó un gran éxito internacional. Pero tal éxito no facilitó la continuidad en la carrera de Kurosawa, y tuvo que producirse la intervención de Francis Ford Coppola y de George Lucas, quienes convencieron a la Fox para que, conjuntamente con la Toho, produjera *Kagemusha. La sombra del guerrero (Kagemusha,* 1980), articulada sobre el tema clásico del doble, que en esta ocasión es un maleante convertido en sosias de un señor feudal y caudillo militar. Tras *Kagemusha,* Kurosawa llevó a la pantalla una deslumbrante versión de *El rey Lear* en *Ran* (1985). En la línea de la tradición estética nipona, de estilizado visualismo, destacó *La balada de Narayama (Narayama bushiko,* 1983), de Shohei Imamura, film lírico y de coloración ecologista que recibió la Palma de Oro en Cannes.

Pero las aportaciones más novedosas al cine nipón procedieron de Nagisa Oshima, cineasta riguroso en la construcción de sus películas y en su puesta en escena, quien tras una quincena de largometrajes recibió reconocimiento internacional merced al escándalo suscitado por la coproducción franconipona *El imperio de los sentidos (Ai no corrida,* 1976), historia verídica de una crispada pasión sexual con culminación sadiana, que motivó el procesamiento de su autor y se exhibió en Japón en versión mutilada. Tras este éxito mundial, Oshima efectuó una incursión en el mundo fantasmático de un delirio de culpabilidad, en *El imperio de la pasión (Ai no borei,* 1978), con resonancias líricas de Mizoguchi y con sus raíces hundidas en el denso acervo de las leyendas poéticas niponas. El prestigio de Oshima le lanzó hacia una carrera transnacional, a la que aportó *Feliz Navidad, Mr. Lawrence (Merry Christmas, Mr. Lawrence,* 1983), adaptación de la novela de sir Laurens van der Post, que vino a ser la otra cara de *El puente sobre el río Kwai,* y *Max, mon amour* (1986), que expuso la relación afectiva entre una mujer y un mono. De este modo se reciclaban los viejos y entrañables mitos nostálgicos del cine surgidos en su era clásica.

Con nombres como Stayajit Ray, Mrinal Sen, Kurosawa y Oshima se demostraba que el cine no podía seguir considerándose como un arte occidental y, menos todavía, como una exclusiva planetaria de las potentes factorías de Hollywood.

Epílogo en el centenario de cine

Se ha convertido ya en un tópico afirmar que el hombre vive hoy inmerso en el seno de una «civilización de la imagen». Y esta realidad cultural, esta densa capa envolvente de imágenes que le rodean en su vida cotidiana y que forman parte indisoluble del paisaje urbano y del paisaje doméstico, han sido posibles gracias al centenario invento de los hermanos Lumière. El cine se ha constituido, en efecto, en la matriz fundacional y genética de todos los lenguajes audiovisuales que se han desarrollado posteriormente a lo largo del presente siglo, tanto los que han surgido sobre soporte electrónico (como la televisión y el vídeo), como sobre soporte informático (como la infografía o imagen sintetizada por ordenador). Pues todos estos medios despliegan y muestran en una pantalla, con procedimientos técnicos estandarizados, formas visuales que evolucionan a lo largo del eje temporal, exactamente como ocurría en las primeras y balbucientes películas de los Lumière a finales del siglo pasado. Pero estas nuevas manifestaciones tecnológicas y sofisticadas de la cultura de la imagen, hoy omnipresentes, han reestructurado tan profundamente las industrias audiovisuales tradicionales, sus métodos de trabajo, sus mercados y sus formas de consumo, que ha llegado a hablarse paradójicamente, a veces con acentos alarmistas, de la «muerte del cine».

¿Ha muerto de verdad el cine? La respuesta más correcta es que no ha muerto, pero se ha transformado profundamente, hasta resultar verdaderamente irreconocible comparado con lo que fue en su era clásica. En aquella época las películas se veían solamente en las salas de cine, que constituían, incluso en los barrios periféri-

541

cos, unos grandes espacios litúrgicos, que a menudo han sido comparados con los templos religiosos, por el recogimiento reverente y silencioso de su público ante el espectáculo ofrecido por la gran pantalla. Todos los procesos psicológicos de identificación, proyección psicológica y mitogenia que han sido analizados por los teóricos del cine se fraguaron en aquellas circunstancias privilegiadas de entrega reverencial del público a las fabulaciones desplegadas en una gran pantalla, que cubría prácticamente todo el área retinal de sus atentos espectadores.

Pero hoy sabemos que son sólo una minoría de espectadores los que ven las películas en estas condiciones, pues la mayoría las ven en la televisión doméstica, en un contexto y una situación que se han desritualizado, en una pantalla pequeña y de baja definición, con una luz ambiental encendida, con frecuentes interrupciones publicitarias o surgidas del entorno del espectador, en una actitud semiatenta o distraída y con el telemando presto al alcance de la mano. No puede negarse que este espectador contempla representaciones audiovisuales, que en muchas ocasiones son producciones pensadas para las salas de cine, pero las percibe y las consume en una situación radicalmente distinta, lo que afecta profundamente a sus efectos psicológicos y a su apreciación estética.

Incluso la programación llamada «a la carta», que permite el comercio videográfico, comprando o alquilando películas con una libertad que resultaba simplemente impensable unos pocos años atrás, porque permite hacer teóricamente real el viejo sueño del «museo del cine» en el propio hogar, se ve lastrada por la todavía mucho más baja definición de las grabaciones videográficas en los sistemas actualmente comercializados, por no mencionar la incontrolable y generalmente erosionada calidad de las videocasetes que se ofrecen en régimen de alquiler en los video-clubs. Esta inferioridad técnica será incluso una realidad cuando se difundan la televisión y el vídeo de alta definición –novedad que cada vez se demora más en el mercado por problemas técnicos y económicos de todo tipo–, ya que su definición no superará la del formato subestándar del super 16 mm, muy inferior a la de la película tradicional de 35 mm de anchura.

Pero incluso las salas públicas, hoy reducto minoritario del consumo cinematográfico, se han transformado profundamente.

La multiplicación de los minicines para un público muy menguado y selectivo, y para beneficio del empresario (pues con un solo proyeccionista se pueden atender varias salas a la vez), ha supuesto el paso traumático de la antigua catedral a la capilla, en un compromiso espacial entre el antiguo formato teatral y la sala de estar televisiva, recortando drásticamente el tamaño de las pantallas y amputando al espectador la dimensión litúrgica del rito. Tampoco ver cine en estas circunstancias es equivalente a la percepción tradicional, como tampoco lo es contemplar las películas en la pantalla de una moviola. Es natural que en estas circunstancias de desespectacularización, el *star-system* se haya desplazado hacia los programas de televisión de cara al público, la industria discográfica, el deporte y hasta la política.

Hasta aquí nos hemos referido a la exhibición y a la fruición espectatorial, pero es menester contemplar algunas de las mutaciones sufridas por la producción audiovisual. Se siguen produciendo todavía muchas películas de ficción narrativa concebidas para ser estrenadas en las salas públicas, pero no pocas veces se diseñan y planifican pensando en su explotación ulterior en las pantallas televisivas, con un ritmo adecuado, una duración idónea y una predominancia de los encuadres cortos y las composiciones de fácil legibilidad. En otras ocasiones, y merced a la intervención de las estaciones de televisión en el proceso productivo, la película estrenada es un derivado de una miniserie televisiva, un subproducto reducido de la obra original, que raramente ofrece buenos resultados estéticos.

El grueso de la producción audiovisual actual, de ficción y de no ficción, tiene como destinataria privilegiada la pantalla televisiva, que la recibe por vía hertziana, por cable, por satélite o a través del mercado videográfico, sea sobre soporte de videocasete o de láser-disco digital. Y naturalmente se concibe para este formato, con todas las exigencias técnicas que le son propias. El ejemplo de las teleseries, que hoy ocupan una importantísima parcela de la actividad de los viejos estudios de cine, es especialmente significativo. Constituyen una derivación videográfica del formato de la novela de folletín y del serial radiofónico, con sus entregas consecutivas, y responden a exigencias técnicas y narrativas muy precisas. Sus personajes suelen ser estereotipados para facilitar su encasillamiento e identificación, su intriga es altamente redundante (para permitir su fácil seguimiento por parte de telespectadores infieles), su planificación está mecanizada con el inicio de un plano general de situación seguido de planos concretos de los sujetos que intervienen en la escena, los tiempos muertos o escenas de transición están proscritos, los episodios deben acabar en un momento climático de alto interés para alentar el seguimiento de la serie, etc.

A partir de este modelo se ha creado un verdadero esperanto audiovisual transnacional, aunque de origen norteamericano, que constituye una especie de lenguaje simplista, premasticado y dócil, diseñado para servir a la ley del mínimo esfuerzo psicológico e intelectual de la audiencia. Y este modelo ha acabado por contaminar a buena parte de la producción comercial de ficción destinada a estrenarse en las salas públicas, en parte porque se ha convertido en un estilo familiar y hegemonónico y en parte porque se tienen presentes sus productivas reposiciones futuras en las pantallas televisivas.

Por lo dicho hasta aquí se comprobará que gran parte del cine que se produce y se consume a finales de este siglo tiene ya poco que ver con el que se producía y se contemplaba hace media centuria. Aunque es de justicia resaltar, al lado de cierto empobrecimiento estético generalizado, la existencia de una producción de carácter intersticial y muy personalizada (Víctor Erice, Nanni Moretti, Manoel de Oliveira, Jacques Rivette, etc.), que diseña sus obras no con criterios meramente comerciales, sino con criterios de autoexigencia y rigor cultural. Pero esta producción constituye la periferia industrial de la actividad cinematográfica dominante.

El experimentalismo y las propuestas alternativas o transgresoras de la cultura cinematográfica dominante han sido posibles, en buena parte, por el abaratamiento y difusión social de los equipos de registro audiovisual (fotoquímicos, electrónicos e informáticos), haciendo que la cantidad propicie los productos atípicos de gran calidad. Pero esta democratización y popularidad de la producción técnica de imágenes en movimiento (en el laboratorio, en el viaje turístico, en la publicidad, en las escuelas, en las celebraciones de bodas y cumpleaños) ha conducido a una inabarcable inflación y prodigalidad de mensajes audiovisuales, que hoy estructuran nuestra densa iconosfera contemporánea y que se traducen en una trivialización, cuando no en un desconcierto y una confusión de valores. Es cierto, como hemos dicho, que en este magma audiovisual pueden detectarse a veces algunas joyas artísticas, algunas experiencias altamente personalizadas que buscan sus canales específicos de difusión para sus audiencias elitistas y cómplices. Pero nunca sabremos si por cada Wim Wenders, Stayajit Ray, Glauber Rocha o André Delvaux que se descubra, existe una docena de artesanos anónimos que, con los nuevos y baratos equipos de registro audiovisual, están produciendo en la privacidad de su hogar piezas fundamentales por su originalidad o inventiva, pero que jamás alcanzarán los circuitos de distribución comercial. La democratización de los equipos de producción audiovisual es un indiscutible progreso cultural y social, pero esta democratización no ha ido acompañada de una liberación de los circuitos de diseminación de las obras, que siguen estando controlados por grandes intereses oligopolísticos y transnacionales. Nadie discute hoy la libertad de creación e incluso se propician (consumísticamente) medios técnicos baratos y adecuados para ello, pero la libertad de difusión sigue estando cuestionada, no por las viejas censuras administrativas servidas por funcionarios puntillosos, sino por los intereses del poder económico multinacional, que protege así a los productos generados en el seno de su propio sistema. Y esto es especialmente y dramáticamente cierto entre el Norte opulento, con su potente control de los canales de distribución planetaria, y la humilde producción audiovisual del Sur, que a duras penas consigue difundirse, incluso dentro de los límites de sus fronteras geográficas.

El resumen de este nuevo estado de cosas es que si el cine ha mudado la piel a lo largo de un siglo, es porque ha sido reemplazado por la actividad audiovisual, por este magma de prácticas técnicas, comunicativas o estéticas, utilitarias, perversas o triviales, extremadamente heterogéneas, sobre soportes y formatos tan diversificados. La «diversificación» parece una consigna imperativa en la cultura de masas contemporánea, para alcanzar diversos mercados, atendiendo a sus diferentes especificidades. Muchas veces esta diversificación es más aparente que real y estamos en verdad ante una gran variedad de lo mismo, pero aparentemente distinto (como ocurre explícitamente en muchos productos de género).

Pero si el cine ha dado paso en la actualidad al magma heterogéneo de lo audiovisual, es innegable que la matriz y el modelo fundacional de los dialectos icónicos que lo atraviesan se hallan en la centenaria tradición cinematográfica, que, fundada hace un siglo, constituyó la primera forma histórica de imagen en movimiento.

EL REINADO NORTEAMERICANO

El creciente consumo audiovisual en el mundo, potenciado por la demanda ascendente de las cadenas de televisión hertzianas, por cable y por satélite, favoreció a los centros productores equipados con instalaciones y recursos industriales capaces de ofrecer una producción ininterrumpida. Éste fue el caso de las empresas de Hollywood, concentradas muchas de ellas en la producción de teleseries, capaces de difundirse con éxito en todo el mundo. Entre tales compañías se hallaba la Warner Communications (derivada de la veterana Warner Bros), compañía puntera en la producción de ficción televisiva, que en 1989 se asoció con la empresa periodística Time Inc. para formar el conglomerado Time-Warner Inc., la mayor megacompañía de comunicación multimedia del mundo, potenciada por el sinergismo derivado de la asociación entre los medios escritos y los audiovisuales. Por otra parte, la globalización del mercado mundial (de la que los satélites de comunicaciones se convirtieron en elocuente emblema) incitó a las principales empresas japonesas del sector electrónico a intervenir en el sector de producción audiovisual norteamericano, de modo que Sony Corporation compró en 1989 la Columbia y en 1990 Matsushita adquirió los Estudios Universal, al tiempo que la empresa de Walt Disney recibía una importante inyección de capital nipón. Con estas iniciativas se activaba la estrategia de apropiación de parcelas de la industria del cine americano por grupos industriales exógenos, que no eran de nacionalidad norteamericana ni de gerencia cinematográfica, y se consolidaba con ello un nuevo eje de poder audiovisual transnacional Los Ángeles-Tokio, el gran eje mediático del océano Pacífico dispuesto a dominar todas las pantallas del mundo, las pantallas grandes y las pequeñas pantallas domésticas.

En este nuevo marco empresarial, en el que muchos directores o estrellas actuaban como sus propios productores independientes, la producción norteamericana siguió siendo, por lo tanto, la comercialmente hegemónica en el mercado mundial. Algunos directores veteranos observaron con perplejidad los nuevos cambios, en una situación en la que unos *yuppies* especializados en mercadotecnia conducían implacablemente las riendas de la industria con una calculadora en la mano y sin leerse los guiones que producían. Tal fue el caso del melancólico John Huston, quien expiró tras adaptar prodigiosamente a James Joyce en *Dublineses (The Dead,* 1987). Los nuevos comportamientos sociales y las nuevas prácticas económicas rapaces de la sociedad posindustrial se expusieron crudamente en *Wall Street (Wall Street,* 1987), de Oliver Stone, y *Armas de mujer (Working Girl,* 1988), de Mike Nichols, mientras otros directores ofrecían como contrapunto una visión autocrítica de la codicia depredadora en que se había asentado la construcción de la nación, como hizo Kevin Kostner en su narcisista alegato proindio de *Bailando con lobos (Dances with Wolves,* 1990), donde invirtió el maniqueísmo racial dominante en los *westerns* tradicionales y recibió un aluvión de Oscars.

La condición del cine como espejo de las convulsiones sociales fue bastante visible en la producción de Oliver Stone, quien expuso las patéticas secuelas de la guerra vietnamita en *Nacido el 4 de julio (Born on the Fourth of July,* 1989) y reabrió los enigmas del magnicidio de Kennedy en *JKF. Caso abierto (JFK,* 1991), antes de recrearse en la explosión de hiperviolencia de *Asesinos natos (Natural Born Killers,* 1994). También indagó en la historia social americana Danny De Vito al biografiar al controvertido líder sindical *Hoffa (Hoffa,* 1992), mientras que Ridley Scott constataba la emergencia de la conciencia feminista en su panfletario manifiesto *Thelma y Louise (Thelma and Louise,* 1991). Y al tiempo que las minorías étnicas aparecían cada vez más en la pantalla –como en *Atrapado por su pasado (Carlito's Way,* 1994) de Brian De Palma–, estas minorías ocupaban espacio en la producción, ya fuera como actores (Eddy Murphy, Whoopi Goldberg, Andy García), o como directores, entre quienes alcanzó especial relieve el afroamericano Spike Lee con *Haz lo que debas (Do the Right Thing,* 1989), *Cuan-*

to más mejor (Mo'better Blues, 1990), *Fiebre salvaje (Jungle Feber,* 1991) y *Malcolm X (Malcolm X,* 1992).

Entre los más perspicaces y ácidos observadores de la sociedad americana figuró también Robert Altman, autor de *El juego de Hollywood (The Player,* 1991) y del multitudinario mosaico californiano de *Vidas cruzadas (Short Cuts,* 1993). Toda la coralidad que Altman exhibió tan generosamente en sus cintas fue en cambio minimalismo, clausura e introversión en el debutante Steven Soderbergh, ganador en Cannes con su perspicaz *Sexo, mentiras y cintas de vídeo (Sex, Lies and Videotape,* 1989). Pero el maestro estelar de esta tendencia introvertida, enfeudada en el psicoanálisis, fue Woody Allen, a quien sus problemas conyugales con Mia Farrow dieron nuevo aliento para analizar críticamente las neuróticas relaciones de pareja. Este discurso de ribetes masoquistas avanzó nuevos peldaños a través de *Delitos y faltas (Crimes and Misdemeanors,* 1989), *Alice (Alice,* 1990), su espléndida e innovadora *Maridos y mujeres (Husbands and Wives,* 1992), *Misterioso asesinato en Manhattan (The Manhattan murder mystery,* 1993) y *Balas sobre Broadway (Bullets Over Broadway,* 1994).

De la generación italoamericana revelada en los años setenta mantuvieron el liderazgo Martin Scorsese y Francis Coppola. Scorsese alcanzó un éxito de escándalo con *La última tentación de Cristo (The Last Temptation of Christ,* 1988), que debía no obstante su atrevimiento teológico a una vieja novela de Nikos Kazantzakis que no había provocado mucho revuelo al publicarse. La solidez de Scorsese como cronista de las pasiones humanas destructivas o autodestructivas se manifestó luego en el film de gángsters *Uno de los nuestros (Good Fellas,* 1990), *El cabo del miedo (Cape Fear,* 1991) y *La edad de la inocencia (The Age of Innocence,* 1992). Coppola ofreció una amarga parábola del fracaso de su productora American Zoetrope con la biografía auténtica del innovador pero derrotado industrial automovilista Preston Tucker, en *Tucker, un hombre y su sueño (Tucker, the Man and His Dream,* 1988), y prosiguió luego su saga delictiva con *El padrino III (The Godfather, Part III,* 1990), con incisivas alusiones a la crónica negra vaticana. Pero dio luego un giro sorprendente con su suntuosa y efectista versión de *Drácula (Bram Stoker's Dracula,* 1992), pletórica de una barroca pirotecnia visual. Esta relectura moderna de un mito clásico de la narrativa terrorífica, que tanto había frecuentado el cine, se hallará también en la nueva y sofisticada visión del licántropo que Mike Nichols propondrá en *Lobo (Wolf,* 1994), impregnada de una reflexión filosófica acerca del tema de la alteridad.

Coppola ha ejemplificado en el cine americano reciente una madura asimilación de las leyes del gran espectáculo al servicio de la expresión personal y de la ambición autorial. El polo infantil y reduccionista de la vocación espectacular lo ha representado modélicamente, en cambio, el competente Steven Spielberg, quien con su *Parque Jurásico (Jurassic Park,* 1993) propuso unos dinosaurios fantasmagóricos y ucrónicos generados de la nada por la tecnología de la imagen digital, que eclipsaron a los actores de carne y hueso, como el viejo gorila de *King Kong* había anulado en la memoria cinéfila a sus antagonistas humanos, en aquel antiguo film en blanco y negro que se erigió en modelo para el nuevo relato de Spielberg. Las diabluras de la imagen digital habían inaugurado una nueva era de los trucajes cinematográficos con *Terminator II (Terminator 2. Judgement Day,* 1991), de James Cameron. Pero tras el film de Spielberg entrarían en tromba en la producción, con vistosos tebeos como *La máscara (The Mask,* 1994), de Chuck Russell, o tenebrosos films de terror, como *El cuervo (The Crow,* 1994), de Alex Proyas, con escenas que habrían dejado boquiabierto al mismísimo Méliès. Pero Spielberg, tras su exitosa incursión antediluviana, se sometió a la ascética purga de *La lista de Schindler (Schindler's List,* 1994), patética evocación histórica del holocausto de su raza rodada en austero blanco y negro.

El sensacionalismo espectacular ofrece muchas vías, entre ellas la hiperviolencia, senda elegida por el dotado Quentin Tarantino, quien irrumpió con brío con el *thriller Reservoir Dogs* (1992), realizado con poquísimos medios y muchísima crueldad, y cuyo nombre se vio consagrado públicamente con el virtuoso entrelazado de tres historias de delincuentes perdedores en *Pulp Fiction* (1994). Otro director atraído por el sensacionalismo espectacular fue el habilidoso holandés afincado en Hollywood Paul Verhoeven, quien obtuvo abultadas recaudaciones con *Robocop (Robocop,* 1987), *Desafío total (Total Recall,* 1990) y la tórrida *Instinto básico (Basic Instinct,* 1992), a la mayor gloria de Sharon Stone. Mientras otro inmigrante, el checo Milos Forman, adaptó con talento *Les liaison dangereuses* de Choderlos de Laclos en *Valmont* (*Valmont*, 1989), un texto ya llevado a la pantalla por Roger Vadim en 1959 y que acababa de ocupar también a Stephen Frears.

Mientras unos realizadores de Hollywood han optado por el anzuelo del espectáculo, otros han preferido cultivar la poesía o la escritura libre mediante la cámara. En este grupo ha descollado el singular y provocador David Lynch, autor de *Corazón salvaje* (*Wild at Heart*, 1990), film paroxístico y brutal que no rehuyó la reelaboración de la fórmula del cuento de hadas, así como Jim Jarmusch, a cuya estética *posunderground* se adscribieron *Bajo el peso de la ley (Down by Law*, 1986), *Mystery Train (Mystery Train*, 1989) y el más convencional film de *sketches Noche en la tierra (Night on Earth*, 1991). En tanto que Joel Coen revelaba un sorprendente veteado surrealista en sus prosaicas historias americanas, ambientadas en el hampa como *Muerte entre las flores (Miller's Crossing*, 1990), en la industria de Hollywood como *Barton Fink (Barton Fink*, 1991), o en el mundo empresarial como *El gran salto (The Hudsucker Proxy*, 1994).

Pero estas clasificaciones de los más dotados realizadores de Hollywood no agotan su tipología. Así, ni son servidores del gran espectáculo, ni son tampoco poetas, aquellos directores que podríamos calificar laxamente como elitistas, como el ingenioso dramaturgo y guionista David Mamet, quien probó cumplidamente su talento en las barrocas intrigas de *Casa de juego (House of Games*, 1987), *Las cosas cambian (Things Change*, 1988) y *Homicidio (Homicide*, 1991).

LOS CINES DE EUROPA OCCIDENTAL

La tenaza industrial de las multinacionales del audiovisual, apuntalada en Los Ángeles y en Tokio, agravó la dependencia de las pantallas europeas de la producción de Hollywood, que en prácticamente todos sus países se llevaba la mayor tajada en la programación de las salas de cine y de las cadenas de televisión. Ello era así, sobre todo, porque esas compañías multinacionales controlaban mayoritariamente el sector de distribución-exhibición en todos los países, el sector clave para dominar el mercado y del que la producción nacional se convirtió en vasalla. El tema de la colonización audiovisual de las pantallas europeas fue uno de los núcleos de las ásperas controversias en torno a la libertad de comercio y el desarme de aranceles que se plantearon en las negociaciones del GATT entre europeos y norteamericanos, pues mientras que los norteamericanos no veían en los productos audiovisuales más que meras mercancías, los europeos los contemplaban como productos culturales y manifestaciones intelectuales definidoras de la identidad nacional. Finalmente, en 1993, las tesis europeas acerca de la «excepción cultural» consiguieron imponerse (provisionalmente) en los acuerdos del GATT, para proteger el mercado continental de la avalancha colonizadora de Hollywood.

Pero estos ideales nacionalistas comunitarios eran desmentidos en la práctica por la pésima circulación intraeuropea de los propios films europeos, de modo que en España no se veían films alemanes, ni films españoles en Alemania, y así sucesivamente. Para intentar contrarrestar la oferta comercial de Hollywood en las ficciones televisivas, se pusieron en pie coproducciones europeas multilaterales, que intentaban satisfacer los gustos de una pluralidad de mercados europeos, pero que fueron calificadas despectivamente por la crítica más solvente como *europuddings,* pues eran en realidad productos comerciales apátridas, impersonales y descafeinados, malas imitaciones del esperanto audiovisual hollywoodense, que daban la razón al Rossellini que había declarado años atrás que «el mejor film internacional es un buen film nacional».

Francia fue el país que desarrolló una política proteccionista más sólida y coherente de defensa de su industria audiovisual, política mantenida tanto por los gobiernos socialistas como por los conservadores, y cuyo público fue también el más fiel a su producción nacional. Consecuentemente, la defensa del cine de autor fue, en este país, especialmente acendrada. Y puesto que el cine francés no disponía de capitales ni de medios para hacer superproducciones a la americana, la fórmula del «cine de cámara», con pocos personajes y situaciones simples, y en donde las ideas suplían a la acción, resultó bastante frecuente. Un ejemplo óptimo de esta opción austera se halló en *La lectora (La Lectrice,* 1988), de Michel Deville, pero también en los muy exitosos films de Patrice Leconte: en su elegante adaptación de Georges Simenon en *Mon-*

551

sieur Hire (Monsieur Hire, 1989) y en su afortunada expresión lírica de una pasión amorosa en *El marido de la peluquera (Le mari de la coiffeuse,* 1990), con una espléndida Anna Galiena. Su toque romántico y su admiración por la belleza femenina tuvieron ocasión de volver a manifestarse sofisticadamente en *Le parfum d'Yvonne* (1994). También el ciclo de los «Contes» estacionales iniciado por Eric Rohmer en 1989 con *Cuento de primavera (Conte de printemps),* contiene muchos elementos de este «cine de cámara», que es también un cine de los sentimientos y de la intimidad.

A pesar de su autolimitación financiera, la industria francesa supo hacer incursiones esporádicas en el cine espectacular, como ocurrió en la exaltación ecologista de *El gran azul (Le Grand Bleu,* 1988), de Luc Besson. Tras esta experiencia, se pudo poner en pie la coproducción francoitaliana *Nikita (Nikita,* 1990), un lujoso film de aventuras del propio Besson, que con Anne Parillaud en un papel de agente secreto, plantó cara al cine norteamericano en su propio terreno con tanta fortuna que, tras una magnífica carrera en las salas de Estados Unidos, fue copiado en Holywood por John Badham en 1993. Tampoco careció de medios Bertrand Tavernier para reconstruir el ambiente de la Gran Guerra en su muy inteligente *La vida y nada más (La vie et rien d'autre,* 1989). Y a la enésima adaptación a la pantalla de *Cyrano de Bergerac (Cyrano de Bergerac,* 1990), esta vez a cargo de Jean-Paul Rappeneau y con un Gérard Depardieu desbordante, se le quiso dar el rango de monumento suntuoso a la cultura nacional, convenientemente coronado en Cannes. Pero resultó una paradoja que el film francés más caro de esta época fuera *Les amants du Pont Neuf (Les amants du Pont Neuf,* 1991), de Leos Carax, una historia sentimental intimista protagonizada por dos vagabundos, cuyo rodaje llevó tres años en decorados urbanos de estudio, y que vino a ser una versión macroscópica y en color de *L'Atalante,* de Jean Vigo.

Tras las muertes de Truffaut en 1984 y de Jacques Demy en 1990, y la creciente marginalidad de Godard, el representante de la generación de la *nouvelle vague* que se mostró más activo fue Claude Chabrol, quien utilizó magistralmente a Isabelle Huppert en *Un asunto de mujeres (Une affaire de femmes,* 1988), historia auténtica de la última mujer ejecutada en Francia por la guillotina, y en su versión puntillosa de *Madame Bovary* (1991). Louis

Malle triunfó con justicia en Venecia con su acongojante mirada a un colegio de niños durante la ocupación alemana, en *Adiós, muchachos (Au revoir, les enfants,* 1987). Alain Resnais, por su parte, siguió cultivando el experimentalismo al explorar las alternativas o bifurcaciones biográficas o narrativas posibles de los personajes de *Smoking/Non Smoking* (1993). Y Jacques Rivette dedicó las cuatro horas de *La bella mentirosa (La Belle Noiseuse,* 1991) a analizar las sutiles relaciones psicológicas entre un pintor y su modelo desnuda (Michel Piccoli y Emmanuelle Béart).

En el grupo de directores veteranos ajenos al núcleo de la antigua *nouvelle vague* destacó especialmente Maurice Pialat, quien en *Sous le soleil de Satan* (1987) adoptó la novela de Georges Bernanos protagonizada por un cura rural, y a continuación ofreció una magnífica versión biográfica de la atormentada peripecia vital de *Van Gogh (Van Gogh,* 1991), pintor que acababa de inspirar otra cinta al norteamericano Robert Altman. Otro veterano, el ex actor Claude Berri, realizó una aplicada ilustración de la novela de Zola *Germinal* (1994), un texto ya frecuentado por otros adaptadores cinematográficos franceses. También procedente del teatro, en donde labró su prestigio, Patrice Chéreau recreó con grandilocuencia en *La reina Margot (La reine Margot,* 1994) la lucha entre católicos y protestantes en la Francia del siglo XVI.

En la generación de los nacidos en los años cuarenta merecen mencionarse algunos nombres de valor consolidado, como Alain Corneau, quien en *Nocturne indien* (1989) adoptó una novela de Antonio Tabucchi que describía las experiencias de un portugués en la India, y en *Todas las mañanas del mundo (Tous les matins du monde,* 1991), basada en un texto de Pascal Quignard, se recreó en la ilustración del ascetismo de una vocación musical perfeccionista. En *En la boca no (J'embrasse pas,* 1991) André Techiné describió con perspicacia y ternura un mundo prostibulario, mientras la marsellesa Marion Hänsel cosechó premios internacionales con *Las bodas bárbaras (Les noces barbares,* 1987), *Il maestro* (1989) y *Entre el cielo y la tierra (Entre le ciel et la terre,* 1991).

En contraste con el saneado cine francés, el cine italiano vivió una gran crisis, debida sobre todo a su anómalo modelo televisivo, que, tras la legalización de las emisoras privadas en los años setenta, transformó el anterior monopolio estatal de la RAI en un duopolio de hecho, con el espacio hertziano repartido entre la RAI y el grupo privado Fininvest, propiedad del magnate Silvio Berlusconi, proclive a los intereses norteamericanos. Como la competencia comercial entre ambas redes se desarrolló sobre todo a partir de la gratificación inmediata del principio del mínimo esfuerzo psicológico e intelectual del público, la RAI abandonó la política que en el pasado le había llevado a producir films exigentes de Rossellini, Fellini o los hermanos Taviani. El devastador comercialismo de la televisión italiana, depredadora del cine de autor, sería precisamente satirizado con ferocidad por el cómico Maurizio Nichetti en su jocoso *Ladrones de anuncios (Ladri di saponette,* 1989).

En este panorama de drástico declive, con las instalaciones de Cinecittà ocupadas por las estaciones de televisión, Fellini se extinguió en 1993, tras legar una ficción de reportaje en *Entrevista (Intervista,* 1987) y *La voce della luna* (1990), film melancólico escenificado en una campiña del Po construida en el estudio e inspirado en un texto de Ermanno Cavazzoni. A su ausencia habría que sumar la de Bernardo Bertolucci, alejado de su país e integrado en la industria norteamericana y angloparlante, con la fastuosa e inteligente recreación de la reciente historia china en *El último emperador (The Last Emperor,* 1987), la adaptación de Paul Bowles *El cielo protector (The Sheltering Sky,* 1990) y la estampa didáctica pero ingenuamente reduccionista y simplificadora de *El pequeño Buda (Little Buda,* 1994).

La obra de algunos valiosos realizadores veteranos se hizo escasa y pausada, como la de Francesco Rosi, quien volvió a denunciar con vigor a la mafia siciliana en *Dimenticare Palermo* (1990), basándose en una novela de Edmonde Charles-Roux, o la de Marco Ferreri, quien expuso en *La carne (La carne,* 1991) una obsesión erótica paroxística, que llevó a su protagonista (Sergio Castellito) a guardar el cadáver de su amada (Francesca Dellera) en su nevera y a alimentarse de él. La carrera de Marco Bellocchio siguió ofreciendo títulos de interés, como su adaptación de la novela de Raymond Radiguet *El diablo en el cuerpo (Diavolo in corpo,* 1986), o *La condena (La condanna,* 1991), premiada en Berlín, que con un guión del psicoanalista Massimo Fagioli planteó la sutil frontera que puede existir entre seducción y violación sexual. Ettore

Scola, por su parte, expuso en *La familia (La famiglia,* 1987) un sagaz retablo de la evolución de una familia de la burguesía romana entre 1906 y 1986, utilizando a Vittorio Gassman como figura central. Mientras Liliana Cavani, convertida al catolicismo, ilustró por segunda vez en su carrera la biografía de san Francisco de Asís en *Francesco (Francesco,* 1989), esta vez con Mickey Rourke como protagonista.

Seguramente el autor más personal del reciente cine italiano es el actor y director Nanni Moretti, formado en la producción de Super 8 mm y penalizado por la decepción social tras la utopía radical de 1968. En *La misa ha terminado (La messa e finita,* 1986) interpretó a un cura rural para dar fe de la impotencia para cambiar la realidad; en *Palombella rossa* (1988) fue un jugador de waterpolo comunista que durante un partido pierde la memoria, en un relato con anotaciones surrealistas; y en *Caro diario (Caro diario,* 1994) expuso en primera persona y con ironía, eliminando los intermediarios de ficción, su crisis existencial y su incipiente proceso canceroso. Sus films han configurado un retablo social y una reflexión personal y autocrítica de una independencia y una lucidez insobornables. Otro popular actor cómico y luego director, Roberto Benigni, cuya popularidad mundial se vio favorecida por sus actuaciones a las órdenes de Jim Jarmusch, explotó con eficacia sus dotes histriónicas en *Johnny Palillo (Johnny Stecchino,* 1991) e *Il mostro* (1994), en donde el inocente protagonista es acusado y perseguido como perverso sexual.

A pesar de su crisis, el cine italiano siguió recibiendo importantes premios internacionales, como el Oscar otorgado a *Cinema Paradiso (Nuovo Cinema Paradiso,* 1988), una evocación retrospectiva de Giuseppe Tornatore a través de la evolución de una sala de cine siciliana, desde su auge hasta su ruina, evocación desencadenada en el protagonista a raíz de la muerte de su entrañable proyeccionista. Sobre un pretexto cinéfilo muy parecido construyó también Ettore Scola la evocación generacional de *Splendor (Splendor,* 1989). También recibió un Oscar *Mediterráneo (Mediterraneo,* 1991), que Gabriele Salvatore situó en 1941 en una isla del Dodecaneso para desarrollar su sátira antibelicista. En Cannes fue premiado el notable *Ladrón de niños (Il ladro di bambini,* 1992), de Gianni Amelio, que mostró un largo deambuleo forzoso por Italia de un policía que transporta a una niña prostituida y a su hermano, a quienes debe depositar en un orfanato. Cineasta muy dotado, Amelio volvió a rayar a gran altura en *Lamerica* (1994), ambientada durante el desbarajuste social que acompañó al desplome del régimen estalinista en Albania.

Las medidas ultraliberales y antiproteccionistas del gobierno conservador de Margaret Thatcher estuvieron a punto de provocar la extinción de la industria del cine británico, hasta el punto de que su sucesor y correligionario John Major se vio obligado a modificar esta política liquidacionista. En el cine británico de la última hora han coexistido diversas tendencias. Por una parte, la prestigiosa tradición académica de las pulcras adaptaciones teatrales y novelescas, que dieron días de gloria a Laurence Olivier y David Lean, se ha seguido cultivando. Así, Peter Brook filmó su prolongado espectáculo basado en la epopeya hindú *Mahabharata* (1989), mientras el irlandés Kenneth Branagh, formado en la escuela shakespeariana, describió un arco que le llevó desde *Enrique V (Henry V,* 1989) hasta *Frankenstein (Mary Shelley's Frankenstein,* 1994), la versión más fiel al espíritu de la novela original. El refinado James Ivory, por su parte, volvió a adaptar a E. M. Forster en *Regreso a Howard's End (Howard's End,* 1992), que retrató con elegancia y sensibilidad los contrastes sociales en la Inglaterra eduardiana.

Superviviente de la generación del *Free Cinema,* Lindsay Anderson ofreció en *Las ballenas de agosto (The Whales of August,* 1988) un film crepuscular que reunió a Lillian Gish y Bette Davis. Fue un testimonio involuntario de una cultura cinematográfica que pertenecía definitivamente al pasado. Junto a aquella generación de cineastas se formó como ayudante de dirección Stephen Frears, quien dio nuevas alas e inspiración a la tradición realista. En *Ábrete de orejas (Prick Up Your Ears,* 1987) expuso la iniciación homosexual del comediógrafo John Orton, en el día de la coronación de la reina (un episodio auténtico), con un desenfado irreverente bastante inusual. En *Sammy y Rosie se lo montan (Sammy and Rosie Get Laid,* 1987) retornó al ambiente de *Mi hermosa lavandería* para mostrar las turbulentas relaciones sentimentales entre una inglesa y un pakistaní. Luego adaptó con gran éxito *Las amistades peligrosas (Dangereus Liaisons,* 1988), para volver de nuevo al presente con *Los timadores (The Grifters,* 1990), una producción de Martin Scorsese basada en una novela de Jim Thompson, que buceó con mirada cínica en el mundo del hampa. En *Café irlandés (Irish Coffee,* 1993) mostró el drama de una familia numerosa modesta, una de cuyas hijas queda embarazada. La producción de Stephen Frears ofreció una síntesis, con frecuencia afortunada, entre la tradición social realista, pero sin su usual moralismo, y la irreverencia y el desenfado posmodernos.

Stephen Frears se definía así en sus films como un director ecléctico del cine británico, pues sus tendencias más llamativas en estos años venían sobre todo caracterizadas por las opciones casi antagónicas de Ken Loach y de Peter Greenaway. Ken Loach representa hoy en el cine europeo la tendencia más radical de la izquierda obrerista, cuando los valores de la izquierda tradicional son tan cuestionados en la sociedad posindustrial. Adscrito al cine socialmente «comprometido», Loach ha ofrecido consecutivamente *Agenda oculta (Hidden Agenda,* 1990), *Riff-Raff* (1991), *Lloviendo piedras (Raining Stones,* 1993) y *Ladybird, Ladybird (Ladybird, Ladybird,* 1994). En contraste con el descarnado y airado realismo de denuncia social y política de Loach, el barroco y posmoderno Peter Greenaway ha efectuado elegantes y a veces desmesuradas puestas en escena, que con frecuencia revelan su voluntad de experimentación formal. Trabajando habitualmente con el músico Michael Nyman, Greenaway ha realizado *El vientre de un arquitecto (The Belly of an Architect,* 1987), *El cocinero, el ladrón, su mujer y su amante (The Cook, the Thief, His Wife and Her Lover,* 1989) y *Prospero's Book* (1991), en donde experimentó con la imagen digital de alta definición.

Otra figura destacada del moderno cine británico es Terence Davies, cuyas *Voces distantes (Distant Voices, Still Lives,* 1988) fue aplaudida por la crítica, que valoró esta historia semiautobiográfica de una familia humilde y dominada por un padre violento, antes, durante y después de la guerra, con una elaboradísima banda sonora (canciones, ruidos, programas radiofónicos, etc.).

El cine alemán sufrió en estos años, marcados por la ausencia de Fassbinder, una notable desaceleración. Wim Wenders, cancelada su etapa americana, prosiguió una carrera pausada y personal con *Cielo sobre Berlín (Der Himmel über Berlin,* 1987), que con

557

un guión de Peter Handke expuso una fábula metafísica acerca de la incomunicación humana, reflexión filosófica que prosiguió en *Hasta el fin del mundo (Bis ans Ende der Welt,* 1991). Este ciclo dio un quiebro cuando Lisboa 94, en funciones de capital cultural europea, le encargó un film y de este encargo nació *Lisbon Story* (1994). Pero luego decidió colaborar con el enfermo y paralizado Michelangelo Antonioni en un film «a cuatro manos», escrito por el director italiano y titulado *Al di là delle nuvole* (1995). Otros veteranos directores alemanes siguieron en activo, con una producción honorable, pero sin ofrecer sorpresas, como Volker Schlöndorff, quien se inspiró en *Homo faber* de Max Frish para rodar *Voyager (Voyager,* 1991), o Werner Herzog, autor de *Cobra verde* (1987) y *Grito de piedra (Schrei aus Stein,* 1991).

Entre los realizadores de las nuevas generaciones descolló el muniqués Percy Adlon, procedente de la radio y del documentalismo, quien alcanzó celebridad universal con sus insólitas comedias *Sugarbaby (Zuckerbaby,* 1985), *Bagdad Café (Out of Rosenheim,* 1987) y *Rosalie va de compras (Rosalie Goes Shopping,* 1989), ciclo que lanzó a la popularidad a su obesa actriz fetiche Marianne Sagebrecht. Y la realizadora de Hannover Doris Dörrie aportó su mirada feminista en *Hombres, hombres... (Maenner,* 1985), *Paraíso (Paradies,* 1986) y *Dinero (Geld,* 1989). En la periferia de la industria se movió en cambio la obra provocadora, impregnada de sensibilidad homosexual-travesti, de Rosa von Praunheim, autor de *Anita, las danzas del vicio (Anita, Tanze des Lasters,* 1988).

Mientras el antaño pujante cine alemán trataba de sobrevivir en un mercado colonizado por la producción norteamericana, los modestos cines escandinavos pasaban a primer plano con los Oscars concedidos consecutivamente al danés Gabriel Axel por el intimista *El festín de Babette (Babette Gaestebud,* 1986), inspirado en un relato de Karen Blixen, y al sueco Billie August por su fresco épico *Pelle el conquistador (Pelle Eroberen,* 1987), además de los múltiples premios internacionales recaídos sobre la espléndida *Europa (Europa,* 1991), film de aliento experimental del danés Lars von Trier sobre la tragedia del nazismo. En Finlandia descollaron los hermanos Aki y Mika Kaurismäki, que trabajaron ocasionalmente como codirectores, pero mostrando la obra del benjamín Aki superior interés, con títulos como *Leningrad Cowboys Go Ame-*

rica (Leningrad Cowboys Go America, 1989) y la inquietante *Contraté un asesino a sueldo (I Hired a Contract Killer,* 1990).

El suizo Alain Tanner se convirtió en un vagabundo de las cinematografías europeas, e inspirado por la actriz Myriam Mezières rodó sus confesiones eróticas íntimas en *Una llama en mi corazón (Une flamme dans mon cœur,* 1986). Pero el hundimiento de los Estados comunistas europeos llevó a este viejo revolucionario a la melancólica meditación crepuscular de *El hombre que perdió su sombra* (1991), rodada en Cabo de Gata con su correligionario Francisco Rabal. En la Europa del sur siguió brillando la potente personalidad del portugués Manoel de Oliveira, autor de *Os canibais* (1988) y *A divina comedia* (1991), mientras el refinado realizador griego Théo Angelopoulos llevó a cabo aplaudidas coproducciones que involucraban el mosaico nacional europeo, como *Paisaje en la niebla (Topio stin omijli,* 1988), que reelaboró el tema clásico de la búsqueda del padre, en esta ocasión la búsqueda infantil de un trabajador meridional emigrado en Alemania, y en *Le pas suspendu de la cicogne* (1991), una amarga meditación sobre los pueblos troceados y divididos por las fronteras políticas en la Europa suroriental. Este conflictivo espacio geográfico sirvió también de inspiración al vigoroso film macedonio *Before the Rain* (1994), de Milcho Manchevski, premiado en Venecia.

LAS TRIBULACIONES DEL CINE ESPAÑOL

Tras el empuje exhibido por el cine español durante el posfranquismo, la transición política y el asentamiento de la democracia, el desmantelamiento de la política proteccionista llevado a cabo por el ministro de Cultura Jorge Semprún, y apenas enmendado por su sucesor, Jordi Solé Tura, produjo una profunda depresión en el sector de producción y el volumen de películas anuales descendió a las cotas de los primeros años cuarenta. En este nuevo clima de incertidumbre, las evocaciones de la guerra civil y del franquismo se hicieron más raras, en parte porque las vivencias de la juventud que frecuentaba las salas eran ya ajenas a aquellos períodos históricos. Este nuevo contexto explica la aparición de una comedia como *La vaquilla* (1985), en la que Berlanga satirizó por igual a los combatientes de ambos bandos y colocó su película como la más taquillera del cine español. Pero esta desmitificación ideológica no fue la tónica habitual cuando otros directores abordaron estos filones temáticos del pasado: *¡Ay Carmela!* (1990), de Carlos Saura y basada en una pieza de Sanchís Sinisterra; *Si te dicen que caí* (1990), de Vicente Aranda, adaptando una novela de Juan Marsé; *Las cosas del querer* (1989), en donde Jaime Chávarri se inspiró en la represión ejercida en la posguerra sobre el cantante homosexual Miguel de Molina (Manuel Bandera), quien tuvo que exiliarse a Argentina; *El largo invierno* (1992), de Jaime Camino, y con Vittorio Gassman; o la surrealizante *Madregilda* (1992), en donde Francisco Regueiro dio al actor Juan Echanove el rostro de su protagonista, el general Franco. Una evocación más matizada de las desventuras de la historia pasada española tuvo lugar, en registro de comedia, a través de los enredos en el microcosmos familiar de *Belle Époque* (1993), un excelente guión de Rafael Azcona plasmado por Fernando Trueba con un ramillete de jóvenes actrices (Penélope Cruz, Miriam Díaz-Aroca, Ariadna Gil, Maribel Verdú), que fue coronado con un Oscar de Hollywood.

El director más exitoso y más internacional del cine español en estos años fue el manchego Pedro Almodóvar, cuyas comedias supusieron una jocosa puesta al día de la fórmula del esperpento, aplicado a la cultura urbana y con desinhibida sensibilidad posmoderna, en sintonía con los gustos de los nuevos públicos. De este modo, obtuvo triunfos consecutivos con *Mujeres al borde de un ataque de nervios* (1987), *¡Átame!* (1989), *Tacones lejanos* (1991) y *Kika* (1993), films que configuraron una nueva mitología y una nueva tipología estelar, como la de las «chicas de Almodóvar». También obtuvieron resultados afortunados en el campo de la comedia Fernando Colomo, autor de *La vida alegre* (1987), y la catalana Rosa Vergés, con *Boom Boom* (1992) y *Souvenir* (1993).

Otro autor de comedias con fuerte personalidad, tampoco ajeno al esperpento ni a la tradición libertaria, fue José Juan Bigas Luna, quien obtuvo asimismo éxitos internacionales, tras su incursión experimentalista en el cine de terror con *Angustia* (1987), con el relato erótico de *Las edades de Lulú* (1990), basado en el *best-seller* de Almudena Grandes, y la trilogía ibérica formada por *Jamón, jamón* (1992), *Huevos de oro* (1993) y *La teta y la luna* (1994).

Vicente Aranda confirmó su capacidad como narrador con sus dos entregas biográficas sobre el bandido *El Lute* (1987-1988), con la vigorosa crónica negra de *Amantes* (1990) y con las adaptaciones de Juan Marsé en *El amante bilingüe* (1992) y de Antonio Gala en *La pasión turca* (1994). Manuel Gutiérrez Aragón ofreció *Malaventura* (1988) y *El rey del río* (1994). El veterano Fernando Fernán Gómez volvió a la dirección con *Siete mil días juntos* (1994), mientras su coetáneo Luis G. Berlanga proseguía su saga de bulliciosos esperpentos nacionales con *Moros y cristianos* (1987), *Nacional IV* (1992) y *Todos a la cárcel* (1993). Pilar Miró triunfó en Berlín con *Beltenebros* (1991), adaptando la novela de Antonio Muñoz Molina, y rodó luego *El pájaro de la felicidad* (1993). Mientras, el universo muy personal de Gonzalo Suárez se plasmó en *Remando al viento* (1987), evocación del nacimiento literario del mito de Frankenstein en su centenario, *Don Juan en los infiernos* (1991), *La reina anónima* (1992) y *El detective y la muerte* (1993). Un carácter más experimental, y por ello más arriesgado, tuvieron *Innisfree* (1990), en donde José Luis Guerín revisitó los escenarios irlandeses en que John Ford rodó *Un hombre tranquilo,* y *El sol del membrillo* (1992), en la que Víctor Erice, a través de la gestación de un cuadro de Antonio López, propuso una sutil e inteligente indagación sobre la creación pictórica.

En estos años se consolidó el grupo de nuevos cineastas vascos, aunque no siempre rodaran sus películas en su tierra. Imanol Uribe obtuvo éxitos resonantes con la desmitificación histórica de *El rey pasmado* (1991) y la vigorosa *Días contados* (1994), con la dramática relación entre una drogadicta (Ruth Gabriel) y un etarra (Carmelo Gómez). También la debutante Ana Díez se interesó en la disección de la intimidad del microcosmos terrorista en *Ander y Yul* (1988). Montxo Armendáriz confirmó su talento en su crónica de la marginalidad de un inmigrante africano en *Las cartas de Alou* (1990); Juanma Bajo Ulloa exhibió un eficaz tremendismo en *Alas de mariposa* (1991) y *La madre muerta* (1993), y Julio Medem lució su talento en las barrocas construcciones narrativas de *Vacas* (1991) y *La ardilla roja* (1993).

El inicio de los años noventa estuvo marcado por las grandes convulsiones sociales y políticas que tuvieron lugar en los países de Europa Central y Oriental, al producirse el derrumbe en cadena de los regímenes neoestalinistas, tras la espectacular caída del muro de Berlín, que dividía física y simbólicamente dos mundos. En el considerable desbarajuste económico de los primeros años, el tránsito de la industria cinematográfica estatalizada hacia una industria homologable a la occidental produjo un trauma considerable, que se tradujo en el desmantelamiento de muchos estudios de producción y en una caída vertical de la actividad en el sector.

En los días finales del viejo régimen en la Rusia soviética, con las reformas liberalizadoras de Mijaíl Gorbachov habían aparecido algunos títulos extremadamente críticos hacia la realidad social en el supuesto «paraíso obrero». Ninguno fue más lejos que *La pequeña Vera (Malenkaya Vera, 1988)*, una descripción devastadora en la que Vasili Pichul (con guión de su esposa Maria Khmelik) expuso las dramáticas frustraciones cotidianas de las familias trabajadoras soviéticas, con una acritud y un pesimismo superiores a los que se dieron en el neorrealismo italiano de la posguerra. Aunque la popularidad de este título derivó sobre todo de las primeras escenas eróticas que la censura soviética autorizaba, la propia existencia del film, tanto como su gran aceptación pública, anunciaban el colapso definitivo de un sistema político fracasado.

El realizador puntero del cine postsoviético iba a ser el veterano director moscovita Nikita Mijalkov, quien ya había llamado la atención en Occidente al ganar merecidamente la Palma de Oro en Cannes con su espléndido *Ojos negros (Oci ciornie, 1987)*, una melancólica y tierna evocación chejoviana de la desgraciada vida sentimental que un camarero italiano (Marcello Mastroianni) relata a un caballero ruso a bordo de un barco. En su siguiente coproducción franco-rusa, *Urga (Urga, 1991)*, Mijalkov narró con un lirismo reminiscente de Dovjenko la amistad entre un pastor mongol y un camionero ruso atascado en la estepa asiática por una avería, y el film recibió el León de Oro en Venecia. Y en *Quemado por el sol (Burnt By the Sun, 1994)*, efectuó un ajuste de cuentas con el estalinismo, al relatar con originalidad y nervio la historia auténtica de un condecorado y reverenciado héroe soviético de la guerra que fue víctima de las purgas de Stalin, recibiendo el Gran Premio del Jurado en Cannes. Andréi Mijalkov-Konchalovski, hermano mayor de Nikita, prosiguió su carrera en Estados Unidos con otra revisión de la memoria del estalinismo, esta vez utilizando como vehículo al proyeccionista de la sala cinematográfica privada del dictador, en *El círculo del poder (The Inner Circle,* 1991).

En las restantes cinematografías poscomunistas se asistió a una desbandada de los mejores talentos, aunque a veces siguieron trabajando en sus propios países mediante coproducciones con empresas occidentales. La polaca Agnieszka Holland efectuó también ajustes de cuentas con el pasado histórico en sus coproducciones *Conspiración para matar a un cura (To Kill a Priest,* 1988), que reconstruyó en un clima kafkiano el asesinato del sacerdote Jerzy Popiełuszko (Christopher Lambert) por parte de la policía comunista de su país, y *Europa, Europa (Europa, Europa,* 1991), odisea auténtica de un joven judío polaco, Solomon Perel, que durante la guerra fue capturado en un orfanato soviético y se convirtió en un involuntario héroe del ejército alemán. Su compatriota Krzysztof Kiéslowski, acomodado a la industria francesa, demostró su habilidad narrativa en su enigmática y poética *La doble vida de Verónica (La double vie de Véronique,* 1991), con Irène Jacob interpretando a dos personajes distintos pero físicamente idénticos, una polaca y una francesa. Luego legó una trilogía testamental inspirada por los colores de la bandera francesa –*Azul (Bleu), Blanco (Blanc)* y *Rojo (Rouge),* en 1991-1994–, donde ejemplifica alegóricamente las virtudes civiles que dichos colores representan.

En Yugoslavia, antes del trágico estallido de su guerra civil, Emir Kusturica había afirmado su talento con *El tiempo de los gitanos (Dom za vesnaje,* 1989), relato tragicómico acerca de un gitano que es trasladado contra su voluntad a Italia y tiene que dedicarse al robo y al tráfico de niños. Otros directores procedentes de esta área geográfica y política prosiguieron en Occidente su carrera iniciada años atrás, como el checo Milos Forman en Estados Unidos, o el húngaro István Szabó, autor de la inteligente producción británica *Cita con Venus (Meeting Venus,* 1991), reflexión pesimista acerca de la construcción europea, a través de las dificultades con que tropieza un director de orquesta húngaro para montar una ópera de Wagner en París.

DE TODAS PARTES

Al cumplir su primer siglo de vida, era ya evidente que el cine era un arte prácticamente universal, aunque algunos países africanos, asiáticos y latinoamericanos carecían de producción propia, y a pesar de que la mayor parte de los mercados mundiales estaban ampliamente dominados por la producción de origen norteamericano.

Así, cuando se habla comúnmente de cine americano, acostumbra a sobrentenderse que se habla de la producción de Hollywood, echando sistemáticamente en olvido que existe una producción canadiense, argentina, mexicana, brasileña y cubana, por no mencionar el liderazgo en los mercados televisivos de las teleseries brasileñas, mexicanas y venezolanas. Canadá, en efecto, además de albergar al gran especialista en cine terrorífico David Cronenberg –autor de *La mosca (The Fly,* 1986) e *Inseparables (Dead Ringers,* 1988)–, ha tenido en Quebec, con Denys Arcand, uno de los realizadores más originales del continente. El talento de Arcand se reveló con el éxito mundial de *El declive del imperio americano (Le Déclin de l'empire américain,* 1985), que retrató con desenvoltura una frustración sexual colectiva. Su *Jesús de Montreal (Jésus de Montréal,* 1989) revisitó el tema del actor que interpreta a Jesucristo y acaba identificándose con él en la vida real, y obtuvo luego una buena acogida con su comedia *La verdadera naturaleza del amor (De l'amour et des bestes humaines,* 1993), en la que un camarero aspirante a actor y una periodista tratan de descubrir el significado de la palabra amor.

En los inicios de la década de los noventa, asentados en casi todos los países del hemisferio regímenes democráticos y con una tendencia hacia la recuperación económica, la producción cultural latinoamericana volvió a convertirse en un foco de interés internacional, como un eco del famoso *boom* de los años sesenta. Lo probarían, entre otros datos, los éxitos mundiales de algunas de sus novelas, que atraerían también la atención de realizadores no continentales. Así, no sólo la versión que el mexicano Alfonso Arau rodó en 1992 de *Como agua para chocolate,* de Laura Esquivel, dio triunfalmente la vuelta al mundo, sino que el sueco Billie August adaptó con parecido éxito en 1993 *La casa de los espíritus,* de Isabel Allende, esta vez rodada en inglés con el título *The House of Spirits.*

A pesar de las dificultades económicas e industriales crónicas, el cine argentino siguió siendo un punto de referencia en la producción del hemisferio. Fernando Solanas se mantuvo como hombre emblemático; puso en riesgo su vida en el rodaje de *El Sur* (1988), que mostró el itinerario de un ex preso político tras la dictadura, y prosiguió su reflexión civil en *El viaje* (1992). Con la aureola de su Oscar de Hollywood por su didáctica *La historia oficial,* Luis Puenzo adaptó a Carlos Fuentes en *Gringo viejo (Old Gringo,* 1989), auspiciado e interpretado por Jane Fonda, y prosiguió sus tanteos en el cine anglosajón con la adaptación de Albert Camus *The Plague* (1992). Y Miguel Pereira fue galardonado en Berlín por *La deuda interna* (1988), que relató la historia real de un indio muerto en la guerra de las Malvinas, para examinar críticamente a partir de ella el pasado reciente argentino. También supuso una reflexión política, marcada por el fin de la utopía política, la expuesta por la galardonada coproducción *Un lugar en el mundo* (1992), de Adolfo Aristaráin, con las vivencias de un geólogo español en una localidad remota. Pero el realizador que dio seguramente mayores pruebas de inventiva y originalidad poética fue Eliseo Subiela, con la críptica *Hombre mirando al sudeste* (1985) y con los amores y desamores de *El lado oscuro del corazón* (1991).

Junto a los nombres que acabamos de citar, merecen recordarse otros realizadores significativos del reciente cine argentino, como Juan José Jusid, autor de *Made in Argentina* (1986); Simón Feldman, director de *Memorias y olvidos* (1987); y María Luisa Bemberg, quien en *Yo, la peor de todas* (1990) ofreció una muy personal visión biográfica de sor Juana Inés de la Cruz, a partir de un texto de Octavio Paz.

En México, además de la exitosa obra ya citada de Alfonso Arau, Paul Leduc siguió en activo con *Barroco* (1988), *Latino Bar* (1990) y *Dollar mambo* (1992), mientras Arturo Ripstein ofreció, con *La reina de la noche* (1994), una reconstrucción de la trágica biografía de la cantante Lucha Reyes. En 1993 el cine independiente mexicano dio la sorpresa de que una baratísima comedia de intriga y enredo, *El mariachi,* rodada por Robert Rodríguez en 16 mm y con pobres medios artesanales, fuera comprada por la Columbia y se convirtiera en un éxito comercial insospechado (y no demasiado justificado) en los Estados Unidos –en donde recaudó más de dos millones de dólares– y en algunos países europeos. Nueva prueba, por si hacía falta, del poder de catapulta del sistema de distribución internacional de Hollywood.

El cine brasileño, en contraste con la buena salud de sus teleseries manufacturadas por la factoría O Globo, no recuperó el pulso de sus pasados días de gloria, tras la muerte de Joaquim Pedro de Andrade en 1988 y con Héctor Babenco inserto en la producción anglosajona. Pero el valioso Carlos Diegues siguió en activo y ofreció una obra de título emblemático, *Días melhores virao* (1990).

En este repaso latinoamericano hay que incluir al chileno Miguel Littin, quien en coproducción con Televisión Española ofreció el amplio fresco político de *Sandino* (1991). Su compatriota Patricio Guzmán fue el autor de *La Cruz del Sur* (1992). En Perú, Francisco J. Lombardi realizó *La boca del lobo* (1988), *Caídos del cielo* (1990) y *Sin compasión* (1993), inspirada en *Crimen y castigo.* En Colombia Sergio Cabrera obtuvo un éxito clamoroso con la exaltación del esfuerzo y del ingenio colectivo y popular de unos inquilinos pobres en *La estrategia del caracol* (1994). En Bolivia Jorge Sanjinés llevó a cabo *Nación clandestina* (1989), mientras en Cuba se producía un quiebro espectacular con la aparición triunfal de *Fresa y chocolate* (1993), del veterano Tomás Gutiérrez Alea, que rompía un tabú ideológico al presentar como protagonista a un artista homosexual y al mostrar la injusta hostilidad e incomprensión de las que era víctima.

En las culturas occidentales de Oceanía la producción cinematográfica aparecía plenamente consolidada en los años noventa. Tal era el caso de Australia, en donde a pesar del afincamiento de Peter Weir en Hollywood los títulos de interés menudearon, como *La playa de las tortugas (Turtle Beach,* 1992), de Stephen Wallace, que narró la dramática historia de un grupo de refugiados vietnamitas al llegar a Malasia. Y hasta Nueva Zelanda pasó al primer plano del cine mundial por los galardones –en Cannes y en los Oscars de Hollywood– que recibió su coproducción con

Francia *El piano (The Piano,* 1993), de Jane Campion, que situó a finales del siglo pasado, sobre un fondo insular exótico, un clásico conflicto romántico entre sensualidad, instinto y prescripciones sociales.

El cine japonés siguió siendo una gran potencia asiática, aunque sus títulos circularon insuficientemente por los mercados occidentales. Entre sus veteranos en activo descollaron Akira Kurosawa, que ofreció una colección de relatos oníricos personales en *Sueños (Konna yume wo mita,* 1990), en uno de los cuales trabajó con el sistema electrónico de alta definición de Sony; Kon Ichikawa fantaseó con *La princesa de la luna (Taketori monogatari,* 1987), mientras Shohei Imamura evocó con crudeza el cataclismo atómico en *Lluvia negra (Koroi ame,* 1989).

En el subcontinente indio emergió con fuerza la personalidad de Mira Nair, formado en Estados Unidos, con *Salaam Bombay (Salaam Bombay!,* 1988), al proponer a los espectadores la mirada de un niño que descubre la variopinta población de un barrio de mala fama de Bombay. Tras este brioso debut realizó *Mississippi Massala (Mississippi Massala,* 1992), que propuso el tema de Romeo y Julieta en clave de conflicto racial hindú-afroamericano.

Las llamativas transformaciones económicas y sociales que se produjeron en China a raíz de las reformas impulsadas por Deng Xiaoping afectaron al rumbo de su cinematografía, cuyo fulgurante progreso tuvo que luchar a brazo partido con las restricciones de la censura estatal. Su gran revelación fue Zhang Yimou, cuyo primer film, *Sorgo rojo (Hong Gaoliang,* 1987), ambientado en la China de los años veinte, ya ganó el Oso de Oro en Berlín. Le siguió *Semilla de crisantemo (Ju Dou,* 1989), que fue un elegante melodrama sobre la esclavitud femenina, ambientado en la misma época y en un negocio de tintes, lo que permitió al realizador lucirse con su paleta cromática. *La linterna roja (Dahong Denglong gao-gao gua,* 1991) adaptó con refinamiento la novela *Mujeres y concubinas,* de Su Tong, para describir, con una sagacidad digna de Fritz Lang, las intrigas entre las esposas que en un gineceo se disputan la preferencia de su señor, cosechando un premio en Venecia y la prohibición en su país. Mientras que *¡Vivir! (Houzhe,* 1994), premiada en Cannes, constituyó un amplio fresco social, que describió con gran vigor las profundas transformaciones que vivió su país entre los años cuarenta y los sesenta. Otro realizador valioso, He Ping, obtuvo un éxito internacional con *Pólvora roja, pólvora verde (Paoda shuang-deng,* 1994), donde una joven que debe encargarse del negocio familiar de pirotecnia se siente atraída por un pintor, aunque las restricciones sociales dificultan su relación.

En el Irán fundamentalista surgió la singular personalidad de Abbas Kiarostami, quien realizó originales retruécanos cinematográficos, basados en la confusión entre filmación y escenificación de una ficción cinematográfica, como ocurrió en su aplaudida trilogía formada por *Primer plano (Nama-ye nazdik,* 1990), *Y la vida sigue (Zendegui edame darad,* 1992) y *A través de los olivos (Zir e darakhtan e zey-ton,* 1993).

En Egipto, el patriarca de su producción y representante de la tradición realista, Salah Abu Seyf, siguió en activo, aunque el realizador más conocido en el extranjero, por sus superproducciones y su presencia en festivales fue Yussef Chahine, mientras el cairota Atom Egoyan se labraba desde 1984 una carrera honorable como realizador canadiense y su *El liquidador (The Adjuster,* 1991) era premiada en los festivales de Moscú y de Toronto. El cine tunecino se abrió paso en los mercados occidentales con el éxito de *Halfaouine* (1993), donde Ferid Boughedir propuso con frescura la historia de un niño de doce años que aspira a hacerse adulto, pero que no se decide a abandonar el dulce universo matriarcal en el que vive. En Senegal prosiguió su carrera Ousman Sembene y el cine de Mali reveló a Souleymane Cissé, quien en *La luz (Yeleen,* 1987), premiado en Cannes, opuso a un joven iniciado en los poderes sobrenaturales y a su padre, mezclando con originalidad realismo y magia.

Con este apresurado y apretado elenco de nombres y de títulos de todas las latitudes se comprueba paladinamente que el cine es hoy un arte verdaderamente universal, aunque en su mapa artístico se detecten algunos grandes centros de poder industrial y comercial, en torno a los cuales gravitan las restantes cinematografías, que sería erróneo despachar siempre como «menores». Pero, al cumplir un siglo de historia, este arte audiovisual implantado sólidamente en las pantallas grandes y en las pantallas pequeñas de la «aldea global» no escapa a las leyes del multiculturalismo, de modo que el principio del sincretismo estético hace que, si bien las cinematografías subalternas aparecen contaminadas por la presión, los estilos y las modas de los grandes centros industriales dominantes, éstos no puedan escapar tampoco, a la larga, a las influencias exóticas y coloristas de otras culturas lejanas con las que aparecen cada vez más interconectadas.

Última sesión (2014)

El capítulo anterior fue escrito en 1995, con motivo del primer centenario del cine, para recapitular cuán lejos nos había llevado hasta entonces la locomotora de Lumière, y en él se señalaron fenómenos técnicos, estéticos y sociales (como el consumo privado de imágenes en movimiento o el desarrollo de la técnica digital) que no han hecho más que acentuarse y expandirse en años posteriores. ¿Llegaremos a celebrar su segundo centenario? No pocos analistas piensan que hoy vivimos en el ocaso de la era del cine, subsumida en la era opulenta del audiovisual. Y se han acuñado términos como transmedialidad e intermedialidad para designar el trasiego de flujos en soportes mediáticos que relacionan los diversos canales, desde el libro a la pantalla pública o privada, al televisor y al videojuego o, en el camino inverso, como cuando Lara Croft, procedente de un videojuego, se encarnó en el cuerpo mortal de la actriz Angelina Jolie en una pantalla de cine. En nuestra iconosfera se codean e hibridizan cortometrajes y largometrajes autónomos, teleseries, telenovelas, videoarte, videoclips, videojuegos, spots publicitarios, superproducciones y autoproducciones para la Red o para el autoconsumo, en pantallas grandes, pequeñas, públicas, privadas, de sobremesa o de bolsillo. Y en esta polifonía audiovisual se codean el gran espectáculo cósmico –*Gravity* (2013) de Alfonso Cuarón– y el dolor de la intimidad interiorizada (*Amor* [*Amour*, 2012], de Michael Haneke).

En otro orden de cosas, la expansión del cine de producción digital le ha aproximado a la lógica constructivista de la pintura, sobre todo en el género considerado fantástico. Después de haber

admirado el tebeo animado de *Mars Attack* (1996) de Tim Burton
y a Batman volando sobre una tenebrosa Gotham City en la pantalla, asistimos a la epifanía de la serie protagonizada por *Spider-
Man*, que inició Sam Raimi en 2002. La adaptación de héroes del
cómic a la pantalla venía de muy lejos, pero la imagen digital po-
tenció este trasvase mediático, en su vertiente más fantasiosa. Pero
no todo fueron superhéroes voladores o monstruos de siete cabezas en este campo, pues Eric Rohmer, al diseñar su austera *La inglesa y el duque (L'Anglaise et le duc*, 2001), cuya acción transcurría
en los días de la Revolución francesa, escaneó cuadros y grabados
de época para colocarlos como fondos para los actores, de modo
que armonizó la unión de pintura, teatro y cine, un sinergismo estético conseguido sin detrimento para ninguna de estas formas de
expresión. Y el ruso Aleksandr Sokúrov pudo hacer que su liviana
cámara digital recorriese todas las salas del museo de L'Hermitage,
en San Petersburgo, en un único y prodigioso plano-secuencia de
96 minutos, en *El arca rusa (Russkij Kovcheg*, 2002). De manera
que la tecnología digital pudo servir con gran eficacia a la hiper-
fantasía y al realismo, sobre todo en el pujante género documental, muy solicitado por algunos canales televisivos. Un hito en esta
exploración tecnológica se produjo con la irrupción de *Avatar
(Avatar*, 2009), de James Cameron, exitosa incursión fantacientífica y ecologista en un viaje cósmico, que redescubrió el viejo sistema estereoscópico 3-D de los años cincuenta del siglo anterior.
Y aunque su aventura arrasó en las pantallas, el ciclo de películas
tridimensionales que le siguió, a veces trucadas en posproducción
digital, languideció con prontitud, mientras el cine holográfico seguía en lista de espera. La fragilidad de las modas asociadas a la
tecnología quedó demostrada, por activa y por pasiva, cuando el
film francés *The Artist* (2011), una parodia de Michel Hazanovicius, que regresó a la época del cine mudo y en blanco y negro,
acaparó todos los grandes premios internacionales del año de su
estreno y generó en España el eco de *Blancanieves* (2012), de Pablo Berger.

Nunca fue tan variada la panoplia de miradas, estilos y propuestas de la catarata cinematográfica mundial. Junto a la producción *mainstream* –cuya encarnación más emblemática se halle tal
vez en la filmografía del versátil Steven Spielberg–, e incluso den-

tro de él, hemos aprendido a valorar el sello autoral que revela un mundo propio de fantasmas personales o el testimonio crudo de lo usualmente invisible. Pero acerca del «cine de autor» hemos aprendido también que no basta con que una obra sea personal, reconocible, sino que es exigible que tenga también calidad, aunque es cierto que existen muchos criterios para evaluar ese valor intangible llamado *calidad*, que suele mudar con el paso del tiempo y la mutación de los cánones. También el *cine de autor* se ha colado en el flujo *mainstream* (véase la obra de Quentin Tarantino), pero paralelo a este flujo existe un *off-mainstream* (y ahí podrían situarse las inquietantes obras maestras en claroscuro de David Lynch, como *Carretera perdida* [*Lost Highway*, 1996] y *Mulholand Drive* [2001]). E incluso el *off-off-mainstream*, sin que los vasos comunicantes entre estos flujos paralelos queden enteramente cegados.

En el cine español podemos enumerar las aportaciones valiosas de Pedro Almodóvar, Alejandro Amenábar, Carlos Saura, Álex de la Iglesia, Fernando y David Trueba, Isabel Coixet, Icíar Bollaín, Gracia Querejeta, Jaime Rosales o Isaki Lacuesta. Pero en el mundo hispanohablante las revelaciones más fulgurantes han procedido de México, con Alejandro González Iñárritu (*Amores perros*, 2000; *Babel*, 2006), el ubicuo Guillermo del Toro (*El espinazo del diablo*, 2001; *El laberinto del fauno*, 2006; *Biutiful*, 2010; *El hobbit: partida y regreso*, 2013) y el citado Alfonso Cuarón, a quien descubrimos con la comedia *Y tu mamá también* (2001). Asimismo Argentina se ha convertido en las dos últimas décadas en un país cinematográficamente puntero, con *Nueve reinas* (2000) de Fabián Bielinsky, *La ciénaga* (2001) de Lucrecia Martel y *El hijo de la novia* (2001) y el multigalardonado *El secreto de sus ojos* (2009), de Juan José Campanella, entre otros.

El desplome estruendoso del bloque soviético (1989-1991) permitió detectar el despertar del cine rumano con el sórdido aborto clandestino expuesto por la mirada minuciosa de Cristian Mungiu en *Cuatro meses, tres semanas y dos días* (*4 luni, 3 aptamâni si 2 zile*, 2007) y proponer los nuevos temas relacionados con el doloroso pasado que quedaba atrás, como en el soberbio film sobre el estado policiaco alemán *La vida de los otros* (*Das Leben der Anderen*, 2006), de Florian Henckel, o la agridulce comedia sobre la reunificación germana *Good Bye, Lenin* (*Good Bye, Lenin!*, 2003) de Wolfgang Becker. Pero Margarethe von Trotta nos volvió a hacer reflexionar sobre el Holocausto en *Hannah Arendt* (2012).

El cine norteamericano siguió siendo comercialmente hegemónico en la mayor parte de los mercados mundiales. Ningún director representó mejor su versatilidad que Steven Spielberg, capaz de ofrecer, tras su visitación al paraíso de los dinosaurios digitales, una imagen realista e impactante del drama bélico en *Salvar al soldado Ryan (Saving Private Ryan,* 1998), hacer incursiones en la ciencia ficción en *Minority Report* (2002) y *La guerra de los mundos (War of the Worlds,* 2005), acomodando el texto de H. G. Wells a la temperatura traumática derivada del ataque islamista del 11 de setiembre de 2001, recrear a un héroe clásico del cómic europeo en *Las aventuras de Tintin (The Adventures of Tintin,* 2011) o hacer una incursión en la historia nacional con *Lincoln* (2012). Otros directores veteranos revelaron un imaginario más personal. Así lo hizo Clint Eastwood, con *Mystic River* (2003), el film de boxeo femenino *Million Dollar Baby* (2004), el díptico bélico *Las banderas de nuestros padres (Flags of Our Fathers,* 2006) y *J. Edgar* (2011), una biografía poco complaciente del fundador del F.B.I. Mientras Martin Scorsese demostró su pulso narrativo de amplio espectro en films tan diversos como en la memorialista épica del hampa urbana de *Gangs de Nueva York (Gangs of New York,* 2002), la evocación de *La invención de Hugo (Hugo,* 2011) y su ácida visión de la plutocracia norteamericana en *El lobo de Wall Street (The Wolf of Wall Street,* 2013).

Los hermanos Coen siguieron exhibiendo su acusada personalidad en cintas como *El gran Lebowski (The Big Lebowski,* 1998), *¿Dónde estás, hermano? (Oh, Brother, Where Art Thou?,* 2000) y *No es país para viejos (No Country for Old Men,* 2007). Aunque la directora Kathryn Bigelow, procedente del arte conceptual, demostró que la violencia no es un tema exclusivo del género masculino, al exponer la brutalidad bélica, desde Irak a Pakistán, en *En tierra hostil (The Hurt Locker,* 2009) y *La noche más oscura (Zero Dark Thirty,* 2012), sobre la ejecución de Osama Bin Laden por un comando norteamericano.

El cine británico asistió a un declive de los dramas proletarios de Ken Loach –quien fue capaz de exponer el drama de una difícil relación amorosa transcultural en *Sólo un beso (Ae Fond Kiss,*

Cielo sobre Berlín (1987) de Wim Wenders.

Pelle el conquistador (1987) de Billie August.

Remando al viento (1987) de Gonzalo Suárez.

Enrique V (1989) de Kenneth Branagh.

El tiempo de los gitanos (1989) de Emir Kusturica.

Las amistades peligrosas (1988) de Stephen Frears.

Alice (1990) de Woody Allen.

Cyrano de Bergerac (1990) de Jean-Paul Rappeneau.

La linterna roja (1991) de Zhang Yimou.

Tacones lejanos (1991) de Pedro Almodóvar.

Como agua para chocolate (1992) de Alfonso Arau.

Pulp Fiction (1994) de Quentin Tarantino.

El piano (1993) de Jane Campion.

Lobo (1994) de Mike Nichols.

2004)– y a un alza de la chismografía monárquica, con los éxitos sucesivos de *El discurso del rey (The King's Speech*, 2010), de Tom Hooper y con Colin Firth en el papel del tartamudo Jorge VI, y *Diana (Caught in Flight*, 2013), de Oliver Hirschbiegel, con Naomi Watts en el papel de Diana Spencer, princesa de Gales. Pero la mayor revelación del cine británico provino del londinense Steve McQueen (Steve Rodney), que diseccionó agudamente un caso de adicción sexual masculina en *Shame* (2011) y expuso un retablo histórico de denuncia esclavista en *Doce años de esclavitud (12 Years a Slave*, 2013), lo que le convirtió en el primer director negro en recibir un Oscar en Hollywod.

En Francia, mientras los veteranos supervivientes de la *nueva ola*, con un crepuscular Godard a la cabeza, proseguían una carrera intermitente, algunos críticos de la emblemática revista *Cahiers du Cinéma* se incorporaron a la realización. Tal fue el caso de Serge Le Péron, quien con la colaboración de Saidi Smihi reconstruyó el asesinato político en París del exiliado marroquí Ben Barka, en *El asunto Ben Barka (J'ai vu tuer Ben Barka*, 2005). Y lo mismo ocurrió con Olivier Assayas, quien también buceó en temas políticos en *Carlos* (2010) y *Después de mayo (Après mai*, 2012), evocando la huella de mayo de 1968. Ell temario político apareció también en *Presidente Mitterrand (Le Promeneur du Champ de Mars*, 2005) de Robert Guédiguian, en la sátira de *Crónicas diplomáticas (Quai d'Orsay*, 2013) de Bertrand Tavernier y en *Un profeta (Un prophète*, 2009) de Jacques Audiard, sobre los clanes de la mafia corsa en el mundo carcelario. A una generación posterior perteneció François Ozon, realizador brillante de *Piscina (Swimming Pool*, 2003), *Florero (Potiche*, 2010) y *Joven y bonita (Jeune et jolie*, 2013), una revisitación del imaginario de *Belle de jour* (1966) de Buñuel. El cine italiano, malherido por el poder televisivo y la política cinematográfica pro americana de Silvio Berlusconi, no renunció a su tradicional vocación de intervención política, como demostró Marco Bellocchio con *Buenos días, noche (Buongiorno notte*, 2003), que describió el secuestro y asesinato del primer ministro Aldo Moro por las Brigadas Rojas, mientras el iconoclasta Nanni Moretti exhibía las tribulaciones de un pontífice vaticano (interpretado por Michel Piccoli) en *Habemus papam* (2011) y Paolo Sorrentino retrataba con rasgos fantasmales al veterano político democristiano Giulio Andreotti en *Il divo* (2008), antes de acaparar premios con su barroco y deslumbrante retrato de la *dolce vita* del nuevo siglo en *La gran belleza (La grande bellezza,* 2013).

   ¿Dónde está hoy la vanguardia del cine europeo, que postuló hace medio siglo la teoría del *cine de autor?* Sin duda, su producción es en general menos estandarizada que la norteamericana y en su paisaje podemos registrar momentos estelares, como algunos proporcionados por el danés Lars von Trier, el padre del movimiento renovador Dogma 95, al que sobrevivió mientras sus pares se diluían. Su carrera en zigzag, desde el melodrama *Bailando en la oscuridad (Dancer in the Dark,* 2000) hasta sus telúricos *Anticristo (Antichrist,* 2009) y *Melancolía (Melancholia,* 2011), constituyen un complemento estridente del cine de la intimidad que ha preservado el austríaco Michael Haneke con una factura preciosista en *La pianista (La pianiste,* 2001), *Caché* (2005), *La cinta blanca (Das weisse Band,* 2009) y la citada *Amor.* Las angustias del mundo moderno pasan por estos meridianos.

   El cine asiático saltó a primer plano con el fenómeno indio de Bollywood, gigantesca factoría de melodramas musicales en serie, nuevos *Ramayanas* y *Mahbararatas* de la era del premasticado audiovisual. Fue atisbado en Occidente, en versión de segunda mano, con la multipremiada *Slumdog Millionaire* (2008), que era en realidad una producción británica dirigida por Danny Boyle a ritmo de videoclip musical entre las chabolas degradadas y miserables de Bombay, pero con postizo final feliz. El Extremo Oriente cinematográfico despertó el interés hacia directores tan personales como el cineasta de Shanghái Wong Kar Wai, que se movió entre el delicado intimismo sentimental de *Deseando amar (In the Mood of Love,* 2000) y la furia épica de *Ashes of Time Redux* (2008). Mientras en Corea Kim Ki-duk se convertía en un cineasta de culto con *La isla (Seom,* 2000), *Primavera, verano, otoño e invierno (Bom yeoreum gaeul gyeoul gueurigo bom,* 2003) y *Por amor o por deseo (Samaria,* 2004). En Japón, el relevo de los grandes maestros desaparecidos –Akira Kurosawa se extinguió en 1998 tras legarnos su testamental *Sueños (Dreams,* 1990), de factura digital– tuvo como figuras centrales a Shohei Imamura, autor de *La anguila (Unagui,* 1997), que recibió la Palma de Oro en Cannes, y *Agua tibia bajo un puente rojo (Akai hashi no shita no murui mizu,*

2001), y al prolífico Yôji Yamada, que rindió un homenaje al maestro Yasujiro Ozu con *Una familia de Tokio (Tokio kazoku*, 2013). En Irán, sometido al integrismo chií, un director del talento de Jafar Panahi fue represaliado con arresto domiciliario, tras sus espléndidas *El espejo (Ayné*, 1997) y el alegato feminista *El círculo (Dayereh*, 2000), lo que no le impidió producir en su reclusión doméstica *Esto no es una película (In film nist*, 2011).

El cine es hoy un mosaico de propuestas cuyo canon es la diversidad, o la pluralidad de miradas y la heterogeneidad de sensibilidades, lo que no excluye contaminaciones e hibridaciones transculturales, a veces de modo subterráneo. En un contexto en el que los conceptos de canon y de «cine nacional» han tendido a diluirse por el efecto centrífugo de la globalización, los juicios estéticos están sometidos a caución. Y este mosaico de heterogeneidades, industriales o artesanas, que podemos ver en pantallas grandes y pequeñas, públicas o privadas, en formato analógico o digital, teje los sueños de nuestros imaginarios en un mundo que ha abandonado definitivamente las confortables certezas de antaño. En cualquier caso, la rica diversidad de los dialectos audiovisuales que hoy nos envuelven, en un universo cultural a la carta, demuestra la fecundidad del recorrido de la vieja, silenciosa y gris locomotora de Lumière que arrancó su periplo hacia lo desconocido en Lyon en 1895.

ÍNDICE ONOMÁSTICO

581

Andrews, Dana, 334
Andrews, Julie, 511
Andrievski, Aleksandr, 428
Anet, Claude, 233
Angeli, Pier, 345
Angelopoulos, Theo, 525, 559
Anger, Kenneth, 398
Anouilh, Jean, 316, 324
Anstey, Edgar, 275-277
Antamoro, Julio César de, 83
Antoine, André, 72-73
Anton, Karl, 288
Antonioni, Michelangelo, 127, 141, 182, 203, 293, 327, 331, 374, 389, 399, 402-404, 439, 443, 462, 486, 503, 505, 517, 558
Apollinaire, Guillaume, 79, 145
Aquiles, 75, 100, 113
Arago, François, 16
Aranda, Vicente, 467-468, 492, 526-528, 560-561
Arau, Alfonso, 564, 565
Arbuckle, Roscoe (Fatty), 132, 194, 198
Arcand, Denys, 564
Arei, Wagoro, 452
Argentina, Imperio, 295, 459
Aristaráin, Adolfo, 534, 565
Aristarco, Guido, 324
Aristóteles, 107
Arletty, 315
Armendáriz, Montxo, 529, 561
Armendáriz, Pedro, 363-364
Armstrong, Robert, 204
Arnaud, Georges, 352
Arnheim, Rudolf, 222
Arquímedes, 84
Artaud, Antonin, 182-183
Arthur, George K., 210
Arthur, Jean, 237

Ashby, Hal, 508
Ashley, Ray, 376
Asquith, Anthony, 286, 355
Assayas, Olivier, 577
Astaire, Fred, 239
Astré, George-Albert, 404
Astruc, Alexander, 411, 422
Atila, 111
Attenborough, Richard, 521
Aubry, Cécile, 412
Auden, W. H., 277
Audiar, Jacques, 577
Audiberti, Jacques, 12
August, Billie, 558, 565
Aurenche, Jean, 411
Autant-Lara, Claude, 148, 349
Avildsen, John G., 509
Axel, Gabriel, 558
Azcona, Rafael, 463, 560
Azorín, 458

Babbit, Art, 473
Babenco, Héctor, 535, 566
Babin, Gustave, 67
Bacchelli, Ricardo, 328
Bach, Anna Magdalena, 445
Bach, Johann Sebastian, 232, 283, 445-446, 489
Bächlin, Peter, 113
Baclanova, Olga, 108, 241
Bacon, Lloyd, 239, 378
Badham, John, 511, 552
Baggot, King, 90
Bajo Ulloa, Juanma, 561
Baker, Carroll, 344
Bakshi, Ralph, 474
Baky, Josef von, 291
Baclanova, Olga, 168, 241
Balañá, Pedro, 467
Balázs, Béla, 151-152, 232, 434
Balcon, Michael, 309, 358

Balin, Mireille, 261
Ball, Lucille, 375
Balzac, Honoré de, 29, 71, 74, 315, 415
Bancroft, George, 211, 212
Bandera, Manuel, 560
Bara, Theda, 108, 136, 196
Baranowskaia, Vera, 172
Barbachano Ponce, Manuel, 365
Barbaro, Umberto, 293
Barbera, Joe, 284
Bárcena, Catalina, 225
Bardem, Juan Antonio, 236, 461-463, 526
Bardot, Brigitte, 113, 180, 369, 377, 412-413, 416, 419
Barnes, George, 60, 62
Barnet, Boris, 166
Baroja, Pío, 453, 467, 491
Baroncelli, Jacques de, 144, 192
Barrault, Jean-Louis, 315, 519
Barrault, Marie-Christine, 524
Barré, Raoul, 281
Barrère, Igor, 470
Barreto, Fabio, 535
Barrow, Clyde, 235
Barrymore, John, 219
Barthelmess, Richard, 122, 197
Bartolomé, Cecilia y José Juan, 526
Bartosch, Bertold, 284
Bass, Saul, 473
Bataille, Henri, 86
Bataille, Sylvia, 258
Batalov, Nikolái, 172
Batchelor, Joy, 474
Bauer, Evgueni, 164
Bauman, Charles, 93, 99, 118
Bautista, Aurora, 466
Bazin, André, 218, 251, 268, 325, 411, 414

Béart, Emmanuelle, 553
Beatles, The, 439
Beatty, Warren, 387, 511
Beaumont, Harry, 209, 221, 243
Becker, Jacques, 317, 352-353
Becker, Wolfgang, 576
Beery, Wallace, 132
Beethoven, Ludwig van, 232, 283
Béhanzin, rey, 154
Bell, Monta, 209, 217
Bellmunt, Francesc, 529
Bellocchio, Marco, 408, 487, 554, 577
Belmondo, Jean-Paul, 415, 419
Belson, Jordan, 398
Bemberg, María Luisa, 565
Ben Barka, M., 422, 486, 577
Bene, Carmelo, 409, 487
Benedek, Lazslo, 345, 361
Benetti, Adriana, 321
Benigni, Roberto, 555
Benoit, Pierre, 191
Berger, Helmut, 406
Berger, Ludwig, 175, 307
Berger, Pablo, 574
Bergman, Ingmar, 141, 163, 188, 203, 360-362, 374, 377, 441, 447-450, 489, 502, 510, 524
Bergman, Ingrid, 143, 292, 295, 303, 308, 324, 404
Bergner, Elisabeth, 229, 231-232
Bergson, Henri, 299
Berkeley, Busby, 239, 385
Berkeley, Martin, 338
Berlanga, Luis G., 461-463, 491, 526, 559, 561
Berlusconi, Silvio, 554, 577
Bernanos, Georges, 553
Bernhardt, Sarah, 67, 69, 79, 93, 111, 113
Bernstein, Henri, 514

Castel, Lou, 408
Castellani, Renato, 293, 330
Castellito, Sergio, 554
Cavalcanti, Alberto, 46, 148, 186, 188-189, 191, 276-277, 305, 309, 456
Cavalieri, Lina, 86
Cavani, Liliana, 518-519, 555
Cavazzoni, Ermanno, 554
Cayatte, André, 352
Cazals, Felipe, 535
Cela, Camilo José, 527, 528
Cervera, Pascual, almirante, 34
Cervi, Gino, 321
Cézanne, Paul, 29, 99
Chabrol, Claude, 413, 415, 485, 515, 552
Chacón, 458
Chahine, Yussef, 568
Chaikovski, Piotr Ilich, 283, 442, 488
Chakiris, George, 110
Chaliapine, Fiódor, 229
Chandler, Raymond, 340
Chaney, Lon, 241
Chaplin, Charles Spencer, 121-122, 129, 131-132, 134-137, 139, 146, 190, 198, 199-203, 206, 208, 211, 215, 221, 235, 238, 246-247, 255, 264, 301, 327, 339, 386, 391, 411, 460
Charles-Roux, Edmonde, 554
Charrell, Erik, 233
Chaucer, Geoffrey, 408, 487
Chávarri, Jaime, 526-528, 560
Chayefsky, Paddy, 376-377
Chéjov, Antón, 426, 429, 493-494
Chenal, Pierre, 147, 261, 320
Chéreau, Patrice, 553
Cherkasov, Nikolái, 311-312

Cherril, Virginia, 246
Chevalier, Maurice, 221, 350
Chiarini, Luigi, 324
Chiaureli, Mijaíl, 311, 425
Chodakowski, Andrzej, 533
Choderlos de Laclos, Pierre, 550
Chomette, René, *véase* Clair René
Chomón, Segundo de, 55, 82-83, 149, 280
Chopin, Frédéric, 183, 467
Chrétien, Henri, 371
Christensen, Benjamin, 80, 81, 454
Christian-Jaque, 354
Chub, Esther, 279
Chujrai, Grigori, 426-428
Chumiatski, Boris, 267
Churchill, Winston, 306
Chytilová, Věra, 434
Cimino, Michael, 506-509
Cissé, Souleymane, 568
Clair, René, 46, 123, 126, 173, 191-193, 196, 200, 222, 225, 252, 254-256, 259, 285-286, 304, 327, 350-351, 460
Clarke, Arthur C., 383, 482
Clarke, Shirley, 396
Claudel, Paul, 525
Clausewitz, Carl von, 339
Clayton, Jack, 437, 481
Clément, Jacques, 68
Clément, René, 317, 348, 469
Clift, Montgomery, 344
Clifton, Elmer, 119
Closas, Alberto, 462
Clouzot, Henri-Georges, 316, 352-353, 470
Clouzot, Vera, 353
Cochran, Steve, 402
Cocteau, Jean, 156, 181, 186, 191, 316, 324, 351, 422, 517
Cody, Lew, 106

Dieterle, Wilhelm, 175, 235
Dietrich, Marlene, 109, 113, 208, 227-228, 236, 238, 381
Díez, Ana, 561
Diki, Alexéi, 310
Dillon, Carmen, 308
Dinesen, Isak, 510
Disney, Walt, 57, 282-284, 347, 371, 384, 473-474, 507, 546
Dixon, Thomas, 114
Dmytryk, Edward, 304, 334-335, 337-338, 342, 344
Doll, Baby, 412
Doller, Mijaíl, 269
Domergue, Jean-Gabriel, 413
Donen, Stanley, 239, 347, 384-385, 411
Donoso, José, 533
Donskoi, Mark, 174, 268, 309, 426
Doré, Gustave, 229
Dorléac, Françoise, 419
Dörrie, Doris, 558
Dos Passos, John, 120, 234, 279, 404
Dostoievski, Fiódor M., 157, 367, 382, 405, 408-409
Doublier, Francis, 30
Douglas, Kirk, 335
Dovjenko, Aleksandr, 171, 174, 245, 269, 425, 427, 562
Doyle, Arthur Conan, 286, 382
Drankov, A. O., 164
Dreiser, Theodore, 234, 266, 345, 437
Dressler, Marie, 132
Drew, Robert, 472, 499
Dreyer, Carl Theodor, 80-81, 163, 186-188, 190-191, 225, 360, 450
Dreyfus, Alfred, 23

Drove, Antonio, 527
Duarte, Anselmo, 456
Duchamp, Marcel, 181, 192
Dudow, Slatan T., 229-230
Duhamel, Georges, 66
Dukas, Paul, 283
Dulac, Germaine, 147, 182-183, 423
Dumas, Alejandro, 55, 74
Dunaway, Faye, 388
Duncan, Isadora, 442, 488
Duncan, Martin, 272
Duncan, Mary, 205
Dunning, George, 473
Dupont, E. A., 176-177, 208, 285
Durán, Carlos, 467-468, 492
Durand, Jean, 129
Duras, Marguerite, 415, 421, 515
Durero, Alberto, 428
Duse, Eleonora, 79, 86
Dussaud, Frantz, 67
Dutschke, Rudi, 444
Duvivier, Julien, 147, 256, 258, 260, 293, 304-305, 314
Dwan, Allan, 124, 381, 386
Dzigan, Efim, 174, 269

Eastman, George, 19, 32, 40, 88
Eastwood, Clint, 576
Eceiza, Antonio, 467
Echanove, Juan, 560
Echeverría, Luis, 535
Éclair, 68
Eco, Humberto, 446
Ede, H. S., 442
Edison, Thomas Alva, 19-20, 31-33-35, 40, 42, 45-47, 51-52, 57-59, 62, 65, 69, 77, 87-88, 90-93, 219, 281
Eduardo VII, 43
Edwards, Blake, 384, 511

Egea, J. L., 467
Eggeling, Viking, 181
Eggelton, Colin, 536
Eggerth, Martha, 233
Egoyan, Atom, 568
Ehmck, Gustav, 447
Ehrenburg, Ilyá, 20, 178, 426
Eilers, Sally, 132
Eisenstein, Serguéi Mijaílovich, 163, 167-173, 200, 222, 265-268, 270, 278, 288, 293, 300, 311-313, 345, 346, 368, 372, 411, 417, 421-422, 427, 440, 449, 457, 460, 497
Eisler, Hans, 230
Eisner, Lotte H., 177
Ekberg, Anita, 143
Ekk, Nikolái, 262
Elfelt, Peter, 76
Elton, Arthur, 275, 277
Éluard, Paul, 181
Emerson, John, 124
Emmer, Luciano, 332, 354, 470
Emshwiller, Ed, 398
Engel, Morris, 376
Engels, Friedrich, 264
Engl, Joe, 220
Enrique III, 68
Epstein, Jean, 144, 147, 150-151, 184, 187, 300, 470
Erice, Víctor, 467, 493, 528, 544, 561
Ermler, Frederij, 174, 265, 269, 310
Ernst, Max, 145, 181, 185
Esquivel, Laura, 565
Esteva, Jacinto, 467, 492
Estrada, Carlos, 455
Eurípides, 69
Eustache, Jean, 513

Fábri, Zoltán, 434
Fabrizi, Aldo, 322, 331
Fagioli, Massimo, 554
Fairbanks, Douglas, 119, 122-124, 195-196, 268, 285, 381
Fairbanks jr., Douglas, 243
Falconetti, Marie, 187
Fanck, Arnold, 232
Farnum, Dustin, 125
Farnum, William, 110
Farrar, Geraldine, 126, 136
Farrell, Charles, 205
Farrow, Mia, 391, 483, 548
Fassbinder, Rainer Werner, 521-522, 557
Fatty, *véase* Arbuckle, Roscoe
Faulkner, William, 120, 299, 378, 404
Faure, Félix, 23
Fazenda, Louise, 132
Federico el Grande, 230
Federico Guillermo I, 288
Feiffer, Jules, 389, 480
Fejos, Paul, 206, 223-224, 404
Feldman, Simón, 565
Félix, María, 364
Fellini, Federico, 331, 377, 399-402, 486, 502, 516, 517, 554
Fernán Gómez, Fernando, 526, 528, 561
Fernández, Emilio, *Indio,* 363, 454
Fernández, Ramón, 493
Ferreri, Marco, 409, 463-464, 487, 517, 554
Feuillade, Louis, 56, 64, 72, 74-75, 103
Feyder, Jacques, 10, 147, 191, 206, 208, 256, 260, 285
Fielding, Henry, 441
Fields, W. C., 132
Figueroa, Gabriel, 363

Finney, Albert, 438
Firth, Colin, 577
Fischer, O. W., 444
Fischer, Rudolf, 291
Fisher, Terence, 436
Fitzgerald, Francis Scott, 196, 481
Fitzmaurice, George, 104
Flaherty, Robert, 235, 242, 272-274, 276-278, 346-347, 368, 469, 472, 499
Flaiano, Ennio, 401
Flaubert, Gustave, 29, 403, 417, 422
Fleischer, Dave, 281
Fleischer, Max, 281
Fleischmann, Peter, 447, 489
Fleming, Ian, 440
Fleming, Victor, 124, 251
Flynn, Errol, 242
Fonda, Henry, 235
Fonda, Jane, 418, 472, 484, 565
Fonda, Peter, 389
Fons, Angelino, 467, 491
Font, José Luis, 467
Fontaine, William, 245
Ford, Alexander, 429
Ford, Glenn, 341, 381
Ford, John, 102-103, 159, 197, 235, 247-250, 300, 302, 304, 343, 366, 381, 411, 561
Forest, Lee de, 219
Forman, Milos, 433, 494, 549, 563
Forn, José María, 468
Forst, Willy, 233
Forster, E. M., 520-521, 556
Forton, Louis, 281
Forzano, Andrea *véase* Losey, Joseph
Forzano, Giovacchino, 292-293
Fosco, Piero (Pastrone), 83
Fosse, Bob, 386, 481

Foster, Norman, 301
Fouchardière, Georges de la, 256
Fowles, John, 520
Fox, William, 65, 88, 90-91, 108, 126, 161, 209, 222
Fra, Lino del, 471
Fraga Iribarne, Manuel, 465
France, Anatole, 67
Francis, Eve, 146
Francis, Kay, 244
Francisco de Asís, santo, 555
Franco, Francisco, general, 490, 525-526, 560
Franco, Ricardo, 469, 526
Franju, Georges, 355, 422, 469
Frankenheimer, John, 377, 383
Franklin, Sidney, 124
Frears, Stephen, 521, 550, 556-557
Frend, Charles, 307
Fresnay, Pierre, 258
Freud, Sigmund, 21, 168, 178-179, 341, 403
Freund, Karl, 161, 175-176, 242
Fried, Wilhelm, *véase* Fox, William
Friedkin, William, 483
Friese-Greene, William, 19, 47-48
Friné, 113, 127
Frisch, Max, 558
Fritsch, Willy, 233
Froebe, Gert, 443-444
Froelich, Carl, 177
Frohman, Charles, 93
Fuentes, Carlos, 565
Fuentes, Fernando de, 362
Fuller, Samuel, 411, 513
Furmanov, Dimitri, 267-268

Gaál, István, 435
Gabin, Jean, 260-261, 304, 314

591

Gable, Clark, 236, 243
Gabor, Zsa Zsa, 338
Gabriel, Ruth, 561
Gad, Urban, 78-79
Gala, Antonio, 561
Galeen, Henrik, 155, 157, 285
Galiena, Anna, 552
Gallone, Carmine, 293
Galve, Christian, 462
Gance, Abel, 57, 147, 148-150, 283, 372, 423
Ganz, Bruno, 525
Garbo, Greta, 109, 140, 143-144, 177, 205, 207-208, 239, 243, 292
Garci, José Luis, 528
García, Andy, 547
García Escudero, José María, 465
García Espinosa, Julio, 456
García Lorca, Federico, 184, 459, 528
García Márquez, Gabriel, 533
García Morales, Adelaida, 528
García Sánchez, José Luis, 528
Gardel, Carlos, 295
Gardin, Vladímir, 165
Gardner, Ava, 342
Garfield, John, 337, 380
Garland, Judy, 386
Garnett, Tay, 240, 244, 320, 386
Garrett, Pat, 100
Garson, Greer, 375
Gasnier, Louis, 75, 130
Gassman, Vittorio, 409, 555, 560
Gatti, Armand, 424
Gaudí, Antonio, 469
Gaumont, Léon, 52, 56, 68, 71, 72-74
Gay-Lussac, Louis Joseph, 16
Gaynor, Janet, 205, 209
Gazzara, Ben, 344

Gelabert, Fructuoso, 38
Gelovani, Mijaíl, 310
Gengis Khan, 172
Genina, Augusto, 293
George, Susan, 387
Germi, Pietro, 293, 328, 409
Gershwin, George, 347
Gert, Valeska, 178
Getino, Octavio, 455, 497
Ghione, Emilio, 76
Gide, André, 403
Gielgud, John, 514
Gil, Ariadna, 560
Gil, Rafael, 459-460
Gilbert, John, 110, 203, 236
Ginsberg, Allen, 388
Giordana, Marco Tulio, 519
Giotto, 14, 83, 428
Giraudoux, Jean, 316
Girotti, Massimo, 320
Giroud, Françoise, 413
Gish, Dorothy, 95, 106, 123
Gish, Lillian, 95, 106, 117, 119, 122-123, 207, 556
Giuliano, Salvatore, 406
Gliese, Rochus, 209
Godard, Jean-Luc, 183, 412, 415-419, 421, 439, 440, 446, 484, 514, 552, 577
Godfrey, Bob, 473
Goebbels, Joseph Paul, 232, 255, 258, 288-289, 291, 315
Goering, Hermann, 289
Goethe, Johann Wolfgang von, 7, 66, 68
Gogol, Nicolái, V., 328
Goldberg, Whoopi, 547
Goldfish, Samuel, *véase* Goldwyn, Samuel
Goldman, Peter Emmanuel, 398
Goldwyn, Samuel, 90, 125

592

Gómez, Carmelo, 561

Gómez, Manuel Octavio, 456, 496

Gómez de la Serna, Ramón, 184

Gómez Muriel, Emilio, 278

Gonzales, Giovanna Terribili, 86

González Iñárritu, Alejandro, 575

Goodman Theodosia, *véase* Theda Bara

Gorbachov, Mijaíl, 530, 562

Gordon, Dexter, 515

Goren, Serif, 536

Goretta, Claude, 436, 490, 524

Gorki, Máximo, 172, 258, 268, 321, 426, 451

Gothár, Peter, 531

Gowland, Gibson, 215

Goya, Francisco de, 154, 428, 453, 461

Gramsci, Antonio, 289

Grandes, Almudena, 560

Granowsky, Alexis, 229

Grant, Cary, 303

Gras, Enrico, 332, 354, 409, 470

Grass, Günter, 445, 523

Grau, Jorge, 466

Greco, El (Doménikos Theotokópoulos), 14

Greene, Graham, 303, 357

Greeneway, Peter, 521, 557

Grémillon, Jean, 261, 354

Grey, Lita, 201

Grey, Zane, 100

Grierson, John, 275-276, 305, 307, 470

Griffith, David W., 11, 50, 63-64, 81, 84-85, 92, 94-99, 103, 105, 111, 114-124, 126, 128, 132, 134, 146, 149, 152, 168, 172-173, 197, 202, 213, 372-373, 411, 510

Grimoin-Sanson, Raoul, 57

Gross, Anthony, 284

Grossman, Wilhelm, 231

Gruel, Henri, 472-473

Grüne, Karl, 159

Guazzoni, Enrico, 82-83, 175

Guédiguian, Robert, 577

Guerín, José Luis, 528, 561

Guerin Hill, Claudio, 467

Guerra, Ruy, 456-458

Guest, Val, 436

Guevara, Alfredo, 455

Guglielmi, Rodolfo, *véase* Valentino, Rodolfo

Guido, Beatriz, 455

Guillaume, Ferdinand, 129

Guiness, Alec, 358

Guitry, Sacha, 309

Güney, Ylmaz, 536

Gustafsson, Greta Lovisa, *véase* Garbo, Greta

Gutenberg, Johannes G., 10

Gutiérrez Alea, Tomás, 456, 496, 535, 566

Gutiérrez Aragón, Manuel, 526, 528-529, 561

Guy, Alice, 56, 72

Guzmán, Patricio, 534, 566

Haakon, rey, 139

Haanstra, Bert, 362

Haarman, Fritz, 231

Hackford, Taylor, 511

Halas, John, 474

Hals, Franz, 256

Hamer, Robert, 309, 358

Hamilton, Patrick, 308

Hammett, Dashiell, 340

Hamsun, Knut, 450

Hanbury, Victor, *véase* Losey, Joseph

Handke, Peter, 558
Haneke, Michael, 573, 578
Hanna, William, 284
Hänsel, Marion, 553
Hanson, Einar, 177
Harbou, Thea von, 162
Harding, Anne, 244
Hardy, Oliver, 199
Hardy, Thomas, 441
Harlan, Veit, 291
Harlow, Jean, 243-244, 341, 380
Harris, Mildred, 119, 199
Harris, Richard, 438
Harsányi, Tibor, 284
Hart, William S., 101, 103, 110, 268
Hartlaub, Gustav, 177
Harvey, Lilian, 221, 233
Has, Wojciech J., 432
Hasenclever, Walter, 154
Hasso, Signe, 143
Hathaway, Henry, 242, 244, 342, 346
Hauff, Reinhard, 523
Hauptmann, Gerhart, 158
Hauser, Arnold, 145
Haver, Phyllis, 132
Havilland, Olivia de, 242, 381
Hawks, Howard, 102, 204-205, 239-240, 242, 302, 342, 411
Hayakawa, Sessue, 103, 126-127
Hayden, Sterling, 338
Haynes, Daniel L., 245
Hays, Will, 109, 112, 194-195, 236, 237, 240, 281, 378-379, 384, 479
Hayworth, Rita, 341-342
Hazanovicius, Michel, 574
He Ping, 568
Hearst, William Randolph, 16, 75, 99, 247, 298

Hecht, Ben, 212, 223, 240
Hedquist, Ivan, 144
Heidegger, Martin, 361
Heller, Joseph, 389
Hellman, Lillian, 250, 279
Hemingway, Ernest, 204, 279
Hemmings, David, 403
Henckel, Florian, 575
Hepburn, Katharine, 343
Hepworth, Cecil, 284
Herbert, F. Hugh, 378
Herbert, Frank, 512
Hércules, 100
Herralde, Gonzalo, 527
Herrand, Marcel, 315
Hersholt, Jean, 215
Herzog, Werner, 521-522, 558
Hesperia, 86
Hessen, príncipe de, 446
Hessling, Catherine, 190
Heuzé, André, 55
Hickok, Wild Bill, 100
Hill, George, 236, 240, 480
Hill, Joe, 449, 489
Hill, Walther, 511
Hiller, Arthur, 391, 479
Hindenburg, Paul von, 153
Hippel, doctor, 289
Hirschbiegel, Oliver, 577
Hirszman, Leon, 457, 535
Hitchcock, Alfred, 173, 286-287, 303, 342, 353, 356-357, 468, 505-506
Hitler, Adolf, 229, 231-233, 247, 271, 288-290, 307, 309, 335, 411, 523
Hlasko, Marek, 430
Hochhuth, Rolf, 445
Hoffa, Jimmy, 547
Hoffman, Dustin, 387-388, 390-391, 480, 511

Holbein, Hans, 285
Holdaway, Jim, 394, 440
Holland, Angieszka, 563
Holländer, Felix, 176
Holliday, Doc, 100
Hollister, Alice, 108
Hollman, Richard G., 35
Holt, Tim, 301
Homero, 68, 74, 101, 105
Honda, Ishiro, 367
Honegger, Arthur, 149, 284
Hoover, J. Edgard, 576
Hope, Bob, 304, 375
Hopper, Denis, 389, 480
Hooper, Tom, 577
Hoppin, Hector, 284
Howard, Leslie, 286, 355
Howard, Trevor, 357
Hubley, John, 473
Hudson, Hugh, 521
Huerta, Adolfo de la, 363
Hughes, Howard, 240, 375
Hugo, Victor, 67, 315, 468, 514
Huppert, Isabelle, 517, 524, 552
Hurd, Earl, 281
Hurt, William, 535
Hurwitz, Leo, 278-279
Huston, John, 304, 334, 338, 340-343, 378, 395, 506, 513, 547
Huston, Walter, 343
Huxley, Aldous, 120

Ibsen, Henrik, 140, 394
Ícaro, 13
Ichikawa, Kon, 367, 452, 567
Iglesia, Eloy de la, 527
Illery, Pola, 254
Imamura, Shohei, 537, 567, 578
Ince, Thomas H., 99-101, 103-104, 118, 120, 124, 134, 146, 195, 197, 202

Ingram, Rex, 195, 216
Inkijinov, Valery, 172
Ionesco, Eugène, 440
Irish, William, 485
Irwin, May, 35, 77
Isaac, Alberto, 455
Iván IV el Terrible, 311-312
Ivens, Joris, 279, 302, 362, 456, 469
Ivanov, Semion, 428
Ivory, James, 520-521, 556
Iwerks, Ub, 282

Jack, el Destripador, 109, 180
Jacob, Irène, 563
Jacobini, Maria, 86
Jacobs, Ken, 398
Jacobs, Lewis, 60, 278
Jacopetti, Gualtiero, 410
Jacques, Norbert, 231
Jakubowska, Wanda, 429
James, Henry, 343, 437, 520
James, Jesse, 100
Jamison, Bud, 136
Jancsó, Miklós, 434-435, 494, 531
Jane, Calamity, 100
Jannings, Emil, 158, 160-161, 175-177, 226-227, 288
Janowitz, Hans, 155
Janssen, Jules, 17
Jardiel Poncela, Enrique, 225
Jarmusch, Jim, 512, 550, 555
Jasset, Victorin, 56, 64, 74-75
Jaurès, Jean, 28
Jeffries, Jim, 59
Jellicoe, Ann, 439
Jennings, Humphrey, 306, 437
Jessner, Leopold, 160
Jewison, Norman, 483
Jim, Río, véase Hart, William S.

Kleist, Heinrich von, 446, 515
Klimov, Elem, 530-531
Klimovsky, León, 455, 465
Kline, Herbert, 278-279, 363
Kluge, Alexander, 445-446, 489
Kobayashi, Masaki, 367, 452
Koch, Carl, 473
Koch, Marianne, 444
Kohler, Fred, 211
Kohon, David José, 455
Kokoschka, Oskar, 154
Kopple, Barbara, 512
Korda, Alexander, 206, 285-286, 307, 358
Korda, Zoltan, 285, 307
Kósa, Ferenc, 435
Koster, Henry, 371
Kostner, Kevin, 547
Kovács, András, 434
Kózintsev, Grigori, 166, 268, 424, 428
Kracauer, Siegfred, 155, 158
Kramer, Robert, 389
Kramer, Stanley, 371, 376
Krauss, Werner, 158
Kristl, Vlado, 447
Krook, Nils, 140
Kruger, Paulus, 288
Kruschev, Nikita, 311, 425, 531
Kryzitskij, Georgij, 166
Kubin, Alfred, 154
Kubrick, Stanley, 381-383, 387, 440, 482, 506
Kuhn, Edward, 58
Kuhn, Rodolfo, 455
Kuleshov, Lev Vladímirovich, 165-166, 171, 173
Kurosawa, Akira, 140, 366-367, 451, 531, 537-538, 567, 578
Kürten, Peter, 231
Kusturica, Emir, 533, 563

La Marr, Barbara, 108, 195
La Motta, Jake, 509
Labiche, Eugène, 192-193
Laborit, Henri, 514
Lacuesta, Isaki, 575
Laemmle, Carl, 65, 88-91, 99, 111-112, 213, 249
Lafitte, hermanos, 66-67
Lagerlöf, Selma, 140
Lake, Veronica, 304
Lallemand, M., 25, 39
Lalou, Etienne, 471
Lamarr, Hedy, 294-295
Lambert, Christopher, 563
Lampedusa, Giuseppe Tomasi di, 405
Lamprecht, Gerhard, 176
Lancaster, Burt, 342
Landa, Alfredo, 493
Landa, Juan de, 225, 320
Landru, Henri Désiré, 339
Lang, Fritz, 103, 155, 159, 161-163, 184, 228-229, 231, 235, 290-291, 304, 357, 386, 444, 567
Lang, Jack, 515-516
Langdon, Harry, 132, 198-199
Lantz, Walter, 284
Lanzmann, Claude, 499
Lardner Jr., Ring, 338
Lasky, Jesse L., 65, 125-126
Lattuada, Alberto, 293, 328, 331, 399, 405, 498
Lattuada, Felice, 328
Laughton, Charles, 243, 285
Laurel, Stan, 199
Lauste, Eugène, 34, 226
Lavedan, Henry, 67
Lavrenev, Boris, 426
Lawrence, D. H., 442, 488
Lawrence, Florence, 90

Lorentz, Pare, 278
Lorre, Peter, 229, 231
Losch, Maria Magdalena von, *véase* Dietrich, Marlene
Losey, Joseph, 334, 339, 393-394, 437, 440
Love, Bessie, 117, 119, 196, 223-224
Love, Montagu, 106
Lowry, Malcolm, 513
Loy, Nanni, 408
Lubin, Sigmund, 36, 58, 62, 126
Lubitsch, Ernst, 127, 136-137, 143, 153-154, 158, 162, 175, 186, 195, 200, 208-209, 217-218, 221, 239, 285, 304, 384, 391
Lucas, George, 506-508, 537
Luce, Clara Booth, 382
Luciano, Lucky, 211
Ludendorff, Erich, general, 153
Lugosi, Bela, 206, 241
Luis I de Baviera, 353
Luis II de Baviera, 406
Luis XV, 354
Luis XVI, 519
Luke, Lonesome, *véase* Lloyd, Harold
Lukov, Leonid, 424
Lumet, Sidney, 377-378
Lumière, Antoine, 20-21, 24, 28, 39
Lumière, Auguste y Louis, 20-21, 24-25, 27-34, 37-40, 46-47, 52-53, 57, 62, 69, 72, 129, 134, 167, 226, 272, 300, 362, 370, 410, 499, 541, 573, 579
Lute, el, 561
Lye, Len, 284, 365
Lynch, David, 512, 520, 550, 575
Lyne, Adrian, 512

Mac Arthur, Charles, 223
Mac Cutcheon, Wallace, 63, 94
Mac Donald, Jeanette, 221
Mac Leigh, Archibald, 279
Machaty, Gustav, 224, 294-295
Mackendrick, Alexander, 358
Maddow, Ben, 396
Magnani, Ana, 322, 325
Magnusson, Charles, 139
Maiakovski, Vladímir V., 167
Major, John, 556
Makarenko, Antón S., 262
Makavejev, Dušan, 434, 495, 524
Makowska, Helena, 86
Malaparte Curzio, 519
Malatesta, Errico, 447
Malden, Karl, 344
Mallarmé, Stéphane, 468
Malle, Louis, 419, 420, 445, 472, 485, 489, 512, 552-553
Mallet-Stevens, Robert, 148
Malraux, André, 9, 113, 280, 414
Maltz, Albert, 338
Mamet, David, 550
Mamoulian, Rouben, 207, 223, 240, 251, 386
Manchevski, Milcho, 559
Manet, Édouard, 29, 167
Mangano, Silvana, 329
Mangini, Cecilia, 471
Mankiewicz, Joseph L., 336, 395
Mann, Anthony, 103, 378
Mann, Daniel, 378
Mann, Delbert, 376-377
Mann, Heinrich, 226
Mann, Thomas, 158, 226, 338, 406, 417, 486
Mantilla, Fernando G., 459
Manzini, Italia Almirante, 86
Marais, Jean, 351
March, Frederic, 279, 334

Menelik II, 23
Menichelli, Pina, 86
Menjou, Adolphe, 200, 209, 337
Menshov, Vladímir, 530
Menzel, Jiri, 433
Menzies, William C., 285-286
Meppiel, Jacqueline, 534
Mercouri, Melina, 391-392
Mérimée, Prosper, 153
Mesguich, Félix, 15, 33, 57
Mészáros, Márta, 531
Meyerhold, Vsievolod E., 168
Meyers, Sidney, 396
Mezières, Myriam, 559
Miccichè, Lino, 471
Michel, Marc, 192, 193
Mijalkov, Nikita, 562-563
Mijalkov-Konchalovski, Andréi, 429, 493, 530-531, 563
Milestone, Lewis, 223, 228, 235, 386
Milius, John, 511
Miller, Arthur, 345, 377
Miller, Carl, 200
Miller, George, 536
Minnelli, Liza, 386
Minnelli, Vincente, 239, 347, 384-386, 411
Mira, Carles, 527
Mirbeau, Octave, 305, 454
Miró, Joan, 185, 469
Miró, Pilar, 527-528, 561
Mishima, Yukio, 510
Mitchell, Margaret, 251
Mitry, Jean, 99, 149, 415
Mix, Tom, 100-101, 110, 268, 381
Mizoguchi, Kenji, 296, 367, 451, 537
Modot, Gaston, 254
Molander, Gustav, 144, 292

Molière, 67-68, 161, 193
Molina, Miguel de, 560
Molnar, Ferenc, 232
Moloc, 118
Monet, Claude, 29
Monicelli, Mario, 331
Monroe, James, 34
Monroe, Marilyn, 281, 380, 384
Montagu, Ivor, 279
Montand, Yves, 352, 418, 421, 484
Montenegro, Conchita, 225
Montez, Lola, 353
Montgomery, Robert, 298, 341-342, 375
Montiel, Sara, 464
Moore, Collen, 119, 196
Moore, Owen, 90, 119
Moravia, Alberto, 409, 416, 487
Moreau, Jeanne, 419
Moreno, Antonio, 110
Moreno, Mario, *Cantinflas,* 364
Moreno, Rosita, 225
Moretti, Nanni, 544, 555, 577
Morgan, John P., 175, 205, 220, 236
Morgan, Michèle, 261, 304, 314
Morin, Edgar, 108, 471, 498
Moro, Aldo, 577
Morrisey, Paul, 398
Mosjukin, Iván, 164, 166
Moskvin, Andréi, 311
Mottershaw, Frank, 50
Mozart, Wolfgang Amadeus, 219
Munch, Edvard, 154
Münchhausen, barón de, 433
Mungiu, Cristian, 575
Muni, Paul, 235, 240
Munk, Andrzej, 431
Muñoz Molina, Antonio, 561
Murata, Yasuji, 452

601

Murnau, F. W., 11, 103, 141, 157, 159-162, 175, 188, 209-210, 218, 223, 225, 274-275, 291, 301, 393-394, 404, 460, 522
Murphy, Dudley, 182
Murphy, Eddie, 182, 547
Murray, James, 204, 236
Murray, Mae, 216-217
Murúa, Lautaro, 455
Musidora, 75
Musil, Robert, 445, 489
Músorgski, Modest P., 283
Musset, Alfred de, 259
Mussolini, Benito, 247, 292-293, 319, 321, 323, 518
Mussolini, Vittorio, 292-293
Muybridge, Eadweard, 18
Myers, Carmel, 108
Myers, Harry, 246

Nabokov, Vladimir, 413, 522
Nadar (Gaspard-Félix Tournachon), 16
Nair, Mira, 567
Naldi, Nita, 108
Nansen, Betty, 79, 108
Napoleón I, 149, 170, 309
Napoleón III, 51
Navarre, René, 75
Neff, Hildegarde, 444
Negrete, Jorge, 364
Negri, Pola, 108, 153, 175
Negroni, conde Baldassare, 86
Negulesco, Jean, 337
Němec, Jan, 434
Neuber, Karoline, 289
Neumann, Kurt, 347
Neuss, Albert, 76
Nevski, príncipe, 271
Newman, Paul, 344, 509

Newton, Isaac, 17, 426
Niblo, Fred, 124, 195
Nichetti, Maurizio, 554
Nichols, Dudley, 248
Nichols, Mike, 388-389, 480, 547, 549
Nicolás II, 163, 272
Nielsen, Asta, 78-79
Niepce, Joseph-Nicéphore, 16
Nieto, José, 225
Nietszche, Friedrich, 105, 445
Nissen, Greta, 108
Nitribitt, Rosemarie, 444
Nixon, Richard, 337
Noailles, vizconde de, 185
Noble, Rider, 272
Noelte, Rudolf, 447
Nolan, Bill, 281
Nolde, Emil, 154
Nollet, abate, 15
Nonguet, Lucien, 55, 130
Normand, Mabel, 132-133, 136
Norris, Frank, 215
Novak, Kim, 379, 384
Novarro, Ramón, 110, 195, 274
Nunes, José María, 468, 492
Nuréyev, Rudolf, 520
Nykvist, Sven, 524
Nyman, Michael, 557

Oakie, Jack, 247
Oberon, Merle, 285
Oboler, Arch, 370
O'Brien, Brian, 371
O'Brien, George, 209
Odets, Clifford, 337, 381
O'Donnell, Peter, 394
O'Flaherty, Liam, 248
Ofugi, Noburo, 452
O'Hara, Maureen, 375
Okada, Eiji, 421

Olea, Pedro, 467, 491, 527, 529
Oliveira, Manoel de, 525, 544, 559
Olivera, Héctor, 534
Olivier, Laurence, 307-308, 356, 358, 441, 556
Olmi, Ermanno, 408, 518
Olsen, Ole, 77, 79
Ondra, Any, 287
O'Neill, Eugene, 249
Onetti, Juan Carlos, 533
Ophüls, Max, 229, 233, 353-354, 372
Oppenheimer, Joseph Süss, 291
Orduña, Juan de, 464
Orkin, Ruth, 376
Ornitz, Samuel, 338
Orozco, José Clemente, 363
Orton, John, 565
Orwell, George, 474
Osborne, John, 436, 438
Oshima, Nagisa, 451, 452, 537-538
Ostrovski, Aleksandr N., 269
Oswalda, Ossi, 153
O'Toole, Peter, 442
Ottwald, Ernst, 230
Owen, Seena, 119, 217
Owens, Jesse, 290
Ozep, Fedor, 174
Ozon, François, 577
Ozu, Yasujiro, 367, 451, 579

Pablo, santo, 111
Pabst, G. W., 176-181, 190, 218, 228-230, 232, 288-289, 291, 303, 341
Pacchioni, Italo, 82
Pacino, Al, 506-507
Padilla, José, 246
Padrós, Antoni, 528

Page, Anita, 196
Paget, Alfred, 119
Pagliero, Marcel, 322
Pagnol, Marcel, 224, 251
Painlevé, Jean, 280
Palance, Jack, 344, 381
Pampanini, Silvana, 377
Panahi, Jafar, 579
Panero, Leopoldo, 527
Panfilov, Glev, 531
Paradjanov, Serguéi, 530
Parillaud, Anne, 552
Parker, Alan, 520
Parker, Bonnie, 235
Parker, Claire, 283, 473
Parker, Lottie Blair, 122
Parlo, Dita, 253
Parmelee, Ted, 473
Parville, Henri de, 26
Pascal, Gabriel, 307
Pasinetti, Francesco, 293
Pasolini, Pier Paolo, 407, 487, 516
Pasquali, E. M., 82
Passer, Ivan, 433, 494
Pasternak, Boris, 531
Pasteur, Louis, 235
Pastrone, *véase* Fosco, Piero
Pathé, Charles, 31, 45, 51-54, 56, 67, 69, 71-73, 87, 111, 129-130, 135, 164, 219, 255, 272, 296
Patino, Basilio M., 467, 491, 526
Patrolini, Vasco, 404
Paul, Robert William, 31, 39-40, 47-48
Paulus, 41
Pavese, Cesare, 321, 403
Pavlov, Iván, 172
Pavolini, Alessandro, 320
Paz, Octavio, 565
Peckinpah, Sam, 386-387, 480, 482

603

Rossen, Robert, 334-335, 338, 392, 509
Rossif, Frédéric, 471
Rostand, Edmond, 67
Rotha, Paul, 122, 188, 275, 277, 306
Rouch, Jean, 399, 471, 498
Rourke, Mickey, 555
Rouse, Russell, 224, 336
Rousseau, Jean-Jacques, 242
Roy, Bimal, 368
Royle, Edwyn, 125
Rubens, Alma, 108, 236
Ruiz, Raúl, 533
Rulfo, Juan, 455
Ruspoli, Mario, 472
Russell, Chuck, 549
Russell, Harold, 334
Russell, Jane, 378
Russell, Ken, 442, 488, 493, 520
Ruth, Roy del, 209, 340
Ruttmann, Walter, 181, 189, 225, 290
Rye, Stellan, 79, 154

Sacco, Nicola, 234
Sachs, Eddie, 472
Sade, marqués de, 185, 454
Sadoul, Georges, 48, 55, 84, 227, 270, 271, 415
Sáenz de Heredia, José Luis, 459-460
Sagan, Leontine, 229-230
Sagebrecht, Marianne, 558
Saint, Eva-Marie, 344
Salvat-Papasseit, Joan, 469
Salvatore, Gabriele, 555
Samsonov, Samson, 426
Sánchez Ferlosio, Rafael, 461
Sanchís Sinisterra, José, 560
Sand, George, 467, 492

Sanders, George, 404
Sandrini, Luis, 364
Sangster, Jimmy, 436
Sanjinés, Jorge, 534, 566
Santoni, Dante, 82
Saraceni, Paulo Cesar, 457
Sardou, Victorien, 67, 94
Sartre, Jean-Paul, 324, 361, 382, 403, 459
Satie, Erik, 192
Saura, Carlos, 463, 466, 491, 527-528, 560, 575
Schaaf, Johannes, 447, 489
Schamoni, Ulrich, 445
Schell, Maria, 444
Schell, Maximilian, 444
Schertzinger, Victor, 221
Schlesinger, John, 389, 441, 480, 488, 520
Schlöndorff, Volker, 445-446, 489, 523, 558
Schmid, Daniel, 523
Schmidt, Jan, 434, 523
Schneeberger, Hans, 232
Schneider, Magda, 233
Schneider, Maria, 409, 487
Schneider, Romy, 444
Schnitzler, Arthur, 233
Schoedsack, Ernest B., 241, 274
Schrader, Paul, 510, 512
Schroeter, Werner, 523
Schubert, Franz, 283
Schüfftan, Eugene, 189, 229
Schulberg, Budd, 338
Schulz, Charles M., 474
Schygulla, Hanna, 517
Sciascia, Leonardo, 517
Scola, Ettore, 519, 554-555
Scorsese, Martin, 507-509, 511, 548, 557, 576
Scott, Adrian, 338

Scott, Ridley, 506-507, 547
Scott, Robert Falcon, 272
Seberg, Jean, 415
Segal, Erich, 391
Segar, E. C., 281
Seiler, Lewis, 302
Seinhoff, Hans, 291
Selig, William N., «coronel», 87, 91
Selznick, David O. , 292
Sembene, Ousmane, 536, 568
Semon, Larry (Jaimito)
Semprún, Jorge, 421, 486, 559
Sen, Mrinal, 536, 538
Sender, Ramón J. , 526
Sennett, Mack, 95, 118, 128-129, 131-137, 198, 209, 385, 391, 440
Serlin, Oscar, 278
Serre, Henri, 419
Seton, Marie, 267
Sevilla, Rafael J., 362
Seyf, Salah Abu, 568
Shakespeare, William, 67-68, 70, 356
Sharkey, Tom, 59
Shaw, George Bernard, 286, 307, 369, 385
Shelley, Mary W., 206, 241
Shepard, Sam, 523
Sheridan, Philip, general, 100
Sherman, John, 333
Shindo, Kaneto, 367
Shorin, A. F., 262
Sienkiewicz, Henryk, 83
Signoret, Simone, 353
Sigurjonsson, Johan, 140
Simenon, Georges, 551
Simon, Michel, 253
Sinatra, Frank, 379
Sinclair, Upton, 234, 266-267

Sinnott, Michael, véase Sennet, Max
Siodmak, Kurt, 189
Siodmak, Robert, 189, 229, 342
Siqueiros, David Alfaro, 363
Sirk, Douglas, 521
Siro, Fernando, 455
Sjöberg, Alf, 360
Sjöman, Vilgot, 449, 489
Sjöström, Victor, 139-144, 205, 207, 361, 448
Skladanowski, Max, 19
Skolimowski, Jerzy, 432, 532
Sloane, Everett, 299
Smihi, Saidi, 577
Smith, Albert E., 34, 58
Smith, George Albert, 48-50, 64
Smith, Gladys Mary, véase Pickford, Mary
Smith, Harry, 398
Smith, Ormitson, 272
Söderbaum, Kristina, 291
Söderberg, H., 450
Soderbergh, Steven, 548
Sófocles, 68
Sokúrov, Aleksandr, 574
Solanas, Fernando, 455, 497, 534, 565
Solás, Humberto, 456, 496, 535
Soldati, Mario, 293, 373
Solé Tura, Jordi, 559
Solinas, Franco, 486
Solntzeva, Yulia, 427
Sommer, Elke, 444
Somoza, Anastasio, 535
Sordi, Alberto, 330, 400
Sorge, Reinhard, 154
Sorín, Carlos, 534
Sorrentino, Paolo, 577
Soto, Helvio, 534
Souday, Paul, 126

Talmadge, Constance, 119
Talmadge, Richard, 124
Tanguy, Yves, 185
Tanizaki, Junichiro, 519
Tanner, Alain, 436, 490, 524-525, 559
Tarantino, Quentin, 549, 575
Tarchetti, Igino Ugo, 519
Tarkingtn, Booth, 301
Tarkovski, Andréi, 429, 530-531
Tarlarini, Mary Cleo, 86
Tashlin, Frank, 384
Tate, Sharon, 431
Tati, Jacques, 351
Tavernier, Bertrand, 515, 552, 577
Taviani, Paolo y Vittorio, 488, 518, 554
Taylor, Elizabeth, 346, 394
Taylor, Robert, 110
Taylor, Sam, 95
Taylor, William Desmond, 195
Techiné, André, 553
Teixeira Soares, Ana Carolina, 535
Tennyson, Alfred, 95, 97
Terayama, Shuji, 537
Terry, Alice, 106
Terry, Paul, 473
Teseo, 14
Teshigahara, Hiroshi, 452
Tezlaff, Ted, 342
Thackeray, William M. , 506
Thalberg, Irving, 185, 214
Thatcher, Margaret, 556
Thiele, Herta, 230
Thiele, Rolf, 444
Thiele, Wilhelm, 221
Thiers, Adolphe, 39
Thomas, J. Parnell, 338
Thomas, M., 25

Thompson, Jim, 557
Thulin, Ingrid, 449, 524
Tiller, Nadja, 444
Timiriazev, Kliment A., 269
Tissé, Eduard, 165, 170, 266, 311
Todd, Mike, 371
Toland, Gregg, 249-250, 300
Tolstói, Liev N., 95
Toren, Marta, 143
Tornatore, Giuseppe, 555
Torre Nilsson, Leopoldo, 455
Torrente Ballester, Gonzalo, 458
Torres, Raquel, 274
Torres Ríos, Leopoldo, 455
Toscano Barragán, Salvador, 362
Totó, 331
Toulouse-Lautrec, Henri de, 343
Tourneur, Maurice, 125
Trauberg, Ilyá, 174
Trauberg, Leonid, 166, 268, 424, 428
Travolta, John, 507
Trier, Lars von, 558, 578
Trnka, Jiri, 432, 472
Troell, Jan, 490
Trotski, León, 92, 170, 485
Trotta, Margarethe von, 523, 576
Trueba, David, 575
Trueba, Fernando, 526, 529, 560, 575
Truffaut, François, 377, 390, 410-411, 413-415, 419, 443, 485, 514, 552
Trumbo, Dalton, 338
Tryon, Glenn, 206
Tucker, Preston, 548
Turguéniev, Iván S., 429, 493
Turjansky, Victor, 150
Turnbull, Hector, 126
Turner, Florence, 111
Turpin, Ben, 132-133

Walsh, Raoul, 103, 117, 124, 195, 222, 302, 342, 381, 386, 411
Walthall, Henry B., 117
Wanzel, A., 82
Ward, Fanny, 126
Ward, Warwick, 176
Warhol, Andy, 389, 398, 481
Warm, Hermann, 156
Warner, hermanos, 90, 219
Warner, Jack L., 336-337
Warren, Robert Penn, 335
Watkins, Peter, 439
Watt, Harry, 275, 277
Watteau, Antoine, 14
Watts, Naomi, 577
Webster, Charles H., 58
Wedeking, Frank, 179
Wegener, Paul, 154-155, 157
Weir, Peter, 536, 566
Weiss, Peter, 445
Weissmuller, Johnny, 274
Welles, George Orson, 140, 163, 215-216, 251, 297-303, 305, 325, 339, 341-342, 357, 382, 384, 392-393, 423, 441, 481-482, 513
Wellman, William A., 103, 240, 242, 302, 336, 386
Wells, H. G., 242, 286, 297, 309, 576
Wenders, Wim, 508, 522, 545, 557
Wenzler, Franz, 289
Werner, Gösta, 361
Werner, Oskar, 419
Wessel, Ludwig Horst, 289
West, Mae, 108, 236
Whale, James, 206, 241-242
White, Pearl, 75, 268
Whitman, Walter (Walt), 119
Wicki, Bernhard, 444
Widerberg, Bo, 449, 489

Widmark, Richard, 379
Wiene, Carl, 155
Wiene, Robert, 154-157, 177
Wilde, Oscar, 209, 355-356
Wilder, Billy, 109, 143, 189, 229, 303, 343, 345, 384
Williams, Richard, 473
Williams, Tennessee, 324, 344, 378, 394
Williamson, James, 48-50
Willy, Louise, 36
Wilson, Michael, 395
Wilson, Woodrow Thomas, 104, 114
Windsor, Kathleen, 378
Winsloe, Christa, 230
Winters, Shelley, 344
Wise, Robert, 347, 385
Wood, Sam, 285-286
Woolf, Virginia, 120
Wray, Fay, 217
Wright, Basil, 275, 277-278
Wright, Richard, 234
Wright, Teresa, 303
Wurtenberg, Karl Alexander von, 291
Wyler, William, 102, 206, 235, 247, 249-251, 270, 300, 302, 304, 334, 338, 343, 376, 386, 411, 443
Wynyard, Diana, 308

Yamada, Yôji, 579
Yamamoto, Satsuo, 367
Yamamoto, Zenajiro, 452
Yamamura, So, 452
Yashubita, Taiji, 452
Yates, Peter, 389, 391, 479
Yersin, Yves, 524
York, Alvin C., 302
Young, Clara Kimball, 92

ÍNDICE DE PELÍCULAS

Ábrete de orejas (Prick Up Your Ears, 1987), 556

Abwege (1928), 179

Accattone (1960), 407

Accidente (Accident, 1967), 394

Achtung banditi! (1951), 328

acorazado Potemkin, El (Bronenosez Potemkin, 1925), 169-171, 264, 270, 288, 293, 312-313, 452

acorazado Sebastopol, El (Panzerkreuzer Sebastopol, 1936), 288

Acosado (Mickey One, 1965), 387

Across the Plains (1911), 100

Actas de Marusia (1974), 533

Acteón (1965), 466

Adalen 31 (1968-1969), 449, 489

Adiós, Mr. Chips (Good-bye Mr. Chips, 1939), 286

Adiós, muchachos (Au revoir, les enfants, 1987), 553

Adiós al macho (Ciao, maschio, 1978), 517

admirable Crichton, El (Male and Female, 1919), 128

Admiral Najimov (1946), 424

Adventurous Voyage of the Artic, The (1903), 48

Aerograd (1935), 245

Africa addio (1965), 410

Agenda oculta (Hidden Agenda, 1990), 557

Agente 007 contra el Dr. No (Doctor No, 1962), 440

Agonija (1975), 530

Agostino d'Ippona (1972), 405

Agua tibia bajo un puente rojo (Akai hashi no shita no murui mizu, 2001), 578-579

Águilas heroicas (Ceiling Zero, 1935), 242

Aguirre, la cólera de Dios (Aguirre, der Zorn des Gottes, 1972), 522

Ahí está el detalle (1940), 364

Air Force (1943), 302

Akasen chitai [La calle de la vergüenza] (1956), 451

Akelarre (1983), 529

Al compás del tres por cuatro (Zwei Herzen im 3/4 takt, 1930), 221

Al di là delle nuvole (1995), 558

Al este del Edén (East of Eden, 1955), 372

Al final de la escapada (À bout de souffle, 1959), 415-416

Al morir la noche (Dead of Night, 1945), 309

Al rojo vivo (White Heat, 1949), 342

Alarma en el expreso (The Lady Vanishes, 1938), 287

Alas (Wings, 1927), 242

Alas de mariposa (1991), 561

alcalde, el escribano y su abrigo, El (Il capotto, 1952), 328

aldea maldita, La (1929), 295

Alejandro Magno (Alexander the Great, 1956), 392

Aleksandr Nevski (1938), 270, 312

Aleluya (Hallelujah, 1930), 223, 244, 254, 263, 321

Alice (1990), 548

Alice Comedies (1924-1926), 282

Alicia en las ciudades (Alice in den Städten, 1973), 522

Alien (Alien, 1979), 506, 520

All'armi, siam fascisti! (1962), 471

Allá en el Rancho Grande (1936), 362

Allegro barbaro (1978), 531

Allonsanfan (Allonsanfan, 1974), 488

616

649

651

Quemado por el sol (Burnt By the Sun, 1994), 562

Questo mondo proibito (1963), 410

Quick Millions (1931), 240

¿Quién teme a Virginia Woolf? (Who's Afraid of Virginia Woolf?, 1966), 388

quimera del oro, La (The Gold Rush, 1925), 201

quinteto de la muerte, El (The Lady Killers, 1955), 358

¿Quo Vadis? (Quo Vadis?, 1912), 82-83, 175

¿Quo Vadis? (Quo Vadis?, 1950), 373

Raduga [Arco iris] (1944), 309

Raíces (1955), 365

Rambo (Rambo: First Blood Part II, 1985), 511

Ramona (Ramona, 1910), 98

Ran (1985), 537

Rapto (Rapt, 1933), 224

Rashomon (Rashomon, 1950), 140, 296, 366

Raskolnikoff (Raskolnikoff, 1923), 157

rayo de luz, Un (No Way Out, 1950), 336

rayo verde, El (Le Rayon vert, 1986), 515

rebelde, El (Michael Kohlhaas-Der Rebell, 1968), 446, 489

Rebelde sin causa (Rebel Without a Cause, 1955), 380

Rebelión a bordo o La tragedia de la Bounty (Mutiny on the Bounty, 1935), 243

Rebelión en la granja (Animal Farm, 1956), 474

Recuerda... (Spellbound, 1945), 303

Recuerdos (Stardust Memories, 1980), 510

red, La (1953), 363

redada, La (The Dragnet, 1928), 212

Redes (The Wave, 1934-1936), 278, 363

Reds (Reds, 1982), 511

Reflections in a Golden Eye (1967), 395

Regards sur la folie (1962), 472

Regen (1929), 279

regimiento, El (Le régiment, 1895), 26

regla de juego, La (La règle du jeu, 1939), 259

regreso, El (Coming Home, 1978), 508

Regreso a Howard's End (Howard's End, 1992), 556

regreso de África, El (Le Retour d'Afrique, 1973), 490

reina anónima, La (1992), 561

reina Cristina de Suecia, La (Queen Christina, 1934), 207

reina de África, La (African Queen, 1952), 343

reina de la noche, La (1994), 565

reina Kelly, La (Queen Kelly, 1928), 217

reina Margot, La (La reine Margot, 1994), 553

reino de Nápoles, El (Neapolitanische Geschwister, 1978), 523

Relámpago sobre el agua (Lightning Over Water, 1980), 522-523

Relato íntimo (Thérèse Desqueyroux, 1962), 422

relojero de Saint Paul, El (L'Horloger de Saint-Paul, 1973), 515

Remando al viento (1987), 561

657

661

viento, El (The Wind, 1928), 144, 207

vientre de un arquitecto, El (The Belly of an Architect, 1987), 557

Vietnam (1955), 469

Vinden och floden [El viento y el río] (1951), 450

Violin Maker of Cremona, The (1909), 95

Vírgenes modernas (Our Dancing Daughters, 1928), 243

Viridiana (1961), 453, 458, 491

visitantes, Los (The Visitors, 1972), 386

Visiteurs du soir, Les (1942), 314-315

viuda alegre, La (The Merry Widow, 1925), 216-217

¡Viva la libertad! (A nous la liberté!, 1931), 255

¡Viva Zapata! (Viva Zapata, 1952), 344

Vivamente el domingo (Vivement le dimanche, 1983), 514

Vivan los novios (1970), 463

Vive como quieras (You Can't Take It With You, 1938), 239

vividores, Los (Mr. Cabbe and Mrs. Miller, 1972), 390

¡Vivir! (Houzhe, 1994), 567

Vivir en paz (Vivere in pace, 1946), 327

Vivre sa vie (1962), 416

Vladimir et Rosa (1970), 418, 484

voce della luna, La (1990), 554

Voces de muerte (Sorry, Wrong Number, 1947), 342

Voces distantes (Distant Voices, Still Lives, 1988), 557

Volver (1982), 534

Volver a empezar (1984), 528

Voyager (Voyager, 1991), 558

voyager sans bagages, Le (1944), 316

Vuelan mis canciones (Leise flehen meine Lieder, 1933), 233

Vynales skazy [Una invención diabólica] (1958), 433

Walkover (1965), 432

Wall Street (Wall Street, 1987), 547

Waterloo (Waterloo, 1969), 493

Way Ahead, The (1944), 307

We Are the Lambeth Boys (1958), 436

Week-End (1930), 225

Week-End (Week-End, 1968), 416-417, 484

What? (1972), 432

What's Happening! The Beatles in the U.S.A., 472

When Pippa Passes (1909), 98

Why We Fight (1942-1945), 302

Wilhelm Reich-Los misterios del organismo (WR-Misterije organizma, 1971), 434, 495

Winifred Wagner (1975), 523

Women in Revolt (1971), 398

World of Plenty (1943), 306

Wszystko na sprzedaz [Todo está en venta] (1968), 430-431, 494

Y Dios creó la mujer (Et Dieu créa la femme, 1956), 412-413

Y el mundo marcha (The Crowd, 1928), 203, 246

Y la nave va (E la nave va, 1983), 516

Y la vida sigue (Zendegui edame darad, 1992), 568

Y tu mamá también (2001), 575

Yanky no! (1960), 472

ÍNDICE

EPÍLOGO EN EL CENTENARIO DEL CINE

Impreso en Talleres Gráficos
LIBERDÚPLEX, S. L. U.,
ctra. BV 2249, km 7,4 - Polígono Torrentfondo
08791 Sant Llorenç d'Hortons